U0215282

国家出版基金项目
NATIONAL PUBLICATION FOUNDATION

"十二五"国家重点图书出版规划项目
林业应对气候变化与低碳经济系列丛书

总主编：宋维明

低碳经济与林产品贸易

◎ 宋维明　缪东玲　程宝栋　著

中国林业出版社

图书在版编目（CIP）数据

低碳经济与林产品贸易／宋维明，缪东玲，程宝栋著．－北京：中国林业出版社，
2015.5
林业应对气候变化与低碳经济系列丛书／宋维明总主编
"十二五"国家重点图书出版规划项目
ISBN 978-7-5038-7931-9

Ⅰ.①低… Ⅱ.①宋…②缪…③程… Ⅲ.①气候变化－影响－林产品－国际贸易－
研究－中国 Ⅳ.① F752.652.4

中国版本图书馆 CIP 数据核字（2015）第 060663 号

出 版 人：金　旻
丛书策划：徐小英　何　鹏　沈登峰
责任编辑：李　伟
美术编辑：赵　芳

出版发行　　中国林业出版社（100009　北京西城区刘海胡同 7 号）
　　　　　　http://lycb.forestry.gov.cn
　　　　　　E-mail:forestbook@163.com　电话：(010)83143515、83143543
设计制作　　北京天放自动化技术开发公司
印刷装订　　北京中科印刷有限公司
版　　次　　2015 年 5 月第 1 版
印　　次　　2015 年 5 月第 1 次
开　　本　　787mm×1092mm　　1/16
字　　数　　480 千字
印　　张　　21.5
定　　价　　67.00 元

林业应对气候变化与低碳经济系列丛书

编审委员会

出版说明

郑明

　　气候变化是全球面临的重大危机和严峻挑战，事关人类生存和经济社会全面协调可持续发展，已成为世界各国共同关注的热点和焦点。党的十八大以来，习近平总书记发表了一系列重要讲话强调，要以高度负责态度应对气候变化，加快经济发展方式转变和经济结构调整，抓紧研发和推广低碳技术，深入开展节能减排全民行动，努力实现"十一五"节能减排目标，践行国家承诺。要正确处理好经济发展同生态环境保护的关系，牢固树立保护生态环境就是保护生产力、改善生态环境就是发展生产力的理念，更加自觉地推动绿色发展、循环发展、低碳发展，决不以牺牲环境为代价去换取一时的经济增长。这为进一步做好新形势下林业应对气候变化工作指明了方向。

　　林业是减缓和适应气候变化的有效途径和重要手段，在应对气候变化中的特殊地位得到了国际社会的充分肯定。以坎昆气候大会通过的关于"减少毁林和森林退化以及加强造林和森林管理"（REDD+）和"土地利用、土地利用变化和林业"（LULUCF）两个林业议题决定为契机，紧紧围绕《中华人民共和国国民经济和社会发展第十二个五年规划纲要》和《"十二五"控制温室气体排放工作方案》赋予林业的重大使命，采取更加积极有效措施，加强林业应对气候变化工作，对于建设现代林业、推动低碳发展、缓解减排压力、促进绿色增长、拓展发展空间具有重要意义。按照党中央、国务院决策部署，国家林业局扎实有力推进林业应对气候变化工作并取得新的进展，为实现林业"双增"目标、增加林业碳汇、服务国家气候变化内政外交工作大局做出了积极贡献。

　　本系列丛书由中国林业出版社组织编写，北京林业大学校长宋维明教授担任总主编，北京林业大学、福建农林大学、福建师范大学的二十多位学者参与著述；国家林业局副局长刘东生研究员撰写总序；著名林学家、中国工程院院士沈国舫，北京大学中国持续发展研究中心主任叶文虎教授给予了指导。写作团队根据近年来对气候变化以及低碳经济的前瞻性研究，围绕林业与气候变化、森林碳汇与气候变化、低碳经济与生态文明、低碳经济与林木生物质能源发展、低碳经济与林产工业发展等专题展开科学研究，系统介绍了低碳经济的理论与实践和林业及其相关产业在低碳经济中的作用等内容，阐释了我国林业应对气候变化的中长期战略，是各级决策者、研究人员以及管理工作者重要的学习和参考读物。

2014 年 7 月 16 日

总　序

刘军生

　　随着中国——世界第二大经济体崛起于东方大地，资源约束趋紧、环境污染严重、生态系统退化等问题已成为困扰中国可持续发展的瓶颈，人们的环境焦虑、生态期盼随着经济指数的攀升而日益凸显，清新空气、洁净水源、宜居环境已成为幸福生活的必备元素。为了顺应中国经济转型发展的大趋势，满足人民过上更美好生活的心愿，党的十八大报告首次单篇论述生态文明，首次把"美丽中国"作为未来生态文明建设的宏伟目标，把生态文明建设摆在总体布局的高度来论述。生态文明的提出表明我们党对中国特色社会主义总体布局认识的深化，把生态文明建设摆在五位一体的高度来论述，也彰显出中华民族对子孙、对世界负责任的精神。生态文明是实现中华民族永续发展的战略方向，低碳经济是生态文明的重要表现形式之一，贯穿于生态文明建设的全过程。生态文明建设依赖于生态化、低能耗化的低碳经济模式。低碳经济反映了环境气候变化顺应人类社会发展的必然要求，是生态文明的本质属性之一。低碳经济是为了降低和控制温室气体排放，构造低能耗、低污染为基础的经济发展体系，通过人类经济活动低碳化和能源消费生态化所实现的经济社会发展与生态环境保护双赢的经济形态。低碳经济不仅体现了生态文明自然系统观的实质，还蕴含着生态文明伦理观的责任伦理，并遵循生态文明可持续发展观的理念。发展低碳经济，对于解决和摆脱工业文明日益显现的生态危机和能源危机，推动人与自然、社会和谐发展具有重要作用，是推动人类由工业文明向生态文明变革的重要途径。

　　林业承担着发挥低碳效益和应对气候变化的重大任务，在发展低碳经济当中有其独特优势，具体表现在：第一，木材与钢铁、水泥、塑料是经济建设不可或缺的世界公认的四大传统原材料；第二，森林作为开发林业生物质能源的载体，是仅次于煤炭、石油、天然气的第四大战略性能源资源，而且具有可再生、可降解的特点；第三，发展造林绿化、湿地建设不仅能增加碳汇，也是维护国家生态安全的重要途径。因此，林业作为低碳经济的主要承担者，必须肩负起低碳经济发展的历史使命，使命光荣，任务艰巨，功在当代，利在千秋。

党的十八大报告将林业发展战略方向定位为"生态林业"，突出强调了林业在生态文明建设中的重要作用。进入 21 世纪以来，中国林业进入跨越式发展阶段，先后实施多项大型林业生态项目，林业建设成就举世瞩目。大规模的生态投资加速了中国从森林赤字走向森林盈余，着力改善了林区民生，充分调动了林农群众保护生态的积极性，为生态文明建设提供不竭的动力源泉。不仅如此，习近平总书记还进一步指出了林业在自然生态系中的重要地位，他指出：山水林田湖是一个生命共同体，人的命脉在田，田的命脉在水，水的命脉在山，山的命脉在土，土的命脉在树。中国林业所取得的业绩为改善生态环境、应对气候变化做出了重大贡献，也为推动低碳经济发展提供了有利条件。实践证明：林业是低碳经济不可或缺的重要部分，具有维护生态安全和应对气候变化的主体功能，发挥着工业减排不可比拟的独特作用。大力加强林业建设，合理利用森林资源，充分发挥森林固碳减排的综合作用，具有投资少、成本低、见效快的优势，是维护区域和全球生态安全的捷径。

本套丛书以林业与低碳经济的关系为主线，从两个层面展开：一是基于低碳经济理论与实践展开研究，主要分析低碳经济概况、低碳经济运行机制、世界低碳经济政策与实践以及碳关税的理论机制及对中国的影响等方面。二是研究低碳经济与生态环境、林业资源、气候变化等问题的相关关系，探讨两者之间的作用机制，研究内容包括低碳经济与生态文明、低碳经济与林产品贸易、低碳经济与森林旅游、低碳经济与林产工业、低碳经济与林木生物质能源、森林碳汇与气候变化等。丛书研究视角独特、研究内容丰富、论证科学准确，涵盖了林业在低碳经济发展中的前沿问题，在林业与低碳经济关系这个问题上展开了系统而深入的探讨，提出了许多新的观点。相信丛书对从事林业与低碳经济相关工作的学者、政府管理者和企业经营者等会有所启示。

2014 年 7 月 9 日

前　言

　　气候变化以及由此给人类生存与发展带来的影响，成为当今世界共同关注的热点问题。在此背景下，人们也开始真正认真地思考自身的发展方式问题。以资源节约和低碳排放为特征的低碳经济发展方式，正是基于这样的思考提出来的。

　　在解决碳排放和资源稀缺等各种矛盾过程中，林业起着不可替代的作用。森林是陆地最大的生态系统，也是最大的碳库，扮演了碳汇和碳源双重身份。以森林为经营管理对象的林业，显然是经济与社会发展向低碳化转型的重要力量。因此，林业政策也必然要被纳入气候政策和低碳政策的范畴。为减缓全球变暖，各国政府更加重视森林碳汇等多功能利用，通过各项政策措施推动了与林业相关的新的低碳产业的诞生和发展，如林业碳汇、林木生物质能源、非木质林产品、生态旅游和休闲等，促进了林业产业链的延长。同时，林业产业的成长为林产品贸易的发展奠定了坚实的基础。林产品贸易关系到利用森林木材资源进行生产和交换活动，涉及到森林资源的消耗，这种消耗与森林的碳吸存、碳替代功能利用之间存在着对立统一的关系。因此，要回答林业与低碳经济之间的关系，进而回答林产品贸易与低碳经济之间的关系，就需要在林产品贸易与林业产业发展，林业产业发展与林业发展，林业发展与低碳经济发展之间建立起一个科学的逻辑关系。只有揭示出这一逻辑关系，才可能为低碳经济转型提供相适应的包括林产品贸易发展模式在内的林业发展模式的支持。

　　在气候话题不断被引入国际经济和政治博弈的背景下，国际林业领域特别是林产品贸易领域与之相关的行动也在不断扩大和深化。例如打击木材非法采伐及其相关贸易、森林经营认证、产销监管链认证、合法性认证、碳认证和碳标签等涉林低碳行动逐步密集起来。这一方面表现出人们日益关注森林木材资源利用的合法性与可持续性要求，重视林业生产和贸易的低碳化发展目标等；另一方面也反映了在认识和利用林业及林产品贸易与低碳经济内在关系上，人们的背景是十分复杂的，包括国际经济和政治激烈的博弈斗争背景。因此，在理论上为人们正确认识这些问题提供科学的指导是十分必要的。

　　那么，低碳经济与林产品贸易的关系到底如何？低碳经济对林产品贸易有什么影响，如何影响？林产品贸易能否有助于实现低碳经济目标？如何协调森林多功能竞争性使用问题？在什么条件下，通过什么途径，林产品贸易与低碳经济能够双赢，共同服务于人类福祉？中国作为发展中的大国，同时也是林产品生产、消费和贸易大国，如何更好地处理低碳经济与林产品贸易发展过程中存在的问题？这些问题是本书探讨的基本问题。

　　本书在概述低碳经济的内涵、目标、动因和发展态势，归纳低碳经济对贸易规则、格局、内容和各类关系的一般性影响基础上，针对林产品贸易的特殊问题，探讨低碳经济与林产品贸易之间内在的联系。在此基础上，将起源于气候问题争论，在林业领域特别林产品贸易领域展开的，涉及低碳发展的主要行动及措施等，作为分析对象，着重描述这些行动的内涵，分析其实质，并努力结合我国林业和林产品贸易的实际，探讨我国低碳经济与林产品贸易协调发展的途径，从林产品贸易视角找出有效的林业应对全球气候变化之策。

　　尽管参与本书策划、编写和审稿的各位学者和研究人员，为成书付出了大量的心血和辛勤的劳动，但是鉴于低碳经济与林产品贸易是一个挑战性极大的，也是一个全新的课题，涉及国际国内以及政治、经济和社会复杂的深层次问题，显然，就研究的基础和占有的资源看，我们驾驭这个课题的能力还十分有限，加之编写时间紧等原因，使得本书难免存在瑕疵和错漏之处，恳请各位读者批评指正。

　　在本书的编写过程中，我们参阅和引用了许多学者和组织的观点、数据等，在这里也表示衷心的感谢！

宋维明

2013 年 5 月

目　　录

第2篇 挑 战 篇

第3篇 转 型 篇

第1篇
基础篇

第1章   导   论

1.1   问题的提出与本书的目的

1.1.1   问题的提出

低碳经济与林产品贸易因为森林问题而天然地联系在一起。在低碳经济如火如荼的背景下，森林的角色特殊，林业被寄予厚望。为减缓全球变暖，各国政府更加重视森林碳汇等多功能利用，通过各项政策措施推动了与林业相关的低碳新产业诞生和发展，如林业碳汇、林木生物质能源、非木质林产品、生态旅游和休闲等，促进了林业产业链的延长。同时，木材合法性进程，森林经营认证、产销监管链认证和碳认证、碳标签等涉林低碳行动越来越密集。林产品贸易以森林的木材资源利用为基础，由此引发人们的思考：低碳经济与林产品贸易的关系如何？低碳经济对林产品贸易有什么影响，如何影响？林产品贸易能否有助于实现低碳经济目标？如何协调森林多功能竞争性使用问题？在什么条件下，通过什么途径，林产品贸易与低碳经济能够双赢，共同服务于人类福祉？这是本书需要探讨的基本问题。

1.1.2   本书的目的

本书在概述低碳经济的动因、内涵、目标和发展态势，归纳低碳经济对贸易规则、格局、内容、关系的一般性影响，分析林产品贸易现状的基础上，侧重系统分析各种涉林低碳行动及其对林产品贸易的主要影响，以期探索低碳经济与林产品贸易协调发展的途径，从林产品贸易视角找出有效的林业应对气候变化之策。

1.2   低碳经济概述

1.2.1   低碳经济转型的驱动力量

1.2.1.1   驱动力量之一：气候变化

🔑 提示

气候变化（Climate change）：一般是指气候平均状态统计学意义上的巨大改变或者持续较长时间的气候变动。联合国政府间气候变化专门委员会（IPCC）认为，气候变化是指气候随着时间发生的任何变化，不管是因为自然变化引起的，还是人类活动引起的(IPCC，2007a，2007b)。《联合国气候变化框架公约》(UNFCCC)指出，"气候变化"指除在类似时期内所观测的气候的自然变异之外，由于直接或间接的人类活动改变了地球大气的组成而造成的气候变化(UNFCCC，2010)。

气候变化问题：本质是二氧化碳(CO_2)排放空间资源的争夺。首先，气候变化是一个环境问题，这是基本认识。气候变化问题源于气候资源的无效配置，碳排放量剧增，环境承受能力备受挑战。所以，碳减排是基本途径。其次，气候变化是一个经济问题，这是核心认识。碳排放主要来源于人类的生产、生活，特别是对经济发展的追求。因此，全球气候谈判进展艰难。第三，气候变化是一个政治问题，这是国家认识。应对气候变化的国际合作，存在多个国家的政治博弈，以中国为首的发展中国家集团坚持"共同但有区别的责任"，强调发达国家的历史责任；以美国为首的伞形国家集团坚持优先原则，强调所有国家的共同参与，进行市场化的排放权交易(李顺龙，2005)。

(1)气候变化还存在许多科学研究争议。IPCC作为权威性较高的机构，其报告的评估范围和分析程度不断深入(表1-1)(庄贵阳、陈迎，2005)。2007年IPCC第4次评估报告(IPCC，2007a)声称，人类燃烧化石燃料是造成气候变化的主要原因，该结论可信度超过90%，广泛、有害气候变化预测背后的基本科学基础无可辩驳(表1-2)。

表 1-1 IPCC 评估过程的发展

IPCC 评估报告	完成时间	已纳入评估报告的焦点	新纳入的焦点	新出现的焦点
第 1 次	1990	气候＋影响		效率
第 2 次	1995	气候＋影响	效率	公平
第 3 次	2001	气候＋影响＋效率	公平	可持续性＋发展
第 4 次	2007	气候＋影响＋效率＋公平	可持续性＋发展	

资料来源：庄贵阳，陈迎.国际气候制度与中国[M].北京：世界知识出版社，2005：50.

表 1-2 IPCC 第 4 次报告关于气候变化的研究内容与结论

研究内容	研究结果
气候系统是否变暖	肯定，变暖
全球温室气体排放	自工业时期 CO_2 浓度增加
气候变化的自然、人为因素	人类活动产生温室气体排放影响气候变化，但由于科技水平限制等条件，存在不确定性
气候变化产生的影响	正面和负面影响并存，但负面影响大：海平面升高、冰川退缩、冻土融化、河冰迟冻与早融、中高纬生长季节延长等
气候大气变化趋势	未来 20 年，全球气温每 10 年增加 0.2℃

资料来源：IPCC 第 4 次评估报告，经过作者总结。

气候变化的影响已为广泛的实践所证明。不过，在当前科学观测能力和认知水平有限的情况下，人类还难以洞悉气候变化的全部奥秘。

（2）气候变化问题已成国家安全的重要内容。安全，在冷战时期主要指军事因素，在后冷战时期主要指经济因素。如今安全的含义已扩展到气候变化领域，传统安全与非传统安全相互作用、相互影响。

1977年，美国的莱斯特·布朗（Lester Brown）在《重塑国家安全》报告中，直接把气候变化和国家安全相联系，强调现在对安全的威胁或许更少地来自于国家与国家间的关系，而更多地来自于人与自然之间的关系；面对气候变化威胁，裁军与预算再分配是重要对策。美国艾尔·戈尔在《我们的全球性盲点：地球的命运是第一位的国家安全问题》一文中，提出气候变化是未来全球政治实践的出发点，呼吁美国树立长期目标，将环境尤其是气候变化问题当做涉及重要国家安全的议题加以处理，并通过寻求国际合作而革命性地改变全球政治，在政治领域推动了人们认识气候变化对国家安全的重要影响。

（3）气候变化问题已进入国际政治和外交视野。气候变化具有全球性、共同性、不可分割性及市场外部性特征。无论哪一种视角都是从个体研究、群体判断开始最终趋向一种全球层面的宏观思考，这既源于气候变化问题从产生之初就带有鲜明的全球色彩，更源于应对气候变化必须走国际合作、集体安全的全球治理道路，任何单一力量都无法抵抗全球变暖的威胁。

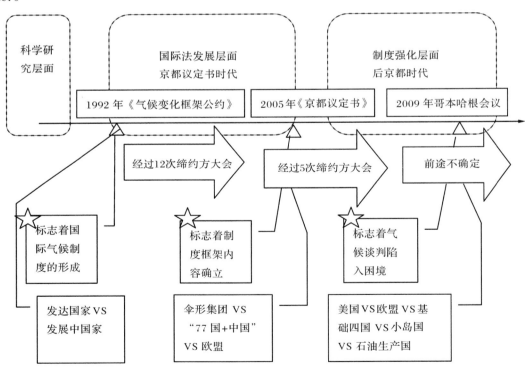

图1-1   国际气候制度形成发展简图

资料来源：作者归纳整理。

1985 年 10 月，世界气候研究计划（WCRP）组织召开了旨在评估温室气体（GHG）在气候变化中作用的维拉赫会议，重申了温室效应导致全球变暖这一科学共识，并呼吁各国政府以更积极的政治行动应对气候变化，必要的话，应着手考虑全球性公约问题，气候变化问题政治化进程开始。1987 年世界环境与发展委员会发表调查报告《我们共同的未来》，首次在官方意义上使用了"环境安全"一词，首次提出"可持续发展"概念，既为当时复杂纠葛的南北关系拓宽了一条对话渠道，也使气候变化问题直接列入了国家的政治和外交议程。1988 年 6 月，加拿大政府在多伦多主持召开了堪称第一次由各国决策者及科学家共同参加、具有里程碑意义的国际会议，会议主题是"变化中的大气：全球安全的含义"。会议将气候变化问题的重要性提升至事关全球安全的突出位置。1988 年 9 月，联合国首次将气候变化问题列为大会议题之一，并通过了成立 IPCC 的决议，气候变化问题正式进入国际政治领域。1989 年 7 国集团峰会集中讨论了包括气候变化在内的环境问题，开启了一个集团的各国首脑首次将环境问题作为核心议题加以讨论的局面。

气候变化问题从科学问题到经济问题，再到政治问题的这种演变，从 IPCC 3 个工作组的设置也可见一斑。IPCC 第 1 工作组主要研究气候变化相关的科学事实，第 2 工作组主要研究气候变化对社会经济的影响，第 3 工作组涉及应对措施。这使各成员国应对气候变化问题的机构设置也出现了从科技型事业部门到宏观经济和社会调控部门的转变。

（4）复杂的国际气候制度已经形成。国际气候制度的形成与发展是由分散到统一，由对立分歧到形成统一偏向，最后回归到利益集团分化但减排行动一致的过程（图 1-1）。

在国际气候制度中，适应和减排是目标；资金和技术转让是手段、关键，是国际合作的重点。国际社会设定了全球气温升幅 2℃ 的上限，这需要采取各种措施投入大量资金（表 1-3）。据估计，2008～2012 年适应和减排资金约为 100 亿美元。

而 2030 年适应所需资金为 300 亿～900 亿美元，中间值为 750 亿美元；减排所需资金为 1400 亿～6750 亿美元，中间值为 4000 亿美元。资金缺口巨大（世界银行，2010）。值得注意的是，当碳价处于高位时，农林合并减排潜力将超过任何其他单一经济领域（世界银行，2010）。

表 1-3　全球气温升幅控制在 2℃ 以内所需的减排投资

综合评价模型	2030 年的减排投资（10 亿美元）		截至 2100 年的减排投资总额的净现值（占 GDP 的百分比）	
	全球	发展中国家	全球	发展中国家
仅包含能源领域				
MESSAGE	310	137	0.3	0.5
IEA ETP	900	600		
REMIND	375		0.4	
MiniCAM	257	168	0.7	1.2
包含所有领域				
PAGE			0.4	0.9
FAIR"低设置"			0.6	

(续)

综合评价模型	2030 年的减排投资(10 亿美元)		截至 2100 年的减排投资总额的 净现值(占 GDP 的百分比)	
	全球	发展中国家	全球	发展中国家
DICE			0.7	
McKinsey	1215	675		
平均值	611	395	0.5	0.9
中间值	375	384	0.5	0.9

注:MESSAGE、REMIND、MiniCAM、PAGE、FAIR、DICE 都为经过同行评审的模型。IEA ETP 是国际能源署(International Energy Agency)开发的模型,McKinsey 是麦肯锡全球研究所开发的专有方法。估计值是假定温室气体稳定在 450 ppmCO$_2$ 当量的情况下得出,在此情况下,到 2100 年全球气温升幅保持在 2°C 以内的机会有 40% ~50% (Schaeffer 等,2008;Hare 和 Meinshausen,2006)。MiniCAM 包括运营和投资支出;其他所有模型都只包括投资支出。FAIR 模型呈现的减排费用在低设置情况下得出。发展中国家的界定采用世界银行 2009 年的分类标准。

资料来源:MESSAGE:IIASA,2009;IEA ETP:IEA,2008;REMIND:Knopf 等,2010;MiniCAM:Edmonds 等,2008;PAGE:Hope,2009;FAIR:Hof、den Elzen 和 van Vuuren,2008;DICE:Nordhaus,2008;McKinsey:麦肯锡全球研究所(McKinsey Global Institute),2009。转引自:世界银行.2010 世界发展报告:发展与气候变化.华盛顿:国际复兴开发银行/世界银行,2010.

(5)气候变化成为世界格局演变的驱动力之一(王礼茂等,2012)。

①在气候变化的驱动下,地缘政治博弈的主体分化、重组,争夺目标和手段趋于多元化(图 1-2),碳排放空间、新能源技术等成为争夺重点。

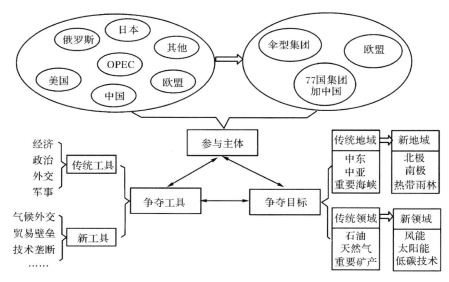

图 1-2   气候变化驱动下的地缘政治格局图

资料来源:王礼茂,李红强,顾梦琛.气候变化对地缘政治格局的影响路径与效应[J].地理学报,2012(6):853~863.

②气候变化的影响路径。气候变化主要通过回溯作用、反馈作用和波及作用3条主要路径对地缘政治格局的演变产生作用，借助溯源效应、抑制效应和扩散效应3种方式对地缘政治格局发挥影响力（图1-3～图1-5）。

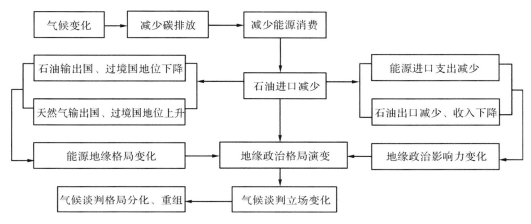

图1-3 气候变化的"反馈作用"及其影响路径

资料来源：王礼茂，李红强，顾梦琛. 气候变化对地缘政治格局的影响路径与效应[J]. 地理学报，2012（6）：853～863.

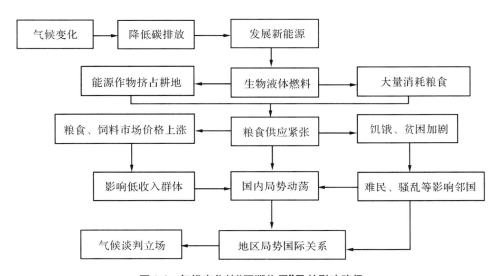

图1-4 气候变化的"回溯作用"及其影响路径

资料来源：王礼茂，李红强，顾梦琛. 气候变化对地缘政治格局的影响路径与效应[J]. 地理学报，2012（6）：853～863.

③治理模式的路径变迁：从单一管制到多元并举。气候变化的外部性、公共性决定政府在应对气候变化的舞台上扮演着主导角色，其治理模式的路径变迁与其他环境治理模式基本一致：最初，命令—控制式管理手段为唯一工具；之后，纷纷引入环境税费、财政支付、环境标志等经济刺激手段；最后，采用综合治理模式，手段更为多元，机制更为灵活，一方面进一步使用更集中、综合的措施来提升质量、简化程序、降低成本，另一方面寻求更好的政

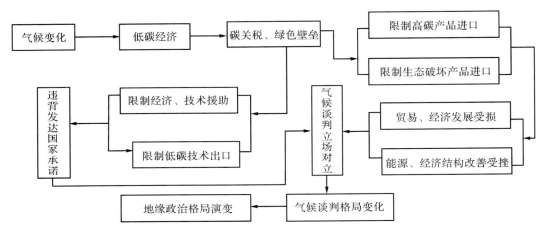

图 1-5 气候变化的"波及作用"及其影响路径

资料来源：王礼茂，李红强，顾梦琛. 气候变化对地缘政治格局的影响路径与效应[J]. 地理学报，2012(6)：853~863.

策工具，将命令——控制型、经济刺激型、自愿合作型措施有机结合起来。

（6）气候悖论。在科学认识、经济利益、政治意愿推动下，气候变化已从环境问题演变成一个涉及全球环境、国际政治、世界经济、国际贸易的复杂议题，牢牢占据国际事务的焦点位置，成为当今世界格局演变最活跃的驱动因子之一。气候变化的自然科学"高可信度"、政治化、道德化高压，使任何一个国家政府都不敢正面挑战"人类行为导致气候变化而且是变暖"的定论。

在国家层面上，以往，应对气候变化被纳入国家的可持续发展战略框架。如今，欧美已将气候变化作为国家经济战略与国家安全的重要内容加以重视与应对。树立负责任的国家形象被视为首要的激励性选择。但是，气候变化的外部性、公共性特征决定了，对任何国家而言，解决气候变化问题均面临在现实利益与长远利益、国家利益与全球利益矛盾中的多重选择，甚至两难选择。

在国际层面上，围绕着碳减排、抑制全球变暖问题，国际社会展开了积极的互动与合作，但又不可避免地充斥着复杂的"气候博弈"。气候变化作为一项全球议题，既能为参与治理者带来生态和经济上的绝对收益，也存在相对收益的分配难题。

1.2.1.2 驱动力量之二：能源危机

（1）人类发展离不开优质能源的保证和先进能源技术的支持。能源的定义约有 20 种。按其形态、特性或转换和利用层次进行分类，能源的基本形式包括 11 种：化石能源（煤炭、石油、天然气）、水能、核能、电能、太阳能、生物质能、风能、海洋能、地热能、氢能、受控核聚。能源是人类社会存在和发展的基石，是经济发展与文明进步的基本制约条件，是国民经济、国家安全和实现可持续发展的重要基础。科学技术的进步为人类选择理想能源创造了条件并能使能源构成不断趋于合理。

（2）能源短缺问题已成为困扰全球的共同话题。世界能源消费增长强劲态势与现有资源有限性之间的矛盾升级，不断加剧对一国或地区经济增长模式与能源价格形成机制的影响程度。能源短缺已成为困扰全球的共同话题,渗透到政治、经济、文化每一个角落,使得诸如能源安全、能源贸易以及替代能源等成为全球战略问题(陈凤英,2006)。

(3)世界能源结构多元化、低碳化直至无碳化面临挑战。GHK 公司和 SHELL(壳牌)公司对世界能源发展的预测显示,能源发展和转换基本沿着从高碳到低碳、低效到高效、不清洁到清洁、不可持续向可持续转变的轨迹发展。在能源发展和转换过程中,人类经历了一个从无意识到有意识、不自觉到自觉、被动到主动的历史发展过程。各国已掀起了一场发展清洁能源、创新产业科技的绿色革命。许多国家制定了能源战略。其中,发达国家注重通过提高国内能源效率、发展国外能源市场来实现能源安全;发展中国家在未来的几十年间,仍将主要依赖化石能源及薪柴、作物秸秆等非商业燃料,很注重通过引进资金、提高技术来提高能率,开发替代能源,在发展中寻求环境问题的解决。

化石能源将在 21 世纪上半叶迅速接近枯竭。可再生能源在全球初级能源总供给量中的占比不足 15%(表 1-4),在今后 50 年内能否全面取代化石能源还是一个未知数。这更决定了克服能源短缺的急迫性。

表 1-4 初级能源(一次能源)总供应量所占份额(%)

年份	石油	煤/泥炭	天然气	核能	可燃的可再生能源和废弃物	水电	地热/太阳能/风能
2003 年	34.4	24.4	21.2	6.5	10.6	2.2	0.5
2008 年	33.1	27.0	21.1	5.8	10.0	2.2	0.7

2003 年数据:按国际能源署(IEA)公约(物理能源含量方法)的规定计算,包括国际航运,但不包括电力/热力交易。数字包括商业性和非商业性能源两部分。资料来源:国际能源署能源统计数(www.iea.org/textbase/stats/)。

2008 年数据:不包括电力交易。木材燃料占可燃的可再生能源和废弃物的 90%(联合国粮农组织估算),不包括份额低于0.1% 的初级能源,份额合计可能达不到 100%。2008 年数据来源:国际能源署(IEA,2010 年)。

(4)能源利益冲突与国际调和反复上演。能源的环境效应成为困扰当今人类的共同问题。在争夺能源和承担环境责任的空间里,能源冲突与国际调和反复上演,各国在能源利益博弈中力图实现更有利于本国发展的均衡。

1.2.1.3 驱动力量之三:国际竞争

(1)一方面进入 21 世纪以来,世界多极化、均衡化势头不减。发达国家通过产业转移、资本控制、国际规则制定、对国际组织操控等方式影响全球经济形势。与此同时,中国、印度、俄罗斯、巴西等新兴经济体凭借廉价商品、丰富资本、充足劳动力、巨大潜在市场,群体性崛起,成为主力军和重要引擎,改变世界经济发展态势,推动国际经济关系调整,促进国际力量格局演进。特别是"中国元素"凸显,引领新兴大国由边缘向中心靠拢,推动全球多极化进程。另一方面,多边贸易体制的多哈回合谈判陷入僵局,全球贸易保护主义抬头,国际货币体系改革举步维艰,欧美再工业化趋势加剧贸易摩擦,使世界经济增长的不确定性增加。

(2)从历史逻辑看,低碳经济是在国际竞争日趋激烈的背景下,"碳政治"的演进和合法化。"碳政治"发端于一套环保理念及由此形成的环境政治,与 20 世纪 60 年代起源于欧洲的全球青年造反运动密切相关。这场运动引发了女权主义运动、反核运动、反全球化运动、环保运动等。其中，环保运动进入欧洲政治的主流。欧洲为了推行其"世界主义"，将环境问题政治化、全球化，在环境问题上建构出属于全人类共同关心的"公共"问题，并选择"气候问题"作为全球环境政治的话题：首先建构出全球气候变暖与人类毁灭之间的科学联系，然后建构出人类活动与气候变暖之间的科学关系。而人类活动与人类毁灭的中介环节就是碳排放导致"温室效应"，因此，控制碳排放就成为"碳政治"的核心内容。不过，这套话语要由一种理念变成稳定、可持续的政治或经济收益，就必须上升到法律层面，因此，欧洲进一步推动其进入国际空间，最终促成一系列国际气候法律文件的签署。

目前，国际气候变化和低碳经济谈判的焦点：一是设定减排时间表，量化减排目标；二是分解减排义务，明确国别减排责任；三是规定减排措施及途径，落实减排目标。这三个主题，从形式上看是围绕减排展开国家博弈，实质上，是新技术革命背景下对全球政治和经济利益的再分配，是为维护国家经济及政治利益而展开的复杂利益纷争。值得注意的是，发达国家一直掌握着气候谈判和低碳经济的国际话语权。

（3）低碳经济是发达国家的国际竞争利器之一。低碳经济是一次产业、能源与消费结构的全面变革，继而引发经济发展模式的转型。一方面，低碳技术革命背后隐含着巨大的政治经济利益；另一方面，"碳"具有引发金融扩张甚至金融革命的潜力。目前，这种潜力的最大获利者，是处于制定交易规则强势地位的发达国家，属于那些能够娴熟掌握交易工具的发达国家的商家。因此，从某种意义上说，低碳经济是发达国家在其世界主导地位遭受挑战后，继续主导世界、约束他国的新方式，是其国际竞争的利器之一。

1.2.2 低碳经济的内涵、目标和转型途径

1.2.2.1 低碳经济的内涵

（1）"低碳经济（low carbon economy）"并没有统一的定义。

2003年，英国在《我们能源的未来：创建低碳经济》白皮书（DTI2003）中，宣布英国到2050年碳减排60%，从根本上变成一个低碳国家，并在世界上首次提及"低碳经济"，即通过提高资源的生产率，以更少的自然资源消耗和环境污染获得更多的产出，从而创造高水平、高质量的生活。该定义侧重生产低消耗和低排放，考虑经济产出。

目前被广泛引用的低碳经济定义是英国环境专家鲁宾斯德的阐述，即低碳经济是一种正在兴起的经济模式，其核心是在市场机制基础上，通过制度框架和整个措施的制定和创新，推动提高能效技术、节约能源技术、可再生能源技术和温室气体减排技术的开发和运用，促进整个经济朝高能效、低能耗和低碳排放的模式转型[①]。

2009年，中国环境与发展国际合作委员会将"低碳经济"定义为：一个新的经济、技术和社会体系，与传统及国际体系相比，在生产和消费中能够节省能源，减少温室气体排放，同时还能保持经济和社会发展的势头。该定义强调由传统体系转型为一个新的经济、技术和社会体系，不仅考虑生产领域低碳化，还考虑消费领域低碳化，不仅考虑经济目标，还兼顾社

---

① 联合国环境规划署（UNEP）. 全球环境展望年鉴, 2008.

会目标。

总之，低碳经济的内涵是不断拓展的。在全球化视野中，低碳经济是指在可持续发展理念指导下，从生产、流通、消费到废物回收等一系列社会活动低碳化，以低能耗、低污染、低排放为基础，核心是人类生存发展观念的根本性转变，基本途径是能源技术和减排技术创新、产业转型、制度创新等。

(2)低碳经济的经济学特征。

低碳：较低的温室气体(GHG，主要是 CO_2)排放。"经济"没有统一的定义。英国罗宾斯认为，经济学(economics)是研究用具有各种用途的稀缺资源来满足人们目的的人类行为科学。该定义隐含两大经济学核心思想：资源是稀缺的，必须有效配置和利用，被普遍接受。根据是否具有稀缺性，物品分为自由物品、经济物品和有害物品三类。

人类经济活动方式变迁，对环境产生不同影响(叶文虎，2001)。碳排放空间等气候资源，曾经是一种自由物品，但随着人类经济活动的加剧，变得越来越有限了，成为一种公共资源，具有竞争性，但没有排他性。低碳经济需要解决的首要问题就是气候资源的稀缺性，防止"公地悲剧"。

🔑 **提 示**

低碳经济应该按照经济原则和机制来发展，着眼于解决气候资源稀缺性问题，服务于人们的福利水平提高。低碳经济也存在科学性"软肋"：实证检验往往不确定；需要发表规范性意见，难以完全摆脱利益和立场因素影响。

1.2.2.2 低碳经济的目标

随着低碳经济内涵的不断丰富，低碳经济最初侧重技术目标，进而侧重经济目标，最终顺应可持续发展治理潮流，并显然基于可持续人类福祉目标。

(1)侧重技术目标：稳定大气中温室气体浓度，设定 2℃ 基准，防止剧烈的气候改变对人类造成伤害。

UNFCCC 第 2 条规定了公约的最终目标：将大气中温室气体的浓度稳定在防止气候系统受到危险的人为干扰的水平上。

《联合国气候变化框架公约的京都议定书》(简称《京都议定书》，简记为 KP)明确针对 6 种温室气体进行削减，以 1990 年为基准，2008～2012 年平均减排 5.2%。具体分配：欧盟及东欧国家减排 8%、美国减排 7%、日本、加拿大、匈牙利、波兰等国减排 6%。"附件 1 缔约方"(发达国家或发达经济体)从 2005 年开始承担碳减排义务，非"附件 1 缔约方"(发展中国家)并不承担强制性减排义务(国家发改委，2009)。目前的评估显示，如果能彻底执行 KP，2050 年之前可以把气温的升幅减少 0.02～0.28℃。许多人因此质疑《京都议定书》的价值，认为其标准太低，不足以应对未来的严重危机；而支持者则指出《京都议定书》只是第一步，还需继续修改完善该议定书，直至达到 UNFCCC 4.2(d)的要求(张锐，2012)。

据 2007 年 IPCC 第 4 次评估报告，国际社会需用 30～50 年，将大气中温室气体浓度稳定在 450～550ppm(CO_2 当量，简记为 CO_2 – eq)之间，设定全球升温上限为 2℃(2℃ 的基准)。这意味着，到 2020 年，发达国家至少要在 1990 年的基础上减排 25%～40% 的温室气体；拉美、中东、东亚及中亚等发展中国家须偏离"正常商业情景"（deviations from BAU）式的排放轨道。到 2050 年，全球须至少减排 50% 的温室气体。

　　根据 2009 年《哥本哈根协议》，"附件 1 国家"向 UNFCCC 委员会提交了 2020 年减排目标（表 1-5）；23 个非"附件 1 国家"国家也提交了意向书（表 1-6 第 2 栏），多数采取偏离"正常商业情景"或碳密度目标的减排方式。由于缺乏官方对碳排放和碳密集的评估，很难评测发展中国家的宣言。彭博新用国内的数字化指标来评估发展中国家的宣言（表 1-6 第 3、4 栏），认为发展中国家宣称减排 22% 的目标，足够满足大幅抑制温室气体排放增长以符合 2°C 的基准。

　　出于自愿，一些城市也提出了明确的减排目标（表 1-7）。

表 1-5　KP 附件 1 缔约方根据 2009 年《哥本哈根协议》提交的 2020 年减排目标

国家	目标	相对于 1990 年减排 （%）	相对于 2005 年减排 （%）
澳大利亚	在 2000 年排放水平上：无条件降低 5%；若全球减排协议达成，但不能保证全球升温小于 2°C（GHG 排放不能保持 450 ppm CO_2 – eq 或者更低），则减排 15%；若全球减排协议达成，且能保证全球升温小于 2°C（GHG 排放保持 450 ppm CO_2 – eq 或者更低），则减排 25%	−3	−10
白俄罗斯	在 1990 年水平基础上降低 5% ~10%，条件是在参与相关灵活机制、强化技术转让、能力建设、经验交流等方面考虑白俄罗斯市场经济转型中的承受力，明晰新的 LULUCF 规则和形式	−5	+59
加拿大	在 2005 年基础上降低 17%，与美国法律保持一致	−2	−17
克罗地亚	在 1990 年水平基础上降低 5%（临时目标）；如果加入欧盟，将与欧盟目标一致	−5	−5
欧盟	在 1990 年基础上无条件降低 20%；在其他发达国家设定对等的指标，且发展中国家承诺作出足够努力的情况下，承诺降低 30%	−20	−14
冰岛	在 1990 年基础上降低 30%，条件：其他发达国家设定对等的指标，且发展中国家承诺作出足够努力，和欧盟共同努力，作为 2012 年后协议的一部分	−30	
日本	在 1990 年的基础上降低 25%，前提是形成公平有效的国际框架，所有主要经济体都必须提出更加积极的目标	−25	−30
哈萨克斯坦	1992 年基础上降低 15%	−26	+6
摩纳哥	1992 年基础上降低 30%	−30	
列支敦士登	在 1990 年排放水平上降低 20%；如果其他发达国家设定对等的指标、发展中国家承诺做出足够努力的情况下，承诺降低 30%	−20	−32

（续）

国家	目标	相对于 1990 减排（%）	相对于 2005 减排（%）
新西兰	在 1990 年基础上降低 10%；如果能够形成全球一致的协议，保证气温升高在 2℃以下、其他发达国家设定对等的指标、主要发展中国家承诺做出足够努力、为土地利用、土地利用变更和林业设立有效规则、建立广泛有效的国际碳市场，则降低 20%	-10	-28
挪威	在 1990 年水平基础上无条件降低 30%；若主要排放国同意保证气温升高在 2℃以下的减排目标，并作为 2012 年后全球综合协议的一部分，则承诺降低 40%	-30	-31
俄罗斯	在 1990 年基础上降低 15%～25%，条件：在减排责任框架中正确评估俄罗斯森林的潜力；所有主要排放国家均设定有约束力的减排责任	-15	+8
瑞士	在 1990 年的基础上减排 20%；如果其他发达国家设定对等的指标、发展中国家承诺做出足够努力，则承诺减排 30%，作为 2012 年后全球综合协议的一部分	20	
乌克兰	在 1990 年的基础上减排 20%，条件：附件 1 国家达成的减排目标令人满意；在交易和相关优惠中承认乌克兰是市场经济国家；保持东京议定书的灵活机制；将 1990 年作为减排计算唯一的基准年；在相应期间采用东京议定书 3.13 条规定的措施	20	
美国	依照待通过的美国气候与能源法案，在 2005 年基础上降低 17%，最终结果要看法案是否能够通过（2025 年降低 30%，2030 年降低 42%，2050 年降低 83%）	-3	-17

注：KP"附件 1 缔约方"：指 UNFCCC 附件 1 所列缔约方，包括可能作出的修正，或指根据 UNFCCC 第四条第 2 款(g)项作出通知的缔约方。并非全部欧盟成员国都是 UNFCCC 附件 1 国家；哈萨克斯坦、列支敦士登是 KP 第 1 条第 7 段的成员方，但不是 UNFCCC 附件 1 国家。

2011 年 12 月，加拿大宣布退出《京都议定书》，是继美国之后第 2 个签署但又退出的国家。

资料来源：作者整理自：①Appendix I – Quantified economy – wide emissions targets for 2020. 2010 – 11 – 03. http：//unfccc. int/home/items/5264. php. ②Communications received from parties in relation to the listing in the chapeau of the Copenhagen Accord. 2010 – 11 –05. http：//unfccc. int/meetings/items/5276. php.

表 1-6　非 KP 附件 1 缔约方根据 2009 年《哥本哈根协议》提交的 2020 年减排目标

国家	2020 年目标	相对于 1990 年减排（%）	相对于 2005 年减量（%）
巴西	在 BAU 基础上降低 36.1%～38.9%	+8	-24
中国	碳密度比 2005 年水平降低 40%～45%	+115	-14
印度	碳密度比 2005 年水平降低 20%～25%	+6	-34
印度尼西亚	到 2020 年降低 26%（没有表明基期）		
以色列	在 BAU 基础上降低 20%	+131	-20

（续）

国家	2020 年目标	相对于 1990 减排(%)	相对于 2005 减量(%)
韩国	在 BAU 基础上降低 30%	+61	−30
墨西哥	在 BAU 基础上降低 30%	+43	−30
马尔代夫	实现碳中和	−100	−100
摩尔多瓦	在 1990 年水平上降低 25%	−25	−25
新加坡	在 BAU 基础上降低 16%	+47	−16
南非	在 BAU 基础上降低 34%	+48	−34

注：BAU 是 business as usual 的缩写，即"正常商业情景"；表中减排幅度为彭博新能源预测数。

资料来源：①Appendix I – Quantified economy – wide emissions targets for 2020. 2010 – 11 – 03. http：//unfccc. int/home/items/5264. php. ②Communications received from Parties in relation to the listing in the chapeau of the Copenhagen Accord. 2010 – 11 – 05. http：//unfccc. int/meetings/items/5276. php.

表 1-7　部分城市减排目标

城市	CO_2 减排目标
阿德莱德，澳大利亚	到 2012 年建筑业净排放为 0；到 2020 年运输业净排放为 0
弗赖堡，德国	到 2010 年比 1992 年减少 25%
光州，韩国	到 2020 年减少 20%
海牙，荷兰	市政府到 2006 年实现碳中性；整个城市长期目标实现碳中性
波特兰，美国	到 2010 年比 1990 减少 10%
札幌，日本	到 2012 年比 1990 减少 10%
温哥华，加拿大	到 2012 年比 1990 减少 20%

资料来源：作者根据相关资料整理。

（2）侧重经济目标：经济活动低碳化，保障能源安全，保持经济可持续发展。

低碳经济有两个基本特征：一是在社会再生产的全过程中实现经济活动低碳化；二是倡导能源经济革命，形成低碳能源和无碳能源的国民经济体系，实现清洁发展和可持续发展。从经济学角度，关注焦点包括：全球碳减排行动的成本投入与未来收益的比例是否得当；低碳经济发展方式与未来经济可持续增长潜力的内在联系。

2006 年《斯特恩报告》认为，在气候变化问题上尽早采取有力行动的收益大于成本，全球须立即采取应对行动；向低碳经济的过渡将为竞争力带来挑战，但也为增长带来机遇（尼古拉斯·斯特恩，2008）。美国的威廉·诺德豪斯（William Nordhaus）对斯特恩激进式的全球减排理论予以了批驳，并在《均衡问题：全球变暖的政策选择》一书中，根据"动态综合气候和经济模型"的计算，提出了"气候政策斜坡理论"，即："减缓气候变化的有效或'最优'经济政策是在近期有一个温和的减排率，而接下来的中期及长期将有一个极大的减排率"，而非斯特恩所说"紧急行动"（威廉·诺德豪斯，2011）。二者基本代表了经济学界在气候变化问题上的两派观点。

当然，也有部分学者对气候变化风险持保守、怀疑态度，如丹麦统计学家贝索恩·罗姆伯格（Bjorn Lomborg），但主张大幅度减排的观点仍占主流。

（3）最终目标：可持续人类福祉目标。2008 年环境与发展中心（Centre for Environment and Development）的研究认为，尽管困难重重，通过可持续消费与生产实践，仍然有机会最终实现可持续人类福祉目标。低碳经济最终会顺应可持续发展治理潮流，并显然基于可持续人类福祉目标。

1.2.2.3 低碳经济的转型途径

（1）技术途径。2004 年 Pacala 和 Socolow 提出了 3 个框架性的温室气体解决方案：其一，提高能效和节能方案，包括改善燃油经济性，减少对小汽车的依赖，提高建筑能效，提高电厂能效等 4 条减排技术措施；其二，降低能源的碳含量方案，包括用天然气替代煤炭，捕集电厂产生的碳，封存氢能电厂产生的碳，封存合成燃料电厂产生的碳，核聚变，风力发电，光伏发电，可持续的氢能，生物燃料等 9 条减排技术措施；其三，开发利用自然碳汇方案，包括森林管理、农业土地管理等 2 条减排技术措施。

2008 年，英国提出了全球向低碳经济转型的 6 个途径：终端能源效率机遇；能源供给的清洁化；促进新技术的发展与应用；减少交通领域的排放；改变管理者与决策者的态度与行为；保护并不断扩大全球碳汇。

（2）制度途径。

①目前国际社会谋求通过整体碳减排协议，限制和分配各国的碳排放权，形成全球规则，实现低碳经济。这反映了人类对低碳经济、可持续发展的可喜共识。

②低碳之路艰巨。动力的双重性、成因的历史性、目标的公共性、合作机制的市场性，加上科学的不确定、资金的约束、环境治理的紧迫性、世界政府的缺失，都注定了人类应对全球气候变化、迈向低碳经济之路复杂而漫长。目前，全球问题迸发，人们对全球治理质量和数量的需求剧增，各种全球问题之间的交叠区域日益扩大，议题联系方式千丝万缕，而国际机制和全球治理框架调整滞后、效果不彰；新兴经济体影响力逐渐增加，但在主流国际机制中的认可和接纳度仍然偏低；非国家行为体（特别是全球公民社会）登上国际舞台，扮演多重角色。以"低碳"为特征的全球性转型及其效果，既受制于发达国家和发展中国家之间资金和技术合作水平，也受制于各国由实际生产力水平支撑的国家整体运行能力。

1.2.2.4 低碳经济的核心问题

低碳经济的核心问题见表1-8。

表 1-8 低碳经济的核心问题

核心问题	主要举措
1. 低碳能源供给	新能源开发；高效能源开发；碳捕捉和碳封存
2. 低碳生产	生产过程低碳；开发低碳消费品
3. 低碳消费	公众低碳消费；政府低碳消费
4. 气候问题国际框架	国际层面、国家层面和次国家层面的举措

1.3   低碳经济与森林和林业

1.3.1   在低碳经济中，森林的角色特殊

提示

根据《联合国气化变化框架公约》(UNFCCC)，"库"指气候系统内存储温室气体或其前体的一个或多个组成部分；"汇"指从大气中清除温室气体、气溶胶或温室气体前体的任何过程、活动或机制；"源"指向大气排放温室气体、气溶胶或温室气体前体的任何过程或活动。根据《京都议定书》(KP)，碳源是向大气中释放 CO_2 的过程、活动或机制；碳汇是从大气中清除 CO_2 的过程、活动或机制。

碳汇与碳源是两个相对概念。在陆地生态系统(包含森林、湿地、耕地、草原、沙漠等多个小的生态系统)中，碳汇功能体现在碳库的储量和累积速率，碳源体现在碳的排放强度。森林碳汇指森林生态系统吸收大气中 CO_2 并将其固定在植被和土壤中，从而减少大气中 CO_2 浓度的过程。

人们把森林喻为"地球之肺"，把湿地喻为"地球之肾"，把"荒漠化"称为一种很难医治的地球疾病，把生物多样性喻为"地球的免疫系统"。"三个系统一个多样性"对保持陆地生态系统的整体功能起着中枢和杠杆作用，无论破坏哪一个系统，都会影响地球的生态平衡。

FAO(IPCC，2007a)曾明确在全球气候变迁中，森林扮演了如下四种角色：①森林能够敏感地反应气候的变化。②森林在永续经营时，可生产木质燃料来取代化石燃料。③森林具有吸存全球碳排放总量十分之一的潜力。④森林因林木不当采伐、林地过度使用与退化，森林减少造成的碳排放，约占全球碳排放总量的 1/5。

1.3.1.1   森林与大气中的碳是循环转化的

一方面，森林通过光合作用吸收 CO_2，释放出氧气，从而将碳固化在植物的根、茎、叶中。另一方面，森林也向大气中释放出 CO_2。植物本身的呼吸作用、腐化，森林火灾都会向大气中释放 CO_2。伐后的木材被做成纸、地板、门窗、家具等木制品(HWP)，最终也会转化为碳释放到空气中去。

IPCC(2007a)的报告指出，就全球而言，森林光合和呼吸作用与大气之间的年碳交换量高达陆地生态系统碳交换总量的90%。森林植被每年从大气中吸收约120Gt(Gt 是 10 亿 t)的碳当量(总初级生产，GPP)，其中植物呼吸返回大气约60Gt 碳当量，约余60Gt 的净初级生产(NPP)。在 NPP 中，约50Gt 通过土壤和死有机植物残体的异养呼吸(分解作用)返回大气，约余10Gt 的净生态系统生产量(NEP)。在 NEP 中，又有约9Gt 通过干扰排放进入大气，因此，森林植被每年净碳交换量(NBP)约1Gt。

1.3.1.2   森林生态系统是重要的碳库，具有碳贮存功能

森林是陆地生态系统中最大的储碳库。根据 IPCC(2003)的土地利用、土地利用改变与林业(Land use，land use change and forestry，LULUCF)报告，目前，大气中约含 775Gt 的碳量，

海洋中的碳含量约为大气中的 50 倍，陆域生态系中的碳量约为大气中的 3.5 倍。海洋吸收碳的能力相对有限，只能吸收少数溶解于水中的 CO_2，反之，陆域的植被和生物体通过光合作用和呼吸作用，使碳保持循环。表 1-9 显示，在陆域生态系统固定的 2477Gt 碳量中，储存于土壤的约占 80%，植物体中的碳约占 20%。占全球土地面积 30% 的森林，其植被的碳储量占全球植被碳储量的 77%，其土壤的碳储量约占全球土壤碳储量的 69%。土壤与植物体的碳库比值，北方森林约为 5，热带林仅约为 1，即热带雨林的植物体碳储存量最高，北方针叶林中土壤的碳含量偏高（图 1-6）。

表 1-9　全球陆域植被与土壤之碳吸存量估算表

植被	碳储存量（Gt）		
	植物体	土壤	总量
热带雨林	212	216	428
温带林	59	100	159
北方针叶林	88	471	559
热带疏林	66	264	330
温带草原	9	295	304
沙漠与半沙漠	8	191	199
冻原	6	121	127
湿地	15	225	240
农地	3	128	131
总量	466	2011	2477

资料来源：①IPCC. good practice guidance for land use, land–use change and forestry. 2003. ②IPCC. IPCC guidelines for national greenhouse gas inventories. 2006. ③IPCC. mitigation of climate change, fourth assessment report of the intergovernmental panel on climate change. 2007.

1.3.1.3　森林植物生长是重要的碳汇，具有碳吸收功能

为应对全球变暖，人们希望找出"神奇的修复方法"。森林碳汇正是"神奇的修复方法"之一。

森林是陆地上最大的吸碳器。森林每生长 $1m^3$ 的蓄积量，平均能吸收 1.83t CO_2，释放 1.62t 氧气（谢力生，2010）。在森林中，主要构成为多年生树木，能以数十年、甚至数百年的时间持续吸存 CO_2，大幅延缓了生物体分解后释放 CO_2 回到大气中的时间。

当然，森林的碳储量并非不断增加。树种和林龄是自然因素中影响林木碳汇量累积的重要因素。林木到达一定林龄后，生长量增幅减小，增汇潜力逐渐降低。在幼林阶段，生长旺盛，蓄积增长迅速，吸收大量的 CO_2；在成熟林阶段，生长速度放慢，吸收 CO_2 的能力不断减退；进入过老龄的森林，部分树木枯死而分解，放出 CO_2，CO_2 的收支（纯生态系交换量）接近于零，碳储量不再增加。因此，森林作为碳库，只有在林木生长或森林面积扩大而使生

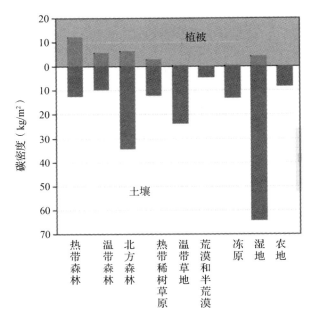

图1-6 全球陆域植被与土壤的碳密度

资料来源：作者绘制，数据来源：IPCC. Good Practice Guidance for Land Use, Land – Use Change and Forestry. 2003.

物量增加时，其碳储量才会增加。从这一点来讲，原始森林的 CO_2 收支基本处于平衡状态，对减缓气候变化不再有贡献，只有保持生物多样性等作用。对于人工林，为了提高森林的碳储量，应对气候变化，应及时对成过熟林采伐更新。树木储存的 CO_2，大部分将在伐后木材及其制品（HWP）的整个生命周期中继续储存。

1.3.1.4 森林生态系统是重要的碳源，易受人类干扰

（1）森林生态系统是一个易受人类干扰而释放出 CO_2 的碳源。所有生态系统都在变化之中，其中最为明显和重大的生态系统改变就是热带和亚热带生态系统的广泛退化和转变。IPCC 第4次评估报告指出，源自森林排放的温室气体约占全球温室气体排放总量的 17.4%，仅次于能源和工业部门，是全球第三大温室气体排放源（2007a）。

（2）森林碳源的要因是人类过度砍伐森林。FAO 的《森林资源评估》显示，人类文明初期全球森林面积约 76 亿 hm^2，19 世纪初为 55 亿 hm^2，2000 年减少到 37 亿 hm^2，2010 年小幅增加至 40 亿 hm^2。2010 年人均森林面积只有 0.6 hm^2，难以支撑人类文明大厦。2000～2010 年，全球每年约有 0.13 亿 hm^2 的森林被砍伐后转作其他用途或因干旱、林火等自然原因消失，尽管大规模种植了人工林，但森林面积每年净减少 520 万 hm^2。2005～2010 年，全球森林生物量中的碳储量每年减少约 5 亿 t（FAO，2010）。

20 世纪 50 年代以前，毁林主要发生在北美洲和欧洲等温带区域、亚洲和南美洲等热带区域；20 世纪 50 年代以后，除前苏联外，北美洲和欧洲的毁林基本得到遏制，而亚洲、拉丁美洲和非洲等热带区域的毁林大幅度增加，成为主要碳源。森林碳汇向碳源转变，人类的毁林行为是焦点。经济利益是毁林的驱动器（吴水荣，2010）。

即使未受损害的森林也可能遇到麻烦：森林的储碳能力可能已达到极限，而北半球上升的气温可能已减少了植物对碳的吸存。夏季的高温对树木造成重大压力，致使光合作用快速停止。一旦光合作用停止，碳就不能再被固存。受到压力的森林极易受到污染、虫害和疾病的伤害，转化为碳源（Piao S，2008）。

1.3.1.5 森林碳汇或碳源功能的发挥方向和效果大小，主要取决于人类活动

（1）森林具有碳汇和碳源的双重特性。森林生态系统既有光合作用，吸收 CO_2 释放 O_2，又有呼吸作用，吸收 O_2 释放 CO_2。前者是碳汇，后者是碳源。森林生物量增长及生物量不断被森林土壤吸收储藏，变成了巨大的森林碳库，但该碳库是脆弱的，极易受到干扰而发生变化。森林碳汇或碳源的功能发挥方向和作用效果的大小，主要取决于人类活动。

（2）总体而言，至少在过去的 50 年里，森林是一种碳源。

1.3.1.6 森林碳汇功能的经济利用受到重视

（1）森林碳汇功能的经济利用具备比较优势。减缓和适应气候变化涉及能源供应、工业、农业、林业等多个行业部门。

研究表明森林碳汇潜力巨大，具有明显的成本优势（Van Kooten，et al，1995；Murray，2000）。提高化石能源利用效率而减排的成本为 100 美元/t（Dixon R K，1993），在能源生产中限制碳排放的成本为 25～120 美元/t（Niskanen A，et al，1996），不同气温带、不同森林类型的林业活动的碳生产成本不一（Sedjo R J，1995），但成本相对较低，一般在 10 美元/t 以下，极少在 50 美元/t 以上（Stavins R N，1999）。作为低成本选择，满足清洁发展机制（CDM）的林业碳汇项目在全球范围内展开，并带来了巨大的社会、经济和环境效益（表 1-10）（简盖元，2012）。

表 1-10 部分林业碳汇项目概览

国家	资金来源	相关林业碳汇项目行动
荷兰	FACE 基金	热带雨林恢复（马来西亚、乌干达）、退化草场再造林（厄瓜多尔）、森林恢复（捷克）、城市造林（荷兰）
法国	政府资金	推行《气候计划》，农林业碳汇目标量 560 万 t
美国	太平洋森林信托	实施《森林永续基金计划》，增加北加利福尼亚州的红木林的碳吸收量。
俄罗斯	联邦林务署、环境保护基金、美国环保署	实施造林计划，种植 900 阔叶树和松类树种，吸收近 8 万 t 的碳，成本约为 3.75 美元/t
澳大利亚	政企联合	通过造林取得碳排放权
印度	政府与组织（CIFOR、FOREST TRENDS）	退化林地上再造林和森林碳汇项目，覆盖 95 个贫困村落，林地总面积 1 万 hm^2，当地年收入 30 万美元
智利	美国	SIF 碳吸收工程，预计吸收 3.85 万 tCO_2
巴拉圭	政府与外资（美国 AES 能源公司）	保护热带森林，碳抵减成本约为 0.14 美元/t
哥斯达黎加	政府资金	实施"固碳"计划，碳抵减成本约为 1.46 美元/t

(续)

国家	资金来源	相关林业碳汇项目行动
洪都拉斯	政府与外资(威斯康星电力公司、底特律爱迪生公司)	实施碳吸收计划,吸收 160 万 tCO_2 ,碳抵减成本约为 3 美元/t
墨西哥	英国、法国	Scolel Te 农用林造林工程,1.6 万~3.54 万 tCO_2
俄罗斯	美国	沃洛格达地区再造林,2.28 万 tCO_2
阿根廷	美国	里约伯慕州(Rio Bermejo)再造林,43.46 万 tCO_2
中国	意大利	中国东北部敖汉旗防治荒漠化青年造林项目,153 万美元,造林 0.3 万 hm^2
中国	世界银行生物碳基金	广西造林再造林碳汇项目
中国	NGO	云南、四川植被恢复和生物多样性保护

资料来源:来源于 WRI, CEP. 转引自:简盖元. 森林碳生产研究[D]. 福州:福建农林大学, 2012: 27.

　　(2)森林碳汇功能的经济利用或森林碳生产日益受到重视。森林碳汇是森林吸收、汇聚和储存 CO_2 的能力和过程,是《京都议定书》确定的重要碳减排措施,在适应和减缓全球气候变化中具有不可替代的作用(李顺龙,2005;李怒云、宋维明,2007)。

　　简盖元(2012)借鉴前人的研究成果,延伸提出森林碳生产的概念:森林碳生产是一种以森林为载体,利用森林与 CO_2 的关系,通过相关的生产方式,综合运用科斯办法与庇古办法,有效增加森林碳汇功能,获取森林减排效益,减缓全球气候变暖,实现经济、社会和环境的可持续发展的生产行为。森林碳生产的方式及其影响效应如图 1-7 所示。

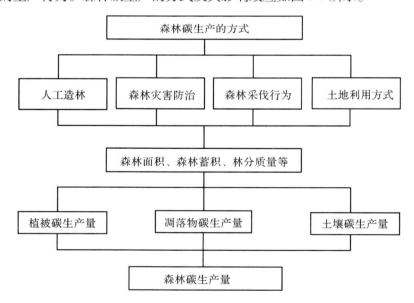

图 1-7　森林碳生产的方式及其影响效应

Richards K R, Stokes C, 2004. 转引自:简盖元. 森林碳生产研究[D]. 福州:福建农林大学, 2012: 55.

　　森林碳生产具备相互联系、相互影响的三大属性:其自然属性源于森林整体上具有吸收

CO_2的功能；公共物品、外部性、稀缺性特征构成了森林碳生产的经济属性；对生态环境、经济发展、森林经营者收入、社会就业等方面的影响共同组成了森林碳生产的社会属性。

（3）碳汇从资源到商品需要实现条件和交易机制。碳汇本身是不是商品，只有在碳排放权和减排量额度稀缺情况下，通过林业活动增加的碳汇才能作为商品交易。碳汇的交易条件苛刻，交易成本很高，需进一步加强基础研究。

（4）森林碳汇意义重大。

①林业战略层面。积极发展森林碳汇，可改善生态状况，扩大排碳权空间。②生态系统层面。开展森林碳汇潜力、碳收支综合研究，对阐明森林生态系统碳循环在全球变化中的作用、促进社会经济可持续发展具有重要意义；有助于提高研究国在全球变化研究领域的学术地位，为全球变化背景下该国社会经济健康发展及生态系统管理提供依据，为履行有关国际公约提供基础数据。③森林植被层面。分析和评价森林碳汇功能的成本效益，对生态建设具有重要意义。④碳汇贸易层面。通过 REDD + 、CDM 等将有助于林业吸收资金和先进技术，扩展国际贸易的内容和范围。

1.3.2　在低碳经济中，林业被寄予厚望

1.3.2.1　在低碳经济背景下，世界林业发展的基本趋势

从最概括的层次上，在低碳经济背景下，世界林业发展出现以下 4 个基本趋势（王登举、徐斌，2011）。

①顺应低碳时代需求，林业概念正在重构。目前，诸如低碳林业、低碳造林、低碳经营、碳汇造林、生物柴油林等新概念已出现。林业新概念的实质包括：为森林的社会地位和作用重新定位；森林经营目标的拓展和选择标准的变革；为森林经营和造林制定低碳准则；发展林木生物质能源产业；重新检视森林利用中的过时政策（如伐木政策等）；重新检视消费领域的传统观念等。

②森林可持续经营成为时代主题。21 世纪，各国都将致力于有效地落实森林可持续经营。

③多功能森林将成为森林资源的主体构架。

④森林资源发展呈现"三化"趋势。"三化"包括：工业原料林的专业化、城市空间的森林化和一般森林的近自然化。

1.3.2.2　碳汇林业的内涵、优势和途径

🗝️ 提示

碳汇林业：指通过实施造林再造林和森林管理、减少毁林等林业活动，吸收大气中的CO_2并与碳交易结合的过程、活动或机制，既有自然属性，也有社会经济属性。

（1）碳汇林业的内涵。

生态内涵：碳汇林业具有强大的生态功能。森林具有碳汇功能，是全球陆地生态系统中最大的碳库。在这种前提下，发展碳汇林业，才具有实质性意义。

经济内涵：碳汇林业能带来丰厚的经济收益。碳汇可以作为一种商品通过市场进行交换。

（2）碳汇林业的优势。全球低碳经济时代的到来少则需要几十年，多则几百年。在此过程中，必经高碳经济—中碳经济—低碳经济的发展过程。目前，各国处于该前进路线的不同阶段，欧盟在前，美国等"伞形"集团随后，"77＋1集团"最后。低碳经济国家凭借低成本、低能源、低资源优势打压高碳经济国家，而高碳经济国家力争抵御冲击，博弈激烈。国际气候谈判既要在当前经济发展和社会福利能够承受的范围之内有利于推动低碳经济发展，还要确实能达到科学设定的减排目标，其可调节的就是减排措施及途径。这些措施及途径既要满足潜力大、易执行、见效快，又要符合成本低、对经济增长影响小、居民福利高等条件，碳汇林业显然满足这些特征。

当然，不同途径的碳汇林业减排增汇活动及其成本效益并不同：短期内效益最大的是减少或避免排放（即降低毁林或退化、林火和森林病虫害防治等）。但是，控制排放后，森林碳储量仅仅维持稳定或缓慢增加。造林的碳吸收可以持续数年或数十年，但是要求较大的前期活动和投入。大多数旨在增加碳汇的森林经营活动也要求前期投入，其碳效益因不同地区、活动类型和森林的初始条件而异。从长期来看，旨在维持或增加森林碳储量，同时又可可持续地提供木材、纤维或能源的森林经营活动，能产生最大的可持续的减排增汇效益。

（3）碳汇林业的途径。低碳经济的目标之一就是应对气候变化，其手段一是减缓，二是适应。

🔑 **提示**

PICC对"减缓"的界定：为减少对气候系统的人为强迫而进行的人为干预，包括减少温室气体来源和排放以及加强温室气体汇的战略。

PICC对"适应"的界定：减少自然和人类系统对实际或预计气候变化影响的脆弱性的倡议和措施。

林业减缓和适应气候变化的途径众多（图1-8），目前的关注点一是减排，二是增汇。

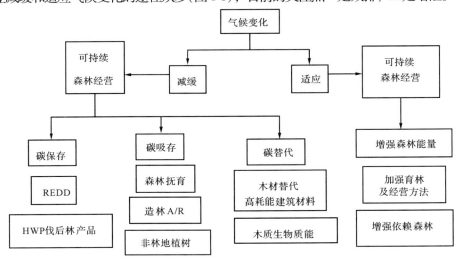

图1-8   林业减缓和适应气候变化示意图

1.3.2.3　碳汇林业对林业多目标协调提出了新的要求

（1）森林生态系统是一个开放的复杂大系统，具备多功能（图1-9）（陈云芳，2012）。综合国内外研究成果，森林提供的产品与服务主要体现在3个方面：一是物质生产，指森林为人类提供所需的林地、木材及林副产品等实物；二是生态服务，包括调节气候、涵养水源、保育土壤、固碳释氧、净化大气环境、保护生物多样性、防风固沙、景观游憩等；三是社会和文化服务。森林产品和服务的形成与实现途径有两条：第一，通过人类对森林资源的开发实现，包括采伐树木、采摘果实等；第二，通过森林的自然机能传递实现，绝大部分森林服务都是通过这样的途径传递。

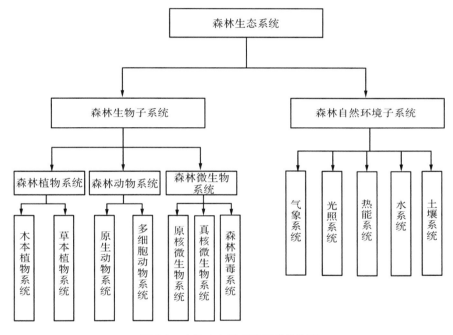

图1-9　森林生态子系统组成结构图

资料来源：陈云芳. 多功能林业的协调发展指标体系与评价模型研究[D]. 北京：中国林业科学研究院，2012：29.

（2）林业是一个复杂的巨系统，森林的生态、经济和社会等多功能协同发展是林业实现多效益一体化发展的要求（陈云芳，2012）。世界林业正经历着由经济利用时代，向着全面重视生态、社会、经济效益的森林综合利用时代的战略转变。普遍认同的是，重视森林生态的利用程度，是衡量林业在国民中战略觉悟的重要标志，是林业在经营思想上的转变；发挥林业建设的社会效益，是林业生态效益和经济效益的必然结果，是林业发展战略目标的出发点和归宿；发挥森林的经济效益，是不断扩大林业再生产的基础，也是发挥林业生态效益和社会效益的前提。

（3）低碳经济的发展，可能使森林的多功能利用偏向吸碳和减排，对林业多目标协调提出了新的挑战和要求。在实际中，林业的各种功能在不同区域的林业发展中经常是此消彼长或相互矛盾的，林业发展面临基于社会多功能需求定位下尊重自然、主动弥合的选择。

1.3.2.4 碳汇林业必然顺应林业可持续发展趋势

（1）森林可持续经营成为林业发展的重要方向。1992年里约热内卢联合国环境与发展大会召开之后，特别是2002年约翰内斯堡气候峰会以来，森林可持续经营成为林业发展的重要方向，被纳入国际社会政治议程，得到国际社会和各国政府的高度重视，成为解决全球生态问题、应对气候变化、促进乡村发展、防止荒漠化、保护生物多样性、实现联合国《千年发展目标》和实现经济社会可持续发展的重要途径之一。于是，在生态管理方面，产生了应对气候变化、热带林保护、次生林经营、荒漠化防治、湿地保护等热点问题；在林业经济方面，出现了人工林发展、开发生物质能源、打击非法木材贸易等热点问题；在森林管理方面，出现了森林价值评估、森林认证、改革林业决策方法、构建生态伦理等热点问题。另外，反贫困、景观修复、城市林业、森林旅游发展等也成为各国和国际组织关注的热点。其中，与低碳经济关系比较密切的几个林业热点问题包括：林业在应对气候变化中的作用；林业生物质能源；打击非法木材推动合法而负责任的林产品贸易；承担环境与发展国家责任成为涉林国际公约的核心。

（2）全球正酝酿一场林业可持续发展的绿色革命。林业可持续发展得到联合国等国际组织的大力支持。在林业可持续发展全球化的推动下，林业可持续发展的区域化进程日益加快。例如，热带雨林大国联手，于2007年9月发表了《热带雨林国家领导人联合声明》，决心推动林业可持续发展。发达国家积极推动刚果盆地林业可持续发展。林业可持续发展还得到名人的积极响应。

（3）促进可持续森林管理的全球政策网络机构众多，规则复杂（IUFRO，2011）。

（4）促进可持续森林管理的手段多样，自愿性工具与法律约束性文书交错。归纳见表1-11。其中，自愿性指南是许多国际机构工作的一个主要部分，范围上可从具体的操作规范到宽泛的政策指南，层次上可从区域到全球。较成功的举措均有一个共性：均由代表政府、私人部门和社会民间团体的广泛的利益相关者发起。

表1-11 促进可持续森林管理的工具范例

	自愿性工具	法律约束性文书
国家	国家森林计划	国家法律法规：世界大多数国家均已制定或修订了其林业法律和政策，总体上正朝着森林管理的环境、经济和社会三方面相互均衡的方向发展
区域	标准与指标进程：撰写林业现状与发展趋势定期报告的框架；应用于制定国家森林计划、认证标准及加强决策者与公众的交流；支持森林管理方式改革工具的实施进程	区域公约：许多国家将森林法的执行和管理作为国家和国际社会努力实现可持续森林管理的一个重要方面而加以积极推进，大量行动在区域层面开展。FAO、ITTO和WB等国际组织也积极投身其中
全球/国际	联合国环境发展大会森林原则 所有类型的森林的非法律约束性文书	国际热带木材协定

（5）林业可持续发展成为应对气候变化的主要措施。

2007 年 2 月 2 日，PICC 发表了第 4 次气候变化评估报告，呼吁建立应对气候变化全球行动机制。该机制有四个基本要素：一是排放贸易；二是技术合作；三是减少毁林；四是加强适应性。

2007 年 2 月，澳大利亚政府发起了"森林与气候变化全球倡议基金"，并出资 2 亿澳元，帮助发展中国家加强林业可持续发展，减少毁林，并于 2007 年 7 月，召开林业森林与气候部长级会议。

2007 年 12 月，在 UNFCCC 第 13 次缔约方大会上，林业可持续发展成为气候谈判的热点之一。会议通过了一项关于林业可持续发展的决议，充分肯定了林业可持续发展在减缓气候变化中的重要作用，认为林业可持续发展是应对气候变化的有效措施，决定采取激励措施，鼓励各国加强森林保护，开展减少毁林的早期行动，防止森林退化。

因此，碳汇林业必然顺应林业可持续发展趋势。但是在经济全球化的大背景下，碳汇林业不免打上鲜明的资源争竞、市场竞争和经济利益竞争的烙印，给各国林业带来机遇的同时，也给一些国家特别是木材进口国带来严峻的挑战。

1.4　低碳经济与林产品贸易

1.4.1　国际贸易与低碳经济的关系

1.4.1.1　国际贸易对碳排放的影响

主流经济学观点认为，贸易对环境的影响主要是各种效应综合作用的结果，基于理论研究的角度，这些效应通常被分解为规模效应、结构效应和技术效应。类似的，国际贸易对碳排放的影响也是效应综合的结果，其影响机制参见表 1-12。

表 1-12　国际贸易对碳排放的影响机制一览表

效应	含义	评价
规模效应	经济活动的规模扩大导致温室气体（GHG）排放增加	要确定贸易对 GHG 排放的影响并非易事，确定这些效应还需详细分析实际数据。规模效应和技术效应的作用方向相反
结构效应	贸易开放的方式和随之而来的各部门产出相对价格的变化，可能会影响一个国家产业结构的变化，进而影响 GHG 排放	结构效应取决于各国的比较优势，如果一国具有比较优势的产业是高排放、扩张中的产业，那么贸易使该国的高排放产业扩张规模和速度提高，从而导致更多的 GHG 排放；反之则减少 GHG 排放。最终结果取决于全球高排放产业在各国扩张和收缩的程度对比，以及不同国家的生产技术差异
技术效应	技术革新会减少货物和服务生产过程中的 GHG 排放强度	低碳技术的国际流动有助于各国提高能效，降低能耗和碳排放，而低碳产品和服务的贸易则直接有助于 GHG 减排。技术效应的大小取决于相关技术的开发程度以及这类技术、服务和产品的自由贸易程度。目前，还没有一种可靠的方法对技术的外溢效应进行定量研究

值得注意的是，以上三种效应更多的是从短期来考察的。在长期，贸易自由化通过优化全球资源配置，降低交易成本，提高各国居民的收入，进而增强人们的环保意识，使政府制定更加严格的环境措施，最终会促进节能减排。

1.4.1.2   气候变化对国际贸易的影响

从长期来看，一方面，与气候变化相关的物理过程可能改变国际贸易的格局和规模，尤其是对于比较优势建立在自然资源基础上的国家具有重要的影响；另一方面，气候变化的趋势从某种程度上决定着贸易的可持续性，甚至决定人类发展的可持续性。另外，气候友好商品的自由贸易对于降低温室气体排放具有重要的意义，因此多边气候协议一直致力于促进这类产品与服务的贸易自由化。多哈回合议程第31段（3）也指出，需就"降低或取消那些气候友好商品和服务的关税和非关税壁垒"进行谈判。气候友好商品的自由化不仅可以增加进口国的选择范围，还可以降低这些国家履行温室气体减排的成本或者减少温室气体排放量的增长。同时，随着气候友好商品和技术以更低的成本传播和扩散，IPCC所提出的"到2050年温室气体排放至少应该减少一半的目标"可能会提前实现。随着对气候变化关注度的进一步提高和气候谈判的推进，美国、欧盟以及一些主要的发展中国家已经把新能源、节能技术、低碳产品等作为未来重点的发展领域，但新技术新产品的研发还需加强，低碳技术向发展中国家转移的途径也还需深入探讨。

1.4.1.3   国际贸易与低碳经济的内在联系

从理想层面上看，国际贸易与低碳经济应当是相互促进的，最终目标的统一性决定了两者是可以协调的。在经济全球化的背景下，各国都可以通过贸易自由来寻求低碳经济的发展，使资源得到充分配置和利用，贸易支持的经济发展又能给各国提供更多的收入来改善和保护环境。较高环保和低碳水平之上的贸易应是更为自由的。

从现实层面上看，尤其短期而言，国际贸易与低碳经济又是相互冲突的。贸易自由化有可能使资源遭到不当开发和利用，引发新一轮的气候危机，违背低碳经济的目的；为限制碳排放、保护环境，有必要限制或控制某些贸易活动。二者之间博弈的根本原因在于环境功能的竞争使用、环境成本外部性。

国际贸易与低碳经济互动的诸多方面，都体现着经济发展与环境保护、短期利益与长期发展、当代福利与后代福利之间的权衡关系。这种权衡关系，映射到相应的制度体系，体现为WTO规则与多边气候协议或低碳规则之间的潜在冲突等方面。

1.4.2   林产品贸易与低碳经济的关系

林产品贸易与低碳经济的关系具有上述国际贸易与低碳经济关系的共性，也有其特性，集中体现为森林木材资源、碳汇、能源替代等不同功能的经济利用之间的对立统一问题。

1.4.2.1   森林的木材资源功能利用与碳吸存功能利用的对立统一

（1）森林的木材资源功能利用与碳吸存功能利用的对立性。林业产业和林产品贸易以森林为资源基础，侧重森林的木材资源功能利用，免不了要伐木。贸易连接生产和消费，从一个国家的视角来看，进口贸易是总供给的组成部分，出口贸易是总需求的组成部分。

　　森林的碳吸存功能利用，要求保持林木生长。一旦林木被砍伐，就丧失其碳吸收的功能，森林的木材资源功能利用与森林的碳吸存功能利用出现了对立性。

　　(2)森林的木材资源利用与碳汇利用的统一性。林产品贸易与低碳经济在其最高目标——可持续发展和人的福祉目标方面是一致的。

　　人们往往凭直觉认为，增加木材利用、开展国际贸易会对森林产生负面影响，木材工业利用和木材贸易甚至被扣上了"破坏森林和环境"的帽子，林产品的正常消费受到了一定的冲击甚至是攻击，这种看法是不科学的。增加木材资源利用，能提高森林的经济价值，刺激植树造林，增加森林面积，改善森林经营状态，能对应对气候变化、发展低碳经济做出更大的贡献。一方面，与化石资源不同，森林资源是可再生资源，既可以从天然林获得，也可以从人工林获得。林木从培育到成熟利用只需几十年的时间，应用现代林业科学技术，科学经营，合理采伐，完全可以实现森林资源"越采越多，越采越好"，取之不尽、用之不竭。另一方面，森林生长是大气 CO_2 重要的吸收汇，具有碳吸收功能。森林作为碳库，只有在林木生长或森林面积扩大而使生物量增加时，其碳储量才会增加。在森林中，有许多种植林(表 1-13)。以人工林为例，为了提高森林的碳储量，吸收更多的 CO_2，缓和气候变化，应该及时对 CO_2 吸收率较低的成过熟林进行采伐更新。适时采伐更新人工林，有利于吸收更多的 CO_2。对于采伐的木材，原来树木储存的 CO_2，大部分将在木材产品的整个生命周期中继续储存。因此，经营良好的森林，年生长量大，既可以生产更多优质的木材，又可吸收更多的 CO_2。

表 1-13　森林总体特征中的种植林

天然更新林				种植林		森林外树木
原始林	改性天然林	半天然林		人工林		
		人工辅助天然更新	人工更新	生产性	保护性	
由本地树种构成、无显而易见的人类活动迹象、生态进程未被严重扰乱的森林	天然更新为本地树种、有显而易见的人类活动迹象的森林	集约管理造林活动：除草施肥疏伐择伐	由本地树种构成、通过集约化管理的人工种植或播种而形成的森林	由引入和/或本地树种构成、通过人工种植播种而形成、主要用于木材和非木材产品生产的森林	由引入和/或本地树种构成、通过人工种植或播种而形成、主要用于提供服务的森林	小于 $0.5hm^2$ 的林分，农用地上的林木(混农林业、家庭林园、果园)，城市环境中的林木，路边和景观中的散生林木

　　资料来源：FAO. 2007 年世界森林状况。

　　木材资源利用具有低碳经济效应，具体分析如下。

　　第一，木材的碳储存效应。伐后木材产品(harvested wood products，HWP)是森林资源利用的自然延伸。HWP 在其整个使用期及后续循环利用中，继续储存树木在生长过程吸存的碳。森林面积是有限的，通过森林木材资源功能的经济利用，相当于在时间和空间上扩大了森林的储碳作用。通过光合作用将大气中的 CO_2 固定在森林中，并最终把木质林产品填埋于厌氧条件下，可以将碳保存数百万年，是一种既不需要很高的技术又经济的一种方法（Scholz F，2008）。尽管 HWP 碳库有时增加不是很明显，但是减排潜力巨大。通过延长产品的使用寿命、提高产品的回收率等措施可以减少碳排放。因此，经营良好的森林，生产更多优质的木材的同时，也可以吸收更多的 CO_2。HWP 的用量越多，使用时间越长，越有利于碳减排，且简单易行。不管哪个树种，木材的主要元素组成值都在一定的范围内，碳（C）约占 50%（表1-14），即贮藏在木材中的碳约是木材绝干质量的 50%。按纤维板和刨花板密度 0.8 kg/cm^3，胶合板、其他人造板及单板密度 0.5 kg/cm^3，木地板密度 0.8 kg/cm^3（厚度12mm）估算，2007年中国人造板、单板和木地板的绝干总质量为6449.15万t，贮藏的碳为3224.57万t（谢力生，2010）。

表1-14　木材的元素组成

元素	桦树	白桦	白蜡树	松木	落叶松	扁柏	平均含有率
C(%)	48.5	48.6	49.4	49.6	50.1	49.0	50.0
H(%)	6.3	6.4	6.1	6.4	6.3	5.4	6.0
O(%)	45.2	45.0	44.5	44.0	43.6	43.7	43.0

资料来源：恒次祐子. 木材利用における環境影響評価について[J]. 木材工業，2005，60（1）：8～12. 转引自：谢力生. 木材资源利用与气候变化[J]. 东北林业大学学报，2010（9）：116.

第二，木材的能源节省效应。一方面，木材在加工、制造过程中投入的能源与其他材料相比要小得多。木材干燥、板坯热压或纸浆的蒸煮解纤等温度都在 200℃ 以下，而熔铁炉为 2000℃，水泥窑为 1400℃，塑料原料裂化约 800℃。木材一次制品如纤维板、纸和木/塑复合材等，虽然具有制造单元体越小其加工能源越大的倾向，但与其他材料相比仍然很小。另一方面，木材在循环再利用和被废弃处理时的能耗也很少。废旧木材再回收利用相对其他材料更容易，废弃木材可被菌类分解而再次进入自然界物质循环。

第三，木材的能源替代效应。当木材或木制品无法再回收利用或循环利用时，最后还可以燃烧产生能量，用于替代化石燃料，有助于缓解能源安全问题。从理论上说，木材燃烧产生的 CO_2 来自于木材生长时所吸收的 CO_2，利用木材资源作为燃料，可以实现碳的零排放。

木材的节约代用被推崇为一种时尚。日本的研究表明，采用木结构、钢筋混凝土结构和钢架结构，建筑单位使用面积的房屋所排放的碳量分别为59kg、133 kg 和85 kg。还有试验表明，使用 1m^2 的木质窗户代替铝窗，可减排 100 kg 的碳素，用木材替代塑料也可减少碳素放出、减少废弃物。还有研究表明，如果用木材替代标准混凝土、重混凝土、轻混凝土块和红砖等材料，每立方米碳减排量分别为 792kg、1013kg、725kg、922 kg，替代其他材料减排的 CO_2 与储存在木材中的 CO_2 相加，共可减排约 2 t 的 CO_2。

目前，中国木材加工利用技术水平不高，木材利用率约50%。"次、小、薪材"年可供量为1450万 m^3，仅约50%被利用；可供工业用的"采伐、造材、加工剩余物"年可供量为718万 m^3，仅约61.6%被利用；"抚育间伐小径材"年可供量为1500万 m^3，仅约34%被利用。此外，制材和木材加工产生的边角废料、木屑、刨花等加工剩余物；建筑及装修过程中产生的木质废弃物、废旧房屋解体产生的解体材；更新换代的旧家具，以及工业、商业、餐饮业和运输业等产生的木质废弃物总量，每年有 6000 万 t 以上。这些未利用的木材资源如果用做燃料，能节约大量化石资源，并且能减少碳排放。例如，某年产 14 万 m^3 的中密度纤维板（MDF）厂，如果其热能全部由燃烧木质燃料产生，生产 1 m^3MDF 需燃烧 501kg 木质燃料，发热量相当于 324kg 原煤，因而碳减排 826kg。照此估算，2007 年中国生产 MDF 2498. 64 万 m^3，若全部采用木质燃料，则每年可少烧原煤约 810 万 t，少排放碳 2064 万 t。

FAO 的《2011 世界森林状况》报告（FAO，2012）也认为，木材是一种确保实现可持续未来的重要物质原料，拥有中和碳足迹、可再生、环境影响小等特点。从全球来讲，现有建筑物占初级能源总消费的 40% 以上，占碳排放量的 24%（IEA，2006）。虽然很难列举出将木材用于建筑业而对环境和温室气体减排带来直接裨益的证据，但如果重点关注某一具体建筑产品的话，就能比较木材和其他替代材料对环境的影响程度。该报告利用广度指标和生命周期评估方法对木材和其他建筑材料进行比较，结论如下：①对全球变暖的影响（以 CO_2 排放量来衡量）。木材是 CO_2 零排放，对全球变暖有反向作用。准确的评分取决于生命周期分析的范围，但是木材在使用上明显地胜过水泥、砖材、石材和金属材料。②对光化臭氧层产生的影响（乙烷排放）。木制品释放的乙烷远远低于铝制品，性能明显高于 PVC 塑料。③对土地酸化的影响（二氧化硫排放）。与木制品相关的二氧化硫排放量只是铝制品和 PV 塑料的 40% ~ 50%。④对富营养化的影响（增加溶解性磷酸盐的含量）。与木制品相关的富营养化大约只是铝制品和 PVC 塑料的三分之二。

1.4.2.2　森林的木材资源功能利用与碳替代功能利用的对立统一

（1）作为可再生能源的森林。在初级能源（一次能源）总供给中，仍以化石能源为主。木材能源约占全球初级能源总供给量的 9%，每年取自木材的能源超过 11 亿 t 石油当量。

矿物燃料的高价格与新能源和环境政策，使木材作为一种能源来源的可能性加大。在非洲、亚洲和拉丁美洲，绝大部分生物质燃料主要用于居民做饭和取暖，尤其在非洲，约 90% 的砍伐木材被用作能源。随着燃料价格越来越高，最贫困国家用来提供能源的森林和森林外树木所承受的压力也将越来越大。在奥地利、芬兰、德国和瑞典等发达国家中，生物质燃料则越来越多地被用于电力生产，木材能源工业吸引了巨额投资。2005 年，国际能源署的展望研究指出，可再生能源的市场份额将会继续提高；到 2030 年，用于电力生产的固体生物质燃料有望增长 2 倍；木材燃料将来会更多地直接取之于森林和人工林；木材燃料利用不断增多所产生的积极和消极影响将取决于未来合理的能源结构以及环境、林业和工业政策，包括促进使用木材燃料的鼓励措施和税收政策的作用；一些区域木材燃料的国际贸易有望增加，包括中美洲和南美洲，木质燃料的生产和出口将会成为促进林业发展和规模扩张的主要因素；如果不实施避免其产生负面影响的政策，那么这些活动就可能导致毁林和森林退化。

随着对木材生物能源需求的不断增加，能源部门的结构变化也将会对木材工业产生积极和消极的影响。发展中国家需要制定积极的政策以确保这些变化有助于减少贫困问题。

（2）为人们提供生活来源的森林。森林是各尺度生态系统的重要组成部分，可提供多项服务和功能。森林、林业和林产品不仅满足世界日益增加的对木材和纤维物的需要，而且还提供了生态系统服务、维持了人们生计。世界最贫困人口大约有3.5亿人，其中包括6000万土著人口，他们完全靠利用森林来生存。许多森林利用者拥有丰富的传统和知识：几亿人依靠采集森林中的传统药材为生；在60个发展中国家里，在林地上狩猎和捕鱼可以满足1/5以上人口的蛋白质需要。另外，还有10亿人口，依靠林地、宅地树木和农林间作来满足日常生活的多种需要。对20多亿人口的做饭、取暖和食物保存来讲，木质能源至关重要。

（3）可持续未来中的木质林产品。木质林产品生产和消费的增加将是可持续未来的组成部分。来自于自然生产生态系统（如森林、草原、农业和水生系统）的产品和服务，基本是以光合作用为基础的，如果经营得当，能持续生产出大量的产品和服务。FAO的一项报告预测，到2050年世界人口将达90亿；所增加人口中的大部分将出现在发展中国家的城市；这些城市的建筑物将产生数以百万吨计的温室气体排放；木制品在建筑中使用量的不断增加将能够储碳并抵消制造水泥和钢材而产生的一些排放量。全球生产和消费有望增长，同时新的投资和生产将继续向增长更快的新兴经济体转移。在发达国家市场上，人们越来越关注更高环境性能的标准，木制品将从中受益，而且以木材为原料的新产品如生物能源、生物化学制品和生物材料将成为全行业增长的基础。

不过，目前林产工业面临很多挑战，包括消费者偏好、全球人口变化、资源竞争、替代材料竞争，以及提供原料的森林所有权变化。

1.4.2.3 森林的木材资源利用须以一种合法、可持续的方式进行

森林的木材资源功能利用须以一种合法、可持续的方式进行，才能有效减缓气候变化，顺应低碳经济要求，实现林产品贸易的健康发展，同时有助于实现低碳经济目标。

（1）合法、可持续的森林采伐方式。与其他工业活动类似，木材采伐对自然环境和社会环境均有一定的影响。如果考虑对环境的影响，诸如对采伐迹地的破坏，那么降低影响程度的采伐方法如低密度的择伐，所引起的环境破坏最小而且经济实惠（FAO，2004）。威胁最佳森林采伐方式的两个主要障碍是：①破坏公平市场环境的非法采伐活动；②普遍缺乏对良好的采伐方式能带来经济、环境和社会效益的认识或重视，损害性作业，包括：过度择伐或间伐，危害轮伐体系并诱使伐木人员再次进入采伐区；没有执行采伐计划；不当的道路设计与建设；无节制的砍伐以及浪费性修剪与修整；在植被与地面上造成过多的拖拉机集材滑道，而非仅在标注的集材滑道上进行集材作业；在码头加工与分级不当，造成木材初加工浪费；缺乏监测、控制及影响评估。

目前，国际社会已在政策层面和实际层面取得了很大进展。1996年《FAO森林采伐操作规程》制定，随后，亚太地区于1999年，西非于2003年，中非于2005年也通过了一些区域性森林采伐操作规程。国家层面上的森林采伐操作规程已在东南亚一些国家实施或准备实施。许多国家在出台森林采伐操作规程的同时，还制定了实施战略，增加了相关的培训和活动。

（2）合法、可持续的木材利用和贸易方式。创新技术和林产品，降低碳排放。例如：胶合木梁、单板层积材、交叉层积材、平行刨花板材、网纹定向刨花板工字梁和边胶实木板等复合或"工程"木制品变化十分迅速，可代替实木。胶合板行业的生产技术变化也很快，新工艺更快、更完全自动化、更能进行质量控制，特别是在亚洲，它带动了小径木的利用，这方面的创新包括单板层积材和长条板。最新型的胶合板里有一韧性核心层，这种木基板材能容

易地弯成各种形状，可用在新的加工工艺和产品中。印度尼西亚是世界上最大的硬木胶合板出口国，由于对改善加工工艺进行投资，提高了产成品的价值，例如利用直接涂层技术来生产"色调胶合板"、模压或弧形胶合板。重组板材生产也有很多改进，特别是北美的定向刨花板和欧洲的中密度纤维板，这些改进包括提高强度、密度范围更大、更利于包装，通过更多的板面处理丰富产品种类。一个更令人关注的技术进步是更多地将木纤维与亚麻、棉花、稻草、纸和塑料等其他材料混合来生产木材复合板。该领域的研究专注于更高效地利用木材资源，使原材料的物理性能最大化，使产品具有防火防霉等特殊性能，降低制造成本，以及回收废弃产品。木塑复合材易用、耐用，正在占领市场。锯材业的技术和核心产品变化没有复合产品快，其最重要变化是更多的木材源自人工林，小径级原木占比越来越高。原木分级、锯材产量、加工速度、干燥速度和质量、表面处理和无毒防腐技术均有进步。许多锯材的自然缺陷可以利用光学扫描器自动切除和指接技术去除。较新的"刽锯"技术能快速将小径级原木加工成块状材，也能把大块木材刽成用于纸浆的木屑。纸浆和造纸业的单位产出能源消耗正在降低，所用能源的绝大部分从黑液中获得。林业在利用可再生能源的创新方面也居于前列。在欧洲和北美洲，热电联产装置是林产品生产地的规范要求，这在发展中国家也更加普遍。

有证据表明，全球已取得成效：在采伐作业中，采用小型设备和影响小的采伐方式；采用木材节约型加工制造设备（薄刀片）和技术（激光制导），实现木材原料的全部利用，包括利用废弃物取暖和发电；开发利用低质小径材的产品，同时提高工程木制品的性能，如层合梁和地板；使用回收和再生的纸张、纸板和木材（FAO，2012）。

（3）正确认识伐后木材产品（HWP）的碳储量。随着人类认识水平和实践发展，HWP 作为森林生态系统碳循环的一个部分，对森林生态系统和大气之间的碳平衡起着至关重要的作用。为准确合理估算 HWP 碳储量，在达喀尔会议上确立了 3 种估算方法框架：储量变化法、生产法和大气流动法。不同的核算方法会影响对木质林产品的碳储量判断，一定程度上影响对林产品贸易与低碳经济的关系的认识。

1.4.2.4　林产品贸易并非森林利用冲突的主要原因

在过去 1 万年里，气候和温度变化持续影响着全球的森林，而人类活动对森林的影响也越来越大。随着人口和经济活动的不断增长，人类利用自然世界的能力也日益提高，而这种利用最明显地表现就是毁林。在过去的五千年里，全世界林地累计损失约为 18 亿 hm^2，年均净损失 36 万 hm^2。2000～2010 年间，森林年均净损失约 520 万 hm^2。尽管 1950 年以后，人口增速更快一些，但全球森林砍伐的变化轨迹与人口增速基本一致（图 1-10）。

森林砍伐和人口增长速度还有其他几个共同点：都因地区不同而有所差异；都在经济发展时期有所增加，而当社会达到一定财富水平时趋于稳定甚至下降。直到 20 世纪初，亚洲、欧洲及北美洲的温带森林地区的森林砍伐速度一直最高。到 20 世纪中期，世界温带森林地区的毁林现象基本得到遏制，但热带森林的砍伐迅速加快并居高不下（图 1-11）。

从历史上看，重大社会变革与森林利用方式联系密切。随着农业社会的出现和不断发展，人类靠森林维持生计的依赖性发生了变化，对农业经济所需的耕地和产品的需求成为一个主要问题，而提供生态系统服务（尤其是灌溉用水）成为了一个更优先考虑的目标。工业化

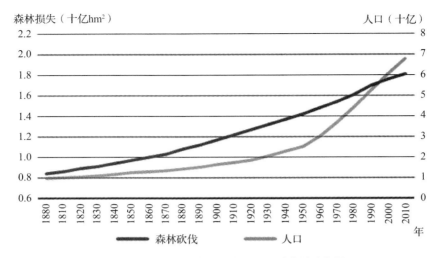

图1-10　1800～2010年世界人口及累计森林砍伐量

数据来源：WILLIAMS，2002年，转引自：FAO，2010。

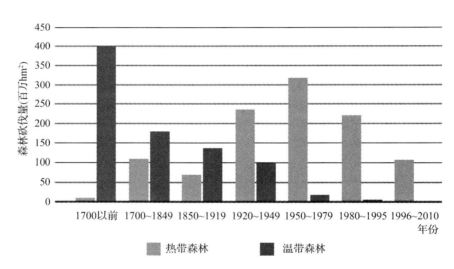

图1-11　按森林类型和时期估计的森林砍伐量

数据来源：WILLIAMS，2002年，转引自：FAO，2010。

给森林利用带来了重大转变，一方面生产原材料(包括木材、工业原料作物、能源和矿产)成为了优先目标，另一方面对木材种类的需求也从硬木(多用作燃料和动物饲料)转向了软木(多用于建筑和造纸)。以服务业为基础的后工业经济的发展进一步改变了森林利用的优先顺序，提供生态系统服务引起越来越多的关注。在多元社会构成情况下，森林利用冲突往往较为严重。即使在较发达的欧洲经济委员会(ECE地区，包括美国、欧洲国家，占世界森林面积的40%)，森林部门也面临许多挑战，包括：木质能源、木材供给的可持续性、林业部门的劳动力、生态系统服务的支付等(UN，2013)。

1.4.3　林产品贸易：全球难题

国际贸易中的木材主要来源于森林。森林资源虽可再生，但再生周期长、受土地特定要素的约束强，生产固定性强，全球分布极不均衡，这些基本特性决定了林产品要采用有别于其他商品的贸易规则。

（1）传统贸易政策对森林资源全球配置效果有限。一方面，现有森林资源全球分布极不均衡，但木材贸易政策对森林资源的重新配置作用却甚小。因为生产（供给）的固定性强，存在经济租金，这与制造行业形成了鲜明对比。为了避免森林资源使用租金全部归属于生产国，投资企业和资源消费国可以使用各种各样的倒逼手段增加其租金份额。很多木材政策的主要目的是获取森林资源的租金收益，难以引起森林资源的重新配置。以关税为例，受土地这种特定要素的约束，对于出口国而言，征收木材出口税等同于对国内资源消费进行补贴；对进口国而言，征收木材进口税等同于对国内资源消费征收使用税，却难以使用木材保护关税来刺激国内森林资源生产；只要一国森林资源稀缺，同时需要进口木材，就会存在出口国和进口国的税收不平等问题（除非进口国国内出现不少该资源的替代品，这种税收不平等才会明显改观）。另一方面，林业本身就是一个完整的产业链，既包括第一产业，也包括第二产业和第三产业。利用产业政策，延长产业链，提高附加值，更容易达到增进国内福利的目的。利用投资政策，更容易融入世界产业链，进而影响森林资源的配置。

（2）传统贸易政策对木材世界市场价格影响有限。木材价格是国际木材衍生制品市场的风向标。森林的固定性强、周期长，因而木材的短期供给价格弹性小。木材资源需求的不断增长，只会不断推高木材价格，并向加工业、制造业和服务业等各个环节传导，不断推高下游产品和服务的价格。传统贸易政策对木材世界市场价格影响有限。

（3）国际规则约束与各国国内政策协调难度很大。国际贸易规则有可能损害或加强国家合理处理租金能力，也会影响到政府如何公平地对待现有公民和未来公民的利益。WTO 的最惠国待遇条款合理地兼顾了公平和效率，却仍然无法解决国际规则约束和各国国内政策的冲突问题。加之，在现实中还存在较严重的木材非法采伐和贸易（它们根本就绕过了 WTO 规则的约束），现有国际市场越加动荡、不稳定。很多进口国开始在发展中木材资源出口国寻求建立长期开发、租赁资源的可能性，但是这种试图优先购买、垄断购买、低价购买占世界木材市场的比重上升后，就容易形成"合成谬误"，不但难以如愿，反而加大了国际规则约束与各国国内政策协调的难度。一旦策略不当，容易引发争端。

（4）森林资源国际经贸合作关系中的违约风险很高。从出口国角度看，政策制定者最担心木材价格下降和贸易利益分配问题；进口国政府最担心木材价格上升和资源供给安全问题。两者利益既有一致，又存在冲突。一旦木材价格不断上涨，一些出口国家就容易毁约。虽然国际贸易合约履行越来越国际化，国际诉讼、国际仲裁等争端解决手段日渐完善，但木材资源国际经贸合作关系中的违约风险仍然较高。石油资源合作的思路，有不少值得木材资源国际经贸合作借鉴。但是，石油不可再生，位置移动不会使其本身增加排放，而森林资源可再生，只要砍倒就丧失了碳汇能力，因而与气候变化问题更加密切，所以难以完全照搬。值得注意的是，无论哪种模式，长期的、稳定的国际经贸合作关系都是建立在双方信守承诺的基础上(樊瑛、樊慧,2010)。

加之,森林在应对气候变化中具有独特地位和双重作用,既是吸收汇,也是排放源。因此,在气候变化、低碳经济成为全世界最热门的话题,全球减排趋势已不可逆转的背景下,林产品贸易注定还要与适应气候变化、环境保护(不仅包括传统意义上的防止污染,也包括保护可用竭的自然资源;不仅保护人类生存环境,也保护生物多样性)、公共健康(所有社群中的主体都过着较为平稳的、远离流行疾病和污染困扰的生活)、公共道德和道德标准、社会责任等问题纠结在一起,构成全球治理的政策难题。

木材国际贸易政策的制定、实施及修改不仅要依照本国法律,而且要遵守多边、双边政府协议及有关国际规则与惯例,还必须考虑适应森林资源和木材贸易的特性,并注意与财税、金融、产业、投资、区域、收入、消费、社会保障、环保等政策相互促进、支持,增强互补性,减少互竞性。这远远超出了一国经济政策的范畴,具有明显的内政、外交、社会、安全、气候、环境等超经济属性。

1.5 本章小结

本章对低碳经济的动因、内涵、目标和发展态势进行梳理,初步分析了低碳经济与森林、林业、林产品贸易的关系。

全球气候变化的负向效应大于正向效应,全球气候变化的主要诱因是过量的 CO_2 排放,经济发展面临碳排放约束、低碳经济转型势在必行。在发展低碳经济,解决排放空间资源稀缺性的各种因素中,森林角色特殊,扮演了碳汇和碳源双重身份,林业被寄予厚望,并被纳入气候政策,林业和林产品贸易在低碳经济中所扮演的角色才会引发前所未有的激烈争论。为减缓全球变暖,政府加大林业领域的投资,催生了一些新的低碳产业,如林业碳汇、林业生物质能源、非木质林产品、生态休闲、森林培育和林业养护产业等,延长了林业产业链。林产品贸易以森林的木材资源功能利用为主,与森林的碳吸存、碳替代功能利用之间存在对立统一性。在低碳经济背景下,涉林低碳行动密集,人们日益重视森林的木材资源利用以合法、可持续的方式进行。预计林产品贸易将面临严峻的挑战和新的机遇。

第 2 章　低碳经济对国际贸易的影响

本章力求较为全面地刻画低碳经济对国际贸易的影响。

施用海（2011）认为低碳经济对国际贸易的影响体现在四个方面：国际贸易格局变化、碳金融创新、新技术革命带来的国际技术贸易和技术转让、单边贸易措施与多边贸易规则冲突带来的新贸易壁垒。

倪晓宁（2012）认为低碳经济对国际贸易的深刻影响主要通过三个环节展开并互相联系构成整体，如图 2-1。①气候问题的国际解决框架创新出三个灵活减排机制，在此基础上，催生出有关国际贸易的三个方面：国际碳交易市场、国际能源技术贸易与合作以及国际碳金融服务。②各国对本国节能减排的政策调整中，包括税收和补贴在内的所有政策，会通过影响生产率或者直接影响生产成本的方式，改变产业的比较优势和竞争优势，从而影响国际贸易的进出口结构、贸易条件、贸易摩擦和贸易壁垒等国际贸易的其他方面。③随着世界各国加入气候问题国际解决框架并有所行动，以及该框架制度的不断完善，各国为了保护本国现有产业的比较优势和竞争优势制定的保护贸易政策，将与目前的国际贸易规则局部冲突，因此，对 WTO 等国际规则的补充和修订将不可避免，而在各国产业比较优势和竞争优势不断演变的过程中，世界贸易格局将随之发生深刻的变化，统称为"低碳经济全球化的影响"。其中，三大机制带来的创新和产业比较优势和竞争优势变化带来的影响是关键。

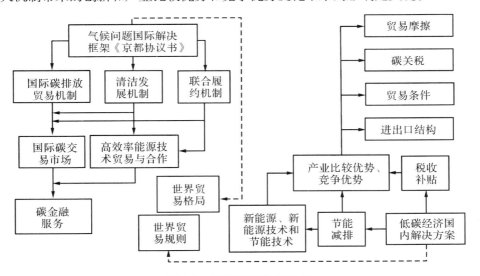

图 2-1　低碳经济新问题全景

资料来源：倪晓宁. 全球低碳框架下中国经济自主安全发展［J］. 现代经济探讨，2011（11）：14～18.

本书认为，人类发展低碳经济面临技术、经济、政治、规则等方面的挑战。低碳经济的动因是气候变化、能源危机和国际竞争。低碳经济政策非常广泛，包括与气候变化、能源危机应对行动和政策相关的计划、规划、技术文件、法律和公约等以及主导气候政策的咨询、决策、执行和监测等的政策体系。分析低碳经济对国际贸易的影响，首先就需要梳理气候制度安排和能源安全对策，涉及气候变化的应对立场、适应选择、减缓行动、行动方案及其组织方式等多层次、多方面内容，尤其是有关温室气体排放评估、减排义务和排放配额的分配等更是关键内容。所以，本章先对气候制度和气候政策进行梳理，在此基础上，归纳低碳经济对国际贸易的主要影响。

2.1   对贸易规则的影响

2.1.1   国际气候制度

2.1.1.1   国际气候制度概述

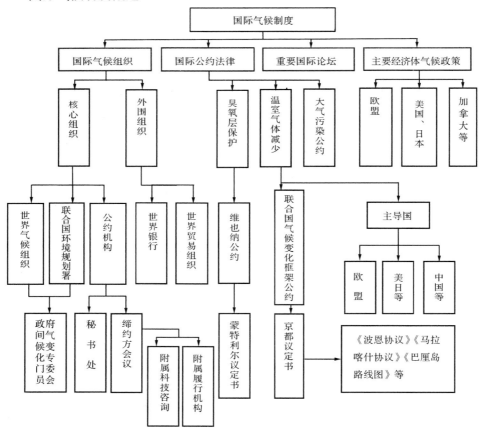

图2-2   国际气候制度框架图

经过 30 多年的发展，国际气候制度尚未完善，但已见其总体框架，总结如图 2-2。

(1)《联合国气候变化框架公约》(UNFCCC)和《京都议定书》(KP)。国际气候制度以 UN-FCCC 和 KP 的规定为核心，内容总结如图 2-3。UNFCCC 确立了权威、广泛、全面的全球减排计划，但它是软法，也没有具体规定。KP 则确立了各缔约方的具体减排目标、方法。之后为后京都时代，谈判更为艰难。

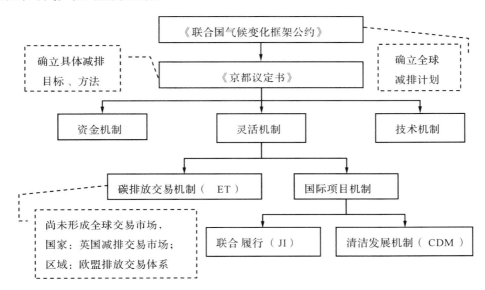

图 2-3　《联合国气候变化框架公约》和《京都议定书》框架下的主要减排措施

历届缔约方会议归纳见表 2-1(王遥，2010)。

表 2-1　UNFCCC 缔约方会议(COP)和 KP 缔约方会议(CMP)一览表

年份	地点	会议名称	主要谈判成果
1995	柏林	COP1	通过《柏林授权》等文件。同意立即开始谈判，就 2000 年后应采取何种适当的行动来保护气候进行磋商，以期最迟于 1997 年签订一项议定书、明确规定在一定期限内发达国家所应限制和减少的温室气体排放量
1996	日内瓦	COP2	通过《日内瓦宣言》。就《柏林授权》涉及的"议定书"起草问题进行讨论，未获一致意见，决定由全体缔约方参加的"特设小组"继续讨论，并向 COP3 报告结果。通过的其他决定涉及发展中国家准备开始信息通报、技术转让、共同执行活动等
1997	京都	COP3	通过《京都议定书》(KP)。规定从 2008 到 2012 年期间，主要工业发达国家的温室气体排放量要在 1990 年的基础上平均减少 5.2%，其中欧盟将 6 种温室气体的排放削减 8%，美国削减 7%，日本削减 6%

（续）

年份	地点	会议名称	主要谈判成果
1998	布宜诺斯艾利斯	COP4	通过《布宜诺斯艾利斯行动计划》。发展中国家集团分化为3个集团：小岛国联盟（AOSIS），自愿承担减排目标；期待CDM的国家，期望以此获取外汇收入；中国和印度，坚持目前不承诺减排义务
1999	波恩	COP5	未取得重要进展。通过了UNFCCC附件1所列缔约方国家《信息通报编制指南》《温室气体清单技术审查指南》《全球气候观测系统报告编写指南》，就技术开发与转让、发展中国家及经济转型期国家的能力建设问题协商
2000	海牙	COP6	未取得重要进展。形成三足鼎立之势。美国等少数发达国家执意推销"抵消排放"等方案，试图以此代替减排；欧盟则强调履行KP，试图通过减排取得优势；中国和印度坚持不承诺减排义务
2001	波恩	COP6	COP6续会，达成《波恩政治协议》
2001	摩洛哥	COP7	通过了有关KP履约问题（尤其是CDM）的一揽子高级别政治决定，达成《马拉喀什协定》，为附件1缔约方批准KP并使其生效铺平了道路
2002	新德里	COP8	通过《新德里宣言》。强调减少温室气体的排放与可持续发展仍是各缔约方今后履约的重要任务。宣言重申KP要求，敦促工业化国家减排
2003	米兰	COP9	通过造林再造林模式和程序。在美国退出KP的情况下，俄罗斯不顾劝说，仍然拒绝批准KP，致使KP不能生效。为了抑制气候变化，减少由此带来的经济损失，会议通过了约20条具有法律约束力的环保决议
2004	布宜诺斯艾利斯	COP10	通过简化小规模造林再造林模式和程序。讨论UNFCCC生效以来取得的成就和未来面临的挑战、气候变化的影响、温室气体减排政策以及在公约框架下的技术转让、资金机制、能力建设等重要问题
2005	蒙特利尔	COP11/CMP1	2005年2月16日，KP生效。COP11达成了40多项重要决定，包括启动KP二期温室气体减排谈判。此会议的成果被称为"蒙特利尔路线图"
2006	内罗毕	COP12/CMP2	达成包括《内罗毕工作计划》在内的几十项决定，以帮助发展中国家提高应对气候变化的能力；在管理"适应基金"上取得一致，将其用于支持发展中国家具体的适应气候变化活动
2007	巴厘岛	COP13/CMP3	通过"巴厘岛路线图"，致力于2009年底前完成2012年后（后京都时期）全球应对气候变化新安排的谈判并签署有关协议
2008	波兹南	COP14/CMP4	除启动"适应基金"取得突破外，总体进展缓慢。八国集团领导人就温室气体长期减排目标达成一致，并寻求与UNFCCC其他缔约方共同实现到2050年将全球温室气体排放量减少至少一半的长期目标

（续）

年份	地点	会议名称	主要谈判成果
2009	哥本哈根	COP15/CMP5	商讨 KP 一期的后续方案（2012～2020 年全球减排协议）。未形成有法律约束力的文件，取得微小成果：一，具体化发达国家的目标。最迟于 2010 年 1 月 31 日由附件 1 国家将细化目标提交至大会秘书处。二，发展中国家进行可测量、可报告、可核证（MRV）的减排行动，自行报告。三，设定经济援助标准。2010～2012 年，发达国家通过哥本哈根绿色气候基金向发展中国家提供 300 亿美元的资金支持，到 2020 年达 1000 亿美元（分配待定）。四，减少毁林和森林退化造成的排放（REDD）产生的减排指标获承认。联合国环境规划署宣布，启动网站（http：//www.unep.org/climatepledges/），对比和追踪各国应对气候变化的承诺和国家计划，帮助各方及时掌握减排最新动态
2010	坎昆	COP16/CMP6	通过两项应对气候变化的决议。在减缓、适应、技术转让、资金支持和能力建设等方面取得了进展，但是在发达国家的承诺减排目标上仍原地踏步
2011	德班	COP17/CMP7	通过决议，建立德班增强行动平台（ADP，简称"德班平台"）特设工作组，决定 2013 年 1 月 1 日起，实施 KP 第二承诺期并启动绿色气候基金
2012	多哈	COP18/CMP8	3 个主要议题：对 KP 二期的机制和落实作进一步安排；就落实《巴厘行动计划》的共识作出安排，把尚未解决的问题拿到其他平台来进一步讨论；就"德班平台"（ADP）的一些基本概念和原则达成共识。 "三轨"变"一轨"的落实和过渡会议，即结束 KP 与 LCA 谈判，过渡开启 ADP。77 国＋中国认为应在 KP、LCA 等遗留问题上有所结论，再开启 ADP；欧盟强调终止 LCA，推行 KP 和 ADP；美国、俄罗斯和加拿大等则主张终止 LCA、逃避 KP，推进 ADP；澳大利亚出现新变化，终止 LCA、支持 KP，推进 ADP；太平洋小岛国主张并行兼顾；一些南美国家希望将 LCA 遗留问题移至 ADP，终止 LCA。挪威、瑞士和欧盟表示承诺 KP 第二期，日本、加拿大、新西兰、俄罗斯和美国都明确表示不会承诺 KP 第二期

注：COP 是《联合国气候变化框架公约》缔约方会议的缩写。CMP 是《京都议定书》缔约方会议的缩写。缔约方：指签署和批准国际条约，保证关注和履行国际合作应对气候变化的国家。目前已有 194 个国家签署了《联合国气候变化框架公约》，184 个国家签署了《京都议定书》。会议参与者包括缔约方和观察员。观察员包括国际政府组织和国际非政府组织，须向大会秘书处注册并获得授权，才能参会。

单轨：COP11/CMP1 决定成立《京都议定书》之《公约》附件 1 缔约方进一步减排承诺特设工作组，即 AWG – KP。

双轨："巴厘岛路线图"通过后，成立了《联合国气候变化框架公约》下的长期合作行动问题特设工作组，即 AWG – LCA，要求发展中国家也承担义务。COP/CMP 的讨论须在 AWG – KP 和 AWG – LCA 这两个特色工作组提案的基础上进行。

德班增强行动平台（ADP，简称"德班平台"）：主要探讨 2020 年之后《公约》的实施问题。

资料来源：王遥. 碳金融：全球视野与中国布局. 北京：中国经济出版社，2010：8～12.

气候变化谈判的背后是发展空间、产业竞争力、国际政治领导权问题，南北矛盾、北方矛盾、南方矛盾和大国矛盾四对矛盾纵横交错，局势复杂，立场变化很快（图2-4）。

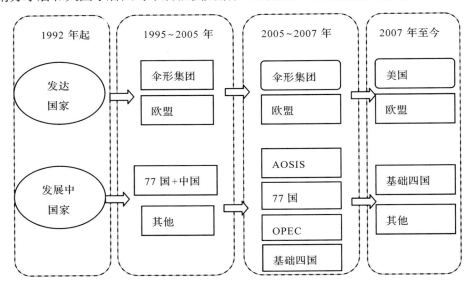

图2-4 国际气候谈判格局中主导集团变化图

注：a. AOSIS（小岛国联盟）由42个环太平洋、印度洋和大西洋的国家组成，有的国家最高海拔才2m，最易受气候变化影响。b. OPEC（石油输出国组织），担心因限制碳排放而抑制石油消耗，担心对石油征税影响其利益。c. 基础四国：中国、巴西、印度、南非，二氧化碳排放大国。

2005年之前，发达国家与发展中国家诉求明显对立，如图2-5。

从2009年哥本哈根会议开始，主要国家减排目标及态度差异较大（表2-2），《京都议定书》前途未卜。《巴厘岛路线图》确立的"双轨"制受到挑战。

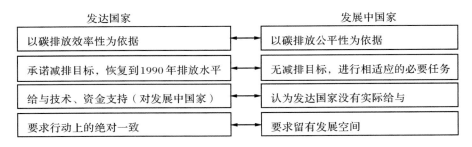

图2-5 发达国家与发展中国家的对立诉求

表 2-2　哥本哈根会议主要国家减排目标及态度

国家(地区)	到 2020 年减排目标	态　　度
中　国	基于 2005 年减排 40% ~45%	基础四国一致
印　度	基于 2005 年减排 20% ~25%	基础四国一致
巴　西	在预期基础上减少 36.1% ~38.9%	基础四国一致
俄罗斯	基于 1990 年减排 15% ~25%	要求排放大国加入
新西兰	基于 1990 年减排 10% ~20%	达成全球协议为前提
挪　威	基于 1990 年减排 30% ~40%	主动减排,力度最大
美　国	基于 2005 年减排 17% 左右	建立新的体系
日　本	基于 1990 年减排 20% ~25%	要求排放大国加入
冰　岛	基于 1990 年减少 30%	要求发达国家多贡献
法　国	基于 1990 年减排 50%	督促中、美减排
加拿大	基于 1990 年减排 2%	不会大力度减排
澳大利亚	基于 2000 年减排 25%	仅无条件减 5%
欧　盟	基于 1990 年减少 20%,甚至 30%	支持《京都议定书》

资料来源:总结于网络。

(2)主要国家气候政策。在国际气候制度中,保护臭氧层的《蒙特利尔议定书》有贸易限制等具体贸易政策和工具,在实际操作中效果良好,争议不大。但控制温室气体排放的《京都议定书》规定各成员方为了达到减排效果,可以运用国内气候政策。在《京都议定书》的框架下,各国国内气候政策集中于改变能源消费结构,提高能源利用率,鼓励可再生能源发展,对交通、建筑、政府办公等领域规定相关标准,建立国内碳排放体系,运用碳税等财政措施,是对国际气候制度的补充。

2.1.1.2　国际气候制度的特点

(1)国际气候制度是国际社会为减缓温室气体排放,协调成员国应对气候变化问题产生的原则、规则、组织机制以保护人类赖以生存的大气环境。

(2)国际气候制度的形成,经历了发现问题、研究问题、提出解决办法、国际合作谈判、制度形成等环节。形成过程从一度轰烈的动态较量转变为现在相互静态制衡。国际气候谈判格局不断变化,以发达国家和发展中国家两大阵营为基础,利益集团不断分化。

(3)国际气候制度框架内容由组织机构、国际气候领域相关公约、协议中的原则与规定、重要国际气候论坛、主导国家和地区的重要气候政策与立法等部分组成。

(4)《京都议定书》机制遇到挑战,尚未制定全球统一的 2 期方案。各国态度“务实”,由高预期形成全球统一的气候政策转变为注重自身的减排效果,以及各国都认可的有效力的减排目标。

(5)初步形成欧、美、中三足鼎立,但欧盟被“边缘化”,美国积极运作、企图建立新气候体系，中国面临巨大压力。气候制度的本质问题仍是经济发展问题，气候与贸易是热点之一。

2.1.2 国际贸易规则及其形成和变化机理

2.1.2.1 国际贸易规则概述

国际贸易规则是在国际范围内约束国家、国际组织、企业或个人等不同国际贸易行为主体活动的规范。

2.1.2.2 国际贸易规则形成和变化机理

从理论上看，国际贸易规则一般有3种形成形式：霸权国家直接提供；发达国家间合作提供；国际组织提供。国际组织是国际贸易规则的重要生产者和执行者。发达国家和发展中国家在国际规则制定中可动用的各种政治、经济资源绝不可同日而语。

苏珊·斯特兰奇在《国家与市场》一书中提出国际社会主要存在两种权力：一是联系性权力，指甲迫使乙去做其原本不愿意做的事情的权力；二是结构性权力，指"形成和决定全球各种政治经济机构的权力"。安全结构、生产结构、金融结构和知识结构是国际政治中权力构成的基本要素。

在国际贸易规则的形成中同样也存在着结构性权力，体现强国权力的影响力，反映强国的利益和讨价还价的力量。目前，美国与欧盟在国际贸易规则制定领域的结构性权力虽受到挑战，但依然最强。例如，在金融结构方面，美欧有权力控制用美元或欧元支付的银行贷款的提供和获得，能对世界贸易体系中贷款的产生与债务的清偿发挥主导影响；在生产结构上，美欧拥有世界上实力最强和规模最大的跨国公司，更为重要的是，它们在信息技术、生物技术与低碳技术上的巨大优势保证了其在未来国际贸易中继续领先；在安全结构方面，美欧几乎不存在遭到其他国家大规模侵略的可能性；在知识结构方面，世界银行与国际货币基金组织充塞着大量美欧经济学家，其主流经济学形态——注重市场调节的新自由主义使得这两个组织在意识形态上不自觉地带有欧美色彩，也使美欧在这些机构中拥有更大的主导性发言权，进而影响他国经贸。

美国与欧盟从强势的结构性权力优势中获益匪浅，WTO的"绿屋机制"就是一个实例。"绿屋机制"仍将是低碳经济与多边贸易体制相挂钩的基本方式。

马建英（2011）也认为，以中国为例，在中国参与国际气候谈判的过程中，制度压力、利益认知和国内结构三个因素共同发挥作用，推动了国际气候制度在中国的内化（图2-6）。随着中国与国际气候制度的互动不断加深，中国对气候变化治理的认知趋向于积极，并且建立了一系列与国际气候制度相对接的国内机构，发布了一系列有利于应对气候变化的政策文件，通过了一系列有利于减少温室气体排放的法律规章，推行了一系列有利于转变经济增长方式的试点工作。这些变化说明，国际气候制度在中国产生了较高程度的内化，中国已经成为全球气候治理中的积极合作者。

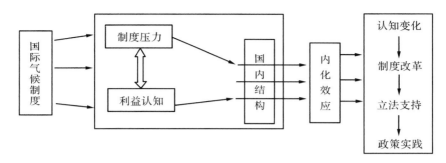

图 2-6　国际气候制度在中国内化的分析框架

资料来源：马建英. 国际气候制度在中国的内化[J]. 世界经济与政治，2011(6)：91～121.

2.1.3　低碳经济对国际贸易规则的影响

（1）国际贸易规则的领域不断拓展，碳贸易措施应运而生，全球贸易面临更加复杂的政策环境。

（2）发达国家加快环境与贸易挂钩的步伐，低碳环保成为国际贸易规则的主导。碳排放作为一种全球的公共产品，具有负外部性，因此治理碳排放须在全球合作的框架下进行。《京都议定书》是第一部具体规定各国减排的国际多边协议，但是许多缔约方在履约中并没有表现出相当大的热情，相反却积极将贸易与低碳挂钩，通过碳排放规则和低碳政策手段来谋求利益。例如，英国的低碳经济三步走战略：第一步，把高污染、低端产业全部甩掉，转给发展中国家；第二步，用几十年时间潜心发展低碳技术；第三步，把低碳技术国际贸易法制化。在 G8 气候变化应对论坛上，英国等发达国家共同签署声明，全球都要发展低碳经济，这意味着"低碳"也将成为国际贸易准绳，"碳足迹"决定一个产品能否进入国际贸易市场。高碳产品，要么被征收高关税，要么被拒绝进入市场。基于现实，对发展中国家而言，在考虑低碳经济问题时，既要看到收益，又不能忽略其巨大的经济、制度、社会文化变革成本，要树立正确的全球发展视角下的低碳经济利益博弈观。

（3）一些发达国家可能以低碳经济为借口，减少对自由贸易的供给，从非歧视原则上退缩。

2.2　对贸易工具的影响

2.2.1　低碳政策的理论基础和演变趋势

2.2.1.1　理论基础

以不同经济学理论为基础，应对气候变化、发展低碳经济的政策工具也形式多样（表 2-3）（卢山冰、黄孟芳，2010）。

表 2-3 应对气候变化、发展低碳经济的政策工具及其理论基础

低碳政策工具	理论基础	概要
政府管制、碳税、碳补贴、碳基金等	市场失灵理论	传统的市场失灵理论认为，垄断、外部性和信息不对称的存在，使市场难以充分实现资源配置效率最大化，须政府干预。现代市场失灵理论认为，市场不能解决的社会公平和经济稳定问题也需政府出面化解。经济学理论以外部性和公共品性质来解释能源环境领域的市场失灵。其中，政府管制是政府制定严格的产品能耗效率标准逐步淘汰高碳产品，并对进口贸易商品确认能耗标准
碳排放交易：包括京都交易和自愿交易	产权理论	在处理外部性问题时，市场失灵与产权紧密相连。基于产权理论的碳排放权分配与界定，有助于消除环境"公共物品"的外部性
自愿协议、标签计划、ISO14000 认证等	信息不对称、委托—代理理论	依据激励相容机制理论设计政策工具，激励厂商和消费者主动减少"逆向选择"和"道德风险"，树立碳中性、零碳生态足迹的低碳形象
能源合同管理、第三方融资	不确定性理论	自李嘉图之后，经济学理论构建遇到了两难选择，即经济分析只有排除不确定性和变动性才能进行，而经济政策只有仔细考察不确定和变动性才能实行。不确定性预期在消费、投资及货币政策中起决定作用。对不确定性碳排放和企业责任测度，成为低碳政策工具研究的重要内容。例如，非点源污染无法测度个体责任，点源污染只能承担有限责任，能源节约与环保投资大、收益不明显，对策工具包括能源合同管理与第三方融资。能源合同管理是一种新型市场化节能机制，其实质是以减少的能源费用来支付节能项目全部成本。第三方融资是一种由技术革新带来的基于储蓄的金融方式，拥有技术和金融能力的第三方为顾客提供能源转换系统，从而获得经济收益
建设生态工业园区	生态工业学理论	低碳经济与生态经济、循环经济一脉相承。把生态学、经济学和工业组织理论相联系，研究能源物质流动及其环境影响，并将范围从生产延伸到消费领域，以源头预防和全过程管理替代末端治理。倡导建设生态工业园区，在区内开展技术推动和完善，通过可复制的模式探索，最终实现整个社会的低碳发展

资料来源：卢山冰，黄孟芳. 低碳产业政策工具的理论基础[EB/OL]. http：//www. chinacdy. com/show. php? contentid = 4428 [2010 - 04 - 26]. 经过作者再分析和修订。

2. 2. 1. 2 演变趋势

环境治理政策工具有从强调行政管制向市场机制、自愿协议转变的趋势。相应地，应对气候变化、发展低碳经济的政策和实践也有类似趋势。

20 世纪 50 ~ 70 年代，在环境干预主义学派的影响下，发达国家的环境政策以命令与控制为主，政策工具包括：政府设置市场准入与退出规则，实施产品标准与产品禁令，设定技术规范与技术标准，排放绩效标准，制定生产工艺与其他强制性准则。

20 世纪 70 ~ 80 年代，在基于所有权的市场环境主义影响下，以开拓市场调控机制为主，其政策工具包括：污染税（费）、交易许可证、环境补贴、押金—退款制度、执行鼓励金制度、生产者责任延伸制等。

20 世纪 90 年代至今，处于强化环境自约束管理阶段，以强化自愿协商机制为主，其政策工具包括：信息披露制度、自愿协议、环境标志与环境管理体系、技术条约、环境网络等。

上述演变，反映了人类在环境治理认知上不断完善的过程（罗小芳、卢现祥，2011）。在政策引导下，企业从消极应对环境政策到积极主动地采取环保行动。

应对气候变化、发展低碳经济的措施可以归纳为如下 4 类：其一，制度措施。在 OECD 国家，制度措施（规则、标准、指令和要求）常被用以提高能源效率和发展可再生能源，如天然气热电联产系统和低废气排放机动车辆；又如，在欧盟家用电器能效标识指令（Directive 1996/75/EC）的要求下，欧盟市场上所有家用电器必须带有能效分级标签。其二，财政措施。通常包括碳税或能源税。其三，市场工具。主要包括排污权交易、可交易的可再生能源证明（TRCs）。例如，英国排放权交易计划（ETS）是第一份经济系统温室气体排放交易方案。其四，自愿协议。与其他措施不同，自愿协议由政府和企业协商产生，常常是工业界首选的政策途径。例如，日本自发活动计划——工业智慧，涵盖 82% 的碳排放工业和能源转化部门。

理论和实践显示，世界各国都在逐渐增加经济刺激手段在环境管理中所占的比重，政府运用经济手段进行间接管理，充分发挥市场的调节作用，使经济个体能动地对经济倾向作出反应（王仲成、上官秀玲，2010）。

2.2.2　低碳政策中的贸易措施概述

2.2.2.1　低碳政策与贸易措施的关系

国际贸易措施是基于市场机制的经济手段之一，从国家、地区到世界的各类市场通过贸易规则相互联系，所以低碳政策中广泛包含贸易措施。政策影响措施，措施服务于政策。

2.2.2.2　低碳政策中的贸易措施界定

贸易措施是保障碳减排条约履行的重要手段，但是在国际气候制度中，对贸易措施概念的界定并不清晰。

一种观点认为，应该是法律中明确规定的具体措施，产生强制性的义务，比如进出口限制、配额、许可证管理、标识要求、提交证明、履行事先的通知同意程序、安全评估、对于与非缔约方之间贸易的限制和对生产和加工方法的限制等（边永民，2010），本文称之为狭义贸易措施；另一种观点认为，贸易措施应是广义的界定，并且可以不是具体贸易义务而是对国际贸易产生影响的政策工具（庄贵阳，2005），例如欧盟倾向包含强制和非强制的贸易措施，本书称之为广义贸易措施。

如图 2-7，在国际气候制度中，国际框架协议层面以《蒙特利尔议定书》和《京都议定书》为代表性协议。《蒙特利尔议定书》中规定了运用贸易措施的具体内容，各缔约方要强制实行；而《京都议定书》仅规定了可能对国际贸易产生影响的规制，在归纳时采取贸易措施的广义定义。两部协议都允许缔约方采取单边措施，即主要国家的国内气候政策所包含的贸易措施也是国际气候制度的重要组成部分。

2.2.2.3　低碳政策中的贸易措施分类

国际贸易措施多达千种，分类标准各不相同。但是，在国际气候制度中，体系范围相对较小，从国际气候协议的总体规定到主要国家的国内气候政策，贸易措施较为集中。本书通

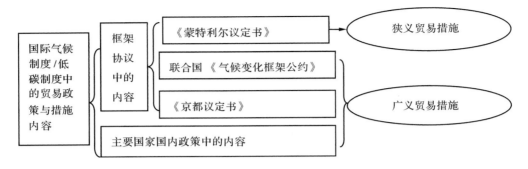

图 2-7　国际气候制度/低碳制度中的贸易措施内容结构图

资料来源：根据相关规定，作者分析总结

过如下两个标准对这些贸易措施进行分类。

（1）按照 WTO 规定分类（图 2-8）。在对贸易措施的分类中，联合国贸发会议的分类标准有权威性，其贸易控制措施编码为 8 类，总体上归纳为关税措施、与关税有关的措施、非关税贸易措施。在此基础上，WTO 将非关税贸易措施分为 7 大类，突出技术性贸易措施。按照影响方式和程度，这 7 类可归纳为 3 类：直接性措施（明显用于限制和影响贸易）、间接性措施（表面上是为了达到其他政策目标，实质对进出口贸易有影响）和溢出性措施（不针对国际贸易，但由于溢出效应产生阻碍进口的效果）。

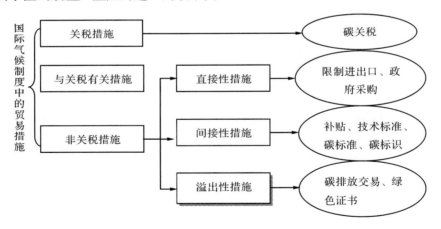

图 2-8　国际气候制度/低碳制度中的贸易措施：以 WTO 规则分类

资料来源：根据 WTO 相关规定，作者分析总结

（2）按照经济作用分类（图 2-9）。国际气候制度中的贸易措施是环境经济手段的一部分，主要包括重视政府干预的庇古手段、重视市场调节的科斯手段和配套措施。在国家层面，倾向于通过气候和能源立法来运用狭义贸易措施。应该注意的是，与一般配额和许可证对进出口贸易发放不同，在气候制度中，政府向国内企业发放碳排放额和碳排放许可证，并对国际贸易产生影响。假设国家对本国企业免费发放碳排放额和许可证，则形成变相补贴，成为广

义的贸易措施。

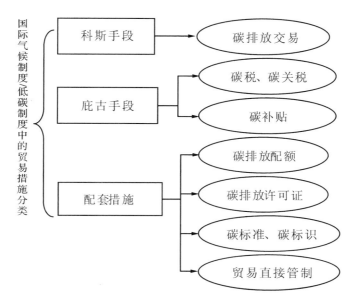

图 2-9　国际气候制度/低碳制度中的贸易措施：以经济手段分类

2.2.3　国际框架协议中的贸易措施

2.2.3.1　《蒙特利尔议定书》中的贸易措施

《蒙特利尔议定书》规定了具体的贸易条款，以直接限制进出口的贸易措施为主，总结如下。

限制缔约方贸易：明令禁止部分受控物质及其相关品的国际贸易。这些受控物质基本属于常规化学品，涉猎范围广泛，严格要求某些过渡性物质也将逐步淘汰。区别对待发达国家和发展中国家，发达国家之间的受控物质国际贸易明令禁止；发展中国家有 10 年的宽限期；从 1996 年开始发达国家禁止生产、消费 ODS，也遏制发展中国家向发达国家出口。

限制缔约方从非缔约方进口：从 1990 年 1 月 1 日起，缔约方禁止从非缔约方进口附件 A 所列控制物质。在该条款生效 1 年后，禁止缔约方从非缔约方进口附件 B 所列受控物质。3 年后禁止进口从这些物质扩大到包含这些物质的产品。5 年内扩大到生产环节使用这些物质的产品。

限制缔约方对非缔约方出口：1993 年 1 月 1 日起，缔约方必须把出口到非缔约方的附件所列受控物质算作消费的部分。专门规定逐步停止进出口受控物质的具体时间表。缔约方要努力阻止向非缔约方生产或利用受控物质的技术，不得为向缔约方出口有助于生产受控物质的产品、设备、工厂或技术而提供补贴、援助、货款、担保或保险项目。

2.2.3.2　《京都议定书》中的贸易措施

《京都议定书》本身不涉及直接限制国际贸易的措施，其总体原则是：要求缔约方努力履行所订立的气候政策和措施，最大限度地减少对国际贸易的影响。但是，一些条款也将对国际贸易产生影响，总结见表2-4。

表 2-4 《京都议定书》中的贸易政策总结

条约	产生影响	规定内容
《公约》3.5条	要求减少国际贸易负面影响	促进国际经济发展；促进发展中国家可持续经济增长；缔约方单边措施，不应成为国际贸易歧视或限制手段
《京都议定书》6、12、17条	可能产生新型国际贸易方式	三个灵活减排机制，建立全球碳排放交易市场
《京都议定书》3.3条	对国际农林产品贸易影响	限于造林、重新造林和砍伐森林——产生的温室气体源的排放和汇的清除方面的净变化，作为每个承诺期碳贮存方面可核查的变化来衡量

资料来源：总结于《京都议定书》。

《京都议定书》提出的灵活减排机制，使温室气体减排量成为可以交易的无形商品，为碳排放交易市场发展奠定了基础。目前，碳排放交易包括3种类型：总量限制和交易型(cap - and - trade)、基线和信用型(baseline - and - credit)、抵消型(offset)。按照减排强制程度，国际碳排放交易市场可以分为京都体系和自愿减排体系；按照交易标的物划分，可以分为基于配额的交易市场和基于项目的交易市场；按照市场范围，可以分为区域、国家和地方市场(图2-10)(林伯强，2010)。

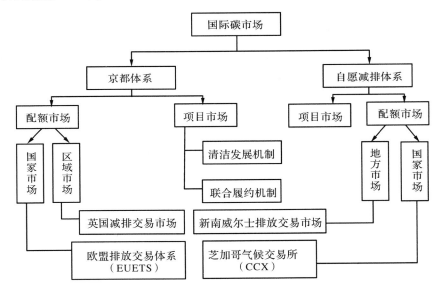

图 2-10 国际碳排放交易市场结构

资料来源：林伯强. 温室气体减排目标、国家制度框架和碳交易市场[J]. 金融发展评论，2010(1)：107～119.

"后京都"气候制度框架的建议：国际社会提出了许多设计方案。皮尤全球气候变化中心(The Pew Center on Global Climate Change)的一份工作论文列举了40多种方案，并就这些方案所涉及的内容，包括谈判形式与论坛、时间框架、减排义务的类型、义务的约束性、区别性与责任分担等进行了整理分类。其中，减排义务的类型及区别对待与责任分担的内容分别整理为表 2-5 与表 2-6。一些中国学者对其中影响较大的 10 多种方案作了详细介绍与综合评论（庄贵阳、陈迎，2005；林伯强，2010；董敏杰、李钢，2010）。在 2004 ~ 2005 年举行的皮甘迪克气候对话会（The Climate Dialogue at Pocantico）上，与会者认为，各种方案之间并不是相互替代关系，而是可以平行共进或相互配套的元素，其中最核心、最可行的 6 个元素是：指导性的长期目标、适应能力、指标与贸易、部门法、基于政策的方法与技术合作。之后，又有一系列工作论文或研究报告就这些元素进行了更深入的讨论。

表 2-5　关于后京都制度框架的部分建议：减排义务的类型

类型	主要内容	方案
根据不同基准年确定目标	将减排目标与承诺期内正常排放量的预测值联系起来，以避免采用历史基准年导致的过分简单或过分容易问题	提升与深化建议（graduation and deepening）
指数目标	目标不是绝对值，而是与其他变量相联系，以避免成本不确定性。强度目标：适用于发展中国家；绩效目标：将允许排放的数量与某一产量单位，如吨钢、千瓦时电相联系	
"没有浪费"的目标	适用于欠发达国家，没有约束力，可以超过排放目标，但如低于排放目标，可将剩余配额出售给他国以获利	
二元强度目标	结合"动态"目标与"没有浪费"目标，给发展中国家设定 2 个目标：较宽松的"遵守"目标与较严格的"出售"目标	
限制性目标	如果发展中国家超过预测的正常碳强度改善程度，则其在接受发达国家提供的资金支持与技术援助时受到一定限制	
部门目标	对某些部门制定目标	增长基线法（growth baselines）、趋同市场法（converging markets）、技术增强协议（technology back stop protocol）
安全阀	允许国家以事先确定的"安全阀"价格购买额外的份额；国家可以据"安全阀"价格水平与减排的边际成本之间的关系决定购买或出售额外的减排份额	混合国际排放交易、双重路径（hybrid international emissions trading）
长期积累目标	只确定长期积累目标，没有规定短期目标，更具灵活性	

资料来源：Bodansky, Daniel. International Climate Efforts Beyond 2012：a Suvey of Approaches [R]. Pew Center on Global Climate Change Working Paper, 2004. 转引自：董敏杰，李钢. 应对气候变化：国际谈判历程及主要经济体的态度与政策 [J]. 中国人口·资源与环境，2010，20（6）：13 ~ 21.

表2-6 关于后京都制度框架的部分建议：减排义务的区别对待与责任分担

类型		主要内容		具体方案
区别对待义务的标准	单一因素标准	财富，以人均GDP衡量		多数方案
	多因素标准	人均GDP与人均排放量		提升与深化建议（graduation and deepening）
		人均GDP与每单位GDP排放量		未来区分法（further differentiation）
		考虑国家特殊环境中的多个变量，在部门层次确定目标		全球三位一体法（global triptych）、扩展的全球三位一体法（extended global triptych）
		区分满足人们需要的"必要"排放量与"奢侈"排放量		满足人文发展基本需要的方案（human development goals）
区别对待义务的方法	义务的类型	对中等收入发展中国家采用动态目标，对欠发达国家采用无约束力的目标		未来区分法（further differentiation）
	义务的严格性	收入高的国家严格性也高		三方政策建设方案（three part policy architecture）
		根据人口、历史排放量等诸多因素，在分部门的基础上确定整个国家的义务严格性		全球三位一体法（global triptych）、扩展的全球三位一体法（extended global triptych）
		将各国分为不同种类，不同种类确定相应的减排目标		提升与深化建议（graduation and deepening）、排放增长的软着陆法（soft landing in emissions growth）
	义务的时间	发展中国家经历四个阶段：没有目标、温室气体强度目标、绝对排放量稳定目标、绝对排放量减少目标		多阶段法（the multistage）
		给予发展中国家更多的时间以履行义务		全球框架法（global framework）、多部门趋同法（multi sector convergence）
		发展中国家的义务不仅取决于时间，还要满足一定的实质性条件，如人均收入或人均排放量		
全球参与路径/升级		各提出4个阶段，发展中国家依次进入下一阶段	根据目标的种类	多阶段法（the multistage）
			根据目标的约束性	提升与深化建议（graduation and deepening）

（续）

类型		主要内容		具体方案
义务在国家间的分摊	基于分配的方法	普遍性的规则	人均排放量	紧缩与趋同法（contraction and convergence）
			历史责任	巴西案文（brazilian proposal）
	基于结果的方法	基于预期结果，例如使各国的预期减排成本均等化		减排成本均等法（equalMiti gation costs）
	基于过程的方法	通过某一程序，例如特殊的投票规则分摊义务		全球偏好获胜法（global prefe rence score）

　　资料来源：Bodansky, Daniel. International Climate Efforts Beyond 2012：a Suvey of Approaches[R]. Pew Center on Global Climate Change Working Paper, 2004. 转引自：董敏杰，李钢. 应对气候变化：国际谈判历程及主要经济体的态度与政策[J]. 中国人口·资源与环境，2010，20（6）：13～21.

2.2.4　各国气候政策与立法中的主要贸易措施

　　各国气候政策与立法的主要目的在于减少碳排放，减缓气候变化，改善经济结构，促使产品和技术更新，促进清洁能源发展。通过上述梳理，可以发现：发达国家多基于经济手段，灵活减排；发展中国家更注重行政手段；在能源、交通、建筑等众多领域均包含贸易措施。

　　如果以实施地理范围为主要划分标准，相关措施归纳见表2-7（张伟华，2012）。

表 2-7　各国气候政策与立法中的主要措施

措施	具体类型及其涉及的政策工具	特点和效果
境内减排价格制度（domestic emissions pricing system）	(1)征收温室气体排放的国内税，主要包括：①碳税（carbon tax），基于碳含量（carbon content）。②能源税（energy tax），基于能源含量（energy content），可以向化石燃料和无碳的能源资源征收。能源税适用于化石燃料，对 CO_2 排放有事实上的影响，也被认定为"隐含碳税（implicit carbon taxes）"。③"反向税"——补贴：针对外部经济或不经济行为，给予或取消补助	来源稳定、易于操作、可补偿其他税改的资金缺口。会改变所涉商品的相关成本、价格，某种程度上也影响行业和企业的竞争力，并影响贸易。缺乏国际协商一致，并非全球普遍适用。按理说，向消费者或生产者征税不影响税收归宿，但考虑到征收和实施成本、整体环境效果，多数国家直接向燃料消费者征收碳税和/或能源税。若补贴差别对待，易造成国外产品相对竞争力下降
境内减排价格制度（domestic emissions pricing system）	(2)建立温室气体排放交易体系（ETS）：①总量限制与交易制度（cap – and – trade system，CAT），为整体排放设定一个水平。例如，欧盟排放交易计划（european union emission trading scheme，EU – ETS）②基准排放和信用（baseline – and – credit，BAC）体系。以基准为基础的体系（the rate – base system），相对总量（relative cap），为每一排放源设定一个排放标准	ETS 相当于为碳排放行为设定了一个价格：先确定一个碳排放总量的上限（cap），然后把该上限转化为允许排放的许可配额（allowance），最后建立一个市场，以该市场价格对这些许可配额进行拍卖或交易。从理论上说，许可配额（碳价格）的市场价格可以反映减排的边际成本，从而鼓励排放者达到具体的减排目标，使成本内在化

（续）

措施	具体类型及其涉及的政策工具	特点和效果
边境措施（border measure）	（1）边境税调整（border tax adjustments，BTAs）：①对进口产品征收与国内相似产品对应的税，即对进口产品的边境税调整。②对出口产品返还国内征税，即对出口产品的边境税调整	边境税调整通常适用于有关商品消费或销售的国内税。然而，不是所有的国内税都适用于边境调整。国内碳税或能源税是否适用边境调整，应据WTO的规则对其具体实施逐一分析。作为国内实施碳税或能源税的补充，碳关税旨在抵消可能的产业（尤其是能源密集型产业）竞争力不对等，防止碳泄漏（carbon leakage）
	（2）碳排放交易体系边境调整：主要表现在要求进口商须拥有排放许可配额（emission allowances）。例如，美国的边境许可配额要求（border allowance requirement）	作为国内实施碳税或者排放交易体系的补充。假设进口产品来源国并未对其产业实施碳减排义务，则进口商将不得不提供碳排放许可或授权的排放信用，以支付其进口商品生产过程中排放的碳，或被允许购买国内排放交易市场的许可配额
配套措施	碳技术法规、碳标准、碳标识：如节能标准、绿色标志和包装、环境认证等。碳排放配额、碳排放许可证、碳排放交易	各国经济、技术水平不同，易形成绿色贸易壁垒

资料来源：经过作者分析整理，并参考：张伟华.WTO主要发达成员应对全球气候变化的政策措施评述［EB/OL］.（2012－03－14）.http：//www.110.com/ziliao/article－279680.html.

　　其中，碳贸易措施以边境碳调节（碳关税和边境许可配额要求）、碳排放权许可（碳配额）交易为主。而碳排放权许可（碳配额）交易制度是一个包含碳标准设定、碳标识发放、碳资质审核登记、碳总量控制、碳配额界定与交易、碳配额许可证签发管理、碳配额资产认证、储备、管理等工作的规则体系，能够充分体现不同国家之间在应对气候变化的能力层次、历史责任、发展阶段、科技水平、人均排放上的差异，既有明确目标，又有充分的灵活性，兼顾了效率与公平。

　　主要措施及其实施状况、利弊，总结如下。

2.2.4.1　境内减排价格制度

　　（1）碳税（carbon tax）和能源税（energy tax）。碳税和能源税的征收对象不同，但主要集中在煤炭、石油、天然气等化石燃料。其中，石油和天然气比煤有更高的能源含量，负担的能源税比煤炭更重；而煤炭在燃烧时排放的CO_2较多，负担的碳税比石油和天然气更重。

　　为了降低操作成本，其征收方式表现灵活，可以单独征收，也可包含于环境税或消费税中。例如芬兰和瑞典，一般采用碳税和能源税结合的征税方式。不少国家没有采用隐含碳税，而是采用一般的能源税。英国和德国的气候变化税（climate change levy）则是在整个环境税改革中推进，以促进节能和高效能源。

　　碳税是发达国家偏好的经济手段，尤其是欧盟。1990年，芬兰第一个开始制定碳税，之后瑞典、挪威、丹麦、荷兰、斯洛文尼亚、意大利、爱沙尼亚等纷纷效仿。有些城市和州也在探讨或启用碳税。例如，2007年10月，加拿大魁北克省启用了碳税；2008年7月，加拿大不列颠哥伦比亚省开始对所有化石燃料征收碳税。美国没有制定国家层面的碳税，但科罗拉多、加利福尼亚及马里兰州已开征碳税。部分 OECD 国家的碳税制度现状归纳见表 2-8（OECD，1996）。

表 2-8　部分 OECD 国家的碳税/能源税制度现状

国家	现状	税种
芬兰	1990 年(实施)，1998 年(更新)	碳税/能源税
瑞典	1991 年(实施)，2001 年(更新)	碳税(税改的组成部分)
挪威	1991 年(实施)，1999 年(更新)	碳税
欧盟	1991 年提出方案，未获得通过	碳税/环境税
丹麦	1993 年(实施)，1996 年(更新)	碳税(税改的组成部分)
荷兰	1996 年(实施)	能源税
斯洛文尼亚	1997 年(引入)	碳税
意大利	1998 年(实施)，1999 年(修订)，后暂停	能源税改革
法国	1999 年(提案)，新提案 2010 年(实施)	能源/碳税
德国	1999 年(实施)	能源税(生态税)
奥地利	2000 年(更新)	能源税
爱沙尼亚	2000 年(实施)	碳税
英国	2001 年(实施)	气候变化税
新西兰	2007 年(规划)	碳税
比利时	2010 年，已完成规划	能源税
美国	1993 年提出，尚未通过	应热单位税
澳大利亚	1994 年提出方案，2012 年实施	2012 年 7 月 1 日至 2015 年 6 月 30 日为固定价格碳税，2015 年 7 月 1 日开始碳税随行就市
日本	搁置	碳税
波兰	搁置	碳税
葡萄牙	搁置	碳税
瑞士	搁置	碳税

资料来源：经济合作与发展组织. 环境税的实施战略[M]. 张世秋，等，译. 北京：中国环境科学出版社，1996：18～19.

在能源税制演进历程中，各国能源税制有共同的特征：间接税的地位日益重要；普遍形成了以运输燃料为核心，以环境为焦点的能源税制；能源税立法模式较为统一，基本形成了能源国情—能源战略—税收干预的立法模式，结合本国能源消费结构和能源储备客观情况，进行能源税的立法；能源税基本呈现综合性或复合性的立法结构，主要内容集中于碳税、硫税和电力税；能源税促进可持续发展的绩效不同，美国和加拿大两国为高耗能、高耗油模式，英国、法国、德国、意大利、日本为低耗能、低耗油模式。同时，各国能源税制又各具特色：北欧国家能源税立法综合多元；德国能源税立法以提高能效为目标；荷兰能源税立法以抑制气候变暖为中心；英国能源税立法堪称采掘业税制的典型；日本能源税是能源紧缺下的复合税制；韩国能源税是能源稀缺与广施税收激励。美国的税收制度十分复杂，又非常敏感，联邦、州、地方政府有各自的税收体系，其中联邦政府的税收主要依靠所得税，州政府主要依靠消费税，地方政府主要依靠财产税，能源税在美国税制体系仅占有微弱的一席之地（蒋亚娟，2008）。

由于能源价格、税收制度等方面的原因，在发展中国家还难以实施碳税。从2010年6月1日起，印度对本国生产及进口的每吨煤炭征收50卢比（折合1.07美元）的国家碳税。这种差异是由发达国家和发展中国家能源战略决定的（表2-9）（蒋亚娟，2008）。

表2-9　发达国家和发展中国家能源战略比较

发达国家	发展中国家
积极开拓海外市场	吸收引进更多的资金、技术和设备，加强国际交流和合作；采取积极而谨慎的态度履行国际公约，既要保护环境，又要发展经济，逐步缩短与发达国家的差距，力争在平等的地位上共同发展
促进国内资源的开发和利用	加强国内能源资源的勘探和开发；加大对能源产业的资金投入，加强能源利用研究
提高能源利用效率，发展清洁燃料，实行"碳税"政策，控制温室气体排放	大力开展节能活动，用经济手段促进能效的提高；加大教育方面的投资，加强环境与能源的宣传教育，促进节能与新能源开发
开发利用替代能源和可再生能源	开发新能源和可再生能源，尽快完成可再生能源替代常规能源的进程

资料来源：蒋亚娟. 可持续发展视域下的能源税立法研究[D]. 重庆：西南政法大学，2008.

（2）排放交易体系（ETS）。ETS首先由美国1977年的《清洁空气法》（CAA）引入，以减少某些地区空气污染物的排放。美国1990年《清洁空气法修正案》规定，在电气公司中实施二氧化硫（SO_2）许可配额交易制度。

《联合国气候变化框架公约》（UNFCCC）和《京都议定书》（KP）第17条也规定了温室气体的国际排放交易体系。KP设计了3种灵活的补充性市场机制：在联合履行机制（JTM）下，附件1国家之间可以交易和转让排放减量单位（emission reduction units，ERUs）；在国际排放贸易（IET）机制下，附件1国家可交易配额排放单位（assigned amount units，AAUs）；清洁发展机制（CDM），允许工业化国家从其在发展中国家实施的减排项目中获取或直接购买核证减排单位（certificated emission reductions，CERs）。这3种机制为附件1国家以较低的成本获得减排量提供了选择机会；借助于减排项目的全球配置机理，刺激了气候变化合作领域的国际投资，为各国实现低碳经济发展创造了有效的实施途径；使温室气体减排量被明确赋予了商品属性，从而极大地推动了国际碳排放交易市场的发展。自KP签订以来，国内层面使用排放交易体系日益受到关注。

排放交易体系的类型、排放许可配额的分配、与其他现有体系的关系，及其他特征等制度设计细节非常重要，决定参与者的成本负担，并影响整个交易体系。

①ETS 的类型。可以从以下不同角度划分。

第一，排放目标：第一种，总量限制与交易体系（cap – and – trade regime，CAT），为整体排放设定一个水平（排放上限）——通常以物理单位计算（例如吨），该排放上限的最大数额通常比过去排放量更低，并且随时间推移而下降；规定排放来源可在具体的时间框架内进行排放。政府随即创设许多涉及排放的"许可配额"，总数量等于排放上限。第二种，基准排放和信用体系（baseline – and – credit regime，BAC）。以基准为基础的体系（the rate – base system），是相对总量（relative cap）制度，为每一个排放来源设定一个排放标准——通常以单位产量允许的排放量，或排放密集度来表述。二者都是市场化方式，与 CAT 相比，BAC 体系：并没有对排放设定一个总体上限，因此对可能达到的总体排放水平目标增加了不确定性；管理的负担更重，与一项环境税一样，监管当局需要定期重新评估和调整这个基准标准以达到特定的排放目标，并为来自增加产量的额外排放作出修正。排放交易体系参与者的数量也是决定任何上述交易制度减排潜在影响的重要因素。事实上，现有和拟定的 ETS 通常都规定了二氧化碳排放的最低门槛，从而排除了小型排放设施。例如，在欧盟温室气体排放交易计划（european union emission trading scheme，EU – ETS）的第三阶段，每年二氧化碳排放量在25000以下的设施，允许选择退出 EU – ETS，只要其实施了替代的减排措施。

第二，行业范围。有些 ETS 涉及众多行业，或者允许逐步纳入更多的行业。例如，EU – ETS 涉及电力、钢铁、玻璃、水泥、陶瓷、砖等行业，在 2012 年后，其范围拓展至石化、氨水和铝业等新行业。加拿大提出的 ETS 计划也涉及燃烧发电、石油和天然气、森林产品、冶炼和精炼、钢铁、矿业、水泥、石灰和化学品等广泛的行业领域。

第三，气体种类。大多数 ETS 只纳入 CO_2，如早期的 EU – ETS、美国区域温室气体动议、瑞士的交易体系。相反，澳大利亚新南威尔士州的温室气体减排体系、加拿大的 ETS 计划则涉及其他的温室气体。EU – ETS 在 2012 年后，也包含了两种新的温室气体：一氧化二氮（N_2O）和全氟碳化物（PFCS）。

②许可配额的分配。在一个 ETS 中，许可配额就是共同货币。一般而言，一个许可配额给权利持有人排放 $1tCO_2$ 的权利，例如 EU – ETS；或允许排放 1t 二氧化碳当量（CO_2 – eq）的权利，例如澳大利亚新南威尔士州的温室气体减排体系。维持在其许可配额水平之下排放的公司，可出售其节余的许可配额。超过其许可配额水平排放的公司，通常采取如下两种办法之一或混合采用两种办法：采取措施减排，如投资更多环境友好技术；或在市场上购买其所需的额外许可配额。

制度设计。第一种，上游体系：针对"上游"的制度设计。所有排放限制都适用于化石燃料及其他能源来源的生产者、进口商。排放成本通常通过提高市场价格而转嫁给下游的消费者。优点：所规制的对象数量有限，管理成本较低。缺陷：将排放上限简单等同于燃料数量上限，从而对化石燃料生产者和进口商的利润造成不利影响；可能不足以鼓励终端消费者提高能源效率和减排。第二种，下游体系：针对"下游"的制度设计。排放限制适用于排放来源，例如化石燃料的终端用户（温室气体的实际排放者）。优点：为排放交易提供了潜在而广泛有效的市场。缺陷：管理成本较高，因为所适用的参与者数量众多。大多数现有方案都设计为下游体系，如 EU‒ETS，它适用于目标行业的单一设施。但是根据行业的不同，设计模式的适当性也会不同。例如，针对有关运输行业的排放，采取下游模式则难以实施，因为这涉及所有车辆的所有权人和经营者，更应该倾向于上游模式。

分配方式。第一种，免费分配：基于历史排放水平，或基于行业排放量的预估，或基于每单位产量的排放来发放配额。优点：降低了能源密集型和贸易开放度高的行业失去竞争力的风险。第二种，拍卖。赞成者认为，许可配额市场可能提供了一种即时的价格信号，这将提高 ETS 的整体有效性，因为碳密集型产品的消费者可以据此调整其需求；为尽早采取行动减排提供了更多刺激；可能缓解额外受益的问题，也因此更符合"污染者付费（polluter pays）"原则。分配许可配额的方式在区分各公司成本、如何将成本转嫁于消费者等问题上起着重要作用，可能导致特定行业发生潜在损失或赋予一定的竞争力。在实践中，许可配额经常被免费分配，主要是为了解决能源密集型产业的竞争力问题。例如，瑞士的许可配额全部免费分配。在澳大利亚的 ETS 中，免费分配给排放密集型以及贸易开放度高的产业之比重也很大。不过，在 EU‒ETS 的第三阶段，拍卖的数量发生了实质性的增长，第二阶段不到4%，第三阶段已经超过 50% 。在美国区域温室气体动议中，参与的美国东北部几个州已决定拍卖其所有年度配额。

③现有 ETS 的联动。

联动优势：可能诞生更大的市场，因此而降低温室气体减排成本、增加流动性、减少许可配额价格的波动。

联动类型：第一，建立直接联系，即许可配额在几个不同的 ETS 中交叉交易。例如，在 EU‒ETS 的第三阶段，联动和互相承认许可配额发生在 EU‒ETS、任何其他国家或次国家层面的总量限制与交易制度（CAT）、不破坏 EU‒ETS"环境整体性（environmental integrity）"的其他 ETS 之间。第二，建立间接联系，即 ETS 与基于项目的抵消（project‒based offsets）之间进行联系。例如，EU‒ETS 允许经营者在一定限度内，通过购买其他国家的碳信用额（credit）来支付其 EU‒ETS 下的许可配额；这些项目应当在《京都议定书》的联合履行机制（JTM）或是清洁发展机制（CDM）下得到官方认可。

④ 碳排放交易（carbon emissions trading）的发展动态及其影响。不少国家建立或试点碳排放交易（表 2-10）。

表 2-10　建立或试点碳排放交易的部分国家和地区

国家或地区	碳排放交易体系
欧盟	EU‒ETS 是世界上最早、规模最大的国际性碳排放交易体系，覆盖 30 个国家的超过 1.1 万个电站与工业企业。部分欧盟成员国还建立了国家碳排放交易体系
美国	宣布建立"cap‒and‒trade"体系

（续）

国家或地区	碳排放交易体系
澳大利亚	已建立碳排放交易所——澳大利亚国家信托（NSW），正在试点碳排放交易机制，预计在 2015 年 7 月健全碳排放交易体系
新西兰	2008 年建立碳排放交易体系
日本	正在试点碳排放交易机制
韩国	正在试点碳排放交易机制

资料来源：作者整理。

国际碳排放交易表面上是一种稀缺性有价资源的交易，但交易的"产权初始界定"和价格决定本质上都是国家间利益分配的博弈过程，会影响发展中国家未来发展和福祉等根本性问题。2009 年的哥本哈根会议和 2010 年的坎昆会议都未取得实质性进展，各方利益诉求存在着巨大差别，对第 1 承诺期后的减排目标和任务分配一直未能达成统一意见。如何参与国际碳排放交易，尤其是如何确定本国出口规模和获取定价话语权，已成为发展中国家参与国际碳排放交易和减排谈判亟待解决的问题（张云，杨来科，2011）。

2.2.4.2 边境调整

（1）边境税调整。边境税调整（border tax adjustment，BTA），又译为边境税调节或边境调节税，是国际贸易领域内的一种税收体制，主要分为对出口的调节与对进口的调节两种形式。

根据 OECD 的定义，BTA 被认为是部分或全部以目的地原则（destination principle）实施的任何财政措施。BTA 使出口产品豁免与出口国相似产品在国内市场销售的部分或全部税负，同时对销售给本国消费者的进口产品征收国内相似产品承担的部分或全部税负。目的地原则有别于原产地原则（origin principle）。在原产地原则下，指定出口的产品将在国内市场支付税负，而进口产品将免除这种税负，因为其已在原产地市场支付过相关税负了。BTA 通常适用于有关商品消费或销售的国内税。然而，不是所有国内税都适用于边境调整。国内碳税或能源税是否可适用边境调整，应据 WTO 的规则对其具体实施逐一分析。

边境碳税调节（carbon motivated border tax adjustment）俗称碳关税，属于 BTA 的一种，是按照目的地原则对国内征收的碳税进行调节，即为出口产品免除全部或部分在国内已经征收的碳税，对进口产品征收与国内相似产品承担的等额的碳税，若两者同时进行则为全部边境碳税调节，若单一地针对进口或出口，则为部分边境碳税调节。边境碳税调节的主要类型如下。

其一，对进口产品征税。根据征税对象不同，碳关税主要分为两类：①直接对化石燃料征收碳税或能源税，它针对产品消费所造成的温室气体排放，属于直接针对进口产品开征的间接税，因此，只要 WTO 成员方对进口化石燃料征税不高于同类国产化石燃料的税负，并且对来自于另一成员方的化石燃料课征的税负不高于对来自任何第三国的同类化石燃料课征的税负，就不会构成对 WTO 规则的违背。②对隐含碳（embodied carbon）或内涵能源（embodied energy）产品征收碳税或能源税，它针对产品生产过程所造成的温室气体排放，与 WTO 规则存在根本性冲突，造成了"同类产品"之间的差别待遇。因此，要想在 WTO 框架内采取此类措施，就必须保证其符合 GATT 第 20 条例外条款的规定。如果以 GATT 第 20 条（b）款为依据，那么成员方应当注意的是该款所规定的"必需性"要求。如果以（g）款为依据，那么成员方应当注意的是该款所规定的"与……有关"以及"与国内措施一同实施"的要求。最后，此类措施还必须符合第 20 条引言的要求，即不得对情况相同的国家构成武断的、不合理的歧视待遇，也不得构成对国际贸易的变相限制。

其二，对出口产品退税。根据退税依据的不同，碳税或能源税的出口退税也可分为两种情形：①化石燃料的出口退税，只要 WTO 成员方对出口化石燃料的退税额或免税额不超过实际收缴税额或应缴税额，均不构成出口补贴。②针对产品生产过程所耗化石燃料的出口退税，其退税依据是出口产品生产过程所耗化石燃料所背负的碳税或能源税，属于出口国对出口产品生产过程中所消耗的投入物开征的前期累积间接税，因而应当适用 SCM 附件 1 出口补贴清单中（h）款后半段的规定，即 WTO 成员方可以对出口产品退还或免除该国对作为其生产投入物的化石燃料已征或应征的税款，即使其同类产品在供给国内消费时无法享受此待遇。当然，所退还或免除的税款不能超过已征或应征税款。

（2）碳排放交易体系边境调整（碳排放边境许可配额/边境碳减排证明）。目前，有关碳排放交易体系的边境调整措施还没有正式实施的国别经验，但是该问题已经成为欧美等发达国家国内立法程序中讨论的焦点问题。一些国家，尤其是美国，最近不断强调碳排放交易体系边境调整。

美国认为，征收碳税虽然是经济学家很推崇的市场化减排措施，但它产生的竞争问题却不易解决。有鉴于此，国际电力工人兄弟会（International Brotherhood of Electrical Workers）和美国电力（American Electric Power）组织在 2007 年提出了一个建议（IBEW – AEP proposal）：针对美国能源密集企业在遵守了美国碳减排要求后可能遇到的国际竞争问题，美国应要求凡进口到美国的货物，要么来自那些已采取了与美国的总量限制与交易（CAT）机制相当的减排制度的国家，要么其生产者必须获得"碳许可配额（carbon allowance）"，并且在进口时附随相关证明。该建议在美国广受好评，已被吸收到美国相关法案中。

美国审计总署（GAO）在《气候变化措施：美国政策制定者的考虑》的报告中，把碳排放交易体系的边境调整描述成是一种"边境许可配额要求（border allowance requirement）"即进口商在进口商品到美国之前，向联邦政府购买许可配额。该要求有 3 项主要特征：（a）建立一个独立的许可配额储备：边境许可配额来自于该独立的联邦许可配额储备。（b）相应行动确定：那些来自没有采取与美国限制温室气体排放"相应行动"的国家的产品，在进入美国之前，进口商将不得不从联邦政府购买许可配额。（c）边境文件要求：在边境提交书面声明。美国2010 财年预算中包括的"总量限制与交易"规则（cap – and – trade rules）也体现了类似边境许可配额要求的精神，以期达到降低碳泄漏并减少国外产品对本国产品替代的目的①。

2.2.4.3 技术法规

技术法规是指规定强制执行的产品特性或其相关工艺和生产方法（包括适用的管理规定），以及规定适用于产品、工艺或生产方法的专门术语、符号、包装、标志或标签要求的

---

① 目前，有许多研究将碳边境调整和碳边境排放许可配额都统称为碳关税。

文件。这些文件可以是国家法律、法规、规章，也可以是其他的规范性文件，以及经政府授权由非政府组织制定的技术规范、指南、准则等。技术法规具有强制性，即只有满足技术法规要求的产品方能销售或进出口。

发达国家纷纷制定碳技术法规，抢占碳技术标准的先机，既有利于保护本国产业，还可以为其新能源技术和设备安排巨大的国际市场，进而获取巨大的经济利益。以欧盟为例，其碳技术法规和技术标准几乎涉及温室气体减排所有领域，包括可再生能源、工业能效、新建建筑、汽车燃油效率、家用电器，并且不断更新，在世界范围内的影响巨大。又如美国，其《清洁空气法》也规定了一系列的排放标准与节能标准：第 202 条规定了机动车燃油标准；第 206 条规定对汽车和汽车发动机进行符合性测试和认证，并规定飞机运输和船舶运输中的相关标准。在联邦和州对标准执行的协调问题上，《美国电力法》特别规定在建筑效能、家庭、可再生电力等方面，各州可根据自身情况而自主、灵活地选择其标准。2009 年的《美国清洁能源与安全法案》的第 2 部分从建筑、照明、工业、运输、新能源、政府等方面提出相关政策，每方面都强调了有关能源产品的各类标准。

2.2.4.4　碳标识、碳足迹

（1）碳标识。

碳标识的含义：也称为碳标签，是基于产品生命周期分析（life cycle assessment，LCA）和产品碳足迹（product carbon footprint，PCF）方法，以应对气候变化为最终目的，对产品（包括服务）导致气候变化的环境性能用量化的指数以标签的形式给予声明。相对于其他类型的产品标识而言，碳标识最为突出的特点就在于它所披露的信息是与产品特征无关的生产加工过程和方法。

碳标识的形式：①碳足迹标识（carbon footprint label）是产品碳足迹的量化标注，证明产品生命周期各个阶段的温室气体排放量。②碳消减标识证明该产品比其他产品所节约的一定比例的碳含量。③碳等级标识是按照产品的碳含量划分为不同等级，证明产品对气候影响的不同程度。

碳标识的认证：根据认证主体，产品碳标识认证可以分为政府部门主导和民间机构主导两大类。根据使用是否具有强制性，政府部门主导的碳标识认证还可进一步分为强制性碳标识认证和自愿性碳标识认证两大类。

碳标识的基本功能：碳标识制度利用市场诱导机制将国家、企业和个人三者的环保责任和利益有机地联系起来，并发挥正向引导作用，成为促进低碳经济发展的新型制度。

碳标识实践：目前，产品碳足迹认证与标识迅速成为一种新型的环境政策，被许多发达国家和知名企业采纳。英国、欧盟、美国、德国、瑞典、法国、日本、加拿大、韩国和中国台湾等陆续推广碳标识；沃尔玛、联合利华、宜家等众多知名企业均明确要求在某时点后其供应商必须提供产品碳标识，否则产品不能上架，仅沃尔玛的碳标识计划就将影响到中国几百万家企业。随着英国的 PAS 2050 标准、日本的 TSQ 0010 标准，ISO 14064～ISO 14067 系列标准等碳足迹认证标准陆续出台并国际化，全球产品碳标识制度发展进程加速，碳标识贸易壁垒和同类产品之间碳竞争逐渐形成。在贸易部门，对于达到这些技术标准的进出口产品，通过授予碳足迹标签的方式予以承认，而未获得标签的产品则可能会被禁止进出口或征收

碳税。

（2）碳足迹。

碳足迹标准：目的在于使碳足迹排放信息具有可比较性。西方各国的相关机构已制定或正在制定碳足迹的评估标准，如英国标准协会（BSI）、国际标准组织（ISO）、世界资源研究所（WRI）、法国环境与能源控制署（ADEME）、美国国家标准研究院（ANSI）等。中国标准化研究院也在积极开展低碳认证标准的制定和转化工作。目前，备受关注的碳足迹标准为英国标准协会（BSI）制定的PAS 2050，即产品和服务生命周期温室气体排放评估规范。PAS 2050于2008年10月公告后即成为国际推动碳足迹计算的主要参考依据。日本在2009年公告其碳足迹标准TSQ 0010。中国加紧了制定步伐，越来越多的信息表明，中国的碳标准不久后必将出台。

产品碳足迹的主要标准解读如下：

①英国的PAS 2050—2008（商品和服务在生命周期内的温室气体排放评价规范）。由BSI在2008年10月29日发布，是一项公共可用规范（publicly available specification，PAS），也是世界上第一个衡量产品和服务碳足迹的标准。该规范依据产品区分要求设定评估目标及选择评估产品对象，通过调研、沟通、盘查、数据搜集后，确定评估涵盖的计算边界内的排放量，专门针对产品和服务的碳足迹进行评价。PAS 2050中的原则与ISO 14064-1一致，都是构建在相关性、完整性、一致性、准确性、透明性5个原则之上，在执行评估时与ISO 14040，ISO 14044等生命周期评估相关标准共同使用。该规范的宗旨是帮助企业在管理自身生产过程中所形成的温室气体排放量的同时，寻找在产品设计、生产和供应等过程中降低温室气体排放的机会。它将帮助企业降低产品或服务的CO_2排放量，最终开发出更小碳足迹的产品。PAS 2050是目前唯一公开确定的具体计算方法，用来评价产品生命周期内温室气体排放。PAS 2050规定了两种产品评价范围，一是企业到企业，二是企业到消费者。② 英国的PAS 2060—2010。由BSI独立制定的碳中和规范，以ISO 14000系列和PAS 2050等环境标准为基础，以包容性、可及性、开放性为三大原则，提出了通过温室气体排放的量化、还原和补偿来实现和实施组织所必须符合的规定。③日本TSQ 0010—2009。日本经济产业省推动实施的碳足迹标识计划。第一阶段试行计划参与的厂商有30家62件商品，包括食品、饮料、清洁剂、包装容器等。计算的准则由石油经济产业省与日本产业环境管理协会与Mizuho咨询研究院负责。④国际标准组织（ISO）的ISO 14067和世界资源研究院（WRI）的《产品生命周期计算与报告》（均处在草案阶段）。ISO/TC 207于2009年6月提出ISO 14067产品碳足迹标准，第一部分为产品的碳足迹：定量；第二部分为产品的碳足迹：信息交流。ISO 14067标准集合环境标志与宣告、商品生命周期分析、温室气体盘查等内容，可把产品碳足迹的95%都计算进去，是比较精密的版本；适用于商品或服务（统称产品）；涉及63种气体，其中包括京都议定书规定的6种气体，也包含蒙特利尔议定书中管制的气体；内容架构以PAS 2050为主要参考依据。

组织碳足迹的主要标准解读如下：

ISO 14000（环境管理系列标准）：是ISO为环境管理技术委员会（ISO/TC 207）预留的100个系列标准号，即ISO 14001～ISO 14100的统称，以规范世界各国所有组织的环境行为，达到减少环境污染、节省资源的目标，进而消除贸易壁垒。从 1996 年 9 月以来，在 ISO 14000 系列中已正式颁布了 6 个国际标准，其中 ISO 14001 是建立环境管理体系以及认证审核的最根本的准则。

ISO 14001—2004（环境管理体系认证）。该标准适用于任何类型与规模的组织，并适用于各种地理、文化和社会环境，其基本思想是引导组织按照 PDCA（规划、实施、检查和改进）的模式建立环境管理的自我约束机制，从最高领导到每个职工都以主动、自觉的精神处理好自身发展与环境保护的关系，不断改善环境绩效，进行有效的污染预防，最终实现组织的良性发展。目前，国际、国内所进行的 ISO 14000 认证多是指对组织环境管理体系的认证，取得的是 ISO 14001 认证证书。

ISO 14064—2006（温室气体计算与验证）。向政府机构、工商企业和其他组织提供了一整套用于测量、量化和削减温室气体排放的工具，包含 3 个标准：ISO 14064-1《温室气体 - 第一部分：组织的温室气体排放和削减的量化、监测和报告规范》，ISO 14064-2《温室气体 - 第二部分：项目的温室气体排放和削减的量化、监测和报告规范》，ISO 14064-3《温室气体 - 第三部分：有关温室气体声明确认和验证的指南性规范》。3 个标准可以分别使用，或作为一个整体来满足温室气体描述与认证的不同需求。2006 年 8 月，美国国家标准研究院（ANSI）批准 ISO 14064 标准正式成为美国国家标准。

ISO 14065—2007（温室气体：对认可机构或其他评定机构的要求）。是对使用 ISO 14064 或其他标准或技术规范从事温室气体认可的确认和验证机构的规范和指南。有助于推动温室气体减排工作的实施，有助于降低温室气体确认和验证机构的责任和风险。

2.2.4.5　碳减排证明

碳减排证明是一种已经履行碳减排义务的证明，又称为"排放配额证明"。其创造者是美国，此措施要求那些没有采取"与美国可比的减排措施"的国家的产品必须附带碳减排证明，才能进入美国市场。其主要目的也是解决美国本国的能源密集型企业因实行国内减排而导致的国际竞争力下降问题，但是与碳关税相比，该方案抛弃了在产品输入时采取边境税调整的思路，转而要求进口产品的生产商在生产阶段就解决其碳排放问题，政府操作简单，可行性较大。

2.2.4.6　绿色政府采购

绿色政府采购是指国家利用政府采购这个巨大市场的需求，引导生产者采用先进清洁技术，节能减排，生产低碳环保产品。欧盟、美国和中国等都实施了绿色政府采购措施。

2.2.4.7　碳财政激励（碳补贴）

（1）按照形式分类。

信贷扶持：是指政府为开发或利用低碳能源与技术的企业提供低利率贷款，或设立专项信贷基金、金融支持项目，以支持低碳技术及产品的推广使用。例如，德国 1990 年起对投资可再生能源的企业提供长达 12 年的低于市场利率 1%～2%、相当于设备投资成本 75% 的优惠贷款。又如巴西，国家经济社会开发银行推出了各种信贷优惠政策，为生物柴油企业提供融资；巴西中央银行设立专项信贷资金，鼓励小农庄种植甘蔗、大豆、向日葵、油棕榈等作物，以满足生物柴油的原料需求。

政府补贴：是指政府向投资成本较高的使用低碳、可再生能源的企业，或使用低碳产品或技术的消费者，提供的财政补助，以及价格或收入支持，以鼓励低碳、可再生能源的开发与使用。例如，英国政府为海上风电项目提供40%的补贴；德国为投资风电的企业提供20%～60%的投资补贴；丹麦政府对可再生电力实行0.17克朗/（kW·h）的产品补贴。

税收优惠：是指政府对新能源项目实施免税或低税率政策。例如，美国政府规定可再生能源相关设备费用的20%～30%可以抵税。日本政府2009年4月份开始实施新的环保车购置优惠税政策，根据环保车性质和环保指标不同，购置新车时需缴纳的汽车购置税和汽车重量税可以全免、减免75%或50%；英国的气候变化税，计税依据是使用的煤炭、天然气和电能的数量，如果使用热电联产、可再生能源则可减免税收；欧盟、丹麦等对可再生能源不征收任何所得税。

研发鼓励：设立专门的可再生能源或新能源技术研究机构，为从事新能源开发与使用的机构及企业提供技术指导和研发资金支持。例如，美国政府制定了低碳技术开发计划，成立了专门的国家级有关低碳经济研究机构，统一组织、协调低碳技术研发和产业化推进工作。日本作为推动低碳经济的急先锋，每年投入巨资致力于发展低碳技术。日本内阁府2008年9月发布的数字显示，在科学技术相关预算中，仅单独立项的环境能源技术的开发费用就达100亿日元。英、德政府建设示范低碳发电站，加大对发展清洁煤技术、收集并存储碳分子技术等研究的资助，以找到能够大幅度减少碳排放的有效方法。

（2）按照WTO的合规性分类。随着低碳经济观的逐渐确立，相比从前，现有之国际贸易、投资的制度架构已大为改观。《京都议定书》（KP）的生效实施，在某种程度上为人们指明了方向，其所反映的国际气候制度的主要方向有二[由议定书第2.1.a条第（iv）和（v）项推导而得]，即减少或消除化石燃料补贴，促进可再生能源发展并提高能源效率。

从纯经济学角度而言，补贴并非促进可再生能源的最佳措施，《京都议定书》第2.1.a条第（v）项就建议采用"市场手段"。从国内层面来看，多数学者更倾向于适当的充分考虑化石能源的环境外部性的税收制度。从国际层面来看，建立一个全球性的排放限制与交易体系（CAT）也不失为有效的方法。然而，由于普遍存在的政治与经济压力，各国对上述市场手段缺乏必要的政治共识，以致出台了包括补贴在内的各种国内可再生能源激励措施，以使可再生能源与传统能源之间实现公平竞争——因为全球范围内存在着大规模的化石能源补贴，其深度与广度远大于对可再生能源的支持，同时可再生能源的成本又往往较高，有鉴于此，学者们普遍建议政府优化能源补贴结构，加大可再生能源补贴、扶持新能源产业。

广义能源补贴的常见类型归纳见表2-11（朱工宇，2011）。

表2-11　广义能源补贴的常见类型

政府干预措施	示例	补贴的通常运作原理		
		降低生产成本	提高产品价格	降低消费者成本
直接的财政转移	对生产者的赠款	V		
	对消费者的赠款			V
	低息贷款或优惠贷款	V		

（续）

政府干预措施	示例	补贴的通常运作原理		
税收优惠待遇	对工业产权税、营业税、生产税以及关税等实施退税或减免	V		
	税收抵免	V		V
	对供能设施的加速折旧补助			
贸易限制	配额、技术限制及贸易禁运	V	V	
政府以低于完全成本之价格直接提供能源相关服务	对能源基础设施的直接投资	V		
	公共研发支持	V		
	责任保险与设备退役支出	V		
对能源部门的管制	需求保障与强制使用比率	V	V	
	物价管制		V	V
	市场准入限制		V	

资料来源：Trevor Morgan. Energy subsidies：their magnitude, how they affect energy investment and greenhouse gas emissions, and prospects for reform. Final Report，UNFCCC，2007：6. 转引自：朱工宇. WTO 框架下的可再生能源补贴纪律［D］. 上海：华东政法大学，2011：17.

　　目前，世界范围内的能源补贴规模已极为可观，并呈进一步增长之势。除补贴外，其他激励措施也层出不穷。例如，英国政府对本国企业提供贷款担保和利息补贴。美国《清洁空气法》第 403 条规定了二氧化碳排放的津贴方案。《美国电力法案》第 4121～4124 条规定对天然气动力的重型车和商用车提供双倍退税。《美国清洁能源与安全法案》第 102 条提出了采用可再生能源的激励机制；第 125 条推进发展车辆制造技术的激励贷款；第 246 条能源生产的循环贷款基金计划等，从信贷、借款、回扣、退款等方面都给予新技术发展的良好条件；第 196 条规定了对企业、团体提供资金激励机制，以培训及指导企业的商业竞争。《美国电力法案》1431 条和《清洁空气法》794 条对企业申请低碳研发项目给予研发资金扶持。又如，就排放配额分配而言，欧盟相关法令实施的第一阶段是努力完成《京都协议书》所承诺目标的 45%，成员国配额的 95% 要免费发放给企业；第二阶段是缩紧了总体排放额度，完成《京都协议书》全部目标，适用发电、钢铁、炼油、水泥制造、造纸等产业；第三阶段是扩大了参与行业。但是欧盟成员国在本国对相关企业免费发放排放配额可能成为变相的出口补贴或进口替代补贴，其 WTO 合规性受到质疑（吕维霞、李茹、屠新泉，2010）。另外，对消费者退款可以有效推广清洁技术，但是大部分对企业补偿、对商品尤其是外向型贸易企业的退款退税、补贴都会对他国出口商造成不公平。

　　在此背景下，考察相应的国际制度（尤其是法律制度）并分析各种激励措施的合规性问题，就变得至关重要。正如国际关系学权威 Keohane 所言，国际制度建立了关于其他国家行为模式稳定的相互的预期，并降低了合法谈判的交易成本，同时还为各方提供了至为重要的信息，减少了影响合作的不确定性因素。应对气候变化、发展低碳经济，有赖于国际合作，若因各国之国内措施违反国际制度而导致贸易争端,以致最终影响合作,绝非国际社会之利,亦非子孙万代之福。WTO 在国际贸易领域具有无可置疑的重要性和无与伦比的影响力。目前,WTO 补贴纪律主要由以下规则构成:《补贴与反补贴措施协议》(ASCM);《农业协议》(AoA)之部分条款;《关税及贸易总协定》(GATT 1994)之相关条款;《服务贸易总协定》(GATS)之相关条款。以 ASCM 为例,判断一项措施是否受其规制并由此而受质疑,分析过程如图 2-11(朱工宇,2011)。

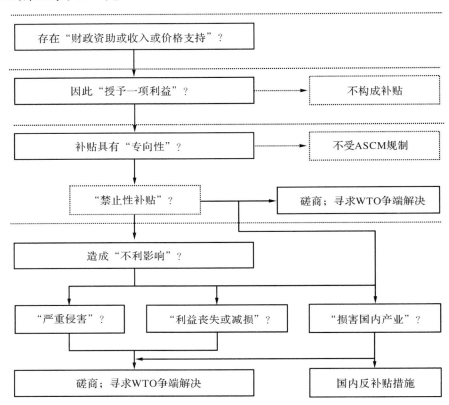

图 2-11 ASCM 之"四步分析法"

资料来源:朱工宇. WTO 框架下的可再生能源补贴纪律[D]. 上海:华东政法大学,2011:4.

以可再生能源激励措施为例,这些措施是否可能引发争端,主要取决于两大因素。一是某种可再生能源的国际贸易规模。贸易规模越大,利益冲突就越强烈。随着可再生能源及相关技术的逐渐发展与成熟,全球性的可再生能源市场亦渐趋成形,国际贸易不断增长,加剧了贸易争端的可能性。二是激励措施的构造与实施方式。激励措施的形式越具有贸易或生产扭曲性,国际争端就越容易发生。必须指出,当前各国实施激励措施并非纯粹基于环境目的,往往更多是出于能源安全考虑。我国《可再生能源法》第 1 条就指明其宗旨是"为了促进可再生能源的开发利用,增加能源供应,改善能源结构,保障能源安全,保护环境,实现经济社会的可持续发展",从其排序即可想见其价值取向。为了保障能源安全,各国一般不会提供对可再生能源的出口补贴。事实上，其他类型的国内支持性补贴更为常见，如进口替代补贴、消费补贴等等。然而，遗憾的是，由于各国发展可再生能源更多是出于能源安全或农业政策方面的考虑，因此，在设计具体激励措施时，往往难以使其具有最低程度的贸易或生产扭曲性，这就导致此类措施具有引发潜在争端的高度可能性（朱工宇，2011）。具体分析如下。

①直接补贴（direct subsidies）：财政资助的接受者与利益的接受者为同一实体的补贴。就生产、供应与消费链而言，目前，在世界范围内存在着针对可再生能源部门的各种类型的赠款、资本投入、税收抵免、优惠贷款项目及贷款担保，其中的绝大多数都是最为典型的直接补贴形式，而且具有明显的专向性。根据 ASCM 第 31 条，第 8 条规定的不可诉补贴类别已于 1999 年底失效，因此，符合专向性要求的绝大部分直接补贴，不管是所谓的研发补贴，还是落后地区发展补贴或环境政策补贴，在 ASCM 体制下都是可诉并可能引发争端的。不过，由于生物燃料补贴以及电力补贴涉及 AoA 与 GATS 的相关补贴规则，故依然有可能因某些特殊规定而被允许或得以豁免。

基于环境政策之税收优惠：在可再生能源领域，税收抵免（tax credit）、税收减免（tax break or exemption）（统称为税收优惠）是极为普遍的政府政策措施。目前，由于 ASCM 第 8.2 (c) 条早已失效，非农业补贴已不可能因其与环境要求相关而作为不可诉补贴并得以豁免。在此背景之下，与上述显然具有专向性的激励措施相关的一个重要法律问题在于，基于环境政策的税收优惠在 ASCM 下是否可因其与环境政策的相关性而不被视为"补贴"。鉴于 ASCM 并未将公共目标之实现与否纳入"利益"分析的框架，因此，该问题可以简化为，基于环境政策的税收优惠是否可因其与环境政策的相关性而不被视为"财政资助"。从原则上说，答案很可能为否。因为，税收抵免、减免或豁免，其措辞本身即表明，此类措施构成了"一般"税收规则之"例外"。按照上诉机构在 US – FSC 案中确立的"若无（but for）"标准，不论是否基于环境政策，税收优惠可因其构成例外规则而被视为放弃"本应征收"的政府税收。然而，上诉机构之后以"合理的可比情况（legitimately comparable situations）"标准补充了"若无"标准的缺漏，这一意见可能同样适用于根据"产品"（product）而非"收入"（income）给予税收优惠的情形。学者 Sadeq Bigdeli 认为，与所得税制度不同，与产品相关的税制有可能对产品的某一要素（如碳排放或硫排放等污染情况）征税。在这种情况下，可再生能源很可能因其特性（如污染程度较小）而获得其他产品没有资格获得的税收优惠，此时，就可以争辩称，类似的税收优惠并不构成财政资助。因为，政府虽然放弃了"潜在"的税收，但其"本就不应征收"。事实上，如果此类税收优惠引发了争端，WTO 专家组在确定"合理的可比情况"并对"可合理比较"的不同产品进行比较时，就可以将其环境影响（从而又将相应的环境政策）考虑在内。如此一来，基于环境政策的税收优惠就有了不被视为"财政资助"的可能性。不过，在非完全形态的碳税体系中，税收优惠问题依然可能存在。

②间接补贴（indirect subsidies）：出自西方国家的法律实践，系指财政资助的接受者与利益的接受者不完全统一、且后者之范围大于前者的补贴。其特征是补贴（财政资助及利益）的接受者（recipient）与补贴利益的受益者（beneficiary）分属同一产业链或交叉产业链上相互关联的两个不同实体。WTO 争端解决实践很早就已触及并承认其存在，所谓的"利益传递（benefit pass – through）"现象（图 2-12），其实就直接源自间接补贴问题。专家组曾将"利益传递分析"归纳为，"当补贴的接受者与被调查产品的生产者或出口者并非同一实体时，补贴对该被调查产品是否授予了利益"，这必须在个案基础上通过事实加以证明。

间接补贴在可再生能源产业中相当突出。对于生产环节以外的补贴，若仅限于单个环节，则很难认定产品"补贴"的存在和/或其可诉性。例如，对于分销环节的补贴，应适用服务贸易补贴纪律，但该纪律本身尚未真正成型；对于原料或中间产品的补贴，若作为广泛支持计划的一部分，则专向性并不明确；对于消费环节的补贴，由于实际上惠及整个经济，是否授予利益也较难判断。不过，如果承认间接补贴的概念，将产品生产环节以外的补贴视为对产品的间接补贴，则证明其可诉性的可能性将大为提升。

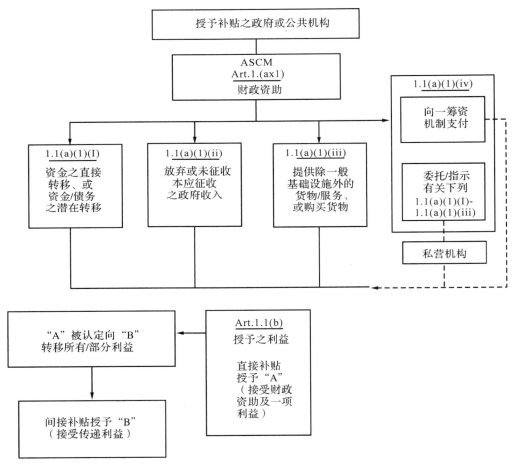

图 2-12 利益传递示意图

资料来源：Benefit Pass – Through – Communication from Canada［TN/RL/GEN/7］（July 14, 2004），part II.

转引自：朱工宇. WTO 框架下的可再生能源补贴纪律［D］. 上海：华东政法大学，2011：33.

2.3　对贸易关系的影响

2.3.1　碳贸易壁垒

2.3.1.1　碳贸易壁垒的含义和特点

贸易壁垒泛指那些产生阻碍国际自由贸易效果的措施。低碳贸易措施往往具有灵活性、针对性、有效性等特点，在没有统一协调的条件下，极可能形成新型隐性壁垒，其影响程度也将随低碳进程的推进而逐步加深。

目前，欧美加紧变革，通向"低碳经济圈"，包括为国民经济设立中长期节能减排目标，谋求实现整个国民经济体系向更环保、更有效率的"低碳经济体"的转变；同时构筑"碳贸易壁垒"，包括纷纷采取计算碳足迹、征收碳关税、制定碳标准、扩大企业碳信用交易范围、二氧化碳可视化制度等措施，引导贸易规则的演化，迫使发展中国家采纳超出其资源偿付能力的环保标准，弱化发展中国家的国际贸易优势，以达到保护本国市场，遏制新兴国家崛起的目的。

以欧盟为例，如果类似于英国《气候变化法》的法案能于近几年在欧盟主要国家部署到位，到 2020 年欧盟将发展出一套低碳经济体系。届时，欧盟的生产效率将显著提高，能源供应更为充足。最重要的是，欧盟将设立一系列低碳经济标准，成为全球低碳经济制度和技术的重要源头之一，从而为其带来源源不断的经济利益和软实力。同时，按照默克尔发展"新型跨大西洋经济伙伴关系"的构想，欧盟将利用 G8 和 OECD 等机制寻求与美国的低碳经济合作。随着欧美低碳经济的发展，不排除欧美在 2020 年后就某些节能减排通用标准达成共识、进而形成"低碳经济圈"的可能性。这意味着，欧美可能在产业转移、投资、市场准入方面形成"气候壁垒"，使中国、印度等新兴发展中大国面临新挑战。

发达国家以变通的手段，变相实施碳贸易壁垒的努力不断进行，碳贸易壁垒的表现形式趋于多样化、复杂化。目前，环境反倾销税、环境反补贴税、技术性贸易壁垒、惩罚性环境关税、高碳产品进口数量限制、国内规章等多种形式都已经在发达国家的考虑范畴，并不断成为其政策选择。例如，日本农林水产省于 2011 年 4 月开始实施农产品碳标识制度，日本市场销售的农产品将自带环保标签，向消费者显示其生产过程中排放的二氧化碳量，旨在鼓励生产和消费环保农产品。又如，美国以环境保护补贴为由，对来自巴西的人造橡胶鞋提出反补贴起诉等。

2.3.1.2　碳贸易壁垒的设置理由

碳贸易壁垒设置的主要理由是防止碳泄漏，弥补低碳措施导致的竞争力劣势。

碳泄漏的含义：Elliott（2010）等人认为如果国家间没有采取统一的限制碳排放的措施，对于那些已经对碳排放征税的国家而言将难以实现降低全球碳排放的目的，因为国际贸易将会加剧未征税国二氧化碳的排放，该现象称为碳泄漏。Fowlie（2009）则把碳泄漏定义为由于不完全环境管制，未受管制的生产者的生产及二氧化碳排放的增加。

碳泄漏的主要渠道：①经济行为向国外的转移，这类碳泄漏主要集中在能源密集、出口外向型的部门，相对于气候管制带来的碳减排量，碳泄漏的数量较少。②通过国际化石燃料供给的变化，当管制国家限制其需求时，化石燃料价格下降，则非管制国家就相对变得能源密集与排放密集。③涉及化石燃料供给者的跨期反应，因为化石燃料是不可再生能源，当前的供给决策不仅建立在基期价格基础上，而且应考虑未来市场。如果供给者预测低碳政策使得化石燃料在未来丧失吸引力，则倾向于在目前多销售一些。在极端情况下，如果供给者认为某些资源是极其稀少并终会消失，则跨期泄漏率将达到 100%。

碳泄漏的类型：Elliott（2010）等人认为碳泄漏通常具有两种类型，首先是生产地点发生变化带来的碳泄漏，其次是化石燃料的供给增加导致非管制地区的消费增加所带来的碳泄漏。

碳泄漏的应对措施：Fischer 与 Salant（2010）建议加速削减清洁能源的成本、调整边境碳税、提高能源使用效率、化石和清洁燃料的混合使用以及碳捕获（CCS）等。边境碳税调整是一种最流行的碳泄漏应对方法。

为了弥补碳泄漏与竞争力劣势，一些单方面实施环境政策的国家要求对那些执行环境政策较差的国家进行惩罚。早在 2006 年，法国前总理德维尔潘就曾建议对那些拒绝《后 2012 气候变化国际公约》之国家的出口产品征收额外关税；欧盟议会第 2005/2049 号决议也表示将惩罚美国等拒不加入《京都议定书》的国家；美国多个法案涉及边境调节措施，包括 S.1766（2007 年 7 月）、S.2191（2007 年 7 月）、S.3036（2008 年 5 月）、H.R.6186（2008 年 6 月）、H.R.6316（2008 年 6 月）、H.R.2454（2009 年 6 月）和《美国电力法案》（草案，2010 年 5 月）等，矛头直指中国、印度等国家。

实际上，有研究表明，如果基于隐含碳的视角，重新审视中美贸易关系，中国对美国一直是隐含碳的净出口国且数额较大，承担了本应由进口国美国承担的碳排放量。中国对美国存在巨额贸易顺差的同时，美国享有巨大的贸易生态利益。同时，中国的贸易和经济增长方式高碳特征显著，经济增长依旧是依靠资本投入的外延增长。从表象上看，美国等发达国家的"碳关税"等措施是一种贸易"显秩序"，是对两个贸易格局的调整，而更深层次，它是对中国现行经济增长模式提出的一种挑战。低碳经济属于典型的依靠"技术积累"而非"资本积累"的一种"内涵增长"，低碳经济模式是引导中国经济发展模式转型的"隐秩序"。变"外延增长"为"内涵增长"是中国经济的必然选择（宁学敏、任荣明，2011）。同时，应该注意，目前世界上普通使用的生产核算原则并没有包含贸易中的隐含碳，明显高估了中国碳排放水平；生产核算标准容易导致碳泄漏，所计算的排放水平也不能说明一国的减排成果，无助于实现全球减排目标。因而，在未来的国际谈判中，中国要积极主张建立基于生产和消费共同承担碳排放责任的核算标准，真正体现"共同但有区别的责任"原则，确保中国在一个公平合理的框架下确定排放权和排放配额。

2.3.1.3 碳贸易壁垒的现状和影响

目前，一些碳措施带有明显的贸易壁垒色彩，影响力日渐显现。

（1）碳技术法规、碳标识和碳标准。

①表现形式。一是信息工具，例如碳标识制度及碳标准。二是遵从评估工具（合格评定

程序），即任何直接或间接用以确定产品和生产方法是否遵照碳技术法规或碳标准要求的程序，包括抽样、检测和检验程序；符合性评估、验证和合格保证程序；注册、认可和批准以及它们的组合。

根据 WTO 的《技术性贸易壁垒协议》（TBT 协议）规定，WTO 各成员在制定和实施技术法规、标准和合格评定程序时，必须遵循以下原则：避免对贸易造成不必要障碍的原则（对贸易影响最小原则）、非歧视性原则（国民待遇原则和最惠国待遇原则）、与国际标准协调一致原则、技术法规等效性原则、合格评定程序的相互认可原则和透明度原则等。但是，在实践中，一些成员并未严格遵守上述原则。例如，某国对进口产品的技术要求高于该国产品，违反了国民待遇原则；或对从特定国家进口的产品的技术要求高于从其他国家进口的同类产品，违反了最惠国待遇原则。有的成员在颁布没有国际标准或与国际标准不一致且可能对其他成员的贸易产生重大影响的技术法规或合格评定程序前，违反了透明度原则，并没有向WTO/TBT 委员会提前通报，也没有征求其他成员的意见，使其他成员在不知情的情况下因其出口产品不符合进口国相关规定而被退回、扣留、降价处理或销毁；还有的成员在抽样、检测和检验等具体程序中，无故拖延时间，不合理限制进口产品。凡是违反 TBT 协议有关原则所制定和实施的碳技术法规、碳标准和合格评定程序均构成技术性贸易壁垒。

②设立动因。观点一，设立技术性贸易壁垒是为了取代关税控制进口，保护国内市场，起到"贸易防御"作用；观点二，设立技术性贸易壁垒还有非经济利益动因。赵春明、陈昊（2011）认为技术不占优的一方也可以为追求非经济利益而设立贸易壁垒。他们结合金融危机之后中国在国际贸易活动中屡受技术占优国家设立技术性贸易壁垒阻碍的现实背景，通过建立开放的两国模型，对预期的混合策略博弈和比较福利进行分析，结果表明，由于技术性贸易壁垒存在"表面严格效应"，因此只要技术差距不大，即使技术不占优的国家设立技术性贸易壁垒，也能够增进本国福利。

③发展趋势和影响。各国相互效仿，碳技术贸易壁垒的形式会愈加繁多，标准也将愈来愈高。例如，欧盟于 2009 年 10 月颁布了《用能产品生态设计框架指令》（Erp 指令），将产品范围进一步扩大至涵盖直接耗能产品和使用过程中对能耗有直接或间接影响的所有产品，严格限制产品生命周期中的碳排放量（朱培武、蒋建平，2010）。目前，欧盟已制定大部分用能产品的具体实施措施，且部分已生效。由于碳技术性贸易壁垒具有不确定性和可塑性，因此在具体实施和操作时，也很容易被某些发达国家用来随心所欲地刁难和抵制发展中国家的产品。

碳标识的影响：无论碳标识，还是与之相关的政策工具，都会对一国国内温室气体减量政策制定，以及低碳消费、低碳生产、低碳产业结构和能源结构调整提供极具参考价值的方向指引与绩效评估依据，也会对后京都时代全球温室气体减排的责任分担产生一定的冲击。国外学界有不少关于碳标识制度对发展中国家产品出口影响及其应对策略研究的成果。Kloeckner（2008）在《世界贸易组织与碳足迹标签计划的合法性：国际贸易在全球变暖斗争中的作用》中指出，国际社会应该使用产品碳足迹标签来阻止全球变暖，但产品碳足迹标签作为一项政策措施可能影响国际贸易，并面临世界贸易组织的挑战。Waye（2008）探讨了碳足迹、食物里程和澳大利亚葡萄酒产业的关系，指出"旨在减少温室气体排放量的碳足迹和地方粮食采购环境措施成为澳大利亚食品出口行业的潜在威胁。针对食物里程和碳足迹问题的国际磋商，澳大利亚葡萄酒生产商可以确立一项豁免强制性碳足迹的充分理由，或至少通过减小'食品里程'对碳足迹核算的影响来确保其产品有一个被认可的环境证书。"Brenton 等人(2009)从发展角度分析了碳足迹核算和碳标识计划与发展中国家产品出口的问题，指出产品的其他生产与分配阶段的高碳生产率所获得的碳减排量远超过运输阶段所产生的碳排放量，食物里程和购买国货运动不能解决碳排放问题，会扭曲贸易，甚至可能增加碳排放。在操作层面上，发达国家制定并推行碳标识计划时，应该评估发展中国家参与碳标识贸易的能力，帮助并确保发展中国家能够利用新出口机会。2010 年 5 月，国际贸易与可持续发展中心(IC-TSD)和国际食品与农业贸易政策委员会(IPC)联合以简报形式发布了 Macgregor(2010)的研究报告《碳关注：何种标准及标签计划才不会限制发展中国家的农业贸易》，系统分析了食品工业中的碳标识计划现状和其对发展中国家农业贸易的影响，报告指出如果没有基于环境外部性的合理定价，面向消费者的碳标识和碳自愿性标准将无法有效限制碳排放。总之，国外学者的相关研究多是基于发达国家视角，对发展中国家及某行业具体应对碳标识贸易壁垒的措施缺乏系统研究。

国内不少学者介绍了国际碳标识制度发展现状，同时分析了其对中国贸易的影响。裴晓东(2011)归纳了碳标识及发展现状，金伟(2011)、杜群和王兆平(2011)对国外碳标识制度进行了较系统的研究。吴洁等(2009)指出，对国际贸易商品的碳足迹进行统一测度、推广碳标识的使用指日可待；碳标识有可能被某些国家或商家滥用来设置技术贸易壁垒，引发更多的贸易摩擦。陈洁民(2010)和许蔚(2011)都认为，碳标识将是国际贸易中的新热点与趋势。陈荣圻(2011)指出，随着 2011 年 7 月 1 日法国关于消费品需要强制申报碳足迹法规的试运行，我国国内企业出口面临的压力将加大。尹忠明和胡剑波(2011)指出，碳标识的实施必然致使中国出口商品在目标市场的竞争优势丧失，甚至被挤出发达国家市场。针对碳标识贸易壁垒，国内学者也初步提出了一些建设性对策。吴洁等(2009)提出，鼓励碳足迹问题的研究，展开碳标识的试点工作；严格规定出口商品的碳排放量，对进口商品也同样实行一定的标准和认证要求。余运俊等(2010)、胡莹菲等(2010)和徐清军(2011)都提出应该建立中国的碳标识体系。当然，国内学界还只是提出了应对策略框架，还需要分行业探讨更详实的应对方案。

(2)碳关税。

①相关争论。边境碳税调整或碳排放交易体系边境调整本身不是关税，而是对国内碳税或碳排放交易体系的一种调节，初衷是使各国的碳税税负水平趋于统一(陈斌，2011)。相关争论主要集中于如下两个方面。其一，合法性。有人认为碳关税违反了 WTO 的国民待遇原则和最惠国待遇原则，还违背 WTO 的自由贸易精神(谢来辉，2008；沈可挺，2010)。征收碳关税以对象国是否实施可比性碳减排为标准区别对待，由于每个国家应该分配多少碳排放量没有一个统一的标准，在此基础上的碳关税额度必然差异很大，这就直接违背了 WTO 的最惠国待遇原则。此外，根据 WTO 国民待遇原则，进口商品的排放成本不能高于本国产品。但由于实践中不同产品甚至同类产品的碳排放量千差万别，而碳追踪技术还远达不到全球共识的要求，进口产品因此很容易受到歧视，从而违背 WTO 的国民待遇原则。有学者对碳关

税与 WTO 规则相符性研究后认为，碳关税保护本国产业竞争力的考量超过了对碳泄露等减排措施有效性问题的关注，不满足 GATT 第 20 条例外规定。但是，有些学者持相反的意见，认为在某些条件下，与 WTO 的贸易规则可以并行不悖（Biermann F，Brohm R，2005）。WTO 与联合国环境署认为，碳关税这种单边贸易措施本身与 WTO 规则之间不存在固有的冲突，而有可能容忍其实施。其二，经济效应。有些政府和学者认为碳关税是最有效的碳泄漏防治措施之一，但是有人认为碳泄漏不一定会发生，即便发生，其泄漏率也非常低，如果单方面对进出口实施边境调节不仅会造成资源浪费，无法达到降低全球碳排放的目的，而且容易引发贸易争端，扰乱国际贸易秩序。张宏、张海玲通过建立一个简单的一般均衡模型，分别对垂直产业链中的三个阶段（即上游开采生产、下游提炼生产及最终消费）征收碳税，结果发现，每个阶段所征收的碳税对国外碳排放的影响都不确定，国外碳排放总量是否增加或者碳泄漏是否会发生取决于相应的供给弹性系数及需求弹性系数。Goh、Demailly 和 Quriond 等人认为碳关税可以保证低碳政策不受碳泄漏所干扰，并可以保护征税国家的进口竞争产业。而 Mckibbin 与 Wilcoxen 等利用实证方法发现对于减少碳泄漏的作用不大，这些措施带来的收益太小并不足以弥补执行成本及其对国际贸易的负面影响，并且很难保护进口竞争产业，对于全球贸易体系的健全也存在着潜在的威胁。

②发展趋势和影响。（a）目前，发达国家正在努力实现碳关税内容的合法化。他们声称：一，GATT 第 2 条、第 3 条允许 WTO 成员对国内税进行边境调整，使出售给最终消费者的进口产品与进口国同类产品税负均衡。在发达国家陆续在国内征收碳税的背景下，实施碳关税符合 WTO 原则，其目的并非让进口商承担额外负担，而是使国内外生产商承担相同的减排成本。二，征收碳关税符合 GATT 第 20 条的一般例外条款，即"基于保护人类、动植物的生命健康或保护可用竭的自然资源，WTO 成员可采取必要措施进行贸易限制"。2009 年，WTO 秘书处发表的《贸易与气候变化报告》也认为，为避免遭受气候变化造成的不利影响，气候可作为全球公共产品而受到必要保护。WTO 争端解决机构先后审理的美国与印度等国之间"虾产品进口禁令"、欧盟与巴西"废旧轮胎限制措施"等贸易争端案例也反映了上述思想，这些都变相地为碳关税提供了实践支持，使之更加合法化。（b）发展中国家存在被迫接受碳关税的可能性。碳关税的实施可能经历从民间推动到政府逐步出台、征收范围从个别行业逐渐扩大到所有行业的渐进过程。当前，绿色生产和消费方式不断深入人心。在企业界和消费者共同推动下，可能形成一个从民间到政府的自发限制高碳产品进口过程，发达国家政府则可能借其减排先行优势，顺应民意，在国内强制推行碳税，并对不符合本国排放标准的所谓高碳产品进口施以碳关税；先在个别领域，尤其是服务贸易领域，试点碳关税，再逐步推广。例如，法国雇主协会和消费者协会的领导人都赞成欧盟进行碳关税。又如，欧盟规定从 2012 年开始对进出欧盟的航空公司征收碳排放税（本质类似于碳关税），从长期看，欧盟可能不断扩大适用行业和范围（蓝庆新，2010）。

以中国为例，目前中国面临碳关税的重压。美国政府非常积极地推动碳关税，对于中国这个世界工厂来说，这无疑将造成巨大的冲击，等同于给中国企业加上了一道厚厚的绿色壁垒。美国是中国最大的单一国家出口市场，如果美国征收碳关税，必然加重中国企业的成本、削弱中国出口企业的贸易竞争力，使得本已处在产业链低端、利润率已经不高的中国企业更加困难。此外，欧盟也是中国出口重点地区，如果欧盟也效仿美国征收碳关税，那么中国贸易将雪上加霜。中国面临的碳关税压力、影响与各国的相关政策有关。在能源税、碳税或气候变化税方面，不同国家、不同方案差异非常大。总体来看丹麦、瑞典属于高碳税国家，德国属于中等碳税国家，而英国、美国的碳税水平都相对较低（表2-12、表2-13）。

表2-12　美国碳税方案基本要素比较

税收方案	税基	税率	征税对象
方案1：克林顿1993能源税	化石燃料、水电、核电	25.7美分/百万英热单位、34.2美分/百万英热单位（油）	石油加工企业；煤炭、电力的终端用户与进口商
方案2：H. R. 2069—2007拯救气候行动法案	煤炭、石油及石油产品、天然气	10美元/t二氧化碳	制造业、进口商
方案3：H. R. 3416—2007美国能源安全保护基金法案	煤炭、石油及石油产品、天然气	15美元/t二氧化碳，每年增加10%	制造业、进口商
方案4：B. C. 气候保护税收计划	电	0.49美分/kW·h（居民部门）、0.09美分/kW·h（商业部门）、0.03美分/kW·h（工业部门）	电力终端用户
方案5：旧金山地区大气质量管理收费方案	二氧化碳	4.4美分/t二氧化碳	工业部门、商业部门

资料来源：吴力波，汤维祺. 碳关税的理论机制与经济影响[J]. 科学对社会的影响，2010(1)：55.

表2-13　欧盟部分成员国碳税/能源税/气候变化税税率比较

	丹麦	德国	德国制造业	瑞典	瑞典制造业	英国
轻质燃料油（欧元/千升）	281.9	61.4	45.0	369.0	60.5	135.8
天然气（欧元/千立方米）	300.6	59.6	35.8	241.8	45.3	24.4
电力（欧元/兆瓦时）	89.4	20.5（居民部门）	12.3	28.6（居民部门）	0.5	6.4

资料来源：吴力波，汤维祺. 碳关税的理论机制与经济影响[J]. 科学对社会的影响，2010(1)：55.

吴力波、汤维祺（2010）选取近年来中国出口增幅最快的四大能源密集型产品生产部门，进行估算，结果见表2-14、表2-15。如果按照美国的方案，中国四大能源密集型出口部门每年最多需要支付22.53亿美元（美国方案3）。如果按照欧盟部分成员国的方案，最多需要支付76.75亿美元（丹麦情景）。不同部门边境碳税额占出口总额的比重差异较大，非金属矿物制造业、有色金属行业受到的影响会比较大，在高税率情景下，边境碳税额最高可占出口总额的32.8%（非金属制品业），行业总碳税成本可达总主营业务成本的13.4%。在中等税率情景下，边境碳税总额最高可达出口总额的10%左右。在低税率情景下，碳税总额约占出口总额的3%～7%。2007年中国有色金属的毛利率为12.1%，所以，如果是高税率情景，中国出口企业根本无利可图；如果是中等税率情景，利润率被压缩的比例仍然很高；只有在低税率情景下才基本可以接受。结论是碳关税对于中国的出口企业而言，确实会成为一个沉重的负担，一个实实在在的威胁。

表 2-14　按照美国碳税标准中国能源密集型产品出口所可能被征收的碳税　单位：百万美元

	美国方案一	美国方案二	美国方案三	美国方案四	美国方案五
黑色金属冶炼及压延加工业	184.17	750.38	1125.57	5.19	3.30
非金属矿物制品业	39.43	139.64	209.46	1.77	0.61
造纸及纸制品业	16.42	61.48	92.22	1.12	0.27
有色金属冶炼及压延加工业	119.82	550.83	826.24	2.07	2.4

资料来源：吴力波，汤维祺. 碳关税的理论机制与经济影响[J]. 科学对社会的影响，2010(1)：56.

表 2-15　按照欧洲碳税标准中国能源密集型产品出口所可能被征收的碳税　单位：百万美元

	丹麦方案	德国方案	德国制造业方案	瑞典方案	瑞典制造业方案	英国方案
黑色金属冶炼及压延加工业	2154.49	492.85	296.61	733.07	22.46	167.25
非金属矿物制品业	643.99	146.03	89.35	280.05	20.57	70.90
造纸及纸制品业	298.84	68.39	41.24	103.42	3.39	24.32
有色金属冶炼及压延加工业	4578.63	1048.09	630.63	1542.63	43.60	353.22

资料来源：吴力波，汤维祺. 碳关税的理论机制与经济影响[J]. 科学对社会的影响，2010(1)：56.

郑晓博、苗韧、雷家骕(2010)对 OECD 国家 1991～2008 年的实证研究结果表明，碳税和能源效率标准对于贸易流都有反作用，因此影响了贸易竞争力。但是碳税的影响程度没有理论预期那么强烈，是因为如果存在政府的资助或者税收免除的情况下，反作用可能被抵消，贸易甚至可能增加。樊纲(2009)认为，中国如果首先征收了碳税，美国再实行碳关税就变成了双重征税，而双重征税违反 WTO 协议。事实上，中国碳税的制定工作已经提上日程。

（3）气候友好型补贴。国家为了履行其温室气体减排义务，可以采取补贴措施。如英国打算补贴可再生能源的生产和公共交通，这类补贴具有专向性，但是仍然可以符合 WTO《补贴与反补贴措施协议》(ASCM)第 8 条第 2 款(c)项规定的不可诉补贴。根据 ASCM 的规定，只要补贴同时具备：①一次性的临时措施；②不超过所需费用的 20%；③不包括替代和实施受援投资的费用；④与公司计划减少的温室气体排放有直接联系而且成比例；⑤能够适应新设备和/或生产工艺的公司均可获得，那么这项补贴就是不可诉补贴。尽管目前 ASCM 关于不可诉补贴的规定面临有效性的质疑，但是，相关国家仍然可以找出能够容纳精心设计的气候友好型补贴的空间。

（4）气候友好的采购政策。政府采购是一个巨大的市场，政府采购政策具有引导作用。如果某国决定只采购能效高、能耗低的产品，或者加大对可再生能源的采购力度，这些政策都有利于引导企业采纳更加清洁的生产技术和工艺，产出排放更低的产品。增加对气候友好产品的采购并不违反 WTO 的《政府采购协议》。另外，许多公司也纷纷推出"绿色采购"措施，不断"绿化"企业的供应链。例如，全球最大的零售商沃尔玛在其采购政策制定、实施过程中，采取对环境负面影响最小的采购方式，涵盖了对供应商的开发选择和评价、供应商运作、内部物流、包装、回收、资源减量使用以及产品处置等所有环节。

总之，建立气候友好的国际贸易规则，有利于控制代价并将其在国际范围内公平分摊，符合国际社会减排温室气体的共同利益。但是，如果不能建立统一的代价分摊规则，各国就会设立相关碳贸易壁垒，利用本国或本区域的市场力量分摊减排代价。这种国别的或者区域性的碳贸易壁垒措施可能符合 WTO 规则，也可能不符合。碳贸易壁垒是在应对气候变化、发展低碳经济的大背景下产生的一类新型贸易措施，其表现形式、实施范围、力度还在形成之中，相关的国际制度安排还没有最终定下来，国家或地区的碳贸易措施还有很多变数。值得注意的是，即使现行国际贸易规则没有任何改变，碳贸易壁垒措施仍然有较大的生存空间，或被设计成符合 WTO 规则的。此外，一些民间组织和实体，包括大型跨国公司和零售业巨头，利用合同在私法框架下也可以实施一些碳贸易壁垒措施，更加不易应对。所以，在碳贸易壁垒渐成的背景之下，未雨绸缪，及早进行低碳转型才是破解壁垒、解决未来竞争力问题的根本之道。

2.3.2 碳贸易摩擦

2.3.2.1 碳贸易摩擦的现状和冲突点

低碳经济催生碳技术法规、标准、标签要求和合格评定程序等措施。这些措施往往由发达国家率先制定，对发展中国家不利。特别是一些单边贸易措施，与多边贸易规则存在潜在冲突，有可能成为新贸易壁垒，引发贸易摩擦。例如，2010～2012 年，日本和欧盟起诉加拿大安大略省绿色能源法令的相关规定，日本起诉加拿大安大略省可再生能源上网电价的政策，美国起诉中国风电装备基金，中欧光伏贸易摩擦等。

以下在唐宜红、徐世腾(2007)和黄晓凤(2007)等人的研究基础上，具体说明如下。

(1)减排措施与 WTO 规则的冲突。一国可能采取的减排措施可以粗略地分为三类：与减排有关的贸易措施、国内减排措施和多边减排措施。其中，前两类措施与 WTO 规则的冲突最为明显。

①与减排有关的贸易措施。主要包括关税、配额、禁令等贸易限制措施，其基本目的是对他国行为施加影响。一些欧盟国家认为，这类措施是促使《京都议定书》非缔约方妥协的一个手段。由于它们直接与贸易相关，所以与 WTO 规则的冲突也最明显。GATT 1994 第 1 条和第 13 条直接限制这些贸易措施的使用。前者规定了最惠国待遇原则，后者则直接限制与减排有关的配额、禁令等数量限制措施的使用。

如果违反了以上两个条款，与减排有关的贸易措施能否得到 GATT1994 第 20 条(一般例外条款)的支持呢？目前，答案还是非常模糊的(Charnovitz，2003；Tarasofsky，2005)。GATT1994 第 20 条的(b)款允许成员国为了"保护人类、动物或植物的生命或健康采取必需的贸易限制措施"；(g)款则允许为了保护"可耗竭自然资源而采取有关的措施，只要此类措施与限制国内生产与消费一同实施"。另外，使用"一般例外"条款还必须符合其前言中的限制性条件："不在情形相同的国家之间构成武断的或不合理的歧视或构成变相的贸易限制"。根据以往的 WTO 案例，学者们一般赞同气候属于"可耗竭资源"，而减排措施也可以被认为是"为了保护人类、动物或植物的生命或健康"的措施（Doelle，2004；Green，2005；许耀明，2010），困难在于判定某项措施的实施是否是实现上述目的所"必需的"和"相关的"。Sykes（2003）认为，GATT1994 第 20 条和 TBT 协议下的"必需性检验"（necessity test）实际上是一种粗略的成本收益分析，受制于对误判成本和不确定性的认知程度。具体来说，它要考虑：一是某项措施所要实现目标的重要性；二是该措施是否是实现该目标所不可或缺的；三是该措施的有效性；最后是该措施对贸易的影响程度。由于对于气候变化的原因、程度和碳减排时机还存在争论，所以对以上一系列问题的考察，都是复杂而充满不确定性的过程，最终结论取决于 WTO 争端解决机构对相关问题的权衡。Green（2005）认为，气候变化问题存在的不确定性和争论一定程度上制约了对碳减排措施合理性的确认。

此外，由于与碳减排措施有关的贸易措施的目的往往是试图影响其他国家的行为，比如敦促他国实施减排等，所以还涉及 GATT1994 第 20 条域外效力的问题。Tarasofsky（2005）认为，WTO 倾向于不赞成这种试图影响别国环境政策的做法。在 1991 年金枪鱼与海豚案中，WTO 专家组就反对 GATT 1994 第 20 条具有保护域外可耗竭资源的效力。不过在 1998 年的虾与海龟案中，对 GATT 1994 第 20 条域外效力的限制又有所松动。在该案中，WTO 上诉机构允许一国在一定的条件下，将其国内环境管制延伸到其他缔约方（欧福永、熊之才，2004）。但 Charnovitz（2003）指出，虽然虾与海龟案似乎意味着 GATT 1994 第 20 条的域外效力有所改变，但是该案中涉及的贸易限制措施与关税措施缺乏类似性。另外，气候变化是一种跨境的环境问题，并非严格意义上的"域外资源"，这又增加了问题的复杂性。最后，《京都议定书》并没有明确规定缔约方可以对非缔约方实施贸易措施，这也增加了贸易措施符合 GATT 1994 第 20 条的困难。正如 Appleton（2001）指出的，"没有理由期待 WTO 专家组或上诉机构在解决气候变化问题上会比《京都议定书》和《波恩协议》做得更多"。

与碳减排有关的贸易措施除了涉及以上条款外，还可能涉及 ASCM。欧盟一直认为，美国等国家不履行减排义务对其国内产业实际上构成了隐性补贴，造成不公平的竞争环境。如果欧盟的观点是正确的，则根据 ASCM，可以对进口产品征收反补贴税。但是实际上，由于 ASCM 对于补贴的定义并不清晰，还不确定"不履行减排义务"是否构成补贴（Doelle，2004）。最后，如果一国认为不同国家减排措施的失衡，使得某种进口产品激增，并对国内产业造成威胁，该国也可能对进口产品加征关税，并从 WTO 的《保障措施协议》中寻求支持。保障措施的采用又是一个复杂的问题，但也是一种可能。

从以上分析可以看出，理论上与碳减排有关的贸易措施也有在 WTO 规则体系下存在的可能。不过就目前而言，实施与碳减排有关的贸易措施的国家很少，这除了各国政府尽力避免直接贸易措施的敏感性外，更重要的原因是各国总可以采取比贸易措施更灵活、多样，而且更可能得到 WTO 规则允许的国内碳减排措施（Charnovitz，2003）。但是，随着气候变化问题和气候谈判形势的变化，不能保证今后各国，尤其是发达国家，不采取与碳减排有关的贸易措施。

②国内碳减排措施。可以是国内一系列的环境规制措施，包括能源税、碳税、排放标准、自愿减排计划、生态标签、补贴、国内排放权交易等。其中，边境税收调节（BTAs）是一

项引起各国广泛关注的措施。对 BTAs 的讨论早已有之（Grossman，1980；Hamilton 和 Whalley，1986），但最近的研究主要考察 BTAs 在气候变化背景下的政策含义；在 WTO 的框架下讨论 BTAs 等国内减排措施的合法性和合理性。

在全球化的今天，国内措施和贸易措施虽然有别，但二者的界线并不清晰，这里的分类只是考虑相关措施的目标指向。减排有关的贸易措施主要是为了对外国施加影响。国内减排措施主要针对国内的生产消费行为，同时也施加于进口产品，这使其与 WTO 规则也存在潜在冲突，只是冲突相对缓和，因此，有学者认为 WTO 可能为促进减排行动提供机遇（Buck 和 Verheyen，2001；Doelle，2004；许耀明，2010），但也有学者持相反的观点（Green，2005）。

与国内减排措施密切相关的 WTO 条款是 GATT 1994 第3条和第20条，前者规定了国民待遇原则，后者涉及"一般例外"。另外，与能效标准、生态标签等有关的措施还涉及 WTO 的《技术性贸易壁垒协议》（TBT 协议）。那么国内减排措施是否符合 WTO 规则，要回答的两个基本问题就是：该措施是否符合 GATT 1994 第3条规定的国民待遇原则？如果违反了国民待遇原则，那么是否满足 GATT 1994 第20条的"一般例外"规定？另外，与能效标准、生态标签等相关的措施还必须满足 TBT 协议的相关规定。对于第一个问题，需要的考察步骤有三：首先，检验该措施是否被 GATT 或 TBT 协议所覆盖；第二，确认是否为"同类产品"（like products）；最后，检验是否对进口产品有歧视。一项国内减排措施只有被 GATT 1994 或 TBT 协议覆盖、且针对不同产品或者针对相同产品但不存在歧视时，才不违背国民待遇原则。以下简要分析这三个程序。

像排放管制、能源税、自愿减排计划、生态标签、国内排放权交易等，一般都被 GATT 1994 或 TBT 协议所覆盖，但是目前对于针对产品生产过程和方法（process and product methods，PPMs）的有关措施是否被 GATT 或 TBT 协议覆盖还不确定（Green，2005）。PPMs 可以分为与产品有关的 PPMs 和与产品无关的 PPMs，与前者相关的措施主要是为了保障产品性能和使用安全，而与后者相关的措施则往往是基于保护资源、环境（高晓露，2003）。与减排有关的一些国内措施，如产品能效标准、生态标签等主要是与产品无关的 PPMs 措施。一般观点是，基于能源效率或碳排放的 PPMs 措施不符合 GATT 规则（Sampson，2004）。但 Green（2005）认为，与产品有关的 PPMs 很可能符合 TBT 协议，而与产品无关的 PPMs 则很可能被认为违反国民待遇原则并且被排除在 TBT 协议之外。Buck 和 Verheyen（2001）则认为，基于 PPMs 的减排措施都很可能被 GATT1994 第20条所认可，但是否符合 TBT 协议则不确定。

接下来是判定减排措施是否针对"同类产品"。从能效或碳排放的角度来比较，产品可能存在差别，但这些"差别"并不一定被认为是"不同产品"。比如两种最终产品在物理性质和最终用途上一样，但由于生产技术或中间投入不同导致温室气体排放量不同，它们是否为同类产品呢？根据鲔鱼案I与II，生产方式的不同，并非区分不同产品的标准。但在石棉案中，消费者的偏好被认为也是区分不同产品的标准，由于消费者可能偏好低碳产品，所以温室气体排放不同的产品就有可能被认为是不同产品（Doelle，2004；许耀明，2010）。这样，对两种产品差别对待就不违反国民待遇原则。但是消费者偏好基于信息完全的假设，而市场本身或许并没有对碳排放不同的产品进行区分（Green，2005），且环境规制存在（如生态标签）的原因或许正是由于消费者缺乏这种产品差异的信息（Marceau 和 Trachtman，2002）。Green（2005）认为在石棉案中，WTO 上诉机构实际上对"同类产品"进行了宽泛的定义，所以尽管在能源效率或碳排放上存在差异，大部分产品还是很可能被认为是"同类产品"，尤其是那些仅在生产方法上有别的产品，除非有消费者对这些产品偏好不同的证据。

最后，即使某项减排措施指向同类的产品，也不一定违反国民待遇原则，除非它给予进口产品"较差的待遇"（less favorable treatment）。这需要看减排措施是否改变了竞争状况，例如是否只是提高进口产品的成本。而这又需要对整个减排措施的范围和结构进行分析，确定是否在整体上对进口产生了不利的影响——不管这种影响是否有意，只要存在，就有可能构成对国民待遇的背离（Green，2005）。Green（2005）指出，尽管 WTO 上诉机构努力进行客观的分析，但实际上这种分析带有争端解决机构的某种平衡，这种平衡隐藏在对进口影响的讨论之中。

通过以上三个步骤的检验，可以对国内减排措施是否违反国民待遇原则进行确定，但是最终结果还存在争议。最后，如果国内措施与国民待遇原则不符，还需要考察它是否满足 GATT1994 第 20 条，这同样要经过上文在贸易措施部分讨论的检验过程，不再赘述。不过，对此问题的基本结论同样是不明确的。

③多边减排措施。主要包括《京都议定书》规定的 3 个灵活减排机制。这些多边措施与贸易和投资同样存在复杂的关系，也可能与一些 WTO 规则存在冲突。但总的来说，相对于与减排有关的贸易措施和国内减排措施，多边减排措施目前与 WTO 规则的冲突较少，相关讨论也较少。其中，对于碳排放权是属于"货物"还是"服务"还存在分歧，但是与之相关的咨询、保险等服务被认为属于 WTO《服务贸易总协定》（GATS）所管辖的内容，而清洁发展机制和联合履约等措施也与 GATS 存在较大的关联（Brewer，2003；Tarasofsky，2005）。

（2）减排措施引发的贸易摩擦。低碳经济战略在各国经济发展中地位的变化，使国际贸易行为为适应经济发展方式、能源消费方式以及人类生活方式的变化而变化，从贸易规模到贸易环节都将可能是形成贸易摩擦的争论点。

①低碳经济要求与国际贸易发展规模具有内在矛盾。Grossman 和 Krueger（1991）对北美自由贸易区（NAFTA）环境效应进行了研究，认为在其他条件不变的情况下，贸易发展会扩大经济活动规模，从而扩大能源使用，进而导致更多的碳排放，即所谓国际贸易的规模效应。这一点是当前许多国家，尤其是实行出口导向政策的发展中国家不可接受的，其贸易政策都集中在如何促进贸易规模的增加上。相对而言，发达国家在这一问题上的立场和动机已经有所变化，单纯的经济增长已经不再是唯一目标，低碳经济模式已经提出更多的要求，尤其是在高耗能、高污染、高排放的商品进出口上都会与发展中国家产生政策分歧。进出口活动一旦结合低碳经济的前提，发达国家和发展中国家势必在多年来双方一直都接受的促进"贸易规模"增长的简单观念上出现矛盾。

②低碳经济约束下各国均追求"低排放"的贸易结构调整，可能造成冲突。Kemp 和 Long（1984）认为能源产品既是一种商品，又是一种重要的要素投入，由此可知，不同进出口商品中内涵能源不同是影响碳排放差异的重要原因之一。Machado（2001）和 Mukhopadhyay（2004）都尝试测算各自国家进出口商品中的能源消耗，结果表明进出口商品中的能源含量不一样。这些研究为各国从进出口角度实现低碳战略提供了思路：可以通过优化本国的进出口结构达

到控制本国碳排放的目的。传统的国际分工基本是基于各国的要素禀赋完成的，各国在单一追求贸易比较优势的冲动下，完全忽略了贸易结构中隐含的碳问题，甚至一些国家为追求经济增长，明知是高污染、高能耗的行业，也必须发展。低碳约束下则可能出现各国都试图出口低能耗、低污染、低排放的商品，力争进口高能耗、高污染、高排放的商品替代国内生产，当两个贸易国之间的贸易结构优化目标相似的情况下，贸易冲突随之产生。

③ 各国碳补贴政策的"灰色地带"可能引发争议。从目前的实践来看，补贴是支持低碳经济发展的重要举措。各国政府既要履行减排承诺，又要保证为工业发展创造经济优势，纷纷采取补贴和优惠措施，包括对可再生能源领域的投资、环境影响小和节能新产品及降低能耗新工艺的开发投资等的资助；对农业能源系统的优惠；对高效率工业电机的税收减免；对高效率家用电器的税收减免；鼓励节能产品的减免税等。低碳排放属于外部经济行为，政府的补贴和干预具有合理的理论依据，适当的补贴可以帮助企业进行相应的技术和设备改进，降低企业的生产成本，提高产品在国际贸易中的竞争力，实现低碳与出口竞争优势的双重目标。如此一来，补贴将成为重要的贸易政策之一，而补贴的透明度和规模历来属于贸易管理中的"灰色地带"，当补贴因素加入贸易竞争中时，就不可避免地产生争议。

④ 低碳经济模式下部分国家对贸易商品实行高技术标准而形成贸易壁垒。发展低碳经济的国家，大多制定更严格的产品能耗效率标准与耗油标准，促使企业进行低碳排放。对诸如电冰箱、计算机等贸易商品执行更高的能效标准，其中不乏严厉如日本者，对能耗效率采取的是"最强者方式"，即涉及空调等家用电器、汽车、新建住宅及其配套设备等行业时，将能效最好的产品作为整个行业的标准。部分国家越来越强调产品在其整个生命周期都要进行低碳控制，纷纷制定 PPMs 标准。像其他传统的技术性贸易壁垒一样，受各国生产技术水平差异的制约，各国在制定低碳制度、实施低碳标准及采用评价方法上存在差异，低碳标准将成为针对发展中国家的一种变相的贸易壁垒，引发贸易争端。

⑤ 低碳经济使各国对贸易环节、贸易方式的思考产生分歧。国际运输是国际贸易的主要中间环节。国际贸易的蓬勃发展增加了运输量，在世界运输业所使用的能源中，石油占了95%，这是碳排放的一个重要来源。根据欧盟环境署（European Environment Agency）的历年估计，在 2004～2007 年，全世界每年与能源有关的碳排放约23%来自运输。越来越多的人希望贸易体制减少自身的"碳足迹"。发达国家的消费者希望通过"食物里程"（food miles）计算国际运输过程中的碳排放，不少人认为实现最大程度减排的最好方式是"国内生产"，即减少食品的国际贸易。不同的贸易方式对碳排放的影响也存在差别，如加工贸易即是一种将经济利益与碳排放影响分离的理想贸易方式，发达国家的"定牌生产"既保证了其产品的收益，又将碳排放的义务在国际间进行了转嫁。无论是贸易环节还是贸易方式对碳排放的影响大小和最终意义目前都有待商榷，但是由此而来的国际贸易利益冲突在所难免。

⑥ 低碳经济下的公共诉求对"正常的"国际贸易活动产生干扰。Monika Tothova（2009）的研究指出了由国内公共诉求导致最终的贸易摩擦的路径：一项国内的公共诉求首先使国内的法规制度发生变革，若此法规制度涉及贸易商品，则视政府有没有给予国外优惠待遇；若国内外政策一致，则视该国政府有无同其贸易国之间签订双边协议进行政策协调；若无，则贸易摩擦出现。如前所述，低碳经济实质上也是人类生活方式的一次新变革。随着发达国家经

济发展水平的提高，其物质文明的进步使公众越发关心生态环境问题，各类环保组织对贸易引起的高排放、高污染问题也越发重视，对本国政策的影响力也日趋增加。低碳经济的趋势使这一力量找到新的诉求点，一些进出口产品从生产加工到包装销售各阶段的碳排放问题都可能受到环保组织和"绿色人士"的关注，继而对"正常的"贸易活动加以干扰。

2.3.2.2　碳贸易摩擦的要因

从理论上讲，低碳经济模式和发展趋势并非贸易摩擦的真正根源。在任何一个时期、任何一个经济发展模式下，只要有贸易活动存在，摩擦从未消失。造成摩擦背后的核心动因是各国在贸易问题上经济利益最大化的追逐与其相互之间经济发展水平及社会需求层次的差异存在着矛盾。各国在经济发展阶段、生产技术水平、资源禀赋上的差异才是问题的根源，只要这种差异没有消失，各国的经济贸易政策依然以实现本国利益最大化为基本目的，那么，贸易摩擦将永远存在。

2.3.2.3　碳贸易摩擦的解决

贸易摩擦本身是一个中性概念，不应成为更多矛盾的制造者。各国应正视世界经济的现状，理性对待国别差异，协商处理各类摩擦，实现低碳经济与贸易发展双赢。在此过程中，发达国家应承担更多的义务。

自由贸易和应对气候变化、发展低碳经济的目标并非不相容。例如，促进低碳产品和服务的自由贸易就是典型的双赢例子。表 2-16 概括了 WTO 与多边气候协议相互作用的可能结果，其中(1)是最理想的情况，(3)和(7)是冲突的情况，(9)是最糟糕的结果。WTO 和多边气候协议、减排措施进一步的协调目标，就是促进结果(1)的实现，尽力避免结果(9)的出现，并缓和(3)和(7)的冲突。

表 2-16　WTO 规则与多边气候协议、减排措施的互动及可能结果

贸易投资自由化 （WTO 目标）	多边气候协议的目标		
	有益	中性	有害
有益	(1)例子：低碳产品和服务贸易及投资壁垒的减少	(2)	(3)例子：WTO 规则妨碍减排措施的实施
中性	(4)	(5)	(6)
有害	(7)例子：减排措施导致贸易和投资壁垒	(8)	(9)例子：低碳产品和服务贸易及投资壁垒的设立

资料来源：彭水军，张文城. 多边贸易体制视角下的全球气候变化问题分析［J］. 国际商务（对外经济贸易大学学报），2011(3)：5～15. 根据 Brewer. 2003：P28. 整理而得。

碳贸易摩擦等一系列问题必须通过综合方式从制度上进行理性回应和解决。第一，在处理双重目标要求之间的关系时，WTO 必须根据实际需要将一些相互渗透的问题按重要性进行归类排序，判断其属于贸易利益还是社会利益范畴，尽量将问题的优先效力加以界定，这样也可以从效力上根本解决 WTO 与减排措施之间的冲突。第二，设立专门委员会，与各国低碳立法部门合作和沟通，协调各国低碳标准和政策，减少由此引发的贸易摩擦和贸易争端；

促使 WTO 与其他国际组织相互了解，尽量减少相关规定之间的矛盾和冲突，避免给贸易保护主义者留下空间。第三，对此类贸易摩擦中的当事国进行区分归类，采取"差别化待遇原则"，发展中国家应当在贸易利益上得到更多的优惠和倾斜，在减排义务上应得到"缓冲期"；而发达国家应在贸易领域做出适当的让步，为全球社会利益承担更多责任。WTO 还应积极与其他多边组织合作，促进发达成员向发展中成员提供额外资金、技术、人员和培训等（杨迎春，2010）。

2.4　对其他方面的影响

2.4.1　对贸易内容和贸易格局的影响

2.4.1.1　创新碳金融，拓展国际服务贸易内涵

低碳经济创新了碳金融，这已是一个不争的事实。但是，目前还没有一个统一的碳金融定义。顾名思义，碳金融就是与碳相关的金融活动，是指服务于旨在减少温室气体排放的各种金融制度安排和金融交易活动，主要包括碳排放权及其衍生品的交易和投资、低碳项目开发的投融资以及其他相关金融中介活动。由于碳金融具有在实施低碳经济中可以规避或减少与气候变化相关的风险、使资源配置更为有效和降低减排成本等功能，因此，碳金融又起到了推动低碳经济发展的作用。世界各国，不管是发达国家还是新兴国家，对碳金融十分青睐。可以预见碳金融创新将进一步拓展国际贸易服务的内涵。

2.4.1.2　强化国际技术转让的竞争与合作

低碳经济催生新一轮技术革命，强化国际技术转让的竞争与合作。

先进技术的研究、开发和应用是解决气候变化的最终手段。发达国家较早认识到发展低碳经济的必要性，并为此对低碳技术的研发和应用进行大量投资，2008 年全球清洁能源投资首次超过化石能源，达到 1400 亿美元。欧盟早在 20 世纪后期就已经投入大量资金开发与利用新能源、新环保技术，在一些相关技术领域已经处于世界领先地位。日本将节能、减排和发展替代能源作为突破口，并在强调政府在基础研究中的作用和责任的同时，鼓励私人资本对科技研发的投入。中国和其他新兴国家也在积极开发新能源、新环保技术。当然，从总体上来说，迄今为止，发达国家拥有更多的先进技术，因此《联合国气候变化框架公约》和《京都议定书》特别强调，向发展国家转让先进技术，是帮助发展中国家参与减排的重要手段。

可以预计，当今由低碳经济引发的一场新技术革命正在兴起，各国在有关的新能源技术、新环保技术发展进程中所处的地位，以及向低碳经济转变的程度，将决定其在新的世界经济和国际贸易格局中的地位。因此，世界各国技术研发将会加快，国际技术贸易和技术转让的竞争与合作也必将加强。

2.4.1.3　催生国际贸易格局调整

国际贸易低碳化的大趋势将不可逆转，国际贸易格局将进行重大调整。

①商品贸易格局：传统能源即化石能源和资源性商品在国际贸易中的比重将趋于下降，

而新能源和新材料的比重将趋于上升；在生产和消费过程中高能耗、高排放、高污染的高碳商品在国际贸易中的比重将趋于下降，而低碳商品比重将趋于上升。

②地区贸易格局：对于已经完成或正在从高碳经济向低碳经济转变的发达国家来说，它们掌握了低碳技术、拥有低碳商品，在国际贸易竞争中将处于非常有利的地位。对于尚处于高碳经济发展中的新兴国家和广大发展中国家来说，则显而易见在国际贸易竞争中，将会处于不利地位，有可能接受被动强制减排义务，使其高碳商品受到限制。在低碳经济中，新兴国家在一个相当长的时期里，将是挑战大于机遇。

2.4.2　对贸易竞争力和贸易利益的影响

2.4.2.1　重新定义竞争力，碳实力逐渐成为竞争核心

在低碳经济背景下，国际社会对贸易产品碳足迹的关注加大，碳排放管制政策被强化，边境碳税调节措施被用于提升外贸竞争力，各国争夺碳排放规则的制定权以及注重培育低碳产业等。国家的竞争力将很快以其低碳发展的能力来重新定义。许多国家力争在以碳排放权为核心的世界经济新格局中获得主导地位。后哥本哈根时代的国际秩序表现为实力政治与责任政治之间的相对均衡，并有可能形成一个以碳实力竞争为核心的国际格局。

2.4.2.2　低碳经济与"碳"不平等交换

（1）生产技术差异导致的"碳"不平等交换。技术差异使得发达国家将劳动密集型、资源密集型、加工环节或低技术资本密集型等传统产业逐步转移到不发达国家，而这些产业大多是能耗型、污染型产业。不平等的国际产业转移和集聚格局，使得发达国家专门从事清洁产品、技术密集型产品、服务密集型等产品，而不发达国家则成为高耗能、高污染型产品的"世界工厂"。前者享受了产业转移带来的收入上升、环境质量改善等好处，而后者则容易成为"污染避难所"。这种国际不平等的"碳"交换，使得广大发展中国家不仅损失大量贸易利益，而且还陷入环境资源危机之中。

人为单方面制定的碳排放标准，使原本由技术差异导致的国际不平等碳交换变得更加明显。目前，国际上最先进的低碳生产技术都集中在少数发达国家手中，这些国家凭借技术优势自然成为国际碳排放标准的制定者。其制定的标准表面上旨在控制世界碳排放总量，其本质则是对广大发展中国家经济利益的变相占有。

（2）国际产业转移导致国际贸易中"碳"不平等交换。随着国际产业的转移，美国、德国、日本、法国、巴西等国家的单位 GDP 能耗的波峰均在时间轴上呈现依次递推的趋势。而在每一次国际产业转移完成之后，转出国的单位 GDP 能耗便逐渐呈现下降趋势。少数发达国家早在 20 世纪 50～60 年代之前就完成了现代工业化，而全球气候谈判是从 20 世纪 90 年代开始的。英国、美国、德国、日本等发达国家的能耗高峰期基本处于 19 世纪末期到 20 世纪 60 年代期间。20 世纪 70 年代以来，他们或通过国内产业升级，或通过国际产业转移等方式，将"气候责任"转移到广大正处于发展起步阶段的发展中国家，这显然有失公允。

（3）国际制度导致的"碳"不平等交换。主要体现在不合理的国际碳排放标准。"排放权交易"的概念是美国经济学家戴尔斯在 1968 年首先提出的，其目标在于建立合法的污染物排放的权利，将其通过排放许可证的形式表现出来，令环境资源可以像商品一样买卖。但是，由

于温室气体排放所导致的气候变化问题具有全球性，很容易导致"公共的悲剧"。在从20世纪90年代开始至今的一系列气候谈判过程中，基本形成了欧盟、"77国集团加中国"和包括美国、日本、加拿大等发达国家在内的三大集团。由于利益分歧巨大，对于如何制定国际碳排放标准的僵局始终存在，哥本哈根气候峰会也未能就此问题达成最终协议。国际碳排放标准的设定对于广大发展中国家至关重要，如果设定得不合理，那么所谓的"碳排放交易"将成为发达国家无偿获取发展中国家利益的另一种"表面平等"，但"实质上不平等"的工具（杨迎春，2010；马艳，李真，2010）。

2.5　本章小结

本章力求较为全面地刻画低碳经济对国际贸易规则、格局、内容、关系的一般性影响。分析表明，在低碳经济背景下，发达国家加快了环境与贸易挂钩的步伐，国际贸易规则不断拓展，更加复杂。低碳经济催生了碳技术法规、碳标签、碳标准、碳关税（碳边境调节税）等一系列碳贸易措施，在没有统一协调的条件下，许多措施很有可能形成新型壁垒，而且影响程度将随低碳进程的推进而逐步加深。

第 3 章　林产品贸易概述

3.1　林产品的定义和分类

（1）联合国粮农组织（FAO）的定义和分类（FAO，2012）。根据 FAO 的定义和分类林产品主要包括 10 类：圆木（round wood，也译为原木）、木炭材（wood charcoal）、木片和木粒（wood chips and particles）、木材剩余物（wood residues）、锯材（sawn wood）、木质人造板（wood‑based panels）、木浆（wood pulp）、其他浆（other pulp）、回收纸（recovered paper）、纸和纸板（paper and paperboard）。

（2）《联合国气候变化框架公约》（UNFCCC）有关报告的定义。和 FAO 定义类似，UNFCCC 有关报告出现的"harvested wood products"（缩写为 HWP，国内译为：采伐木材产品、伐木制品、伐后木材产品或木质林产品）包含木材类和竹藤类产品。森林采伐和 HWP 使用改变了森林和大气之间的自然碳平衡，HWP 碳核算包含在国际气候变化谈判"土地利用、土地利用变化和林业（LULUCF）"议题中，而 LULUCF 碳流动是国家温室气体清单的一个重要组成部分。

（3）《中国林业发展报告》的定义（国家林业局，2012）。林产品分为木质林产品和非木质林产品。木质林产品分为 8 类：原木、锯材（包括特形材）、人造板（包括单板、刨花板、纤维板、胶合板和强化木）、木制品、纸类（包括木浆、纸和纸制品、印刷品等）、家具、木片和其他（薪材、木炭等）。非木质林产品分为 7 类：苗木类，菌、竹笋、山野菜类，果类，茶、咖啡类，调料、药材、补品类，林化产品类（松香等），竹藤、软木类（含竹藤家具）。

（4）《中国林业统计年鉴》（国家林业局，2012）的定义。林产品为依托森林资源生产的所有有形生物产品和提供的森林服务，包括木质林产品、非木质林产品、森林服务。木质林产品包括原木、锯材、人造板、木浆、纸和纸板、木炭、木片、碎料和剩余物。非木质林产品包括来自森林、其他林地和森林以外的林木的非木质生物有形产品，即包括植物和植物产品，动物和动物产品。森林服务包括两部分，一是由森林资源本身提供的服务，如森林旅游、生态服务等；二是林业生产过程中，以森林资源为对象的林业生产服务，如森林防火、森林病虫害防治等。

（5）本书的定义。结合研究目的，在之前研究（缪东玲，2004）的基础上，本书参考上述定义，将木质林产品（wood‑based products）界定，见表 3-1。该表中的木质林产品与《中国林业发展报告》范围一致，只是将《中国林业发展报告》中的木片和其他（薪材、木炭等）合并为其他原材。该表中的木质林产品除去标注"＊"的杂项原材、可连接型材、强化木、纸制品、印刷品、木制品、木家具后，与 FAO 定义的林产品一致。除非特别标注或说明，后文将木质林产品简称为林产品。

表 3-1 本文定义的木质林产品及其分类

商品次类	HS（中国从 1992 年开始采用）	SITC Rev. 2（中国在 1992 年前采用）	单位	折算标准
1 工业用原木	4403	247		
1.1 加工用工业用原木	4403	2471 + 2472	m³	
其中：1.1.1 针叶原木	440310 + 440320	2471		
1.1.2 非针叶原木	4403 − 440310 − 440320	2472		
1.2 其他工业用原木	无单独统计	2479	t	750kg/m³
2 其他原材（木片和其他）	4401 + 4402 + 4404 + 4405	245 + 246 + 6349	m³	
2.1 非工业用原材	440110 + 4402	245		
其中：2.1.1 薪材	440110	24501		725kg/m³
2.1.2 木炭	4402	24502		167kg/m³
2.2 工业用原材	440120 + 440130	246		675kg/m³
其中：2.2.1 造纸材（含四等分材）	无单独统计	24601		
2.2.2 木片或木粒	440120	24602		
2.2.3 木废料	440130	24603		
2.3 杂项原材 *	4404 + 4405	6349		675kg/m³
其中：2.3.1 箍木、木劈条和粗修木棒等	4404	6349 − 63493		
2.3.2 木丝和木粉	4405	63493		
3 锯材	4406 + 4407	248	m³	
3.1 特种锯材（枕木）	4406	2481		0.088m³/根
3.2 普通锯材	4407a	2482 + 2483		
其中：3.2.1 针叶锯材材	440710	2482		
3.2.2 非针叶锯材	4407 − 440710	2483		
4 人造板	4408 至 4412 的合计数			
4.1 单板	4408b	6341	m³	750kg/m³
其中：4.1.1 针叶木单板	440810	无单独统计		
4.1.2 非针叶木单板	4408 − 440810	无单独统计		
4.2 可连接型材 *	4409c	无单独统计		750kg/m³
其中：4.2.1 针叶木的	44091			
4.2.2 非针叶木的	44092			
4.3 刨花板	4410	6343	m³	650kg/m³
4.4 纤维板	4411d	6416	m³	700kg/m³

（续）

商品次类	HS （中国从 1992 年开始采用）	SITC Rev. 2 （中国在 1992 年前采用）	单位	折算标准
4.5 胶合板	4412e	6342 + 6349 + 6344	m^3	650kg/m^3
5 木制品 *	4413 至 4421 的合计数 f	635		
6 木浆	47 − 4707	251 − 2511		
7 纸品	4707、48、49	2511 + 64 − 6416		
7.1 废纸(回收或废碎)	4707	2511		
7.2 纸、纸板和纸制品	48	64 − 6416		
其中：7.2.1 纸、纸板	(4801 至 4813) − 4807			
7.2.2 纸制品 *	48 − (4801 至 4813) + 4807			
7.3 印刷品 *	49	无单独统计		
8 木家具 *	940161、940169、940330、 940340、940350、940360	82192	件	

注 a：经纵锯、切或刨切、旋切的木材，不论是否刨平、砂光或端部结合，厚度大于 5mm(1992 年前)或 6 mm(1992 年后)，不包括枕木。

注 b：薄板，经纵锯、切或刨切、旋切的木材，不论是否刨平、砂光或端部结合，厚度不超过 5mm(1992 年前)或 6 mm(1992 年后)。

注 c：任何一边、端或面制成连续状(舌榫、槽榫、半槽榫、斜角、V 形接头、珠榫、缘饰、刨圆及类似形状)的木材(包括未拼装的拼花地板用板条缘板)，不论是否刨平、砂光或端部结合。也称为特型材，或木制半成品。

注 d：1992 年前，纤维板只分为压缩(密度 >0.4g/cm^3)和非压缩纤维板(密度 ≤0.4 g/cm^3) 2 类；1992 年后，分为高密度(d >0.8 g/cm^3)、中密度(0.5 g/cm^3 < d ≤0.8 g/cm^3)、低密度(0.35 g/cm^3 < d ≤0.5 g/cm^3 和 d <0.35 g/cm^3)纤维板。

注 e：胶合板、单板饰面板和类似多层板。

注 f：包括强化木地板、木质门窗、模板、木制容器、镜框、餐具和木工具等。

表中的"＋"表示"和"，"－"表示"减去"。

除非特别标注或说明，本书按照表 3-2 所列系数，计算林产品的原木当量(RWEQ)。

表 3-2　林产品的原木当量系数

产　品	木炭	针叶 锯材[a]	阔叶 锯材[a]	枕木	胶合板	单板	刨花板	纤维板	木浆	废纸	纸、纸板 和纸制品	印刷品
折算数量	1 t	1 m^3	1 m^3	1 m^3	1 m^3	1 m^3	1 t	1 t	1 t	1 t	1 t	1 t
折合原木 (m^3)	6	1.67	1.82	1.82	2.3	1.9	2	2	4.5	4.05	3.6	3.6

注 a：由于锯材产量未区分材种统计，所以取 1.67 和 1.82 的简单平均值 1.75 折算锯材产量的原木当量。

资料来源：ITTO PD55/99 Rev1.(M)项目组. 项目技术报告：中国热带林产品信息系统研建. 北京：中国林业科学研究院林业科技信息研究所，2002，2~5.

陈勇. 基于木材安全的中国林产品对外贸易依存度研究. 北京：中国林业科学研究院，2008：11. 结合中国实际情况，适当调整。

3.2 世界林产品的需求与供给

3.2.1 世界林产品的最终消费格局

根据 FAO《林产品年鉴 2010》的数据分析，美国、中国、加拿大、巴西是工业原木和锯材的主要最终消费国；美国、中国、日本、加拿大和瑞典是木浆的主要最终消费国；中国、美国、德国、加拿大、日本是人造板的主要最终消费国；中国、美国、日本、德国是纸和纸板的主要最终消费国。

3.2.2 世界林产品的产量变化和格局

3.2.2.1 1961～2009 年世界林产品产量变化的趋势

（1）工业原木产量变化的趋势。全球总产量变化：1961～2009 年，全球工业原木的年产量从 10.18 亿 m^3 上升到 14.31 亿 m^3，增加了 41.00%，年变化率为 0.70%。该阶段内的最高年产量出现在 2005 年，达到 17.10 亿 m^3。1990 年以前，阶段年变化率均为正值，此后出现负增长（表3-3），1994 年以后产量缓慢上升。2008 年全球金融危机严重冲击了工业原木的主要生产区域，欧洲及北美洲和中美洲，2009 年产量较 2007 年全球产量减少了 2.41 亿 m^3。总的来说，1961～2009 年期间，工业原木表现出变缓的增长趋势。考虑人口因素，由于全球人口在该阶段内呈直线高速增长，因此，工业原木人均产量反而持续下降，在 1973 年最高，人均产量为 0.35 m^3／人，21 世纪初人均产量为 0.25～0.26 m^3／人的范围内较稳定，但由于金融危机的影响，近期迅速下滑到 0.21 m^3／人。

表3-3 1961～2009 年主要木质林产品各阶段产量年均变化率

时期	产量年变化率（%）			
	工业原木	锯材	人造板	纸和纸板
1961～1970 年	2.50	2.10	11.50	6.00
1970～1980 年	1.30	0.80	3.80	3.00
1980～1990 年	1.60	1.00	2.40	3.50
1990～2000 年	−0.54	−1.90	3.70	3.07
2000～2009 年	−1.26	−0.49	3.63	1.58

资料来源：谢佳利，亢新刚，龚直文，李杨. 1961～2009 年全球工业原木与主要终端产品的产量变化[J]. 浙江农林大学学报，2011，28（2）：287～292. 依据 FAO 官方网站数据（2010 年 8 月）绘制。

区域变化：工业原木产量的区域分布很不平衡（表3-4）。北美洲和中美洲及欧洲地区的产量最多。这两个地区有较丰富的森林资源，而且相对发达的经济水平使其对工业原木有更多的需求，因此产量较高。北美洲和中美洲的产量主要来自该区域面积和人口最多的美国和加拿大，而该区域自 2006 年初就出现受金融危机影响的势头，产量开始明显下降。欧洲的工业原木生产有约 1/4 来自俄罗斯，其他主要分布在北欧国家如瑞典、德国、芬兰等。欧洲还未从 1990 年的产量下滑中完全复苏，近期也受到了金融危机的重创。亚洲和非洲的原木产量并不少，但这两个区域大多数国家经济发展落后，生活方式传统，更多的原木产出用于取暖和生物燃料，工业原木产量与欧洲、中美洲相比较少。亚洲的工业原木产量在 20 世纪 90 年代前呈现上升趋势，此后有少许下降，近期趋于稳定。日本曾是亚洲工业原木生产最多的国家，1961 年占到亚洲产量的 37%，但后期受进口材的冲击，林业生产开始萎缩，其地位被快速发展的中国及热带国家如印度尼西亚、马来西亚所取代。2009 年非洲工业原木生产最多的国家是南非和尼日利亚，近期产量趋于稳定，而依靠天然林的中部非洲国家工业原木生产却呈增长趋势。1961 ～ 2009 年，南美洲的工业原木产量增加了近 6 倍，占全球的比例增长了 10 个百分点，但这样的高速增长也牺牲了该区域宝贵的热带天然林资源。南美洲的 60% ～ 70% 的产量来自巴西，智利次之。大洋洲的工业原木产量在该阶段增长了 2 倍左右，超过 90% 的生产集中在澳大利亚和新西兰。

表 3-4　各区域主要木质林产品占全球份额的变化　　　　　　　　单位:%

	工业原木		锯材		人造板		纸和纸板	
	1961 年	2009 年	1961 年	2009 年	1961 年	2009 年	1961 年	2009 年
欧洲	46	32	56	33	39	28	32	29
北美洲和中美洲	34	29	23	27	47	17	53	24
亚洲	13	17	15	24	10	47	12	41
南美洲	3	13	3	11	2	6	2	4
非洲	2	5	1	2	1	1	0	1
大洋洲	2	4	2	3	1	1	1	1

资料来源: 谢佳利, 亢新刚, 龚直文, 李杨. 1961 ～ 2009 年全球工业原木与主要终端产品的产量变化[J]. 浙江农林大学学报, 2011, 28(2): 287 ～ 292. 依据 FAO 官方网站数据(2010 年 8 月)绘制。

（2）锯材产量变化的趋势。1990 年全球锯材产量增至 4.65 亿 m^3，但是 1990 ～ 1995 年出现大幅度下滑，此后逐渐回升，至 2005 年恢复到 4.17 亿 m^3，约相当于 1990 年的 90%。从 1990 ～ 2005 年各地区锯材生产情况看，亚太地区锯材产量下降 32%，欧洲下降 29%，北美增加 22%，这 3 个地区锯材产量占世界总产量 87%。其他地区锯材产量很小，但中美洲和南美洲地区增产 40% 强。2009 年较 1961 年全球锯材产量仅增长了 14%，其中欧洲表现出负增长，其 2007 年锯材产量为 1961 年的 84%，金融危机后，2009 年锯材产量仅占 1961 年的 68%。2009 年，全球锯材的产量为 3.69 亿 m^3，其区域分配与工业原木的情况相似，仅欧洲、北美洲和中美洲及亚洲就占全球产量的 87%。美国、加拿大、中国、巴西和德国是产量最大的国家，合计约合占全球产量的 46%。

（3）人造板产量变化的趋势。人造板的产量在 1961 ～ 2009 年间急剧增长了 9 倍，特别是在 1961 ～ 1970 年年增长率高达 11.5%（表 3-3），之后增速放缓，而从 20 世纪 90 年代开始增速又加快，直到 2008 年受金融危机的影响有少许下降。人造板的产量 1990 年达到 1.27 亿 m^3，比 1965 年的 0.41 亿 m^3 提高 2 倍；2005 年达到 2.34 亿 m^3，比 1990 年又提高 84%。在不同类型的人造板中，20 世纪 60 年代胶合板所占份额最大，之后出现了从胶合板逐渐向刨花板和纤维板转换的变化趋势，特别是在欧洲和北美洲。

2009 年全球生产人造板 2.55 亿 m^3，亚洲、欧洲、北美洲和中美洲是人造板的主要生产地区，合计产量占全世界 92%（表 3-4）。其他地区的人造板产量和消费量较小，但也在逐渐增长。美国一直是人造板生产大国，而中国从 20 世纪 90 年代起产量迅速增长，一跃成为人造板生产最多的国家。另外，德国、加拿大、俄罗斯和马来西亚也是人造板的生产大国。

（4）纸和纸板产量变化的趋势。1961～2009 年，纸和纸板产量增加了 4 倍，但是增速变缓。亚洲是增长最快的地区，在该阶段增长了 16 倍，占全球比例增长了 29 个百分点，主要原因是从中国从 20 世纪 90 年代开始的快速增长。从产业结构上看，该阶段的新闻纸所占比例下降，而印刷和书写纸有所上升。

2009 年全球共产出纸和纸板 3.73 亿 t，亚洲、欧洲及北美洲和中美洲的产量合计占全球的 94%，其他区域产量则很少，产量最多的美国、中国、日本、德国和芬兰等 5 个国家，其产量之和占全球的 58%。

3.2.2.2 1961～2009 年世界林产品产量变化的原因

森林资源变化：可采伐的森林是各国的工业原木供应能力的决定性因素，也是区域间木材生产能力差异的主要原因。它包括 2 个方面的含义：一是森林总量，二是森林可及度（谢佳莉、亢新刚等，2011）。近半个世纪内，全球森林面积持续减少。至 2005 年全球已经拥有人工林 1.4 亿 hm^2，其中人工林占 4/5，已能提供全球近一半的工业原木（FAO，2005）。森林可及度表示了允许并且能够被采伐的森林面积占总量的比例，由林种和森林地域分布决定。FAO 于 2000 年的森林资源评估中对全球各区域的森林可及度进行了计算，结果得到 51% 的森林在距离交通运输系统 10km 之内并且可以提供木材（FAO，2000）。而在 1961～2010 年，随着社会各界对生态环境日益重视，对森林的生态作用认识加深，很多国家用于环境保护的森林面积不断增加。这方面的变化使全球森林可及度降低。相反地，各国交通运输系统的不断完善，特别是伐区道路的建设，使部分从前不可伐的森林变成可利用木材的森林。

市场需求变化：市场需求是工业原木产量变化的根本原因，也直接影响着终端产品的产业结构。近半个世纪内，该因素受到以下各方面的冲击，发生了较大的变化。一是世界人口急剧增长，1961 年全球人口数量为 31 亿人，而 2009 年达到了 68 亿人，特别是亚洲和非洲尤为显著，这必然带来房屋建设、日常生活木材用品的增加。二是经济的增长要求更多的木材来满足人们的日益增强的购买力和欲望，1994 年美国人均消费纸达到 333 kg·人／年，而世界用纸平均水平仅为 50 kg·人／年左右（Bolton T，2002）。2008 年全球金融危机的冲击导致建筑业低迷、锯材需求持续走低，失业率上升，收入下降直接影响到消费者对木制产品的消费能力。第三，生活方式的改变产生多样化的影响，如欧洲家庭规模越来越小，其数量的增加直接导致建筑用材家具需求量的增加。全球电子传媒的广泛使用使新闻纸增速变缓，特别是在进入 21 世纪以后。第四，增加循环和回收利用，广泛使用新复合材料制品以及生产纤维素生物燃料减少了对木材的需求（FAO，2009）。

政策与法律法规调整：法规政策的影响包括禁伐天然林，调整木材采伐配额，调整木材产品出口税等。国内稳定的政治环境和有利的法规政策有助于工业原木的生产。1991 年前苏联和前南斯拉夫共和国解体造成的政治动荡，造成了欧洲工业原木产量的大幅下降。近几年来，为了遏制非法采伐，许多国家积极响应森林认证工作，英国、日本、法国、德国、荷兰等政府部门都实施了绿色采购政策，保证供应商提供的木材来自可持续发展的来源，这必然使得非法采伐严重的国家工业原木产量在一定程度上减少（许美琪，2009）。不过根据 Li（2008）等的研究，如果没有非法采伐，虽然全球木材平均价格会增加 1.5% ~ 3.5%，但长期来看，全球产量的下降不会超过 1.0%。

工业技术发展：林业产业实力决定了终端产品的加工能力，林业企业少，工业技术不够发达，终端产品的产量难以提高。近阶段内，亚太地区的技术进步提高了木材加工业的竞争力，而在非洲，产品的加工程度越高，贡献份额越低。在欧洲，俄罗斯为改善技术设备陈旧落后的现状，增加木材产业附加值，于 2008 年以来几次提高原木出口关税，以吸引外资发展国内木材终端产品产业。技术革新也是影响木材产品发展的重要因素，如人工林技术和循环代用技术，直接影响到前面提及的可采伐的森林量和市场需求。

自然灾害：难以预测的自然灾害在危及森林健康和生产力的情况下，也会短期内影响木材产出。近期加拿大木材产量的下降去除住宅建设的影响，还跟山松甲虫（*Dendroctonus pondensae*）造成的美国黑松（*Pinus contorta*）等枯损木增加有关（李星，2009）。由于风倒木的利用，风灾可能使工业用材产量在短期内上升。德国 1990 年的风灾刮倒林木 7500 万 m³，是其年采伐量的 2.5 倍（施昆山，2001；李星，2000），而当年德国的工业原木达到 8034 万 m³，是 1989 年的 2 倍，而 1991 ~ 1993 年年产量比 1989 年减少 3/4。

3.2.2.3　2010 年世界林产品的产量格局

根据 FAO《林产品年鉴 2010》的数据分析，美国、俄罗斯、加拿大、巴西、中国是工业原木和锯材的主要生产国；美国、中国、日本、加拿大和瑞典是木浆的主要生产国；中国、美国、德国、俄罗斯、加拿大是人造板的主要生产国；中国、美国、日本、德国、加拿大是纸和纸板的主要生产国。

3.2.3　世界林产品的供求预测

（1）长时期内导致木材需求变化的主要原因。FAO 发表的《世界森林状况 2009》侧重需求方面，探讨了未来人口变化、经济发展及全球化对林业产生的影响，发现经济发展和森林之间有着密切的联系。经济正在快速发展的国家必须应对森林面临的巨大压力，而经济发展已达较高水平的地区通常能够稳定或增加其森林资源。然而，影响森林的因素非常复杂，不可能得出适用于所有国家的简单结论。《世界森林状况 2009》列举了长时期内导致木材需求变化的主要原因：①人口增长。世界人口 2005 年为 64 亿，2009 年为 68 亿，预计到 2020 年将增至 75 亿，2030 年达到 82 亿。②经济增长。世界 GDP 从 1970 年的 16 万亿美元增长到 2005 年的 47 万亿美元，增长约 2 倍。预计 2030 年将达到 100 万亿美元，尤其是亚洲增长幅度将更大。③区域性变化。1970 ~ 2005 年间，发达国家在 GDP 中占主要部分；而在未来的 25 年中，发展中国家(尤其在亚洲)的快速发展,将会明显改变国内生产总值的区域比重分配。④环境政策和法律法规。愈来愈多的森林将停止用于生产木材产品。生产型森林减少,环境保护型森林增多。木材生产从依赖天然林转向更多地依靠人工林。⑤能源政策。越来越多地鼓励使用包括木材在内的生物质。⑥技术革新。育种技术的进步和人工林生产效率的提高,循环利用的扩大,高效的木材生产及利用技术的提高,新合成木材的开发,纤维素生物燃料的开发等,各领域的技术革新正在推进。

(2)未来几十年世界木材市场供应较为充裕。FAO 发表的《世界森林状况 2011》全面报告了森林工业的可持续发展情况,集中分析了过去 15 年中影响林业部门盈利性和可持续性的因素,回顾了森林工业为应对这些挑战所做出的努力,结论是:森林工业的前景总体将呈继续增长的势头,但是现有的产业结构和布局与经济发展趋势不相符。尤其是大部分的经济增长预计出现在新兴国家,而很多现有的基础设施都位于发达国家。世界人工林面积显著增加,人工林代替天然林提供木材和纤维以满足需求、缓解由于非可持续性采伐天然林导致的森林退化和毁林的潜力在增加。2000 年全球约一半的人工林最终用途为工业用,比例有所提高(1980 年为 39%,1990 年为 36%),25% 为非工业用,25% 未分类用途。工业用人工林培育面积最多的是中国、印度和美国,非工业用人工林培育面积最多的是中国、印度、泰国和印度尼西亚。2000 年人工林树种中,阔叶树树种占 40%,针叶树树种占 31%,未分类的占 29%。速生、丰产的是桉属(Eucalyptus)和金合欢属(Acacia)树种。松树和其他针叶树种是主要的中轮伐期利用树种,主要在温带和北极地区种植。2000 年,人工林为全球提供了 35% 的原木,到 2020 年,该数字有望提高到 44%。在许多国家人工林已成为主要工业木材供给来源。例如,在 1997 年,新西兰的人工林满足了 99% 的工业用原木需求;智利是 84%;巴西是 62%;赞比亚和津巴布韦都是 50%。

在全球预测方面,1986 年瑞典林业经济学家斯太罗曼(Styrman)等根据联合国 35 个国家的有关资料,建立了一个木材需求和供给的模型(朱永杰、魏宇,1997)。此外,联合国粮农组织(FAO)也多次组织有关专家进行研讨,并建立了全球纤维供应模型,1998 年和 2009 年两次对全球木材产品的产量作出预测。其中,2009 年 FAO 对世界主要木质林产品产量和消费量的预测归纳见表 3-5 和表 3-6。结果表明,工业原木和终端产品的产量仍保持高速增长,增速趋于变缓。工业原木产量的增长主要来自于俄罗斯资源的利用,以及亚洲和北美洲人工林的成熟。预计俄罗斯联邦、东欧和南美洲地区是锯材产量增长最多的地区,而亚洲的人造板、纸和纸板增长最快。该报告未将 2008 年金融危机考虑其中,不过该暂时冲击并不影响长期预测。

表 3-5　世界主要木质林产品产量预测

	实际(百万 m³)			预测(百万 m³)		年均变化率(%)			
	1965	1990	2005	2020	2030	1965~1990	1990~2005	2005~2020	2020~2030
锯材	358	465	417	520	603	1.1	−0.7	1.5	1.5
人造板	41	127	234	388	521	4.6	4.2	3.4	3.0

（续）

	实际（百万 m³）			预测（百万 m³）		年均变化率（%）			
	1965	1990	2005	2020	2030	1965～1990	1990～2005	2005～2020	2020～2030
纸和纸板	96	238	363	568	743	3.7	2.8	3.0	2.7
工业原木	1128	1690	1668	2166	2457	1.6	-0.1	1.8	1.3

提供的数据经四舍五入。

数据来源：FAO . State of the World's Forests 2009.

表3-6　世界主要木质林产品消费量预测

	实际（百万 m³）			预测（百万 m³）		年均变化率（%）			
	1965	1990	2005	2020	2030	1965～1990	1990～2005	2005～2020	2020～2030
锯材	358	471	421	515	594	1.1	-0.8	1.4	1.4
人造板	42	128	241	391	521	4.6	4.3	3.3	2.9
纸和纸板	96	237	365	571	747	3.7	2.9	3.0	2.7
工业原木	1138	1707	1682	2165	2436	1.6	-0.1	1.7	1.2

注：提供的数据经四舍五入。

数据来源：FAO . State of the World's Forests 2009 .

作为历史趋势的延续，木材产品和木材能源的生产和消费都将继续增长。一个变化是，主要由于诸如中国、印度等新兴经济体需求的快速增长，亚洲和太平洋地区木材产品的生产和消费将会出现较快增长。最引人注目的变化将是，由于政策鼓励更多地使用可再生能源，从而使得作为能源来源的木材利用将快速增加，尤其是在欧洲。

亚洲和太平洋地区正成为人造板、纸与纸板的主要生产地和消费地（尽管人均消费量仍将低于欧洲和北美洲）。该区域工业原木生产量将远低于消费量；如果不大幅提高木材产量，就会越来越多地依靠进口。然而对于人口密度大、土地利用紧张的亚洲和太平洋地区而言，扩大木材生产是十分困难的。

木材用于能源利用的变化，尤其是大规模商业化生产纤维素生物燃料的潜力，将会给林业带来前所未有的影响。运输成本的不断增加也会影响到其未来的发展状况。过去 20 年里，全球林产品价值链的增长大多是由运输成本急剧下降带来的。这些因素加上包括汇率变化在内的其他一些因素，都将影响到森林部门的竞争力，也将对大部分林产品的生产和消费产生影响。

此外，由于人工林生产的增长预计与工业原木的需求增长持平，因此，工业原木利用将越来越多地来自于人工林。对于其他类型的森林资产经营而言，这将是一个令人关注的机遇和挑战。

3.3　世界林产品贸易的规模

20世纪90年代以来，随着国际贸易自由化进程的加快、世界生产能力和运输技术的提升以及消费者实际收入的增加，世界林产品贸易不断发展，并有加速增长之势。如图3-1，在1992~2013的22年间，世界林产品贸易可以大致分为5个阶段。第一阶段(1992~1995年)加速增长为主要特征，世界林产品贸易额1992年为1200.49亿美元。第二阶段(1996~2001年)趋于平稳状态，总体保持在2200亿~2400亿美元的水平上。在此阶段，受到东南亚金融危机影响，出现了一定的波动性。第三阶段(2002~2008年)以持续显著增长为主要表征。第四阶段(2009年)世界林产品贸易急剧下降，受美国引发的全球经济危机影响，世界林产品贸易额出现大幅下降。第五阶段(2010~2013年)恢复增长。2010年开始快速增加，2013年达到4588.61亿美元。

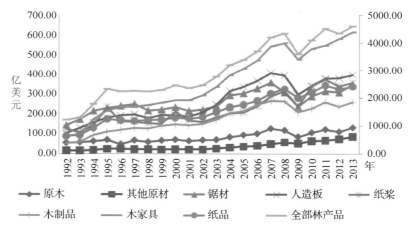

图3-1　1992~2013年世界林产品贸易额变化趋势

注：纸品和全部林产品对应右侧纵坐标，原木等其余林产品产品对应左侧纵坐标。

资料来源：根据联合国统计署的商品贸易数据库(UN COMTRADE)的数据加总绘制，以出口贸易额为准，HS编码。除非特别标注，本章以下图表来源相同，不再赘述。

3.3.1　原木

原木(HS 4403)贸易发展较为平稳，贸易规模小。当前世界环保形势日益严峻，各木材富有国纷纷出台各种贸易保护措施，限制甚至禁止原木的出口，以保护本国木材加工企业，同时随着森林可持续经营和绿色环保理念的深入，原木贸易将持续缓慢增长，但是在世界林产品贸易中的占比还将持续走低，如图3-1。

3.3.2　其他原材

其他原材（HS 4401、HS 4402、HS 4404 和 HS 4405）：贸易规模小，贸易额变化不大，如图 3-2。

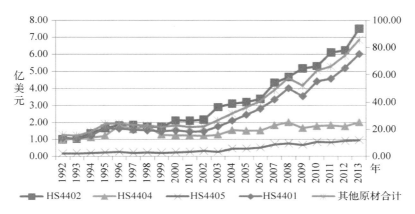

图 3-2　1992～2013 年世界其他原材贸易额变化趋势

注：HS4401 和全部其他原材对应右侧纵坐标，HS4402 等产品对应左侧纵坐标。

3.3.3　锯材

锯材（HS 4406～HS 4407）在林产品贸易中属于中间产品，是木家具和其他林产品加工的原料。除了一些特殊的年份，如 2001 年、2009 年之外，锯材贸易一直保持平稳增长态势，在世界林产品贸易中所占份额较为稳定，现已成为第二大林产品贸易品。

3.3.4　人造板

人造板（HS 4408～HS 4412）贸易额变化趋势如图 3-3。在人造板中，除强化木以外，其他人造板在波动中有上升趋势。纤维板近年来上升趋势更加明显。就人造板整体而言，其贸易呈现快速增长势头，2009 年贸易额有所下降，2010 年回升。人造板贸易的快速增长，得益于当前建筑业和房地产行业的快速发展，人造板主要以木质原料经加工而成的板材，在家具、建筑装饰、交通和包装等产业中具有广泛的运用，因此随着各国经济发展水平的提高和房地产行业的持续升温，可以预见在未来人造板行业还将以较高的速度延续当前的发展势头。

3.3.5　木浆

木浆（HS 47，减去"HS 4707 废纸"）在波动中显现增长势头。

3.3.6　纸品

纸品包括 3 类：废纸（HS 4707），纸、纸板和纸制品（HS 48），印刷品（HS 49）。纸品贸易额变化趋势如图 3-4。纸品在波动中呈现上升趋势，尤其纸、纸板和纸制品（HS 48）更加

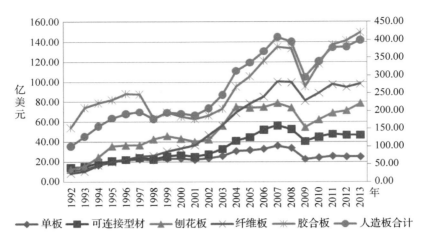

图3-3   1992～2013年人造板贸易额变化趋势

注：人造板合计数对应右侧纵坐标，单板等对应左侧坐标。

明显。

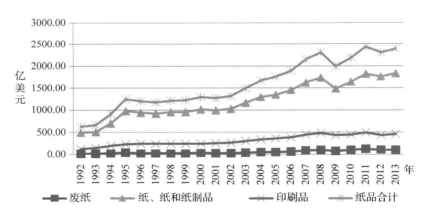

图3-4   1992～2013年纸品贸易额变化趋势

3.3.7   木制品

　　木制品（HS4413～HS4421）包括9项产品：强化木（HS 4413）；绘画、摄影、镜子或类似物品的木质框架（HS 4414）；包装木箱、木盒、板条箱、圆桶及类似的木包装容器，木质电缆卷筒，木制托盘护框（HS 4415）；木桶、木桶产品、零件和木材（HS 4416）；工具、工具柄（HS 4417）；建筑用木工制品，包括蜂窝结构木镶板、已拼装的拼花木地板、木瓦及盖屋板建筑用木工（HS 4418）；餐具及厨具木材（HS 4419）；雕像及其他装饰类木制品（HS 4420）；其他木制品（HS 4421）。木制品以小型木制零件和木质工具为主，在世界林木产品贸易中所占份额较小，贸易规模较小。

　　木制品在1992～1999年间贸易额呈现明显的增长趋势，只在2009年和2012年出现明显的下滑（图 3-5），主要受占比较大的 HS 4415、HS 4418 和 HS 4421 影响。

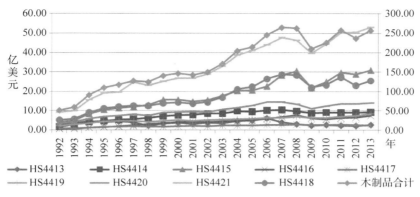

图 3-5　1992～2013 年木制品贸易额变化趋势

注：4418 和木制品合计数对应右侧纵坐标，4413 等其他木制品对应左侧坐标。

3.3.8　木家具

木家具包括 6 类：带软垫的木质框架坐具（HS 940161）、其他木质框架坐具（HS 940169）、木质办公家具（HS 940330）、木质厨房家具（HS 940340）、木质卧室家具（HS 940350）、木质起居室/餐厅和商店家具（HS 940360）。

木家具贸易额变化趋势如图 3-6。木家具呈现快速增长势头，在世界林产品贸易中占据主导地位，尤其 HS 940360、HS 940161 和 HS 940350。2009 年木家具贸易额有所下降，但是 2010 年又开始回升。木家具贸易迅猛发展，一是由于欧美等发达国家市场对绿色环保家具产品的需求上升，另一方面也得益于 20 世纪 90 年代中后期以来，世界范围内家具产业的较快发展。据意大利轻工业研究中心根据主要的 50 个家具生产国家和地区的资料分析统计，随着世界 GDP 的快速增长，2006 年世界家具行业贸易量为 860 亿美元，同比增长约 7.5%，而木质家具一直在家具产业中占据最重要的地位。世界木家具产业的发展、各个家具产业集群的形成，不仅改进了家具生产技术，降低家具生产成本，也促进了世界家具贸易的发展。

3.3.9　林产品贸易规模小结

世界林产品（HS 44、HS 47、HS 48、HS 49 和木家具）贸易额在世界商品总贸易额的占比不超过 5%，而且呈总体下降趋势。值得注意的是，尽管受全球金融危机影响，2009 年世界林产品贸易额出现了负增长，但在世界总商品贸易中地位却止降反升，表明了相对其他产品，世界市场对林产品贸易存在着刚性的需求，而 2010 年的比重小幅上升也很好地印证了这一点。

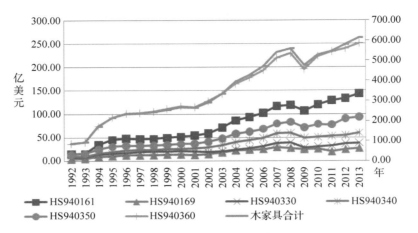

图3-6　1992~2013年木家具贸易额变化趋势

3.4　世界林产品贸易的商品结构

　　1992~2013年，在世界林产品出口贸易中，各大类商品占比见表3-7。其中，纸品占比最高，平均达到了53.12%，远远超过其他商品；其次，木家具、锯材和人造板的占比也较高，平均达到了11.54%、9.22%和8.79%。

表3-7　1992~2013年世界林产品贸易的商品结构　　　　　　单位:%

年份	原木	其他原材	锯材	人造板	纸浆	纸品	木制品	木家具
1992	4.49	1.34	11.89	8.37	10.40	52.08	4.23	7.21
1993	4.34	1.20	13.27	9.93	8.12	51.30	4.56	7.28
1994	3.49	1.04	12.19	8.88	8.05	51.45	5.13	9.77
1995	2.99	1.05	9.92	7.80	10.19	53.92	4.76	9.37
1996	2.13	1.11	10.84	8.67	7.35	54.02	5.30	10.58
1997	2.99	1.04	11.11	8.79	7.20	52.38	5.68	10.80
1998	2.64	1.04	9.81	8.03	6.87	54.77	5.61	11.23
1999	2.90	0.96	9.78	8.61	6.57	53.55	6.16	11.46
2000	2.87	0.94	9.58	7.91	8.73	52.82	5.99	11.16
2001	2.72	0.94	9.23	8.03	7.20	54.27	6.08	11.54
2002	2.78	0.91	9.04	8.52	6.59	53.97	6.13	12.05
2003	2.52	0.96	8.61	8.87	6.61	54.05	6.17	12.20
2004	2.61	0.99	9.11	9.77	6.38	52.34	6.38	12.40
2005	2.77	1.07	8.91	9.94	6.18	52.08	6.35	12.70

（续）

年份	原木	其他原材	锯材	人造板	纸浆	纸品	木制品	木家具
2006	2.72	1.10	8.82	9.97	6.50	51.44	6.65	12.80
2007	3.03	1.17	8.51	9.75	6.86	51.35	6.33	13.00
2008	2.73	1.33	7.06	9.12	7.26	53.44	6.07	12.98
2009	2.37	1.46	6.60	8.30	6.62	55.91	5.88	13.41
2010	2.60	1.55	7.02	8.32	8.26	53.71	5.53	13.01
2011	2.71	1.47	6.94	8.41	8.30	54.28	5.73	12.15
2012	2.55	1.71	7.05	8.78	7.82	53.24	5.47	13.38
2013	2.87	1.87	7.53	8.70	7.79	52.52	5.60	13.38
平均	2.90	1.19	9.22	8.79	7.54	53.12	5.72	11.54

资料来源：根据 UN COMTRADE 数据加总绘制，以出口贸易额为准，HS 编码。

1992～2013 年，世界林产品出口贸易商品结构具体分析如下。

3.4.1 原木

1992～2013 年，原木在世界林产品出口贸易额中的占比较小，平均为 2.92%。其中，1992～1996 年，从 4.48% 显著下降至 2.90%；从 1997 年开始，原木占比基本维持在 2.5%～3% 之间。

3.4.2 其他原材

1992～2013 年其他原材料类在世界林产品中的占比较小，平均为 1.19%。其中，1992～1993 年占比小幅下降，而 1994～2004 年相对稳定，2005 年后有所上升，但依然处于弱势地位。在其他原材中，HS4401（薪柴、木片或木粒、锯末和木废料）占比在 83% 以上，居于绝对主导地位。

3.4.3 锯材

锯材在世界林产品出口贸易总额中居第三位。1992～2013 年的平均占比为 9.22%，但是锯材的占比不断降低，从 1992 年的 11.89% 下降到 2013 年的 7.53%。

3.4.4 人造板

胶合板、刨花板和纤维板（"三板"）一直是世界人造板的主要产品，在人造板中占绝对优势。其中，胶合板的占比逐渐下降，纤维板及刨花板的占比稳定有升。胶合板首先呈现 1992～1993 年增长小高峰，1994～1998 年基本处于下降趋势，之后占比基本稳定。

如果按照贸易数量衡量，各板种比重近年来变化很大。1961～2008 年，胶合板在出口贸易中占比第一；到 2008 年世界人造板出口第一品种的地位已经被刨花板所取代。

3.4.5   木浆

1992～2013 年纸浆在林产品出口贸易额中的平均占比为 7.54%，占比在波动中有下降趋势。

3.4.6   纸品

1992～2013 年，纸品在世界林产品出口贸易额中的占比最大，平均高达 53.12%。在纸品中，纸、纸板和纸制品(HS 48)份额最多，其次是印刷品(HS 49)，废纸(HS 4707)比例非常小。

3.4.7   木制品

1992～2013 年，木制品在世界林产品出口贸易额中的占比并不高，平均为 5.72%。木制品在 1992～1999 年间占比呈现增长趋势，从约 4% 增长到 6%。之后，占比基本稳定于 6%。在木制品中占比最大的是 HS 4418，排名第二和第三的是 HS 4421 和 HS 4415。而且 HS 4418 和 HS 4415 的占比在波动中略有上升。

3.4.8   木家具

1992～2013 年木家具在世界林产品出口贸易额中占比平均为 11.54%，而且占比缓慢上升。同时，其贸易额也在波动中总体呈现上升趋势，特别是 2000 年以后更呈大幅上升趋势。在木家具中，木质起居室/餐厅和商店家具(HS 940360)的份额最多，占比 40%～45%。其次是带软垫的木质框架坐具(HS 940161)和木质卧室家具(HS 940350)。

3.4.9   林产品商品结构小结

按照出口贸易额衡量，在世界林产品中，各类产品的地位如下。

(1)纸和纸板贸易额快速上升，占比有所下降，但并未改变其绝对主导地位，2013 年占比为 52.25%。纸和纸板是高附加值的资金和技术密集型林产品，是各国林产工业竞相发展的主导性深加工产品，适应下游产业如印刷、出版、包装和烟草等产业的发展需要，满足各国调整和林产品贸易结构升级要求，所以，其贸易额随世界经济发展和世界需求递增而快速增加。

(2)木家具的贸易规模总体呈攀升势头。从 1998 年开始，位居世界第二，2013 年占比为 13.38%。

(3)人造板贸易规模总体呈高速增长态势，从 2003 年开始贸易额占比超过锯材，居世界第三，2011 年占比为 6.94%。人造板主要以木质原料经加工而成的板材，在家具、建筑装饰、交通和包装等产业中具有广泛的运用。

(4)木浆的贸易规模总体呈攀升势头。木浆是造纸的重要原料，在一定的生产技术条件下，其需求量变化与纸产品需求呈正相关关系。近年来，世界出版业、印刷业以及包装业的快速发展大大强化了纸产品需求，进而带动世界木浆贸易的快速递增。2008 年开始超过锯材，居世界第四，2013 年占比为 7.79%。

（5）锯材贸易绝对额总体也在增加，但占比显著下滑，2013 年占比为 7.53%，位居世界第五。锯材是低附加值的初级林产品，其生产和贸易规模的扩大依赖于森林资源的大量投入，更多地表现为粗放式生产。为保护本国森林资源，维护良好生态环境，促进林业生产结构升级，各国纷纷出台措施规范和限制森林资源采伐行为，约束锯材盲目生产，同时，锯材更多地表现为中间产品，往往需要进一步加工后，进入消费领域，所以世界锯材贸易规模增长缓慢。

（6）原木贸易发展缓慢，占比不断下降，2013 年占比仅为 2.87%。主要原因在于世界森林资源减少、各国森林资源保护意识增强、林业资源采伐规范化以及林业发展高端化要求。因此，在未来原木贸易中，其绝对规模会缓慢增长，但占比仍将继续走低。

（7）木制品占比变化最小，基本稳定在 4% ~6% 之间。

（8）其他原材占比最小，2013 年仅为 1.87%。

3.5　世界林产品贸易的地区分布

世界林产品贸易的地区分布较为密集，且相互贸易较为频繁。世界林产品贸易主要集中于美国、中国、德国、加拿大、俄罗斯、意大利、印度尼西亚、瑞典、比利时等国家，同时，这些国家之间的贸易往来也很频繁。

3.5.1　世界林产品出口贸易格局

在 1993 ~2000 年间，世界林产品的出口贸易参与国家（或地区）每年增加 2 ~8 个，直至 2001 年以后基本稳定。2011 年和 2013 年世界大类林产品的前五大出口贸易国见表 3-8。

表 3-8　2011 年和 2013 年大类林产品主要贸易国

类别	2011 年		2013 年	
	前五大出口国	市场份额（%）	前五大出口国	市场份额（%）
木、木制品和木炭 （HS 44）	中国	10	中国	10
	加拿大	8	加拿大	10
	德国	8	美国	7
	美国	7	德国	7
	俄罗斯	6	俄罗斯	6
浆纸 （HS47、HS 48、HS 49）	德国	12	美国	12
	美国	12	德国	11
	加拿大	7	中国	8
	中国	6	加拿大	6
	瑞典	6	瑞典	5

（续）

类别	2011 年		2013 年	
	前五大出口国	市场份额(%)	前五大出口国	市场份额(%)
木家具 (HS940161、HS 940169、 HS 940330、HS 940340、 HS 940350、HS 940360)	中国	30	中国	32
	意大利	10	意大利	9
	德国	9	德国	8
	波兰	8	波兰	7
	越南	4	越南	5

资料来源：根据 UN COMTRADE 出口相关数据整理、计算而得。

3.5.1.1　原木出口贸易格局

按照出口贸易额，世界原木（HS 4403）主要出口市场及其份额，见表3~9。俄罗斯、美国基本位居前二，马来西亚、德国排名有下降趋势，新西兰、法国的排名有上升趋势，尤其新西兰表现突出，从2009年起进入第三，2013年超过俄罗斯跃居第二。在2005~2013年间，世界原木市场的贸易集中度正在逐步下降，2005年前十大出口国的贸易市场份额（CR10）为78.24%，到2013年降为71.73%。

表3-9　世界原木（HS 4403）的主要出口市场及其份额

（以贸易额衡量，单位:%）

2005 年		2007 年		2009 年		2011 年		2012 年		2013 年	
出口国	份额	出口国	份额	出口国	份额	出口国	份额	出口国	份额	出口国	份额
俄罗斯	30.44	俄罗斯	32.59	俄罗斯	21.71	美国	18.44	美国	17.48	美国	18.16
美国	16.08	美国	13.86	美国	16.47	俄罗斯	16.23	俄罗斯	13.41	新西兰	14.35
马来西亚	6.96	德国	5.55	新西兰	7.09	新西兰	10.71	新西兰	11.17	俄罗斯	12.19
加拿大	6.03	马来西亚	4.91	马来西亚	6.84	加拿大	5.61	加拿大	6.01	加拿大	6.59
德国	5.41	加拿大	3.60	加蓬	4.47	马来西亚	5.22	马来西亚	4.79	马来西亚	4.40
新西兰	3.33	新西兰	3.54	德国	4.12	法国	3.71	捷克	4.26	捷克	4.79
加蓬	3.25	加蓬	3.15	法国	3.57	德国	3.51	德国	3.50	德国	3.81
法国	2.79	法国	2.94	加拿大	3.47	捷克	3.42	法国	3.12	法国	2.66
瑞典	2.02	瑞典	2.66	捷克	3.06	拉脱维亚	2.64	乌拉圭	2.85	乌拉圭	2.57
捷克	1.93	拉脱维亚	2.60	斯洛伐克	2.46	乌克兰	1.92	拉脱维亚	2.36	波兰	2.22
CR5	64.92	CR5	60.52	CR5	56.59	CR5	56.22	CR5	52.87	CR5	55.69
CR10	78.24	CR10	75.40	CR10	73.26	CR10	71.41	CR10	68.96	CR10	71.73

注：由于四舍五入的原因，出口市场份额显示的合计数与本表分项数之和可能略有出入，以下有类似情况。为节省版面，只列出部分年份的出口市场及份额。

3.5.1.2 其他原材出口贸易格局

在其他原材中，薪柴、木片或木粒、锯末和木废料(HS 4401)占比 83% 以上，以此为其他原材的代表进行出口贸易格局分析。表 3-10 所示，2005～2011 年澳大利亚一直位列 HS 4401 产品出口的世界第一；自 2012 年，越南位列第一；美国、加拿大、智利、德国、拉脱维亚等也是重要的出口国。其中，南非出口市场份额有明显的下降趋势，泰国、俄罗斯、越南的市场份额则有上升趋势(2011 年越南除外)。

表 3-10 世界薪柴、木片或木粒、锯末和木废料(HS 4401)的主要出口市场及其份额

(以贸易额衡量，单位:%)

2005 年		2007 年		2009 年		2011 年		2012 年		2013 年	
出口国	份额	出口国	份额	出口国	份额	出口国	份额	出口国	份额	出口国	份额
澳大利亚	20.41	澳大利亚	19.66	澳大利亚	15.17	澳大利亚	12.83	越南	12.75	越南	14.93
南非	10.84	美国	6.93	德国	6.99	智利	7.12	澳大利亚	10.64	美国	8.58
美国	7.00	加拿大	6.74	美国	6.79	德国	7.07	美国	8.01	澳大利亚	8.48
加拿大	6.72	德国	6.73	加拿大	6.23	加拿大	6.49	智利	5.69	德国	5.20
智利	5.24	南非	6.52	智利	6.18	美国	6.37	德国	5.59	加拿大	4.55
德国	3.85	智利	5.24	越南	5.45	泰国	5.34	泰国	5.43	泰国	4.25
拉脱维亚	3.74	拉脱维亚	4.64	拉脱维亚	4.48	拉脱维亚	5.13	加拿大	5.19	拉脱维亚	4.21
越南	3.45	越南	4.24	南非	4.21	俄罗斯	4.11	拉脱维亚	4.23	智利	4.18
巴西	3.31	奥地利	3.51	俄罗斯	4.17	南非	4.08	俄罗斯	3.66	俄罗斯	3.52
奥地利	3.10	爱沙尼亚	2.79	奥地利	3.15	奥地利	3.48	南非	2.70	奥地利	2.74
CR5	50.21	CR5	46.58	CR5	41.37	CR5	39.88	CR5	42.68	CR5	41.73
CR10	67.66	CR10	67.01	CR10	62.83	CR10	62.01	CR10	63.90	CR10	60.63

数据来源：根据 UN COMTRADE 相关数据整理、计算而得。由于四舍五入的原因，CR5 和 CR10 的数据可能与相关数据的合计数会略有差异，以下各表情况类似，不再赘述。

3.5.1.3 锯材出口贸易格局

按照出口贸易额，世界锯材(HS 4406 和 HS 4407)的主要出口市场及其份额，见表 3-11。除了 2005 年俄罗斯位居世界第四之外，其余年份加拿大、瑞典和俄罗斯稳居世界锯材出口的前三名，其中加拿大市场份额较大但有较明显的下降趋势；美国、德国、芬兰、奥地利、马来西亚、巴西和智利也是世界锯材的主要出口国，市场份额相对稳定。2005～2009 年世界锯材的 CR10 有下降趋势，但是 2010 年和 2013 年略有反弹。

表3-11   世界锯材(HS 4406 和 HS 4407)的主要出口市场及其份额

（以贸易额衡量，单位:%）

2005 年		2007 年		2009 年		2011 年		2012 年		2013 年	
出口国	份额	出口国	份额	出口国	份额	出口国	份额	出口国	份额	出口国	份额
加拿大	29.05	加拿大	19.61	加拿大	14.74	加拿大	17.39	加拿大	19.19	加拿大	21.48
瑞典	9.36	瑞典	10.90	瑞典	12.67	瑞典	10.87	俄罗斯	10.95	俄罗斯	10.60
美国	7.00	俄罗斯	9.17	饿俄罗斯	11.18	俄罗斯	10.88	瑞典	10.27	瑞典	9.49
俄罗斯	6.41	德国	7.33	德国	7.06	美国	8.59	美国	8.86	美国	9.22
德国	5.55	芬兰	6.30	美国	6.96	德国	6.74	德国	5.76	德国	5.62
芬兰	5.37	奥地利	5.96	奥地利	5.87	芬兰	5.26	芬兰	5.17	芬兰	5.46
奥地利	4.93	美国	6.13	芬兰	5.27	奥地利	5.23	奥地利	4.47	奥地利	4.18
巴西	2.93	巴西	2.61	马来西亚	2.92	罗马尼亚	2.72	罗马尼亚	2.80	罗马尼亚	2.73
马来西亚	2.81	马来西亚	2.62	罗马尼亚	2.40	马来西亚	2.62	马来西亚	2.59	泰国	2.60
智利	2.37	智利	2.33	新西兰	1.94	泰国	2.32	泰国	2.28	智利	2.35
CR5	57.37	CR5	53.32	CR5	52.61	CR5	54.48	CR5	55.03	CR5	56.41
CR10	75.79	CR10	72.96	CR10	71.02	CR10	72.64	CR10	72.33	CR10	73.73

数据来源：根据 UN COMTRADE 相关数据整理、计算而得。

世界锯材的出口贸易格局主要由普通锯材(HS 4407)决定，如果从锯材中刨去特种锯材(HS4406)，前十强的排名及其市场份额并不改变。

世界特种锯材(即枕木，HS 4406)出口的 CR10 在 80%～90% 之间波动。其中，美国、法国、俄罗斯几乎稳居前三强；德国、比利时、加拿大、马来西亚、荷兰、罗马尼亚、捷克和加蓬多数年份位居世界前十之列；马达加斯加、乌克兰、克罗地亚和尼日利亚偶尔进入世界前十之列。

3.5.1.4   人造板出口贸易格局

在世界人造板出口中，一直以胶合板、刨花板和纤维板(俗称"三板")为主，其贸易格局如下。

(1)刨花板。表3-12 所示，2005～2013 年，世界刨花板(HS 4410)的出口市场有明显的分散趋势，2005 年 CR10 为 78.78%，2013 降为 69.02%。其中，加拿大、德国和奥地利一直占据世界刨花板出口的主导地位，不过加拿大的出口份额大幅下降，近两年才有所反弹。

表 3-12　2005 ~ 2013 年世界刨花板(HS 4410)的主要出口市场及其份额

(以贸易额衡量,单位:%)

2005 年		2007 年		2009 年		2011 年		2012 年		2013 年	
国家	份额	国家	份额	国家	份额	国家	份额	国家	份额	国家	份额
加拿大	38.30	加拿大	17.89	德国	14.94	德国	12.38	加拿大	15.13	加拿大	18.58
德国	11.99	德国	14.47	奥地利	12.05	加拿大	11.58	德国	10.27	德国	10.06
奥地利	6.85	奥地利	11.15	加拿大	11.39	奥地利	11.28	奥地利	10.27	奥地利	9.32
比利时	6.01	比利时	7.75	法国	6.86	法国	7.89	法国	6.96	罗马尼亚	6.87
法国	5.82	法国	7.44	比利时	6.36	比利时	6.28	比利时	5.51	法国	6.19
波兰	2.81	捷克	3.73	捷克	4.15	捷克	4.62	罗马尼亚	5.23	比利时	5.39
泰国	1.98	波兰	3.36	泰国	4.13	泰国	4.36	捷克	4.24	捷克	4.07
捷克	1.72	泰国	3.02	西班牙	2.94	罗马尼亚	3.73	泰国	3.93	泰国	3.44
意大利	1.65	意大利	2.53	波兰	2.63	西班牙	3.11	俄罗斯	2.86	波兰	2.61
美国	1.65	美国	1.39	罗马尼亚	2.31	波兰	2.73	西班牙	2.63	俄罗斯	2.49
CR5	68.97	CR5	58.71	CR5	51.59	CR5	49.41	CR5	48.14	CR5	51.02
CR10	78.78	CR10	72.75	CR10	67.77	CR10	67.96	CR10	67.04	CR10	69.02

数据来源:根据 UN COMTRADE 相关数据整理、计算而得。

(2)纤维板。表 3-13 所示,2005 ~ 2013 年,世界纤维板(HS 4411)的 CR10 变化幅度较小,总体保持在 70%左右。其中,德国占据世界纤维板出口的主导地位,并维持 20% 的市场份额。近年来,中国的市场份额明显提升,2013 年达到 15.49%,与德国仅相差 4.14%。同时,比利时、波兰、奥地利也占据着重要的市场份额。

表 3-13　世界纤维板(HS 4411)的主要出口市场及其份额

(以贸易额衡量,单位:%)

2005 年		2007 年		2009 年		2011 年		2012 年		2013 年	
国家	份额	国家	份额	国家	份额	国家	份额	国家	份额	国家	份额
德国	21.28	德国	20.52	德国	22.52	德国	19.84	德国	19.24	德国	19.63
比利时	9.20	中国	10.81	中国	10.85	中国	14.68	中国	17.00	中国	15.49
加拿大	6.55	比利时	8.86	比利时	7.61	比利时	6.80	比利时	6.06	比利时	6.15
中国	5.04	奥地利	4.78	奥地利	5.13	波兰	5.26	波兰	5.17	波兰	5.59
西班牙	4.69	波兰	4.74	波兰	4.84	奥地利	4.52	奥地利	4.26	奥地利	4.53
波兰	4.54	法国	4.58	西班牙	3.64	泰国	4.11	泰国	4.14	泰国	4.45
奥地利	4.54	加拿大	4.17	马来西亚	3.61	马来西亚	3.77	马来西亚	3.92	智利	3.56
法国	4.46	西班牙	4.11	加拿大	3.42	智利	3.17	智利	3.35	马来西亚	3.39

（续）

2005 年		2007 年		2009 年		2011 年		2012 年		2013 年	
国家	份额	国家	份额	国家	份额	国家	份额	国家	份额	国家	份额
马来西亚	3.59	马来西亚	3.42	法国	3.17	法国	3.13	法国	3.14	法国	3.08
智利	2.98	智利	2.79	泰国	3.01	西班牙	3.11	土耳其	3.11	西班牙	3.06
CR5	46.75	CR5	49.72	CR5	50.96	CR5	51.11	CR5	51.73	CR5	51.40
CR10	66.86	CR10	68.80	CR10	67.80	CR10	68.40	CR10	69.38	CR10	68.94

数据来源：根据 UN COMTRADE 相关数据整理、计算而得。

（3）胶合板。由表3-14可知，2005~2013年，世界胶合板（HS 4412）的CR10由77.11%上升到81.45%，出口集中度进一步加强。虽然在各年间出现起伏变化，但总体贸易集中度较高。其中，中国占据重要地位，2013年在世界胶合板出口贸易额中占比高达33.60%；而印度尼西亚、马来西亚、俄罗斯、巴西、芬兰的市场份额相对稳定。

表3-14 世界胶合板（HS 4412）的主要出口市场及其份额

（以贸易额衡量，单位:%）

2005 年		2007 年		2009 年		2011 年		2012 年		2013 年	
国家	份额	国家	份额	国家	份额	国家	份额	国家	份额	国家	份额
中国	17.74	中国	26.43	中国	26.38	中国	31.57	中国	33.80	中国	33.60
马来西亚	13.94	马来西亚	13.61	马来西亚	14.81	印度尼西亚	14.21	印度尼西亚	14.18	印度尼西亚	14.53
印度尼西亚	12.98	印度尼西亚	11.26	印度尼西亚	12.43	马来西亚	12.13	马来西亚	11.75	马来西亚	11.25
巴西	7.42	芬兰	6.86	俄罗斯	5.35	俄罗斯	6.39	俄罗斯	6.28	俄罗斯	6.65
芬兰	7.06	俄罗斯	5.53	芬兰	4.91	芬兰	4.52	芬兰	4.05	芬兰	4.25
加拿大	5.11	巴西	5.14	巴西	3.59	智利	3.02	美国	3.07	美国	2.97
俄罗斯	4.97	加拿大	3.07	智利	3.02	美国	2.90	巴西	2.88	巴西	2.87
加纳	3.26	德国	2.47	美国	2.59	巴西	2.69	智利	1.99	奥地利	1.85
德国	2.32	美国	2.17	德国	2.41	德国	2.45	奥地利	1.86	德国	1.81
比利时	2.31	法国	2.11	奥地利	2.39	奥地利	2.18	德国	1.85	智利	1.69
CR5	59.15	CR5	63.70	CR5	63.88	CR5	68.83	CR5	70.06	CR5	70.27
CR10	77.11	CR10	78.66	CR10	77.87	CR10	82.07	CR10	81.70	CR10	81.45

数据来源：根据 UN COMTRADE 相关数据整理、计算而得。

3.5.1.5 木浆出口贸易格局

表3-15所示，加拿大、美国、巴西、智利、瑞典、芬兰、印度尼西亚、俄罗斯、西班牙、德国和比利时是世界木浆的主要出口国。其中，加拿大、美国、巴西稳居世界前三，只是加拿大的份额有所下降，美国相对稳定，而巴西相对上升。

表 3-15　世界纸浆（HS 4701～HS 4706）的主要出口市场及其份额

（以贸易额衡量，单位:%）

2005 年		2007 年		2009 年		2011 年		2012 年		2013 年	
出口国	份额	出口国	份额	出口国	份额	出口国	份额	出口国	份额	出口国	份额
加拿大	25.03	加拿大	23.12	加拿大	18.88	加拿大	19.48	加拿大	18.92	加拿大	18.28
美国	16.55	美国	14.93	美国	17.88	美国	17.01	美国	17.49	美国	16.44
巴西	9.73	巴西	10.53	巴西	14.03	巴西	13.37	巴西	13.82	巴西	14.45
瑞典	9.04	瑞典	8.31	智利	8.53	智利	7.64	智利	7.43	智利	7.83
智利	5.69	智利	8.25	瑞典	8.27	瑞典	7.40	瑞典	7.33	瑞典	7.22
芬兰	4.93	芬兰	5.79	印度尼西亚	3.67	芬兰	5.10	芬兰	5.08	芬兰	5.78
印度尼西亚	4.46	印度尼西亚	3.71	芬兰	3.31	印度尼西亚	4.16	印度尼西亚	4.54	印度尼西亚	5.14
俄罗斯	3.58	俄罗斯	3.60	德国	2.94	俄罗斯	3.48	俄罗斯	3.37	俄罗斯	2.93
西班牙	2.73	比利时	3.15	俄罗斯	2.93	西班牙	2.83	西班牙	2.72	德国	2.87
德国	2.63	德国	2.91	比利时	2.38	德国	2.62	德国	2.67	西班牙	2.72
CR5	66.04	CR5	65.14	CR5	67.60	CR5	64.90	CR5	65.00	CR5	64.23
CR10	84.37	CR10	84.30	CR10	82.83	CR10	83.09	CR10	83.38	CR10	83.67

数据来源：根据 UN COMTRADE 相关数据整理、计算而得。

3.5.1.6　纸品出口贸易格局

在世界纸品出口中，以纸、纸板、纸制品（HS 48）为主，其次是印刷品（HS 49）。2013 年，HS 48 的 CR5 为 43.37%，CR10 为 63.34%，德国、美国、中国、瑞典、芬兰、加拿大、法国、意大利、荷兰、比利时是主要出口国；HS 49 的 CR5 为 50.53%，CR10 为 70.73%，美国、德国、英国、泰国、中国、法国、新加坡、中国香港、意大利和荷兰排名 CR 49 世界出口前十位。

3.5.1.7　木制品出口贸易格局

在木制品中，占比最大的是 HS4418（建筑用木工制品，包括蜂窝结构木镶板、已拼装的拼花木地板、木瓦及盖屋板建筑用木工），排名第二和第三的是 HS 4421（其他木制品）和 HS 4415（包装木箱、木盒、板条箱、圆桶及类似的木包装容器，木质电缆卷筒，木制托盘护框）。

表 3-16 所示，就 HS 4418 出口而言，奥地利、德国、菲律宾、中国、波兰、加拿大、瑞典、美国、意大利和丹麦是主要出口国。其中，奥地利和德国较为稳定地居于世界前三之列，中国较为稳定地居于世界第四或第五名，而加拿大的占比有下滑趋势，从 2011 年起退出前五。

表 3-16　世界 HS 4418 的主要出口市场及其份额

（以贸易额衡量，单位:%）

2005 年		2007 年		2009 年		2011 年		2012 年		2013 年	
国家	份额	国家	份额	国家	份额	国家	份额	国家	份额	国家	份额
加拿大	16.52	加拿大	10.53	奥地利	10.55	菲律宾	11.71	菲律宾	15.56	菲律宾	18.93
奥地利	8.38	奥地利	9.84	德国	9.66	奥地利	10.78	奥地利	9.81	奥地利	8.98
德国	8.14	德国	8.77	中国	7.33	德国	9.38	德国	8.64	德国	8.37
印度尼西亚	6.38	中国	7.17	菲律宾	7.27	中国	7.40	中国	8.26	中国	7.83
中国	5.95	波兰	5.45	加拿大	6.60	波兰	6.42	波兰	6.34	波兰	6.80
丹麦	5.21	丹麦	5.23	波兰	6.16	加拿大	5.15	加拿大	5.68	加拿大	5.69
瑞典	4.43	菲律宾	5.16	丹麦	4.82	瑞典	3.43	瑞典	3.45	瑞典	3.25
波兰	4.04	瑞典	4.62	意大利	3.72	美国	3.14	美国	3.24	丹麦	3.16
巴西	3.69	意大利	3.41	瑞典	3.50	意大利	3.02	意大利	3.07	意大利	2.96
美国	3.02	印度尼西亚	3.28	美国	3.30	丹麦	2.92	丹麦	2.72	美国	2.90
CR5	45.36	CR5	41.77	CR5	41.41	CR5	45.68	CR5	48.61	CR5	50.91
CR10	65.76	CR10	63.47	CR10	62.90	CR10	63.33	CR10	66.76	CR10	68.87

表 3-17 所示，就 HS 4415 出口而言，波兰、德国、捷克、比利时、美国、加拿大等国是主要出口国。波兰和德国一直稳居世界前两名；加拿大占比逐渐下滑，从 2011 年开始退出前十。

表 3-17　世界 HS 4415 的主要出口市场及其份额

（以贸易额衡量，单位:%）

2005 年		2007 年		2009 年		2011 年		2012 年		2013 年	
国家	份额	国家	份额	国家	份额	国家	份额	国家	份额	国家	份额
波兰	12.39	波兰	14.30	波兰	12.58	波兰	11.88	波兰	11.21	波兰	12.86
德国	9.71	德国	9.70	德国	10.65	德国	10.61	德国	9.70	德国	9.58
加拿大	7.57	捷克	6.71	捷克	6.66	捷克	7.34	捷克	6.88	捷克	7.19
比利时	5.85	比利时	6.07	比利时	6.59	比利时	6.39	比利时	5.89	比利时	5.91
捷克	5.35	加拿大	4.57	法国	5.37	美国	5.06	荷兰	5.06	荷兰	5.06
法国	5.08	法国	4.46	美国	4.76	荷兰	4.88	美国	4.91	美国	5.00
美国	4.80	荷兰	4.39	意大利	4.20	法国	4.66	法国	4.64	法国	4.39
荷兰	4.54	意大利	3.82	加拿大	3.91	意大利	4.45	意大利	4.18	意大利	3.69
意大利	3.77	美国	3.35	荷兰	3.81	立陶宛	3.59	立陶宛	3.30	立陶宛	3.32
中国	2.89	立陶宛	3.30	立陶宛	2.51	拉脱维亚	3.25	拉脱维亚	3.10	拉脱维亚	3.10
CR5	40.87	CR5	41.33	CR5	41.86	CR5	41.27	CR5	38.74	CR5	40.60
CR10	61.95	CR10	60.65	CR10	61.06	CR10	62.10	CR10	58.86	CR10	60.10

数据来源：根据 UN COMTRADE 相关数据整理、计算而得。

3.5.1.8　木家具出口贸易格局

　　自 20 世纪 90 年代以来，伴随着全球一体化的深入，世界木质家具出口贸易逐年递增，出口市场集中度却有所提高。见表 3-18 所示，2005 ~ 2013 年，世界木质家具（HS 940161、HS 940169、HS 940330 ~ HS 940360）的 CR10 由 66.71% 上升到 2011 年的 73.73%，之后回落，2013 年为 73.06%。从出口区域来看，欧洲、亚洲和北美洲是世界木质家具出口的三大主要地区，三大洲的木质家具出口额约占世界木质家具出口额的 90% 以上。其中，欧洲一直是木质家具出口的传统强势地区，始终处于相对平稳的发展态势；亚洲和北美洲木质家具出口额在 2001 年之前相差不大，而在 2001 年之后，亚洲木质家具出口额开始迅速增加，并逐渐以较大份额超越了北美洲。

表 3-18　世界木质家具的主要出口市场及其份额

（以贸易额衡量，单位:%）

2005 年		2007 年		2009 年		2011 年		2012 年		2013 年	
国家	份额	国家	份额	国家	份额	国家	份额	国家	份额	国家	份额
中国	15.93	中国	19.63	中国	25.16	中国	29.87	中国	31.55	中国	31.60
意大利	14.03	意大利	13.28	意大利	11.38	意大利	9.89	意大利	9.29	意大利	9.33
德国	8.26	德国	8.93	德国	9.72	德国	9.09	德国	8.15	德国	7.73
波兰	7.15	波兰	7.14	波兰	7.31	波兰	7.59	波兰	6.75	波兰	7.29
加拿大	5.69	加拿大	3.87	越南	3.88	越南	4.19	越南	4.76	越南	4.99
丹麦	4.21	丹麦	3.50	马来西亚	3.71	马来西亚	3.54	马来西亚	3.64	美国	3.01
马来西亚	3.57	马来西亚	3.43	美国	2.91	美国	3.02	美国	3.11	马来西亚	2.99
印度尼西亚	2.68	越南	3.38	丹麦	2.78	丹麦	2.29	加拿大	2.18	加拿大	2.14
越南	2.64	美国	2.71	法国	2.50	加拿大	2.16	丹麦	2.18	丹麦	2.03
法国	2.55	法国	2.60	加拿大	2.32	瑞典	2.08	瑞典	1.95	印度尼西亚	1.95
CR5	51.06	CR5	52.87	CR5	57.44	CR5	60.64	CR5	60.49	CR5	60.94
CR10	66.71	CR10	68.49	CR10	71.65	CR10	73.73	CR10	73.54	CR10	73.06

数据来源：根据 UN COMTRADE 相关数据整理、计算而得。

　　从出口国别来看，2013 年世界前 10 大主要木质家具出口国依次为中国、意大利、德国、波兰、越南、美国、马来西亚、加拿大、丹麦、印度尼西亚，合计约占全球木质家具出口额的 73%。进一步分析可知，以意大利、德国、加拿大为代表的传统木质家具大国与以中国、越南、马来西亚为代表的亚洲新兴木质家具国共同占据着全球约 60% 的木家具出口份额。意大利、德国和加拿大作为传统的木质家具生产大国，一直处于全球木质家具出口最主要国家的地位。其中，1997 ~ 2001 年间，意大利、德国和加拿大一直是世界前三位木质家具出口大国，意大利以年均约 50 亿美元的木质家具出口额位居世界木质家具出口的第一位，德国与加拿大则分别以年均约 20 亿美元的木质家具出口额，处于世界木质家具的第二和第三出口大国。然而，2001 年以后，伴随着中国入世和改革开放进一步深入，中国的木质家具出口额飞速增长，于 2002 年超过德国与加拿大位居世界第二，并于 2005 年超越意大利位居世界第一，2001 ～ 2013 年增长约 10 倍，目前约占据世界木质家具出口约 1/3 的份额。此外，波兰、马来西亚、美国、丹麦与越南的木质家具出口则处于相对平稳状态，多数年份都处于全球的前十位木质家具出口国之列。

从出口产品类别来看，木质起居室/餐厅和商店家具（HS 940360）与带软垫的木质框架坐具（HS 940161）是中国和意大利最主要的木家具出口类别。其中，2010 年，意大利 HS 940360 的出口额达到了 22. 01 亿美元，占其全部木质家具出口 41. 47% 的份额。波兰与美国也同样以出口 HS 940360 和 HS 940161 为主，两类产品在波兰的出口额分别占其木家具总出口的 41. 62% 和 41. 67%，两类产品在美国的出口额分别占其木家具总出口的 39. 07% 和 30. 42%。德国则以出口木质厨房家具（HS 940340）为主，占德国全部木质家具出口约 41%。马拉西亚除了大量出口木质起居室/餐厅和商店家具（HS940360），也以较高的比重出口木质卧室家具（HS 940350）。2010 年，马来西亚出口的 HS 940350 达到了 4. 98 亿美元，占其全部木质家具出口的 24. 54%。而加拿大对几项木质家具的出口则相对均匀，HS 940360 与 HS 940330 出口份额相对较高，分别占据了 29. 29% 和 28. 39%。相比之下，加拿大对各类木质家具的出口相对均匀，其中 HS 940360 与木质办公家具（HS 940330）略多一些，分别占据加拿大木家具出口额的 29. 29% 和 28. 39%。

通过上述分析，可以看出，中国与美国、德国、意大利、加拿大、马来西亚等几个国家对全球的木质家具贸易影响最为显著，且近些年来都保持了的较快发展趋势。

3. 5. 1. 9　林产品出口贸易格局小结

（1）依据贸易金额衡量。前 15 个贸易国的贸易额合计占世界林产品贸易总额的 75% ～ 80%。2013 年木、木制品和木炭（HS 44）及浆纸产品（HS 47、HS 48、HS 49）出口，以中国、西欧、北欧及东南亚为主，其中，中国约占世界总额的 10%，加拿大、德国、美国及俄罗斯的占比也达到 6% 以上。

就木材、木制品和木炭（HS 44）的出口贸易额而言，中国的比例不断上升，2011 年达 10%，位居世界第一位。

就浆纸产品（HS 47、HS 48、HS 49）的出口额而言，见表 3-19，德国、美国、加拿大、瑞典、芬兰、法国、意大利、荷兰等国是主要出口国。其中，德国和美国的世界贸易额占比都超过了 11%，稳居世界前两名。加拿大、瑞典的出口额占比也超过了 5%。2005 ～ 2007 年中国均位居世界第十一，占比分别为 2. 60%、2. 83% 和 2. 96%；2008 年中国跃居世界第七，占比 3. 95%；2011 年中国跃升至世界第四，占比 5. 77%，2013 ～ 2013 年中国跃居世界第三，占比分别为 6. 80% 和 7. 51%。

表 3-19　世界浆纸(HS 47、HS 48、HS 49) 的主要出口市场及其份额

(以贸易额衡量, 单位:%)

2005 年		2007 年		2009 年		2011 年		2012 年		2013 年	
出口国	份额	出口国	份额	出口国	份额	出口国	份额	出口国	份额	出口国	份额
德国	13.07	德国	13.00	德国	12.67	德国	11.74	美国	12.20	美国	11.76
美国	11.51	美国	11.22	美国	11.63	美国	11.63	德国	11.37	德国	11.21
加拿大	9.98	加拿大	8.37	加拿大	6.77	加拿大	6.56	中国	6.80	中国	7.51
瑞典	5.83	瑞典	5.61	瑞典	5.60	中国	5.77	加拿大	6.37	加拿大	6.17
芬兰	5.30	芬兰	5.57	法国	4.55	瑞典	5.55	瑞典	5.38	瑞典	5.19
法国	5.20	法国	4.74	中国	4.49	芬兰	4.53	芬兰	4.52	芬兰	4.54
英国	4.50	英国	4.03	芬兰	4.48	法国	4.08	法国	4.03	法国	3.88
意大利	4.05	意大利	3.92	意大利	3.80	意大利	3.68	意大利	3.65	意大利	3.65
比利时	3.53	比利时	3.50	英国	3.62	荷兰	3.35	英国	3.36	英国	3.26
荷兰	3.24	荷兰	3.30	比利时	3.29	英国	3.30	荷兰	3.08	荷兰	3.02
CR5	45.70	CR5	43.77	CR5	41.23	CR5	41.25	CR5	42.13	CR5	41.85
CR10	68.82	CR10	63.25	CR10	60.91	CR10	60.18	CR10	60.77	CR10	60.20

数据来源: 根据 UN COMTRADE 相关数据整理、计算而得。

就世界木家具出口额而言, 中国占比高达 30%, 远高于其他国家, 连续多年保持世界第一位。

(2)参考原木当量衡量。由于 UN COMTRADE 中部分林产品的贸易数量数据缺失, 所以本书参照 FAO 定义的林产品统计口径, 利用 FAO FORSTAT 数据库, 查得林产品的出口贸易数量, 并据此分析出口贸易格局, 基本结论不变。

3.5.2　世界林产品进口贸易格局

由于各国经济发展程度、森林资源禀赋和消费水平不同, 各国林产品贸易能力和贸易水平表现出明显的差异性。

3.5.2.1　原木进口贸易格局

以数量衡量, 中国、奥地利、德国、瑞典、芬兰、日本和韩国是世界原木的主要进口国。尤其中国, 始终位列第一, 世界占比约 1/3。表 3-20 所示, 以金额衡量, 中国、日本、印度、韩国、奥地利、德国、芬兰、瑞典和意大利是世界原木的主要进口国。1996 年中国的原木进口额位居世界第四, 仅次于日本、韩国和意大利; 1997 年位居世界第三, 仅次于日本和韩国; 1998 年位居世界第二, 仅次于日本。2002 年起, 中国始终位列世界原木进口额第一, 世界占比从 2005 年的 1/4, 增长至 2013 年的约 1/2。

表3-20　世界原木(HS 4403)的主要进口市场及其份额

（以贸易额衡量 单位:%）

2005 年		2007 年		2009 年		2011 年		2012 年		2013 年	
国家	份额	国家	份额	国家	份额	国家	份额	国家	份额	国家	份额
中国	24.70	中国	30.56	中国	36.26	中国	44.83	中国	42.99	中国	46.95
日本	12.93	日本	10.05	印度	10.09	印度	9.95	印度	11.92	印度	10.24
印度	6.42	印度	6.36	日本	7.25	日本	6.02	日本	6.11	日本	5.57
芬兰	6.13	芬兰	5.97	奥地利	5.94	奥地利	4.41	奥地利	4.40	奥地利	4.24
韩国	5.39	韩国	5.19	韩国	5.54	韩国	4.30	韩国	3.89	韩国	3.72
奥地利	4.56	奥地利	4.55	德国	2.96	德国	3.87	德国	3.47	德国	3.71
瑞典	4.01	瑞典	3.93	意大利	2.92	瑞典	3.11	瑞典	3.04	瑞典	2.91
意大利	3.69	意大利	3.33	加拿大	2.68	芬兰	2.53	芬兰	2.28	芬兰	2.32
加拿大	3.27	德国	2.68	瑞典	2.67	意大利	2.25	越南	1.92	越南	2.15
美国	2.79	法国	2.45	芬兰	2.31	越南	1.81	意大利	1.76	加拿大	1.57
CR5	55.56	CR5	58.13	CR5	65.08	CR5	69.53	CR5	69.31	CR5	70.72
CR10	73.90	CR10	75.09	CR10	78.62	CR10	83.10	CR10	81.78	CR10	83.38

3.5.2.2　其他原材进口贸易格局

以数量衡量，在其他原材中，以薪柴为例，意大利、德国、希腊是主要进口国。2007 年薪柴的前五大进口国依次为意大利、德国、希腊、丹麦和奥地利，5 国合计的世界占比（CR5）为 54.50%。2010 年 CR5 最高，为 68.05%。表3-21 所示，以金额衡量，世界薪柴、木片或木粒(HS 4401)的主要进口市场是日本、中国、丹麦、意大利、瑞典、荷兰和芬兰。美国在 2005～2006 年分别位居世界第二和第四，其余年份则退出前十之列。

表3-21　世界薪柴、木片或木粒(HS 4401)的主要进口市场及其份额

（以贸易额衡量，单位:%）

2005 年		2007 年		2009 年		2011 年		2012 年		2013 年	
国家	份额	国家	份额	国家	份额	国家	份额	国家	份额	国家	份额
日本	53.05	日本	46.57	日本	40.03	日本	32.61	日本	31.28	日本	25.52
美国	4.27	瑞典	4.26	中国	6.67	中国	14.12	中国	16.40	中国	17.60
瑞典	4.09	意大利	4.16	比利时	5.47	丹麦	6.47	丹麦	5.47	英国	7.51
意大利	3.91	比利时	4.03	意大利	5.37	意大利	5.81	意大利	5.43	意大利	7.24
中国	3.22	芬兰	3.45	瑞典	4.78	瑞典	3.92	比利时	4.20	丹麦	5.27
丹麦	2.96	加拿大	3.00	芬兰	4.00	奥地利	3.67	土耳其	3.89	奥地利	3.96
芬兰	2.91	土耳其	2.82	奥地利	3.89	荷兰	3.44	英国	3.73	德国	3.64
韩国	2.46	德国	2.76	荷兰	3.80	德国	3.31	荷兰	3.27	比利时	3.42

（续）

2005 年		2007 年		2009 年		2011 年		2012 年		2013 年	
国家	份额	国家	份额	国家	份额	国家	份额	国家	份额	国家	份额
荷兰	2.14	荷兰	2.40	比利时	3.76	芬兰	2.94	瑞典	3.12	瑞典	2.87
加拿大	2.13	韩国	1.70	德国	2.67	英国	2.72	奥地利	3.07	芬兰	2.40
CR5	68.54	CR5	62.47	CR5	62.31	CR5	62.92	CR5	62.78	CR5	63.14
CR10	81.14	CR10	75.15	CR10	80.44	CR10	79.00	CR10	79.86	CR10	79.42

3.5.2.3 锯材进口贸易格局

以数量衡量，美国、中国、日本、意大利、英国和德国是世界锯材的主要进口国。其中，美国始终位列第一，但其世界占比有下降趋势。从 2008 年起，中国位列世界第二，且市场份额有上升趋势，2009 年和 2010 年几乎与美国持平。表 3-22 所示，以金额衡量，美国、中国、日本、意大利、英国和德国是世界锯材的主要进口国。从 2010 年起，世界锯材进口第一由美国让位于中国。美国的世界占比有下降趋势，而中国有上升趋势。美国以从加拿大进口针叶锯材为主，中国锯材进口增长主要受较快增长的林产工业需求拉动所致。

表 3-22　世界锯材（HS 4406 和 HS4407）的主要进口市场及其份额

（以贸易额衡量，单位：%）

2005 年		2007 年		2009 年		2011 年		2012 年		2013 年	
国家	份额	国家	份额	国家	份额	国家	份额	国家	份额	国家	份额
美国	29.34	美国	18.80	美国	11.93	中国	17.27	中国	17.16	中国	19.09
日本	8.00	英国	8.24	中国	9.70	美国	10.84	美国	13.02	美国	14.85
英国	6.42	日本	7.13	日本	7.92	日本	8.25	日本	7.89	日本	8.69
意大利	6.02	意大利	6.89	意大利	6.49	意大利	5.50	英国	5.15	英国	5.20
中国	4.60	中国	4.77	英国	6.34	英国	5.30	意大利	4.26	德国	3.90
德国	3.61	法国	4.53	法国	4.79	德国	4.57	德国	4.02	意大利	3.79
法国	3.60	德国	3.99	德国	4.65	法国	3.76	埃及	3.76	法国	2.85
西班牙	3.13	荷兰	3.77	荷兰	3.58	荷兰	3.66	法国	3.22	埃及	2.85
荷兰	2.77	西班牙	3.27	埃及	3.37	埃及	2.97	荷兰	3.07	荷兰	2.84
比利时	2.07	比利时	2.68	比利时	2.71	比利时	2.58	比利时	2.44	比利时	2.30
CR5	54.39	CR5	45.83	CR5	42.38	CR5	47.17	CR5	47.49	CR5	51.73
CR10	69.57	CR10	64.07	CR10	61.48	CR10	64.71	CR10	64.00	CR10	66.35

3.5.2.4 人造板进口贸易格局

美国、日本、德国、中国、加拿大、英国和意大利是世界人造板的主要进口国。其中，美国始终位列第一，尽管其世界占比有下降趋势，但还是遥遥领先。

（1）刨花板（HS 4410）。世界刨花板的主要进口市场及其份额，见表 3-23。美国一直是世界第一大刨花板进口国，但进口份额呈下降趋势；德国、英国、法国紧随其后，与美国的差距在逐步缩小。2005 年，美国比德国高 36 个百分点；2010 年，美国只比德国高 4 个百分点。荷兰、日本、波兰、意大利、比利时、瑞典等国，也是世界刨花板的重要进口国。然而，2011 年，美德市场的进口贸易额相差 20 个百分点，再一次出现了较大的波动，2013 年，美德市场进口贸易额相差 8%，差距逐渐缩小。由此可见，虽然世界刨花板进口市场的集中率呈现下降趋势，但也存在进口波动年份。

表 3-23　世界刨花板（HS 4410）的主要进口市场及其份额

（以贸易额衡量，单位:%）

2005 年		2007 年		2009 年		2011 年		2012 年		2013 年	
国家	份额	国家	份额	国家	份额	国家	份额	国家	份额	国家	份额
美国	41.28	美国	18.55	美国	12.06	美国	12.89	美国	14.67	美国	18.01
德国	5.92	德国	9.05	德国	10.86	德国	10.41	德国	11.66	德国	10.30
英国	4.28	法国	4.28	法国	5.35	俄罗斯	4.47	法国	4.31	俄罗斯	4.81
法国	3.20	荷兰	3.98	英国	4.22	日本	3.98	俄罗斯	4.13	法国	4.02
荷兰	2.54	波兰	3.81	波兰	4.07	英国	3.65	波兰	3.33	波兰	3.49
波兰	2.30	罗马尼亚	3.20	荷兰	2.82	波兰	3.63	荷兰	3.25	意大利	3.04
西班牙	2.09	意大利	3.16	意大利	2.79	乌克兰	3.42	意大利	3.03	英国	2.94
瑞典	2.07	瑞典	3.03	瑞典	2.71	土耳其	3.32	日本	2.93	日本	2.87
意大利	2.05	丹麦	2.70	日本	2.67	奥地利	3.12	瑞典	2.70	荷兰	2.85
丹麦	2.05	俄罗斯	2.59	奥地利	2.32	比利时	2.83	英国	2.42	瑞典	2.36
CR5	57.23	CR5	39.68	CR5	36.56	CR5	35.40	CR5	38.11	CR5	40.64
CR10	67.79	CR10	54.36	CR10	49.87	CR10	51.72	CR10	52.44	CR10	54.70

数据来源：根据 UN COMTRADE 相关数据整理、计算而得。

（2）纤维板（HS 4411）。世界纤维板主要进口市场及其份额，见表 3-24。美国一直是世界第一大纤维板进口国，但是其进口份额呈下降的趋势；英国、法国、加拿大紧随其后，与美国的差距在逐步减小，2005 年美国比第二大进口国英国高出 14 个百分点，2011 年，美国比第二大进口国法国高 5 个百分点；比利时、西班牙、土耳其、意大利、日本等国，也是世界纤维板的重要进口国。世界纤维板进口市场的集中率呈现上升趋势。

表 3-24　世界纤维板（HS 4411）的主要进口市场及其份额

（以贸易额衡量，单位:%）

2005 年		2007 年		2009 年		2011 年		2012 年		2013 年	
国家	份额	国家	份额	国家	份额	国家	份额	国家	份额	国家	份额
美国	21.06	美国	14.32	美国	12.64	美国	8.23	美国	10.28	美国	11.13
英国	7.46	英国	5.33	法国	6.76	法国	5.87	法国	6.04	法国	5.53
加拿大	5.24	法国	5.23	加拿大	6.23	伊朗	5.17	加拿大	5.47	加拿大	4.99

（续）

2005 年		2007 年		2009 年		2011 年		2012 年		2013 年	
国家	份额	国家	份额	国家	份额	国家	份额	国家	份额	国家	份额
法国	4.21	加拿大	5.07	英国	5.19	德国	5.10	德国	5.12	德国	4.95
比利时	4.09	德国	4.97	德国	3.97	加拿大	4.56	俄罗斯	5.01	俄罗斯	4.60
德国	3.71	比利时	4.10	比利时	3.78	英国	4.49	英国	4.42	英国	4.47
土耳其	3.43	土耳其	4.06	意大利	3.68	俄罗斯	4.01	土耳其	3.95	意大利	3.59
西班牙	3.17	意大利	3.54	西班牙	3.46	比利时	3.53	日本	3.77	土耳其	3.43
中国	3.17	西班牙	3.15	荷兰	3.08	意大利	3.38	比利时	3.51	比利时	3.43
意大利	2.83	波兰	2.98	俄罗斯	2.80	土耳其	3.20	意大利	3.34	日本	3.18
CR5	42.05	CR5	34.93	CR5	34.79	CR5	28.92	CR5	31.92	CR5	31.21
CR10	58.34	CR10	52.76	CR10	51.59	CR10	47.53	CR10	50.92	CR10	49.31

数据来源：根据 UN COMTRADE 相关数据整理、计算而得。

（3）胶合板（HS 4412）。世界胶合板主要进口市场及其份额，见表3-25。美国一直是世界第一大胶合板进口国，其份额基本维持在20%；日本紧随其后，而且在2010年与美国持平；紧接着是德国、英国、韩国；另外，加拿大、墨西哥、法国、荷兰、意大利、比利时等国，也是世界胶合板的重要进口国。胶合板的进口市场集中率要高于刨花板与纤维板。从2011年起，日本超过美国成为世界第一大胶合板进口国，而其他进口市场的进口规模略微下降或大致不变。

表3-25 世界胶合板（HS 4412）的主要进口市场及其份额

（以贸易额衡量，单位:%）

2005 年		2007 年		2009 年		2011 年		2012 年		2013 年	
国家	份额	国家	份额	国家	份额	国家	份额	国家	份额	国家	份额
美国	23.65	美国	18.77	美国	16.69	日本	18.44	日本	16.86	日本	16.49
日本	17.33	日本	15.62	日本	16.66	美国	13.00	美国	15.05	美国	15.91
德国	5.80	德国	6.66	德国	6.99	德国	7.18	德国	6.30	德国	6.37
英国	5.70	英国	6.10	韩国	5.60	英国	5.71	英国	4.79	英国	5.09
韩国	3.83	韩国	4.30	荷兰	3.55	韩国	4.14	韩国	4.61	韩国	4.99
意大利	2.94	荷兰	3.26	法国	3.49	荷兰	3.18	沙特	3.14	加拿大	2.67
荷兰	2.73	意大利	2.98	比利时	2.75	法国	2.71	加拿大	2.82	沙特	2.60
比利时	2.52	法国	2.89	墨西哥	2.65	加拿大	2.43	荷兰	2.68	荷兰	2.52
法国	2.51	阿联酋	2.39	意大利	2.59	沙特阿拉伯	2.42	法国	2.43	土耳其	2.47
中国	2.48	比利时	2.31	阿联酋	2.47	墨西哥	2.19	土耳其	2.33	法国	2.35
CR5	56.31	CR5	51.46	CR5	49.48	CR5	48.48	CR5	47.61	CR5	48.85
CR10	69.48	CR10	65.30	CR10	63.42	CR10	61.41	CR10	61.00	CR10	61.45

数据来源：根据 UN COMTRADE 相关数据整理、计算而得。

3.5.2.5 木浆进口贸易格局

木浆(HS 4701 ~ HS 4706)的主要进口国及其市场份额,见表3-26。中国、德国、美国、意大利、韩国、法国、日本、荷兰、印度尼西亚和英国是主要进口国,而且各自的市场份额变化较小。其中,中国始终位居世界纸浆的第一进口国位置,而且市场份额遥遥领先。

表3-26 世界木浆(HS 4701 ~ HS 4706)的主要进口国及其市场份额

（以贸易额为准,单位:%)

2005 年		2007 年		2009 年		2011 年		2012 年		2013 年	
国家	份额	国家	份额	国家	份额	国家	份额	国家	份额	国家	份额
中国	15.42	中国	17.70	中国	26.16	中国	28.18	中国	29.42	中国	29.36
美国	12.93	美国	12.11	德国	10.38	德国	10.16	德国	9.67	德国	9.61
德国	11.71	德国	11.98	美国	9.58	美国	9.02	美国	8.94	美国	9.41
意大利	7.99	意大利	7.77	意大利	6.48	意大利	5.96	意大利	5.64	意大利	5.90
日本	5.31	韩国	5.17	韩国	4.78	韩国	4.29	韩国	4.09	韩国	4.05
韩国	5.10	法国	4.59	法国	4.24	法国	4.01	日本	3.86	法国	3.88
法国	4.96	日本	4.57	日本	3.96	日本	3.89	法国	3.63	日本	3.57
英国	3.93	英国	3.37	英国	2.76	荷兰	3.31	荷兰	3.31	印度尼西亚	3.25
荷兰	3.44	比利时	3.30	比利时	2.43	印度尼西亚	2.81	印度尼西亚	2.82	荷兰	2.79
比利时	2.55	荷兰	2.86	印度尼西亚	2.40	英国	2.38	英国	2.20	英国	2.02
CR5	53.35	CR5	54.74	CR5	57.38	CR5	57.62	CR5	57.76	CR5	58.33
CR10	73.32	CR10	73.42	CR10	73.15	CR10	74.01	CR10	73.58	CR10	73.84

3.5.2.6 纸品进口贸易格局

中国、德国、荷兰、印度和印度尼西亚是废纸(HS 4707)的主要进口国。

表3-27所示,纸、纸板和纸制品(HS 48)的主要进口国美国、德国、法国、英国、意大利、比利时、荷兰、加拿大和墨西哥,排名相对稳定。2005年,中国曾经位列世界纸、纸板和纸制品的第一进口大国,日本排名世界第五,但是之后日本退出世界前十,中国也于2010年才重新进入世界前十之列。

表3-27 2005 ~ 2011 年世界纸、纸板和纸制品(HS 48)的主要进口国及其市场份额

（以贸易额为准,单位:%)

2005 年		2007 年		2009 年		2011 年		2012 年		2013 年	
国家	份额	国家	份额	国家	份额	国家	份额	国家	份额	国家	份额
中国	13.60	美国	11.52	美国	10.19	美国	9.21	美国	9.62	美国	9.69
美国	9.15	德国	9.12	德国	9.77	德国	9.09	德国	9.05	德国	8.89
德国	6.67	英国	6.60	法国	6.54	法国	5.97	法国	5.53	法国	5.38

（续）

2005 年		2007 年		2009 年		2011 年		2012 年		2013 年	
国家	份额	国家	份额	国家	份额	国家	份额	国家	份额	国家	份额
意大利	6.45	法国	6.54	英国	5.90	英国	5.45	英国	5.18	英国	5.19
日本	3.84	意大利	3.90	意大利	3.62	意大利	3.70	意大利	3.41	意大利	3.46
韩国	3.60	比利时	3.61	比利时	3.50	比利时	3.35	加拿大	3.28	比利时	3.34
法国	3.56	加拿大	3.45	加拿大	3.45	荷兰	3.25	比利时	3.19	加拿大	3.33
英国	3.25	荷兰	3.39	荷兰	3.24	加拿大	3.18	荷兰	3.18	荷兰	3.26
荷兰	3.21	西班牙	3.32	西班牙	2.89	中国	2.73	墨西哥	3.11	墨西哥	3.17
比利时	3.15	墨西哥	2.78	墨西哥	2.62	墨西哥	2.69	中国	2.77	波兰	2.67
CR5	39.71	CR5	37.68	CR5	36.03	CR5	33.43	CR5	32.80	CR5	32.62
CR10	56.47	CR10	54.23	CR10	51.72	CR10	48.63	CR10	48.32	CR10	48.39

3.5.2.7 木制品进口贸易格局

世界木制品进口以 HS 4418（建筑用木制品）为主，其进口贸易格局见，见表 3-28，美国、日本、德国、英国、意大利、法国、瑞士、丹麦和挪威是主要进口国，而且排名比较稳定，世界进口市场有先分散化再集中的趋势。

表 3-28 2005～2013 年世界 HS4418 的主要进口国及其市场份额

（以进口贸易额为准，单位：%）

2005 年		2007 年		2009 年		2011 年		2012 年		2013 年	
国家	份额	国家	份额	国家	份额	国家	份额	国家	份额	国家	份额
美国	27.91	美国	19.73	美国	13.91	美国	11.72	美国	13.23	美国	14.11
德国	7.86	英国	7.12	日本	7.91	日本	11.13	日本	11.29	日本	11.54
日本	7.73	日本	7.09	德国	7.45	德国	7.68	德国	7.18	德国	7.61
英国	6.89	德国	6.61	英国	6.92	英国	6.52	英国	6.21	瑞士	6.34
意大利	4.62	意大利	5.38	意大利	5.73	意大利	6.48	瑞士	6.21	英国	6.09
瑞士	3.65	法国	4.13	法国	5.50	瑞士	5.97	意大利	5.10	挪威	4.59
法国	3.61	瑞士	3.95	瑞士	5.21	法国	5.36	法国	5.04	法国	4.43
丹麦	3.16	挪威	3.79	丹麦	3.87	挪威	4.32	挪威	4.63	意大利	4.40
西班牙	3.06	西班牙	3.69	挪威	3.59	丹麦	3.10	丹麦	3.12	俄罗斯	3.32
挪威	3.05	丹麦	3.47	奥地利	3.04	荷兰	3.01	俄罗斯	3.07	奥地利	2.98
CR5	55.02	CR5	45.93	CR5	41.91	CR5	43.53	CR5	44.12	CR5	45.70
CR10	71.55	CR10	64.96	CR10	63.11	CR10	65.30	CR10	65.08	CR10	65.42

3.5.2.8 木家具进口贸易格局

自 20 世纪 90 年代以来，伴随全球经济一体化的不断加剧以及世界经济的持续发展，全球的木质家具贸易也保持了平稳、较快的发展。

　　表3-29所示，美国、德国、英国、加拿大、法国和日本始终占据着全球木质家具一半以上的进口份额。美国一直以来都是世界木质家具进口第一大国，其进口额保持在100亿美元以上，占据着全球约25%～34%的进口份额，其主要原因是美国庞大的市场需求。德国、法国、加拿大、日本和比利时也一直较为平稳地居于世界进口前十之列，分别占据全球约3%～8%的进口份额。在2001年以前，中国的木质家具进口贸易发展较为平稳，伴随着中国入世，中国木质家具贸易迅速发展，2001～2013年增长约10倍。尽管如此，中国的木质家具进口额一直处于5亿美元以下，与世界木质家具的前十位进口国还有较大的差距。

表3-29　世界木质家具的主要进口国及其市场份额
（以进口贸易额为准，单位:%）

2005 年		2007 年		2009 年		2011 年		2012 年		2013 年	
国家	份额	国家	份额	国家	份额	国家	份额	国家	份额	国家	份额
美国	33.57	美国	28.25	美国	24.34	美国	24.56	美国	26.44	美国	27.16
英国	8.23	英国	8.52	德国	8.68	德国	8.85	德国	8.44	德国	8.24
德国	7.98	法国	6.82	法国	7.83	法国	6.95	法国	6.67	英国	5.87
法国	6.58	德国	6.60	英国	7.69	英国	6.37	英国	5.99	法国	5.87
日本	3.91	加拿大	3.59	日本	4.17	日本	4.31	日本	4.64	日本	4.34
加拿大	3.03	日本	3.32	加拿大	3.80	加拿大	4.06	加拿大	4.24	加拿大	4.10
荷兰	2.93	荷兰	2.94	瑞士	3.34	瑞士	3.59	瑞士	3.50	瑞士	3.56
比利时	2.85	瑞士	2.91	比利时	3.26	荷兰	3.12	荷兰	2.88	比利时	2.92
瑞士	2.84	比利时	2.89	荷兰	3.21	比利时	2.70	澳大利亚	2.57	荷兰	2.75
奥地利	2.11	西班牙	2.45	奥地利	2.83	奥地利	2.60	比利时	2.45	澳大利亚	2.55
CR5	60.26	CR5	53.78	CR5	52.71	CR5	51.04	CR5	52.18	CR5	51.48
CR10	74.02	CR10	68.29	CR10	69.15	CR10	67.11	CR10	67.82	CR10	67.36

　　数据来源：UNCOMTRADE 数据库，计算所得。

　　从进口产品类型来看，木质起居室/餐厅和商店家具（HS940360）与带软垫的木质框架坐具（HS940161）均在中国和几大主要贸易国中占据着木质家具进口的较大比重。此外，木质卧室家具（HS940350）在美国、英国和加拿大的木质家具进口中也占据着较高的比重。法国则对木质厨房家具（HS940340）有着较高比例的进口。

3.5.2.9　林产品进口贸易格局小结

　　（1）依据贸易金额衡量。本书依照表3-1的林产品定义，利用 UN COMTRADE 数据，以贸易额衡量，对2005～2013年世界林产品的进口贸易格局进行详细分析，结果如下。

　　工业用原木（HS 4403）：中国、日本、印度、韩国、奥地利、德国、芬兰、瑞典和意大利是主要进口国。2002年起，中国始终位列世界第一，世界进口额占比从2005年的1/4，增长至2013年的约1/2。

　　薪柴、木片或木粒（HS 4401）：日本、中国、丹麦、意大利、瑞典、荷兰和芬兰是主要进口国。

锯材：美国、中国、日本、意大利、英国和德国是主要进口国。从 2010 年起，世界锯材进口第一由美国让位于中国。美国的世界占比有下降趋势，而中国有上升趋势。

人造板：美国、日本、德国、中国、加拿大、英国和意大利是主要进口国。其中，美国始终位列第一，尽管其世界占比有下降趋势，但还是遥遥领先。

木浆（HS 4707 ~ HS 4706）：主要进口国是中国、德国、美国、意大利、韩国、法国、日本、荷兰、印度尼西亚和英国，而且各自的市场份额变化较小。其中，中国始终位居世界第一，而且市场份额遥遥领先。

废纸（HS 4707）：主要进口国是中国、德国、荷兰、印度和印度尼西亚。

纸、纸板和纸制品（HS 48）：主要进口国是美国、德国、法国、英国、意大利、比利时、荷兰、加拿大和墨西哥，而且排名相对稳定。2005 年，中国曾经位列世界纸、纸板和纸制品的第一进口大国，日本排名世界第五，但是之后日本退出世界前十，中国也于 2010 年才重返世界前十之列。

木制品：（以 HS 4418，即建筑用木制品为代表）：主要进口国是美国、日本、德国、英国、意大利、法国、瑞士、丹麦和挪威，而且排名比较稳定，世界市场有先分散化再集中的趋势。

木家具：美国、德国、英国、加拿大、法国和日本是主要进口国。其中，美国一直位居世界第一，占据全球约 25% ~ 34% 的进口份额。

（2）参考原木当量衡量。由于 UN COMTRADE 中部分林产品贸易数量的数据缺失，所以本书参照 FAO 定义的林产品统计口径，利用 FAO FORSTAT 数据库，查得林产品的进口贸易数量，并据此分析进口贸易格局，基本结论不变。其中，2007 ~ 2010 年主要林产品的前 5 大进口国及其占比见表 3-30。

表 3-30　2007 ~ 2010 年世界世界主要林产品的主要进口市场及其份额
（以进口数量衡量，单位:%）

	2007 年		2008 年		2009 年		2010 年	
薪柴	意大利	18.06	意大利	20.64	意大利	19.90	意大利	20.07
	德国	12.42	德国	11.03	芬兰	18.52	奥地利	12.88
	希腊	8.68	希腊	8.45	奥地利	11.76	瑞典	9.66
	丹麦	8.27	斯洛文尼亚	7.71	瑞典	11.20	德国	7.86
	奥地利	7.08	奥地利	7.05	希腊	6.67	希腊	6.75
	CR5	54.50	CR5	54.88	CR5	68.05	CR5	57.22
工业用原木	中国	28.96	中国	32.22	中国	31.29	中国	31.58
	芬兰	9.69	芬兰	11.32	奥地利	8.78	奥地利	7.21
	日本	6.72	奥地利	6.39	德国	7.86	德国	6.12
	奥地利	6.53	瑞典	5.74	韩国	5.64	瑞典	5.63
	瑞典	5.52	日本	5.73	加拿大	4.97	芬兰	5.61
	CR5	57.42	CR5	61.40	CR5	58.55	CR5	56.15

（续）

	2007 年		2008 年		2009 年		2010 年	
锯材	美国	25.92	美国	21.51	美国	16.37	美国	14.95
	英国	6.76	中国	8.47	中国	16.37	中国	14.70
	中国	6.54	意大利	6.54	德国	5.99	日本	5.81
	意大利	6.46	日本	6.34	日本	5.91	意大利	5.55
	日本	5.92	英国	5.72	意大利	5.91	英国	5.16
	CR5	51.60	CR5	48.58	CR5	50.54	CR5	46.16
人造板	美国	20.31	美国	12.88	美国	11.57	美国	11.20
	日本	5.81	德国	7.57	德国	7.45	日本	6.36
	中国	5.26	日本	6.52	日本	6.22	德国	6.22
	德国	5.15	加拿大	5.19	中国	4.26	加拿大	5.62
	英国	0.64	英国	4.76	英国	4.05	意大利	4.29
	CR5	37.18	CR5	36.93	CR5	33.56	CR5	33.70
木浆	中国	19.79	中国	22.04	中国	30.85	中国	25.78
	美国	13.14	美国	12.11	美国	9.79	美国	11.91
	德国	11.68	德国	10.90	德国	9.72	德国	8.98
	意大利	7.44	意大利	6.82	意大利	6.42	意大利	6.69
	韩国	5.48	韩国	5.27	日本	5.09	韩国	5.36
	CR5	57.52	CR5	57.13	CR5	61.86	CR5	58.73
其他纤维素纸浆	德国	22.43	美国	9.96	中国	16.12	荷兰	15.34
	中国	11.96	英国	9.77	德国	4.69	德国	9.88
	美国	8.97	中国	9.40	埃及	7.96	中国	9.88
	埃及	6.48	德国	9.21	荷兰	1.84	奥地利	5.64
	英国	0.83	埃及	7.33	美国	5.71	日本	4.94
	CR5	50.66	CR5	45.68	CR5	36.33	CR5	45.68
废纸	中国	46.98	中国	47.49	中国	51.32	中国	47.01
	德国	6.01	德国	7.03	荷兰	6.04	德国	6.79
	墨西哥	5.56	墨西哥	5.82	德国	5.71	荷兰	5.30
	荷兰	4.86	荷兰	4.82	墨西哥	5.64	印度	4.75
	印度尼西亚	4.42	印度尼西亚	3.90	印度	3.93	印度尼西亚	4.52
	CR5	67.83	CR5	69.07	CR5	72.64	CR5	68.37

（续）

	2007 年		2008 年		2009 年		2010 年	
纸和纸板	美国	12.71	美国	11.75	美国	10.19	美国	9.60
	德国	7.96	德国	9.76	德国	9.50	德国	9.60
	英国	6.69	英国	6.50	英国	6.84	英国	6.24
	中国	6.64	法国	5.38	法国	4.91	法国	5.11
	法国	5.40	中国	4.72	中国	4.88	意大利	4.82
	CR5	39.41	CR5	38.10	CR5	36.31	CR5	35.37

注：本表按照 FAO 的林产品定义和统计口径。计算所依据的数量单位：薪柴、工业用原木、锯材、人造板的数量单位为 1000m³；木浆、其他纤维浆、回收纸、纸和纸板的数量单位为 1000t。

资料来源：FAO. 2007～2010 林产品年鉴. 罗马：FAO，2009～2012。经过作者绘制。http：// www. fao. org/forestry/statistics/ 80570/en/［2012 - 10 - 10］。

3.5.3　林产品地区分布小结

（1）世界林产品贸易主要集中在欧洲、北美洲和亚洲，发达国家在大量进口林产品的同时，也大规模出口林产品。

世界前 5 位林产品出口国几乎均来自欧洲、北美洲和亚洲，虽然其合计出口额的占比有下降趋势，但并没有改变其在世界林产品出口贸易中的主导地位。其中，以美国和加拿大为代表的北美洲一直维持着较大规模的林产品出口贸易，影响深远，但随着他国林产品供给能力的提升，美国和加拿大的世界林产品出口贸易份额相应下跌。来自北欧和西欧诸国的出口总规模相当可观，但是随着中国、越南等发展中经济体林产品生产水平和贸易能力的提高，欧洲国家的林产品出口份额也随之下降。与此相反，亚洲在世界林产品出口贸易中份额和影响不断提升，其中，中国提升更加明显。

（2）世界林产品流动轨迹主要表现为源自于那些森林资源丰富或木材加工、制造业发达或两者兼而有之的国家，终止于那些人口众多或经济发达的国家。

从出口方面看，德国、加拿大、美国、瑞典和芬兰等发达经济体的林产品出口额一直排在世界前五位，在世界出口总额中的占比超过40%，这些国家不仅森林资源丰富，而且林产工业技术先进。近年来，由于中国林业加工、制造能力增强，以加工贸易为依托，出口能力不断提升，出口份额不断上升。出口规模较大的国家还包括森林资源丰富的俄罗斯和法国等。

从进口方面看，美国、德国、英国、法国、日本和中国的贸易规模排名世界前列，前四个国家虽然林业资源富足、生产技术先进，但国内消费增长和需求要求提高所导致的本国林产品供给难以完全满足本国需要，引发其大量进口林产品。日本虽然拥有高水平的林产工业，但缺乏资源基础和中间林产品，为满足本国消费需求，只能依赖大量进口。对中国而言，一方面林产品国内需求快速增长，而且国外需求持续、出口快速化，另一方面国内人均森林资源有限，加上天然林资源保护工程等的影响，国内供给短缺局面难以扭转，只能以大量进口原木、锯木、木浆等初级林产品来支撑庞大的林产品工业。

3.6 世界林产品贸易的发展趋势

3.6.1 世界木材资源供给日趋紧张

木材资源问题越来越引起世界各国政府的高度重视和民众的普遍关注，并由一般的经济问题逐步演变为资源战略问题。基于此，世界主要木材出口国开始逐渐限制木材资源出口。例如，俄罗斯于 2006 年出台提高原木出口关税的草案，计划 3 年内将其原木出口关税以每年30% 的幅度提高：2007 年 7 月 1 日起出口关税税率上调到 20%，每立方米不低于 10 欧元；从2008 年 4 月起提高至 25%，每立方米不低于 15 欧元；从 2009 年 1 月起，税率提高至 80%，每立方米不低于 50 欧元，成为世界上最高的原木出口关税。素有"森林之国"之称的非洲加蓬共和国从 2010 年 1 月开始禁止原木出口，这项限制政策将对非洲其他原木出口国家会产生不可忽视的示范效应，未来限制原木出口的国家会越来越多。例如，由于受木材资源稀缺，加之国际木材加工市场需求的影响，南非将原木出口关税提高 600%。

3.6.2 林产品贸易的合法性要求逐渐提高

林产品贸易与密切相关，进而与生态环境相关，因此，在当前应对气候变暖、发展低碳经济的大背景下，木材来源合法性的要求受到了普遍关注。发达经济体已经采取了积极的行动打击或阻止非法采伐及其相关贸易。

3.6.3 低附加值林产品出口市场日趋激烈

木材产业多是劳动力密集型产业，同时也是发展低碳经济的最佳产业，发展本国木材加工业，增加社会就业，正成为一些发展中国家所推动的新政策目标。例如，越南政府通过实施积极的外资政策，大力发展本国木材加工和出口贸易，截至 2011 年，越南已拥有 410 个与林产品生产相关的外资项目，其中 300 个项目价值超过 10 亿美元，其出口额占木材产业出口总值的 50% 以上，林产品已经出口到 120 个国家和地区，其中美国、欧盟和日本是其最大的市场。同样，拥有巨大森林资源优势的俄罗斯，也正在积极致力于木材产业的发展：2007 年7 月通过了《俄罗斯联邦森林法》修正案，将林区租赁的最长期限定为 49 年，并赋予地方政府林业管理的大部分权力，通过地方政府优惠政策措施的出台，鼓励外资在俄境内设立木材加工企业，以实现俄罗斯由出口木材资源为主向木材制品的转变。加蓬政府自从出台限制原木出口政策后，为了积极鼓励木材加工行业的发展，专门设立了经济特区，鼓励企业在当地落户生根，努力创造健康、良好的投资环境，从落户企业办理手续、财政优惠补贴、生产生活设施等方面，都做了周密的安排。

3.7　中国林产品贸易概述

3.7.1　中国林产品进口贸易的总体特征和趋势

（1）中国林产品的进口贸易规模及其变化趋势。图 3-7 所示，从 20 世纪 90 年代中期开始，尤其原木、锯材、纸浆等原料型林产品和国内消费增长明显的纸品，进口增长尤其明显；而人造板进口波动较大，木制品和木家具进口增长比较缓慢。受世界金融危机影响，2009 年中国的林产品进口几乎都出现了下滑。

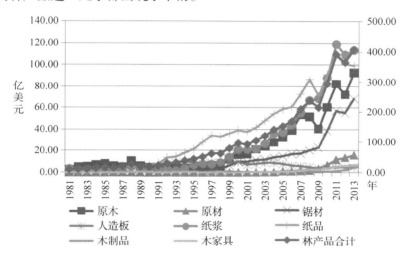

图 3-7　1981 ~ 2013 年中国林产品的进口贸易规模及其变化趋势（基于进口额，纸品经过折算）
注：林产品合计数对应右侧纵坐标，原木等各项林产品对应左侧坐标。

如果换算为原木当量，中国主要林产品的进口变化趋势并没有太大变化，如图 3-8。

图 3-8　1981 ~ 2013 年中国林产品的进口原木当量（不含木制品和木家具，纸品经过折算）
注：林产品合计（不含木制品和木家具）数对应右侧纵坐标，原木等各项林产品对应左侧坐标。

（2）中国林产品的进口商品结构。中国林产品进口以纸品、木浆、原木和锯材为主，如图3-9。

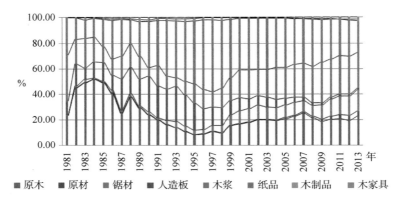

图例：■ 原木　■ 原材　■ 锯材　■ 人造板　■ 木浆　■ 纸品　■ 木制品　■ 木家具

图3-9　1981～2013年中国林产品的进口商品结构（基于进口额，纸品经过折算）

（3）中国林产品的进口来源。1995年，中国从96个国家和地区进口林产品；2010年进口来源方增加到170多个，2011年为180多个。其中美国、加拿大、俄罗斯、日本和印度尼西亚等是主要进口来源国家或地区，前五位进口来源国的合计占比（CR5）超过48%，详见表3-31。

表3-31　中国林产品的进口来源及其份额（基于进口额，纸品经过折算，单位：%）

1995 年		2000 年		2005 年		2010 年		2011 年		2012 年		2013 年	
美国	15.31	印度尼西亚	15.44	美国	15.92	美国	18.06	美国	19.12	美国	18.73	美国	18.53
印度尼西亚	14.03	美国	12.94	俄罗斯	14.11	俄罗斯	11.15	加拿大	13.14	加拿大	11.92	加拿大	11.74
亚洲其他	10.52	俄罗斯	8.66	印度尼西亚	7.88	加拿大	10.83	俄罗斯	10.86	俄罗斯	9.55	俄罗斯	8.13
马来西亚	9.88	韩国	8.04	日本	7.51	日本	7.02	日本	5.39	日本	5.29	印度尼西亚	5.03
韩国	8.50	加拿大	6.20	加拿大	6.98	巴西	5.78	巴西	4.75	印度尼西亚	4.81	新西兰	4.75
中国香港	8.03	马来西亚	6.20	亚洲其他	3.35	印度尼西亚	4.38	印度尼西亚	4.51	巴西	4.50	日本	4.69
日本	7.78	日本	5.18	马来西亚	3.35	新西兰	3.55	新西兰	3.73	新西兰	3.80	巴西	4.39
加拿大	6.29	德国	5.05	巴西	3.29	泰国	2.49	智利	2.70	泰国	2.97	智利	3.11
俄罗斯	1.81	亚洲其他	4.44	德国	3.26	智利	2.48	泰国	2.45	智利	2.90	泰国	3.06
德国	1.44	中国香港	3.71	韩国	2.87	英国	2.41	英国	2.22	英国	2.21	越南	2.69
缅甸	1.35	泰国	2.66	智利	2.50	德国	2.16	德国	2.16	越南	2.16	芬兰	2.12
加蓬	1.34	加蓬	2.10	泰国	2.40	瑞典	1.87	越南	2.07	德国	2.13	德国	2.00

（续）

1995 年		2000 年		2005 年		2010 年		2011 年		2012 年		2013 年	
智利	1.27	法国	1.64	中国香港	2.40	澳大利亚	1.74	澳大利亚	1.85	芬兰	2.12	英国	1.98
芬兰	1.20	智利	1.52	瑞典	2.19	韩国	1.73	芬兰	1.82	瑞典	2.10	瑞典	1.98
免税区	1.11	巴西	1.50	新西兰	1.90	亚洲其他	1.72	瑞典	1.79	韩国	1.67	澳大利亚	1.86
奥地利	1.09	新西兰	1.50	英国	1.88	芬兰	1.58	巴布亚新几内亚	1.43	澳大利亚	1.65	巴布亚新几内亚	1.46
泰国	0.88	瑞典	1.27	中国	1.75	巴布亚新几内亚	1.55	亚洲其他	1.38	亚洲其他	1.48	缅甸	1.43
澳大利亚	0.80	芬兰	1.26	巴布亚新几内亚	1.64	越南	1.43	荷兰	1.27	巴布亚新几内亚	1.36	韩国	1.36
新加坡	0.75	巴布亚新几内亚	0.96	澳大利亚	1.63	马来西亚	1.29	韩国	1.23	意大利	1.21	意大利	1.20
英国	0.69	意大利	0.77	加蓬	1.43	荷兰	1.25	意大利	1.11	荷兰	1.08	亚洲其他	1.16
荷兰	0.63	缅甸	0.76	荷兰	1.31	中国香港	1.20	法国	1.09	中国	1.00	新加坡	1.08
新西兰	0.59	澳大利亚	0.75	芬兰	1.21	中国	1.08	香港	1.04	中国香港	1.00	老挝	1.01
巴布亚新几内亚	0.59	荷兰	0.69	缅甸	1.16	加蓬	1.05	缅甸	0.98	法国	0.97	所罗门群岛	0.93
意大利	0.49	比利时	0.59	法国	0.83	法国	0.99	中国	0.96	所罗门群岛	0.96	法国	0.90
比利时卢森堡	0.37	中国	0.59	刚果	0.71	意大利	0.98	所罗门群岛	0.82	马来西亚	0.82	中国	0.90
巴西	0.33	赤道几内亚	0.59	意大利	0.61	乌拉圭	0.93	乌拉圭	0.70	乌拉圭	0.79	马来西亚	0.81
瑞典	0.33	英国	0.51	所罗门群岛	0.57	所罗门群岛	0.89	刚果	0.69	缅甸	0.79	乌拉圭	0.78
法国	0.31	柬埔寨	0.47	比利时	0.56	刚果	0.67	缅甸	0.69	刚果	0.69	中国香港	0.76
南非关税同盟	0.29	喀麦隆	0.43	越南	0.49	缅甸	0.65	比利时	0.65	老挝	0.60	荷兰	0.75
赤道几内亚	0.25	奥地利	0.43	赤道几内亚	0.43	比利时	0.59	老挝	0.55	西班牙	0.55	莫桑比克	0.55
CR5	58.23	CR5	51.27	CR5	52.41	CR5	52.84	CR5	53.25	CR5	50.31	CR5	48.18
CR10	83.57	CR10	75.84	CR10	68.53	CR10	68.14	CR10	68.85	CR10	66.69	CR10	66.13
CR20	94.05	CR20	91.02	CR20	88.25	CR20	84.48	CR20	84.95	CR20	83.66	CR20	82.67
CR30	98.24	CR30	96.82	CR30	96.13	CR30	93.52	CR30	93.13	CR30	91.84	CR30	91.12
CR40	99.45	CR40	99.18	CR40	98.45	CR40	96.81	CR40	96.46	CR40	95.88	CR40	95.31
CR50	99.82	CR50	99.65	CR50	99.37	CR50	98.38	CR50	98.21	CR50	97.93	CR50	97.50

3.7.2 中国林产品出口贸易的总体特征和趋势

（1）贸易规模。如图3-10，除了2008年略有下滑之外，中国林产品出口贸易呈现增长之势，尤其2000年以来更加明显。其中，纸品加速增增长；木家具平稳增加；木制品和人造板在2008~2009年出现下滑，其余年份也处于增长状态。其他林产品的出口规模较小：原木出口规模最小，而且呈现下降趋势；锯材和木浆的出口在波动中略有增加；原材则先增后减。图3-11显示了部分林产品的出口原木当量，其变化趋势基本相同，只是波动更加明显一些。

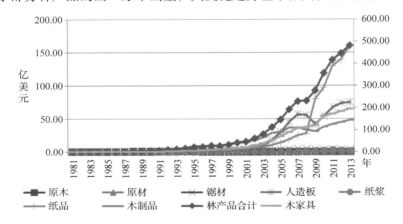

图3-10 中国林产品出口贸易规模及其变化趋势（基于出口额，纸品经过折算）

注：全部林产品合计出口额和木家具出口额对应右侧纵坐标轴，其余林产品对应左侧纵坐标轴。

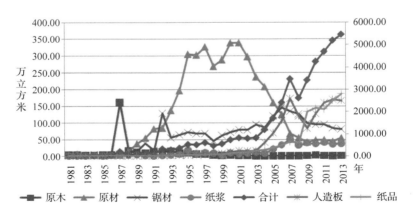

图3-11 中国部分林产品的出口原木当量（不包括木制品和家具）

注：合计数、人造板和纸品的出口原木当量对应右侧纵坐标轴，原木等其他林产品对应左侧纵坐标轴。

（2）出口商品结构。如图3-12，木家具、纸品、人造板和木制品是中国的主要出口林产品。其中，在1988年木制品的出口份额超过木家具和纸品，位列第一；1997年木家具的出口份额超过木制品，并一直保持出口第一；2006年木制品被人造板超过，降至第三位。

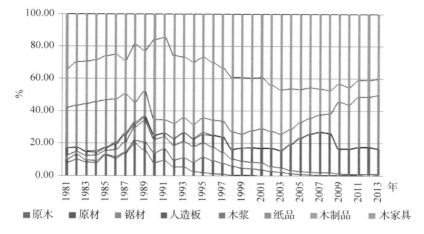

图 3-12 中国林产品出口商品结构(基于出口额,纸品经过折算)

（3）出口市场结构。表 3-32 所示,中国林产品的出口贸易伙伴逐渐增多(2011 年达到 209 个国家或地区),但中国林产品的前十位出口对象国或地区较为集中。美国、加拿大、英国、德国、法国等欧洲国家,韩国、新加坡、沙特阿拉伯等周边经济较发达的亚洲国家或地区是中国林产品的主要出口市场,而且美国、日本和中国香港始终位列前三名。美国几乎一直是中国林产品的第一出口贸易伙伴,在中国的林产品出口额中其所占份额约 1/4～1/3。

表 3-32　中国林产品主要出口对象国或地区及其份额(基于出口额,纸品经过折算,单位:%)

1995 年		2000 年		2005 年		2010 年		2011 年		2012 年		2013 年	
美国	15.31	印度尼西亚	15.44	美国	15.92	美国	18.06	美国	19.12	美国	18.73	美国	18.53
印度尼西亚	14.03	美国	12.94	俄罗斯	14.11	俄罗斯	11.15	加拿大	13.14	加拿大	11.92	加拿大	11.74
亚洲其他	10.52	俄罗斯	8.66	印度尼西亚	7.88	加拿大	10.83	俄罗斯	10.86	俄罗斯	9.55	俄罗斯	8.13
马来西亚	9.88	韩国	8.04	日本	7.51	日本	7.02	日本	5.39	日本	5.29	印度尼西亚	5.03
韩国	8.50	加拿大	6.20	加拿大	6.98	巴西	5.78	巴西	4.75	印度尼西亚	4.81	新西兰	4.75
中国香港	8.03	马来西亚	6.20	亚洲其他	3.35	印度尼西亚	4.38	印度尼西亚	4.51	巴西	4.50	日本	4.69
日本	7.78	日本	5.18	马来西亚	3.35	新西兰	3.55	新西兰	3.73	新西兰	3.80	巴西	4.39
加拿大	6.29	德国	5.05	巴西	3.29	泰国	2.49	智利	2.70	泰国	2.97	智利	3.11
俄罗斯	1.81	亚洲其他	4.44	德国	3.26	智利	2.48	泰国	2.45	智利	2.90	泰国	3.06
德国	1.44	中国香港	3.71	韩国	2.87	英国	2.41	英国	2.22	英国	2.21	越南	2.69
缅甸	1.35	泰国	2.66	智利	2.50	德国	2.16	德国	2.16	越南	2.16	芬兰	2.12

（续）

1995		2000		2005		2010		2011		2012		2013	
加蓬	1.34	加蓬	2.10	泰国	2.40	瑞典	1.87	越南	2.07	德国	2.13	德国	2.00
智利	1.27	法国	1.64	中国香港	2.40	澳大利亚	1.74	澳大利亚	1.85	芬兰	2.12	英国	1.98
芬兰	1.20	智利	1.52	瑞典	2.19	韩国	1.73	芬兰	1.82	瑞典	2.10	瑞典	1.98
免税区	1.11	巴西	1.50	新西兰	1.90	亚洲其他	1.72	瑞典	1.79	韩国	1.67	澳大利亚	1.86
奥地利	1.09	新西兰	1.50	英国	1.88	芬兰	1.58	巴布亚新几内亚	1.43	澳大利亚	1.65	巴布亚新几内亚	1.46
泰国	0.88	瑞典	1.27	中国	1.75	巴布亚新几内亚	1.55	亚洲其他	1.38	亚洲其他	1.48	缅甸	1.43
澳大利亚	0.80	芬兰	1.26	巴布亚新几内亚	1.64	越南	1.43	荷兰	1.27	巴布亚新几内亚	1.36	韩国	1.36
新加坡	0.75	巴布亚新几内亚	0.96	澳大利亚	1.63	马来西亚	1.29	韩国	1.23	意大利	1.21	意大利	1.20
英国	0.69	意大利	0.77	加蓬	1.43	荷兰	1.25	意大利	1.11	荷兰	1.08	亚洲其他	1.16
荷兰	0.63	缅甸	0.76	荷兰	1.31	中国香港	1.20	法国	1.09	中国	1.00	新加坡	1.08
新西兰	0.59	澳大利亚	0.75	芬兰	1.21	中国	1.08	中国香港	1.04	中国香港	1.00	老挝	1.01
巴布亚新几内亚	0.59	荷兰	0.69	缅甸	1.16	加蓬	1.05	缅甸	0.98	法国	0.97	所罗门群岛	0.93
意大利	0.49	比利时	0.59	法国	0.83	法国	0.99	中国	0.96	所罗门群岛	0.96	法国	0.90
比利时卢森堡	0.37	中国	0.59	刚果	0.71	意大利	0.98	所罗门群岛	0.82	马来西亚	0.82	中国	0.90
巴西	0.33	赤道几内亚	0.59	意大利	0.61	乌拉圭	0.93	乌拉圭	0.70	乌拉圭	0.79	马来西亚	0.81
瑞典	0.33	英国	0.51	所罗门群岛	0.57	所罗门群岛	0.89	刚果	0.69	缅甸	0.79	乌拉圭	0.78
法国	0.31	柬埔寨	0.47	比利时	0.56	刚果	0.67	缅甸	0.69	刚果	0.69	中国香港	0.76
南非关税同盟	0.29	喀麦隆	0.43	越南	0.49	缅甸	0.65	比利时	0.65	老挝	0.60	荷兰	0.75
赤道几内亚	0.25	奥地利	0.43	赤道几内亚	0.43	比利时	0.59	老挝	0.55	西班牙	0.55	莫桑比克	0.55
CR5	58.23	CR5	51.27	CR5	52.41	CR5	52.84	CR5	53.25	CR5	50.31	CR5	48.18
CR10	83.57	CR10	75.84	CR10	68.53	CR10	68.14	CR10	68.85	CR10	66.69	CR10	66.13
CR20	94.05	CR20	91.02	CR20	88.25	CR20	84.48	CR20	84.95	CR20	83.66	CR20	82.67
CR30	98.24	CR30	96.82	CR30	96.13	CR30	93.52	CR30	93.13	CR30	91.84	CR30	91.12
CR40	99.45	CR40	99.18	CR40	98.45	CR40	96.81	CR40	96.46	CR40	95.88	CR40	95.31
CR50	99.82	CR50	99.65	CR50	99.37	CR50	98.38	CR50	98.21	CR50	97.93	CR50	97.50

3.7.3　中国林产品进出口贸易的总体特征和变化趋势

（1）贸易规模。如图 3-13，中国林产品贸易规模总体呈现增长趋势。1981～2013 年间有几次大的波动：1988 年贸易额达 32.13 亿美元，较上年增长 40.62%，增幅为历史最高；1989年迅速降为 23.76 亿美元，较上年减少 26.04%，这主要受国内市场影响。1997 年贸易额为90.61 亿美元，较上年增长 21.04%，但 1998 年贸易额仅为 89.72 亿美元，较上年减少0.98%，1999 年贸易额增长到 112.99 亿美元，较上年增长 25.94%，这主要受中国天然林资源保护工程和出口贸易政策调整影响。而 1992 年贸易额达 41.86 亿美元，较上年增长38.31%，增幅较大，这主要受贸易统计口径调整影响。

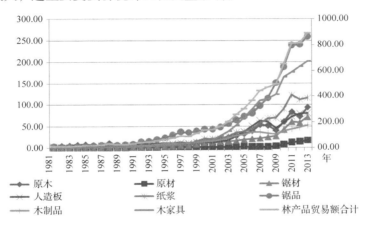

图 3-13　1981～2013 年中国林产品贸易额及其变化趋势

注：林产品贸易额合计数对应右侧纵坐标，原木等各项林产品的贸易额对应左侧坐标。

资料来源：根据 UN COMTRADE 数据计算而绘制，以贸易额为准，HS 编码。

（2）贸易差额：近年来，中国由林产品净进口国变为净出口国，详见表 3-33。其中，原木、木浆均为贸易逆差；原材、锯材多数年份，尤其近年为贸易逆差；从 2004 年起人造板转为顺差；从 2009 年起纸品转为顺差；历年木制品、木家具均为顺差。

表 3-33　1981～2013 年中国林产品净出口贸易额　　　　单位：亿美元

年份	原木	原材	锯材	人造板	木浆	纸品	木制品	木家具	合计
1981	-2.42	0.02	0.03	-1.12	-3.82	-2.76	0.21	0.33	-9.54
1982	-4.89	0.00	-0.12	-1.86	-2.12	-1.59	0.23	0.25	-10.10
1983	-5.64	-0.06	-0.22	-1.02	-2.71	-1.41	0.07	0.21	-10.78
1984	-7.22	-0.03	-0.07	-1.78	-2.72	-1.73	0.20	0.20	-13.14
1985	-8.13	-0.06	-0.11	-2.44	-2.10	-3.27	0.10	0.12	-15.89
1986	-6.11	-0.15	-0.22	-1.76	-2.01	-4.24	0.15	0.15	-14.19
1987	-5.14	-0.15	-0.20	-5.10	-3.69	-5.58	0.17	0.32	-19.37

（续）

年份	原木	原材	锯材	人造板	木浆	纸品	木制品	木家具	合计
1988	−10.06	−0.10	−0.37	−5.79	−5.26	−4.82	1.01	0.38	−25.02
1989	−5.51	0.02	0.20	−4.25	−3.63	−5.02	0.50	0.40	−17.30
1990	−4.26	0.22	0.08	−5.30	−1.35	−6.40	2.28	0.45	−14.28
1991	−4.09	0.38	0.17	−5.72	−3.74	−7.75	3.08	0.80	−16.86
1992	−4.38	0.28	0.05	−7.13	−3.07	−12.57	4.14	2.52	−20.16
1993	−3.88	0.61	−0.20	−8.40	−2.16	−13.42	4.40	3.08	−19.98
1994	−3.87	0.82	0.18	−8.84	−3.96	−16.81	5.71	4.45	−22.32
1995	−3.21	1.93	0.46	−8.19	−6.45	−19.50	7.45	5.65	−21.87
1996	−4.28	1.75	0.14	−6.70	−7.64	−25.84	7.61	6.80	−28.15
1997	−6.48	1.73	−0.74	−6.51	−7.36	−31.62	8.46	9.37	−33.15
1998	−5.87	1.36	−2.33	−7.18	−9.14	−30.09	8.04	10.53	−34.69
1999	−12.41	1.23	−5.23	−6.26	−14.12	−33.56	10.53	12.75	−47.06
2000	−16.48	1.45	−8.03	−6.22	−21.11	−34.65	13.14	16.45	−55.43
2001	−16.88	1.44	−7.92	−3.01	−20.68	−32.21	14.74	18.24	−46.28
2002	−21.35	1.31	−9.75	−0.90	−21.52	−35.70	17.56	26.68	−43.67
2003	−24.44	1.32	−9.62	−0.71	−26.39	−39.99	21.70	37.55	−40.60
2004	−28.02	0.99	−11.67	8.90	−35.52	−43.79	27.91	51.57	−29.63
2005	−32.41	−0.12	−12.35	22.11	−36.90	−44.60	29.73	67.56	−6.98
2006	−39.28	−0.34	−13.42	38.33	−43.34	−41.65	35.83	86.66	22.80
2007	−53.55	−1.21	−13.82	50.86	−54.56	−47.93	35.69	104.64	20.13
2008	−51.82	−1.57	−16.27	50.46	−66.05	−58.97	32.32	107.07	−4.84
2009	−40.82	−3.39	−19.81	38.31	−67.53	9.57	30.30	117.38	64.00
2010	−60.62	−6.54	−35.36	49.61	−86.85	5.75	37.11	157.69	60.76
2011	−82.67	−11.59	−53.61	62.38	−117.09	20.81	40.47	165.69	24.37
2012	−72.50	−13.39	−51.93	69.09	−108.47	38.48	42.51	177.35	81.14
2013	−93.13	−15.41	−65.05	70.34	−112.69	59.96	43.05	187.31	74.37

资料来源：根据 UN COMTRADE 数据计算而得，以贸易额为准，HS 编码。

（3）商品结构：中国林产品以原料补缺、加工品出口为主。总体而言，原木、原材、锯材、木浆等资源密集型林产品在出口中所占份额在不断减少，进口占比却一直较大。以原木为例，20 世纪 90 年代后期，由于生态环境保护，尤其是 1998 年实施的天然林资源保护工程，原木出口急剧下滑，1988 年出口占比高达 19.67%，1999 年降为 0.24%，2011 年为 0.02%，

2013 仅为 0.01%；而原木进口占比 1984 年高达 51.72%，2013 年也达到 22.84%。木制品和木家具等加工品的出口占比不断增加，进口占比却一直很小。以家具为例，其出口占比 2008 年最高，为 47.43%；1991 年最低，也达 14.6%；而进口占比则处于 0.16% 和 1.86% 之间，占比较小。

（4）市场结构：主要产品市场较为集中，但有逐步分散趋势。1981 年中国林产品的进口来源国家和地区不足 100 个，出口国家和地区不足 200 个。而 2011 年中国林产品的进口来源国家和地区超过 150 个，出口国家和地区超过 200 个。进口方面，原木主要进口自俄罗斯、加蓬、马来西亚、巴布亚新几内亚和新西兰；锯材主要进口自俄罗斯、美国、泰国、加拿大、巴西；木浆主要来自美国、巴西、智利、加拿大、印度尼西亚；人造板主要来自泰国、马来西亚、日本。出口方面，中国人造板主要向美国、日本和俄罗斯出口；纸品主要出口至美国、中国香港、日本、韩国、印度、马来西亚、英国、德国、俄罗斯、澳大利亚等国家与地区，其中，美国和中国香港的合计占比 2000 年高达 51.86%，之后逐年减少，2011 年为 29.20%；木制品主要出口美国、加拿大、日本、中国香港、韩国、德国、荷兰、英国、法国、西班牙等国家和地区，尤其日本和美国的份额遥遥领先，二者合计超过 45%，2000 年高达 56.88%；木家具主要向美国、中国香港、日本和英国出口，尤其美国一直是中国的第一出口对象国，2005 年起份额高达 48.49%，之后份额有所降低，这与美国 2004 年开始对中国卧室木家具进行反倾销调查，并最终征收高额的反倾销税有很大的关系。

（5）进口依存度：较高。长期以来，中国国内木材资源供给量徘徊不前，而木材需求随着人口、经济的增长呈明显的持续上升趋势，缺口较大，需要通过进口来补充。木材资源供给的进口对外依存度（即各类林产品进口原木当量占国内总木材资源供给的比例）基本维持在 50% 左右。由于国内人工林培育取得了阶段性的成果，从 2003 年开始，中国的木材进口依存度略有下降。

（6）净贸易条件：有不断恶化趋势。自 2002 年以来，中国主要林产品进口均价不断攀升，而家具、木制品、胶合板等主要林产品的出口价格也呈攀升趋势，但受成本推动影响，增速不快。因此，中国林产品净贸易条件不断恶化。

（7）世界地位：中国是世界林产品的主要贸易国。表 3-34 所示，除了 1994 年略有下降外，中国在世界林产品出口额中的占比连续增加，1992 年仅为 1.26%，2013 年则高达 11.33%。

表 3-34　中国在世界林产品出口额中的占比　　　　　　　　　　单位:%

年份	原木	原材	锯材	人造板	木浆	纸品	木制品	木家具	林产品合计
1992	1.05	3.10	0.68	0.45	0.01	0.84	9.01	3.20	1.26
1993	1.26	4.67	0.78	0.52	0.03	0.94	8.36	3.67	1.40
1994	0.70	5.17	0.76	0.50	0.04	0.81	7.17	2.86	1.28
1995	0.68	8.36	0.85	0.68	0.12	0.87	7.68	2.77	1.35
1996	0.62	7.61	0.81	0.86	0.07	0.85	7.15	2.99	1.42

（续）

年份	原木	原材	锯材	人造板	木浆	纸品	木制品	木家具	林产品合计
1997	0.44	8.02	0.78	1.34	0.07	1.12	7.41	4.05	1.75
1998	0.21	6.63	0.53	0.90	0.06	1.10	7.46	4.45	1.72
1999	0.12	6.71	0.63	1.35	0.02	1.06	8.21	5.08	1.90
2000	0.11	7.43	0.77	1.88	0.05	1.43	9.45	6.23	2.31
2001	0.09	7.81	0.91	2.25	0.05	1.56	10.62	6.96	2.63
2002	0.05	7.26	0.87	3.28	0.10	1.76	11.96	9.28	3.23
2003	0.04	6.53	0.99	3.40	0.12	2.01	12.96	11.36	3.72
2004	0.02	4.80	0.75	5.74	0.08	2.26	13.92	13.23	4.39
2005	0.02	3.44	0.93	8.86	0.17	2.88	14.07	15.99	5.43
2006	0.01	2.39	1.09	12.16	0.24	3.60	14.85	18.64	6.57
2007	0.01	1.10	1.10	13.93	0.32	4.25	13.74	19.68	7.09
2008	0.01	0.80	1.35	14.08	0.31	4.45	12.60	19.68	7.10
2009	0.05	0.70	1.47	14.22	0.39	4.98	14.88	25.24	8.31
2010	0.10	0.72	1.19	15.96	0.41	5.59	16.96	30.49	9.36
2011	0.06	0.76	1.15	17.79	0.62	6.55	16.30	31.37	9.94
2012	0.02	0.72	1.08	19.45	0.37	7.45	19.08	31.59	11.06
2013	0.05	0.92	0.94	18.87	0.30	8.21	18.68	31.65	11.33

注：世界和中国纸品均未折算。

资料来源：根据 UN COMTRADE 数据计算而得，以出口贸易额为准，HS 编码。

3.8   本章小结

本章从供求条件、贸易规模、商品结构、市场格局等方面概述了世界和中国林产品贸易的现状和趋势。分析表明，世界林产品在全部商品总贸易额中的占比不超过 5%，而且呈下降趋势，但是与人们的生活关系密切，存在刚性需求。在世界林产品贸易中，纸和纸板占比有所下降，但并未改变其绝对主导地位；木家具总体呈攀升势头，从 1998 年开始位居第二；人造板贸易规模总体呈高速增长态势，从 2003 年开始占比超过锯材，位居第三。世界林产品的出口市场和进口市场都相对集中。世界木材资源供给日趋紧张，林产品贸易的合法性要求逐渐提高，低附加值林产品出口市场日趋激烈。中国是林产品贸易大国，贸易规模不断增长；以原木、原材、锯材、木浆等原料补缺、木制品和木家具等加工品出口为主；市场集中度较高，但有逐步分散趋势；进口依存度大；净贸易条件有恶化趋势；中国的世界出口份额连续增加，2013 年高达 11.33%。

第2篇
挑战篇

第 4 章　低碳经济对林产品贸易的影响

本章结合林业和林产品贸易的特殊性，分析低碳经济对林产品贸易的影响。

4.1　低碳经济对林产品贸易的影响概述

4.1.1　低碳经济使林产品贸易规则复杂化

4.1.1.1　林业全球化程度较高，并由发达国家主导

按照现行 GDP 统计方法，林业在经济总量中的比重并不高，但是林业在生态环境、可持续发展等方面有特殊意义，因此备受国际社会关注，国际化程度也相对较高。在经济全球化推动下，林业全球化程度逐步加深，林业经济合作关系密切，森林资源竞争态势加剧，林产品贸易格局变化，林业内涵不断丰富。

（1）林业全球化的表现形式。

①林业规则全球化。《关于森林问题的原则声明》《关于环境与发展的里约宣言》《21 世纪议程》《联合国气候变化框架公约》《联合国生物多样性公约》《国际森林文书》等国际公约和国际文书形成了林业全球化的基本规则框架。

②林业生产全球化。世界各国和地区的林业生产过程日益形成环环相扣、不可分割的链条。林业国际分工日益形成并不断调整，跨国公司的全球化经营成为推动林业生产活动全球化的主体力量和表现形式。大型林业跨国公司在不断增加原料进口的同时，努力把林业生产转移到森林资源丰富、木材原料和劳动力价格低廉的发展中国家。多数林业生产企业，特别是木材加工企业，已经从全球视角配置资源、组织生产和销售。

③林业投资全球化。经济全球化加快了全球金融市场一体化进程。全球金融市场一体化极大地推动了林业资本的全球性流动，形成世界范围内的林业投资自由化。发达国家林业跨国公司的资本不断向发展中国家流动，从事资源培育、森林开发、木材加工及木材产品销售；发展中林业大国的大型企业也不断增加海外投资，进行海外森林开发，全球配置资源。

④林产品贸易全球化。经济全球化带动了贸易全球化和区域贸易自由化。这一趋势也推动林产品贸易全球化和区域化，贸易政策调整，贸易规模不断增长，贸易商品不断丰富，贸易参与方日益增多。林业生产和投资的全球化，改变了以往发达国家从发展中国家进口木材原料、向发展中国家出口木材制品的单向贸易模式，形成了木材原料和木材产品同时向发达国家和发展中国家流动的新模式。

⑤林产工业结构不断调整。林业产业结构升级是林业国际分工的新体现，也是林业全球

化深化发展的基础。林业生产、投资和贸易的全球化，表现为全球林产品市场逐步一体化，导致激烈的全球林产品质量和价格竞争，而其深层表现是企业技术力量、经济实力以及营销等方面的竞争和国家间的产业优势竞争。这种竞争促使林业产业重新分工，最终表现为林业产业结构不断调整。

（2）林业全球化的基本特点。

①区域化与全球化齐头并进。在林业全球化的推动下，林业可持续发展的区域化进程日益加快，成为区域合作的重要主题。全球已经形成了 8 个区域森林可持续经营标准和指标体系、5 个区域森林执法和行政管理进程、4 个区域林业部长会议机制和多个区域林业合作网络机制。

②外交化和政治化。林业可持续发展成为各国政府首脑关注的大事，各国也努力通过各种重大外交活动，发挥各自在推动林业可持续发展中的影响作用。

③发达国家主导林业全球化进程。截至目前，无论国际公约谈判，还是区域林业进程发展，都是由发达国家主导，国际组织和非政府组织推波助澜：一是理念主导。全球森林可持续经营标准和指标、森林经营认证、产销监管链认证、合法性认证等都是发达国家提出并积极推动的。二是资金主导。主要表现在全球林业资本流动中，发达国家的投资占有绝对优势。三是机制主导。发达国家利用理念和资金的优势，占据主要的话语权，主导林业国际规则的谈判走向。四是市场主导。发达国家主要应用其国际规则中的话语权及其资金、技术优势，以某种方式限制市场准入，如森林认证和合法认证等。

4.1.1.2 低碳经济明显加快林业全球化进程

通过第一章的分析，我们可以初步看出应对气候变化、发展低碳经济难以依靠某国或某方力量，低碳经济转型将引发世界重新布局，低碳经济全球化也是必然趋势。而在解决碳排放和资源稀缺等各种矛盾过程中，林业起着不可替代的作用。森林是陆地最大的生态系统，也是最大的碳库，扮演了碳汇和碳源双重身份。以森林为经营管理对象的林业，显然是经济与社会低碳化转型的重要力量。因此，林业政策也必然被纳入气候政策和低碳政策的范畴。这将明显加快林业全球化进程，进而深刻影响林产品贸易。

4.1.1.3 低碳经济使林产品贸易规则更加复杂

（1）林产品贸易已被纳入林业低碳政策视野。碳排放的影响因素不仅包括人口、人均 GDP、GDP 能源强度和能源消费、CO_2 排放强度等，还包括国际贸易。已有一些研究证实，碳排放量随国际贸易而转移。在开放经济条件下，贸易导致生产和消费环节相分离，要素流动性加强会促进产业的国际转移。两国之间的商品贸易为碳排放提供了一种国际转移路径，这必然带来资源配置效率的改进，给不同国家带来不同的福利效果，也会给低碳经济进程带来不同的影响（来尧静、来婷婷，2012）。

在低碳经济背景下，国际碳交易市场、国际能源技术贸易与合作、国际碳金融服务逐步发展，各国政府更加重视森林碳汇等多功能利用，通过各项政策措施推动与林业相关的低碳新产业的诞生和发展，如林业碳汇、林木生物质能源、非木质林产品、生态旅游和休闲等，延长了林业产业链，为林产品贸易发展奠定了坚实的基础。林产品贸易关系到森林木材资源利用，涉及森林资源的消耗，这种消耗与森林的碳吸存、碳替代功能利用之间存在着对立统一的关系，这对森林多功能利用提出了更高要求。而低碳补贴、碳税等低碳政策或影响生产率或影响生产成本，将改变国家之间、产业之间的比较优势和竞争优势，从而影响林产品贸易的规模、商品结构、市场结构、贸易条件、贸易关系和贸易壁垒等方方面面。

（2）伴随低碳经济全球化加剧，林产品贸易规则更加复杂。从第一、二章的分析可以看出，低碳经济目标远大、动机复杂、规则严格、措施繁多。涉林低碳问题则更加复杂。以森林碳汇为例，森林碳汇的法律制度选择应当体现森林生态学的规律，从森林培育的角度，法律制度选择包括植树造林制度、封山育林制度、退耕还林制度；从森林保护的角度，法律制度选择包括森林防火制度、森林病虫害防治制度、人为毁林的预防和惩处制度；从森林的可持续经营管理角度，法律制度选择包括森林分类经营制度、森林碳汇交易制度、森林采伐制度、森林保险制度和森林认证制度。

森林问题的社会敏感性不断增强，已成为国际热点问题并直接关系到国家权益和未来发展空间。伴随低碳经济全球化加剧，可以预见，林产品贸易规则将更加复杂。

4.1.2   涉林低碳行动对林产品贸易的影响日益显现

随着低碳经济全球化不断推进，强调包括木材合法性在内的绿色贸易将是世界贸易发展的新趋势。各种木材合法性进程、森林经营认证、产销监管链认证、合法性认证、碳认证等涉林低碳行动越来越密集，催生了众多法律、政策和规则。尽管不同国家或组织的相关规定和解释有所差异，但基本涵盖了林产品生产经营活动的所有方面，包括森林经营的可持续性，林地相关权属分配，木材及其产品的生产、交换、流通等。

涉林低碳行动对林产品贸易的影响已经日益显现。

4.1.2.1   短期影响

涉林低碳措施与林产品贸易存在对立统一关系，短期内作为一种非关税壁垒，会从某种程度上提高林产品成本，影响企业利润，影响林产品贸易流向和商品结构，甚至阻碍林产品贸易。以下以对中国林产品贸易的影响为例，具体说明。

（1）木材合法性进程的影响。以中欧林产品贸易为例。2003年5月，欧盟启动了"森林执法、施政和贸易行动计划（FLEGT行动计划）"，提出了一系列旨在打击非法采伐的措施。欧盟部长理事会在2005年底出台第EC-2173-2005号条例，规定对木材和木制品进口实行许可制度（从2005年12月30日起生效），要求欧盟与伙伴国在自愿的基础上签订木材合法采伐与贸易的协定，伙伴国在向欧盟出口木材和木制品时必须具有木材合法证明，欧盟海关才能放行。中国已成为世界热带林产品贸易大国，同时中国与东盟、非洲等国家和地区热带林产品贸易发展快速，也面临着以标准、认证和环保等名义出现的非关税壁垒的压力，FLEGT行动计划使中国进口非洲木材的难度增大。2013年3月3日全面实施的《欧盟木材法》（EU TR）则使欧盟的木材合法性进程更上一个新台阶，它要求木材生产、加工、销售链条上的所有厂商，须向欧盟提交木材来源地、木材体积和重量、原木供应商的名称地址等证明木材来源合法性基本资料，非法木材及木制品将受严厉处罚。根据第四章的分析可以看出，欧洲是中国林产品出口的主要市场，尤其英国和德国。因此，EU TR作为欧洲市场准入的重要门槛，加上与日俱增的相关绿色指令，将严重束缚不少产品进入欧盟，必将对全球，特别是中国林产品贸易产生广泛而深远的影响。①获得 FSC 认证的企业订单不减。②部分中小企业措手不及。因为中小企业多靠廉价吸引客户，若改为采购有"身份证"的原木，承受不起认证费，会失去竞争优势，在市场上难以立足。业内有人认为，中国家具、木制品、纸品和人造板强有力的出口阵容催生了居心叵测的 EU TR。在欧盟通过《原产国标签法》时，欧盟内部也有不同的声音，南欧国家等为保护欧洲市场免遭低廉进口商品（尤其是亚洲商品）的冲击，力图推动《原产国标签法》立法；英国和瑞典等国则表示反对，认为此法有保护主义和威胁竞争之嫌。

以中美林产品贸易为例。美国是中国林产品第一大出口市场，2008 年《雷斯法》修正案的实施对中国林产品的进出口势必产生重大影响：交易门槛和成本提高。首先，中国林产品贸易面临下降风险。美国会对木材源自俄罗斯、东南亚、非洲等国家的林产品实施严格监管，美国企业担心受罚，会减少从中国的进口；其次，中国从事林产品生产的企业以中小企业居多，相关标准的严格性及申报程序的复杂性、申报内容的宽泛性，操作细节的不规范性，合法性证明的技术难度很大，甚至让世界级的家具生产商都叫苦不迭，中国企业应对则更加困难；第三，美国各州执法力度不一，尺度不一，将增加出口的复杂性和未知性，个案难以应对（韩丽晶、曹玉昆，2012）。

实际上中国目前面对的国际非法采伐及相关贸易问题，不仅仅是国际林业领域中的经济问题，更是西方发达国家以及一些国际组织向中国施加的具有较强政治色彩的敏感问题。中国木材贸易与国际非法采伐并无必然联系（陈宝栋、宋维明，2008）。

（2）森林经营认证和产销监管链认证的影响。目前，欧洲越来越多的国家开始对中国林产品提出森林认证要求。例如，中国是宜家公司全球最大的材料采购地，目前，宜家已对中国提供的木材提出了森林认证要求；英国百安居公司年销售的木制品有 95% 是 FSC 认证产品；美国家得宝公司全部销售 FSC 认证产品。另外，一些发达国家目前已经出台了一些政策，例如"贸易鼓励安排"，如果出口到欧盟的林产品贴上 FSC 标签则可以享受优惠进口税率。这对中国林产品出口产生很大的影响。

森林认证，很容易成为中国林产品出口面临的又一类贸易壁垒。做好森林认证，是中国林产品企业不容忽视的一件大事。

（3）其他技术法规、标准和合格评定程序的影响。中国是贸易保护主义的重灾区，近几年来，仅木质林产品遭遇的所谓反倾销、反补贴、双反案件就多达 15 件，此外还遭遇名目繁多的诸如 337、332 调查等技术性贸易壁垒和绿色壁垒（表 4-1）。

表 4-1　中国林产品遭受技术性贸易壁垒情况

启动时间	技术性贸易壁垒类型	涉及的林产品
2009 年 1 月 1 日	美国 CARB 法规	人造板、木质家具
2007 年 6 月 1 日	欧盟 REACH 法规	木质家具
2004 年 4 月 1 日	欧盟 CE 认证	人造板
2002 年 1 月 15 日	欧盟 2001/95/EC 指令	木质家具

　　以下仅简述部分相关的技术法规、标准和合格评定程序对中国林产品贸易的影响。

　　美国 ATCM 的影响。2007 年 4 月 27 日美国加利福尼亚州空气资源委员会(California Air Resources Board，CARB)根据调查举行公众听证会，批准《空中传播有毒物质的控制措施》(Airborne Toxic Control Measure，ATCM)。2008 年 4 月 18 日《降低复合木制品甲醛排放量的有毒空气污物控制测量法规》(ATCM)获得加利福尼亚州行政法规办公室的批准，成为加利福尼亚州法规，立即生效，并于 2009 年 1 月 1 日开始强制执行。ATCM 旨在减少在加利福尼亚州销售、供应、使用或制造的木质人造板及含有木质人造板的制品中的甲醛释放量，其甲醛限量要求明显高于欧盟标准。据悉明尼苏达州、俄勒冈州也将效仿实施 ATCM；甚至欧洲也将仿效。长期以来，美国是中国林产品出口第一贸易伙伴国，而加利福尼亚州在美国各州中是进口中国木制品最多的一个州，CARB 法规的启动，对中国人造板产业，乃至木制品和木家具产业而言，将是新一轮痛苦跋涉的开始。目前，中国企业面临三方面的压力：一是原辅料控制成本的压力。输美木制品及家具生产厂家对胶合板、刨花板、中纤板等原辅料的评价控制措施将更加严格，将引发控制成本上升。二是检测成本的压力。对输美木制品及家具生产厂家和贸易商而言，为了达到输入国标准，对原辅料及成品甲醛释放量的抽测验证成本将进一步加大。CARB 法规的首选检测标准为 ASTM E1333－96(2002)，需要使用价格昂贵的大型检测设备，检测成本较现行的干燥器测试法高出许多。三是认证成本的压力。输美人造板生产企业必须通过经 CARB 批准的第三方认证机构的认证，从认证辅导到认证维护都将增加企业的运营成本。

　　欧盟 REACH 的影响。欧盟"化学品注册、评估、许可和限制制度"(即 REACH 法规)(欧盟 1907/2006 条例和 2006/121/EC 指令)将给中国木家具业带来严重影响。例如，"有香味的名木家具"在 REACH 法规中的定义属于"含有意释放物质的'物品'"的范畴，即名木家具本身属于"物品"的范畴，名木家具中含的香味物质属于"有意释放的物质"。根据 REACH，"有香味的名木家具"可能需要履行的责任包括供应链信息传递、通报和限制；名木家具中含的香味物质可能需要履行的责任包括(预)注册、供应链信息传递、授权和限制。"有香味的名木家具"企业势必履行繁琐的程序以应对欧盟 REACH 法规：罗列企业对欧盟贸易产品有香味的名木家具的型号和数量；分析名木家具和名木家具中含的香味物质成分；根据 REACH 法规中其他的豁免条款，看名木家具中含的香味物质是否属于豁免注册的范畴(REACH 附件 IV、V 中的物质)，列出所有需要注册物质的清单；根据 REACH 法规注册指南和香味物质在名木家具中的含量计算出企业出口欧盟物质的吨位(对其中比较难以鉴别的产品，可以寻求专业机构的帮助)；列出所有出口欧盟大于等于 1t/年的需注册的物质清单；收集需履行 REACH 法规义务物质的信息(物质的名称、CAS 号码等)；寻找联系一家专业、可靠和中立的"唯一代表"，进行物质的 REACH(预)注册。对名木家具本身，企业需要详细了解名木家具各部分的化学成分，比如向颜料供应商索要颜料的物质成分信息，向胶水供应商索要胶水的物质成分信息等；列出自己产品的材料/部件清单(BOM)和材料/部件内物质清单(BOS)，以确保本身不含"高关注度物质"和"限制物质"。欧洲化学品管理局(ECHA)已经公布了 15 种"高关注度物质"，这就意味着"有香味的名木家具"生产商必须对自己产品中是否含有这 15 种物质以及确切的含量有足够的了解，并对其中含量超过 0.1% 的"高关注度物质"向下游用户进行供应链信息传递。

欧盟有害物质含量限量指令(2003/2/EC)的影响。砷是中国国内大部分厂家用作木材及其制品防腐剂的主要成分。因此，该指令实施后，一方面，一些用含砷防腐剂处理木材和木制品的厂家由于达不到标准而无法出口；另一方面为了检测是否含有砷，会增加检测费，增加企业成本，降低产品的竞争力。

欧盟人造板 CE 标准的影响。中国是欧盟人造板，尤其是胶合板和地板等的主要供应国，人造板 CE 认证对中国人造板出口欧盟将造成较大的影响。

4.1.2.2　长期影响

涉林低碳进程中的相关贸易问题从根本上讲是绿色、可持续贸易问题，是以可持续发展与森林可持续经营理论、自由贸易理论与保护贸易理论、外部性理论与环境成本内部化理论等基本理论来支撑的。

从长远来看，森林认证、合法性认证、碳认证等涉林低碳措施与林产品贸易是相互促进的，林产品贸易是推动认证快速发展的重要因素，认证是促进林产品贸易可持续发展的手段之一。认证也会带来诸多积极影响。

(1)促进全球森林资源保护和生态环境改善。发达国家大力发展森林经营认证、产销监管链认证、合法性认证和碳认证，这一终端消费市场的驱动，能够在一定程度上促进上游林产品供应、生产的合法性和可持续性。同时，很多发达国家的森林可持续经营水平高，也是合法木材的重要来源，这必将改变国际木材进口流向，促使木材进口的重点向发达国家转移，从而在一定程度上遏制非法采伐。这些措施最终可以促进世界森林可持续经营和林产品贸易可持续发展。

(2)提高合法或可持续木材的出口竞争力。长期以来，非法木材由于不需要森林可持续经营的成本投入，在国际市场上往往以低于合法木材的价格冲击国际市场，造成对使用合法木材企业的不公平竞争。打击非法采伐及其相关贸易的法律和政策实施后，木材合法性或可持续证明将在未来市场上扮演越来越重要的角色。为了减少处罚风险，进口商将选择能够提供合法来源证明和通过森林经营认证的供应商，进而提高对合法木材和可持续木材的市场需求。也就是说，认证强化了消费者的环保意识，可以引导市场形成对合法木材和可持续木材的消费偏好，进而提高合法木材和可持续木材的溢价，有利于出口国外向型林产品加工企业调整产业结构、开拓国际市场。

(3)改善和优化林产品国际贸易条件。为了赢得国际市场份额，发展中国家的林产品企业往往展开恶性竞争，扰乱了市场秩序，自身也容易陷入比较优势陷阱。例如，中国林产品出口中，产品技术含量低，同质化程度高，恶性价格竞争严重，导致林产品出口始终处于低层次、低附加值的泥潭中。有课题组通过深入调查浙江、山东等林产品出口较为集中的地区，发现 90% 的当地木材加工企业采取代工生产(OEM)方式出口，为了获取国外订单，不惜按成本价销售，而将出口退税转变为企业出口的微薄利润。这不仅严重扰乱了正常的国际贸易秩序，而且违背了政府给予林产品出口优惠政策的初衷，大量的利润被发达国家攫取(印中华，李剑泉，田禾，等，2011)。木材合法性进程和认证可以改变林产品的出口格局，促使企业间竞争的重点转移到对合法木材和可持续木材的获取，迫使部分依靠非法木材而获取成本优势的小企业放弃欧美等敏感市场，为有能力使用合法木材和可持续木材的大中型企业腾出市场空间，并使其从出口中获得更高的溢价，从而改善和优化林产品贸易条件。

(4)有利于缓解与环境敏感国家或地区的贸易摩擦。认证和互认促使政府、协会、企业共同努力，有利于缓解与环境敏感国家或地区的贸易摩擦。政府努力加快产业结构调整，加强市场监管，维护出口秩序；行业协会则及时提供行业信息，加强对外交流，积极应对国际贸易纠纷；企业则努力提高自身的环保意识，优先寻找认证木材，努力扩展国际市场、建立广泛合作关系(王连茂，程宝栋，唐帅，2011)。

4.2 低碳经济对林产品贸易的影响——12 国的例证

2010 年英国的查塔姆研究所(Chatham House)，即皇家国际事务研究所(The Royal Institute of International Affairs)公布了其对非法采伐及其相关贸易的全球反应研究。该研究调查了12 个国家，包括 5 个消费国，即美国、法国、荷兰、日本和英国；5 个生产国，即喀麦隆、巴西、印度尼西亚、马来西亚和加纳；2 个加工国，即中国和越南。5 个生产国合计约占世界40%的非法木材生产，5 个消费国和 2 个加工国合计直接进口的非法木材约占世界 50%的非法木材贸易。

限于条件，本书作者未能对低碳经济对林产品贸易的影响进行细致的实证研究。以下基于查塔姆研究所的上述研究来加以例证。

4.2.1 对林产品价格的影响

为了考察非法采伐的影响，查塔姆研究所先前的评估指标包括认证或验证木材价格的变化和溢价程度，结果显示可用的数据非常稀疏，而且并不可靠。2004 年 Seneca Creek 的研究表明，非法木材贸易量大到足以使全球木材价格下降高达 16%。如果这些非法木材的供应减少，那么这一减少有望在木材溢价中反映出来。由于 2008 年全球经济放缓，导致木材价格戏剧性变化，形势有所混淆，尽管如此，调查结果显示除马来西亚外，其余 4 个生产国有 55%~77%的私营部门认为非法采伐是木材价格下降的一个因素。在越南，多数私营部门认为由于木材来源国执法力度加强，木材价格上升。

4.2.2 对林产品贸易规模和流向的影响

生产国非法采伐程度有所下降，合法贸易规模相对上升。

贸易流向也明显改变。一方面，那些有影响力的生产国公司可以将木材出口贸易转向不敏感的消费国(如印度、韩国或日本)，或转向中间加工国(如中国和越南)。另一方面，木材消费国也在改变进口来源。例如，2003 年，英国迫于木材非法来源压力问题而开始逐渐停止从印度尼西亚直接进口胶合板时，他们开始转而从中国采购胶合板。

4.2.2.1 生产国

(1)生产国非法采伐水平。非法采伐和其他导致森林破坏因素的对比：受调查的 5 个生产国的被访问者并没有发现相较其他合法因素(为农业和工业用地而进行森林砍伐)而言，非法采伐是导致森林缺失的最重要因素，大多数只认为非法采伐是导致森林缺失的一个重要原因。

非法采伐手段：菲律宾和印度尼西亚的一些迹象说明，当直接非法采伐变得更加困难，以及面对日益减少的森林资源，合法采伐也日益减少时，企业为寻求便宜的木材资源会转向间接非法采伐，包括行贿而获得采矿许可证或油棕种植许可证，来掩盖其获取木材的目的。

非法采伐程度：木材非法采伐占采伐量的比例，巴西亚马孙为 70%，加纳和印度尼西亚为 69%，喀麦隆为 35%，马来西亚为 25%。非法采伐程度有所下降，自 1998 年以来的 10 年间，喀麦隆下降 50%，巴西亚马孙下降 50% ~75%，印度尼西亚下降 75%。被调查的 7 个消费国和加工国直接进口的非法木材比其高峰值下降 30%。

(2)生产国相关贸易。贸易数据源自不同国家，由 J. Hewitt 为 Chatham House 进行分析。该分析将美国、加拿大、澳大利亚和欧洲称为敏感市场(sensitive markets)，其他市场称为非敏感市场(less sensitive markets)。巴西仅仅分析非针叶材。

巴西：出口热带木材到敏感市场的比例为 72%，是 5 国中最高的，该比例在 2000 ~2005 年上升，之后下降。

喀麦隆：尽管出口到敏感市场的比例(67%)一直比其他 4 个生产国高，但在过去几年间该国出口有向不敏感市场转移的趋势，新的买家主要在亚洲。中国和越南已成为喀麦隆木材的主要进口者。

加纳：出口到敏感市场的份额急剧下滑，从 2001 年的 80% 下滑至 2008 年的 37%，而出口到其西非邻国的木材大量增加，尤其出口尼日利亚增加明显，尼日利亚是加纳胶合板的主要出口目的地。

印度尼西亚：出口到敏感市场的比例约 20% ~25%，一直低于巴西、喀麦隆和加纳。印度尼西亚很多被访的私营部门认为近年来存在向不敏感市场转移的趋势。贸易数据显示，印度尼西亚出口到敏感市场的比例有微小的上升，并且以价值衡量更加明显。

马来西亚：2008 年大部分出口主要是向不敏感市场，仅有约 12%(以数量衡量)出口到北美、澳大利亚和欧洲。2001 ~2008 年这一比例基本保持不变。

(3)成效。利用木材平衡模型(Wood – balance modelling)，根据 2000 ~2009 年的趋势推断，有可能估算出在过去 10 年间根据减少非法采伐文件而禁止砍伐的木材量。分析表明，非法采伐在估测率顶峰仍可持续的话，2000 ~2009 年有约 3.5 亿 m^3 木材避免被非法采伐；假设大多数木材被砍伐时选择每公顷相对采伐强度较低的方式，那么 2000 ~2009 年约有 1700 万 hm^2 的森林因木材非法采伐减少而免于退化；基于在热带森林低强度合法采伐中估计的碳损失，这相当于减少 12 亿 t 的二氧化碳，也相当于英国在过去相同的 10 年间碳排放的 22%。分析假设非法采伐仅导致了森林退化，但有充足的证据显示非法采伐通常是导致森林砍伐第一也是最重要的一步。假设所有被避免非法采伐的森林最终都会免于退化，所估算的碳减排为 146 亿 t。

非法采伐水平降低在森林二氧化碳排放上也可能产生更广泛、间接的影响(表 4-2)。研究表明，降低木材价格，可能使毁林和森林退化减少，从而减少 10% 的全球碳排放量。

表4-2　非法采伐减少总量估测及其相关影响

	非法采伐减少期间	减少量 （百万 m³）	等量公顷 （百万 hm²）	等量 CO₂ 排放 （百万 t）	收入增加 （百万美元）
印度尼西亚	2002～2009	289	14.5	1012	5433
巴西	2001～2009	49.5	2.5	173	931
喀麦隆	2000～2009	6.6	0.3	23	124
合计		345.1	17.3	1208	6488

来源：非法采伐的木材平衡估计分析（Analysis of wood – balance estimates of illegal harvest）。

注：潜在的收入增加是假设木材均是合法采伐的基础上，在该假设下，免于森林退化数和相关碳增加都是负数。如果合法采伐增加至不可持续的水平，这些额外收入也可以立即获得。

报告指出，木材非法采伐减少了，这并不意味着非法采伐不再是主要问题。如果假设自2002年起在其他生产国中木材非法采伐没有减少，那么在这份研究中，估计的全球非法采伐量需要用修正数据进行更新。分析表明自2002年以来，非法采伐已降低了约22%，但分析也表明，截至2009年，全球每年非法采伐木材超过1亿 m³，导致500多万 hm² 的森林退化或可能最终被彻底破坏，也导致了每年4亿～43亿 t 的二氧化碳排放。如果木材非法采伐在未来十年内能被逐步彻底解决，估计将减排20亿～220亿 t 的二氧化碳。

4.2.2.2　消费国和加工国

非法木质品贸易规模：对7个主要消费和生产国2000～2008年进口的所有非法来源木材进行综合分析时，数据显示非法木质产品进口在2004年达到顶峰，至2008年已下降了约30%，降至2700万 m³，价值约60亿美元。

（1）加工国。

中国：2000～2003年，中国非法木材进口处于上升趋势。2004～2007年，尽管全球进口整体呈现上升趋势，中国非法木材进口却在下滑，其主要原因在于印度尼西亚非法采伐的减少以及中国从印度尼西亚进口非法木材量的降低。中国非法木材进口量自其达到顶峰后降低了16%。2008年中国进口约2000万 m³ 非法来源木材和木质品，价值约37亿美元，较之前年份明显减少。这也同时反映了受全球经济下滑影响，木材进口的整体性下降。

越南：相较而言，越南非法进口木材量在2000～2008年一直持续稳定增长。其中，2000～2007年，进口量增加了3倍。越南非法木材的进口大部分来源于整体增长，尽管从缅甸和老挝的进口增长有其他原因。越南进口的非法木材估测（150万 m³ 原木当量）低于中国（2000万 m³）很多，整体进口占比也比中国低（越南17%，中国20%），但其人均量比中国略高。应该注意，中国和越南人均非法木材进口量比所有被调查的消费国都低。

（2）消费国。

据估计，5个主要消费国进口非法木质品总量在2004年达到最高值2300万 m³，并在这十年前期进口量基本保持在每年约2000万 m³。自2004年进口开始回落，尤其是在2007年至2008年间跌幅巨大。2008年是这十年中进口最低的一年。这种改变主要是来自于美国和日本，这两个国家是5国中的主要消费国（表4-3）。

表 4-3　2000 年和 2008 年消费国非法木质品进口量估测

国家	原木当量 (RWE，百万 m³)		价值 (10 亿美元)		占木质品总进口量比例 (%)	
	2000 年	2008 年	2000 年	2008 年	2000 年	2008 年
美国	5.0	7.0	2.1	4.0	2.2	3.8
日本	11.5	6.6	2.4	2.3	12.1	9.0
英国	1.6	1.5	0.5	1.0	2.6	2.6
法国	1.5	1.1	0.4	0.6	2.7	1.9
荷兰	1.0	0.8	0.3	0.5	2.7	1.9

注：包括木材产品，木家具和纸浆及纸张。

日本：据估计，自 2004 年起，日本非法进口量一直持续下跌，至 2008 年几乎是它最高进口量的一半（表 4-3）。在这 10 年初期，约有 50% ~ 60% 的日本非法木材是从印度尼西亚进口的，比例远高于其他被检测国家。自 2004 年，日本从印度尼西亚进口量的巨大下降，尤其是胶合板和非法木材的进口下降，其原因可能在于印度尼西亚执法力度的增强。虽然日本人均非法木材消费在过去几年减半，它仍是法国、英国和美国的两倍多。尽管进口有所降低，日本仍然是 5 国中木制品非法比例最高的国家。2008 年日本进口木质产品中估测有 9% 是非法木材来源，而其他 4 国始终在 2% ~ 4% 之间。

美国：分析显示，2001 ~ 2006 年，美国非法木质品进口量戏剧性地增长，从不到 500 万 m³ 增至 900 多万 m³。尽管估测的增长的部分原因可能是人口的增加（因此导致总需求的上升），但计算的人均进口量也在增加，因此非法来源木材进口比例有整体上的上升。增长源于从中国的大量进口，尤其是木质家具的大量进口。零售商从销售由来源于北美木材制作的家具转换为大量销售中国更加便宜的木质品。2007 年初，分析显示美国进口非法木材量下滑，这是因为该国经济的整体性下滑，也同时反映了中国进口和再出口非法木质品的减少。2008 年美国《雷斯法修正案》禁止进口和销售非法来源木质品，它也能够使买家转向较低风险来源木质品的供应。

英国：与美国相似，英国在 2004 ~ 2006 年从中国进口的木质品急剧增长，大部分的原木都是非法来源的。然而，和美国不同的是，英国从中国进口非法来源木材的增长被从印度尼西亚进口非法来源木材的降低所抵消。估测的英国进口非法来源木质品达到顶峰的时间（2007年）比其他消费国都晚，但和其他国家一样，均在 2008 年有大幅下滑，2008 年估计有 150 万 m³ 原木当量，仅价值 10 亿多美元的非法木材进口。进口下滑绝大程度上是因为经济萧条，但英国消费者更加趋向购买可持续和合法性认证木材来源木质品也是一大因素。

法国：非法来源木材进口高峰大大提前于其余消费或生产国，该国现今在 5 个消费国中拥有最低的非法木材人均消费率和最低的非法木材整体进口比例（2%）。这是因为在该阶段初期法国大部分非法来源木材是从刚果盆地、印度尼西亚和巴西进口的，而这些地区均因合作减少整体木材采伐（在喀麦隆、印度尼西亚和巴西）以及扩展可持续和合法性认证（在喀麦隆和刚果盆地其他地区）而使非法木材贸易有显著下滑。

荷兰：比法国拥有更低的中国制造的非法来源木质品比例。整体来讲，在 2004～2007 年，该国非法木材进口略有增长，但在 2008 年戏剧性下跌。荷兰是进口并再出口木材到欧洲其他地区的重要转运站，大约有 1/3 的记录的进口木材实际上并没有在国内消费。这导致荷兰人均非法木材消费量偏高的错误预估，使就国家行动本身而言，根据分析评论荷兰进口非法木材变化变得困难重重。

4.2.3　对林产品贸易方式的影响

（1）林产品产业链变化。中国和越南等国家是林产品加工制造国，发达国家是主要消费国，全球产业链逐渐形成。

中国的森林资源现状和在全球产业链中所处的地位，共同决定了中国木材消耗对国际市场的依赖性。李冰、王立群（2011）利用 1993～2008 年的数据，在分析各影响因素和原木进口量变化之间关系的基础上，利用逐步回归法建立了计量模型。研究结果表明：1993～2008 年，国内木材产量、家具和木材制成品出口以及汇率因素对原木进口量变化的作用最为显著，成为此期间影响中国原木进口量变化的主要决定因素。①国内木材产量每减少 1%，原木进口量增加 1.94%。这样的变化关系说明：随着中国经济的持续增长，以及中国在全球产业链中所处的产业地位和特征，中国对原木的需求会持续增加；但随着国内对生态环境重视程度的提高，对森林生态服务功能需求的不断增加，受可采资源有限、天然林资源禁伐、限伐政策的限制，导致国内木材产量出现减少的态势，木材供需矛盾进一步加剧，国内木材供需缺口逐年增加，随之原木进口规模逐年扩大。②中国经济增长没有成为影响原木进口的主要因素，而家具及木制品出口量（即国外需求）却对原木进口量变化作用显著，家具及木制品出口量增加 1%，会导致原木进口量增加 1.01%。中国木材进口扩张的驱动力不仅仅来源于国内需求的增长，也来源于国外需求，国外需求是主要因素。③汇率变化也是影响原木进口的重要因素。加入 WTO 后，中国木材市场与国际木材市场之间的联系日趋紧密。美元汇率的下降有利于中国原木进口，汇率每下降 1%，导致原木进口量增加 1.41%。

但是，原木市场是资源约束型市场，随着全球森林资源不断减少和生态环境的持续恶化，过高的对外依存度是不安全的。作为发展中国家的中国，正成为世界林产品的主要供给者，这在一定程度上说明了林产品产业的国际转移；也表明，如果世界木制品消费量既定，即使中国不生产，受成本因素影响，也还会有其他发展中国家生产。因此，保护全球森林资源和生态环境、促进低碳经济转型，是一个重要的国际性课题，也是发达国家和发展中国家需要共同面对和解决的问题。作为发达国家，应从源头减少消费，而不能一边享受着林产品全球产业链带来的利益，一边指责发展中国家；而作为发展中国家，也应不断提高技术水平，减少资源消耗率，不断提高资源利用率。

（2）林产品贸易方式变化。在国际经贸领域，除了单边进口和单边出口的一般贸易方式之外，还有经销、拍卖、招标投标、期货贸易、补偿贸易、加工贸易、租赁贸易等许多方式。

随着国际社会对森林资源利用的关注日渐加深，森林资源的可持续培育与利用成为热点，对原木等初级林产品贸易的非议颇多，木材生产国也开始改变其出口结构与林业政策。在此背景下，对于中国这样的林产品制造大国，以单边进口的贸易方式获取森林资源已难以满足不断扩大的市场需求，木材产品资源供给的安全性与稳定性受到严重威胁，而短期内又难以依靠国内生产来弥补木材供给缺口。因此，林业境外投资逐渐发展起来，这种以境外森林资源培育与利用来确保国内供给的方式得到了中国政府与林业企业的肯定。

4.2.4 对林产品贸易广度和深度拓展的影响

广度、质量、数量和价格是贸易理论强调的基本维度。水平产业内贸易理论强调种类即广度，垂直产业内贸易理论强调产品品质，而传统贸易理论则认为产品同质强调产品数量。从新贸易理论角度看，企业是否出口、向哪些地区出口、出口多少种产品属于广度范畴；企业以什么价格出口什么档次的产品属于品质范畴；而企业出口多少则属于数量范畴。最新发展的异质性贸易理论指出，一国的出口增长既可能是由于原有贸易关系的进一步深化，也可能是由于开拓新的市场或出口产品品种的增加。

在低碳经济背景下，产业结构低碳化，消费者对低碳林产品的偏好增加，使木材需求的多样性和广泛性提高。EU FLEGT 框架下的 VPAs 制度协调安排等涉林低碳措施可以有效降低林产品贸易的不确定性，可以成为促进国际贸易广度和深度拓展的主要原因。

4.3 本章小结

本章结合林业和林产品贸易的特殊性，先概述了低碳经济对林产品贸易的影响，认为低碳经济使林产品贸易规则复杂化，对森林多功能利用提出了更高要求，将改变国家之间、产业之间的比较优势和竞争优势，从而影响林产品贸易的规模、商品结构、市场结构、贸易条件、贸易关系等方方面面。然后以 12 国为例，借助相关研究，具体揭示了涉林低碳行动对林产品贸易的影响。

第 5 章　林产品碳贸易壁垒和贸易争端

本章侧重归纳目前林产品贸易面临的主要碳贸易壁垒和贸易争端，这从一定程度上也反映低碳经济对林产品贸易的影响。

5.1　林产品碳贸易壁垒

目前，一些涉林低碳法律和政策措施带有明显的贸易壁垒色彩，影响力日渐显现，概述如下。

5.1.1　碳技术法规、标识和标准

发达国家涉及林产品的技术法律、法规、指令与特殊化学指标和安全性能规定众多，例如美国环保署法规关于限制油漆中重金属的规定，美国联邦法规关于双人床安全及软体家具防火阻燃性能的规定，欧盟新方法指令中关于限制甲醛释放量、砷及重金属的环保指令及家具防火阻燃性指令，日本建筑基准法关于限制甲醛释放量的规定，欧盟 CE 认证，美国 UL 认证、日本 JAS 认证和北美的 TECO 认证等合格评定程序。

5.1.1.1　美国的碳技术法规、标识和标准

（1）美国与林业相关的低碳法律。主要包括《美国联邦生物能源公法》（Federal Biofuels Public Laws）[①]、《2009 美国复兴与再开发法》A 篇 [American Recovery and Reinvestment Act of 2009（ARRA 2009）（Public Law 111 − 5）Division A]、《2008 能源改善和扩展法》B 篇 [Energy Improvement and Extension Act of 2008（Public Law 110 − 343）Division B]、《2008 食品保护和能源法》[Food Conservation and Energy Act of 2008（Public Law 110 − 234）]、《2007 能源独立和安全法》[Energy Independence and Security Act of 2007（EISA）（Public Law 110 − 140）]、《2006 税收减免和健康保护法》[Tax Relief and Health Care Act of 2006（Public Law 109 − 432）]、《2005 能源政策法》[Energy Policy Act of 2005（EPA Act 2005）（Public Law 109 − 58）]、《2004 美国就业创造法》[American Jobs Creation Act of 2004（Public Law 109 − 432）]、《2000 生物质研究和开发法》[Biomass Research and Development Act of 2000（Public Law 108 − 357）]等[②]。

（2）美国涉及林产品安全的法律。主要有 8 部（表 5-1）。其中，《2008 消费品安全改进法》的修改主要包括：铅含量、禁用某些邻苯二甲酸酯、强制性第三方检验、溯源性标签和

---

① http：//ita. doc. gov/td/energy/biofuels. htm [2012 − 12 − 20].
② www. afandpa. org [2012 − 10 − 20].

产品注册卡、检举者保护、提高民事赔偿等，要求非常严格。此外，美国还有 2 个条例涉及林产品安全，即《禁用含铅涂料条例》(16 CFR 1303)和《危险物质和商品管理和实施条例》(16 CFR 1500)。

表 5-1　美国涉及林产品安全的法律

序号	法律	要求
1	清洁空气法(CAA)	有害物质(有机挥发物 VOC 等)
2	清洁水法	有害物质
3	海洋保护、研究和禁猎法	有害物质
4	安全饮水法	有害物质
5	紧急计划和社区知情法	有害物质
6	联邦杀虫剂、杀真菌剂和灭鼠剂法	有害物质
7	有毒物质控制法	有害物质(废弃物)
8	资源保护和回收法	有害物质

(3)美国涉及复合木制品甲醛释放量的法律。

①美国 CARB 发布的 ATCM 法规。ATCM 的出台背景。2007 年 4 月 27 日美国加利福尼亚州空气资源委员会(California Air Resources Board，CARB)根据调查举行公众听证会，批准"空中传播有毒物质的控制措施(Airborne Toxic Control Measure，ATCM)"。2008 年 4 月 18 日《降低复合木制品甲醛排放量的有毒空气污物控制测量法规》(简记为 ATCM 法规)获得加利福尼亚州行政法规办公室的批准，成为加利福尼亚州法规，立即生效，并于 2009 年 1 月 1 日开始强制执行。ATCM 法规旨在减少在加利福尼亚州销售、供应、使用或制造的木质人造板及木质人造板制品中的甲醛释放量，其甲醛限量要求明显高于欧盟标准。据悉明尼苏达州、俄勒冈州将效仿实施 ATCM；甚至欧洲也将仿效。

ATCM 法规的相关内容。(a)适用范围。法规第 93120 章第 1~12 节是关于有毒空气控制测量来减少木质人造板中的甲醛释放量，其适用范围仅限于加利福尼亚州。ATCM 涉及的产品包括刨花板(PB)，中密度纤维板(MDF)、薄中密度纤维板(小于等于 8mm)、单板芯硬木胶合板(HWPW－VC)、复合芯硬木胶合板(HWPW－CC)。涉及的商业范围包括在加利福尼亚州销售、供应、使用或制造木质人造板及含有木质人造板产品的制造商、进口商、加工商、分销商和零售商。(b)甲醛释放量标准分两阶段实施。根据法规第 93120 章第 2 节，甲醛释放量标准归纳见表 5-2。(c)第三方认证要求。CARB 在全球范围内建立了独立的人造板认证分支机构，提供甲醛释放量检测和产品认证服务。对于人造板制造商而言，必须依据法规第 93120 章第 4 节(由 CRAB 承认的第三方认证机构通过的符合性认证)，必须符合法规第 93120 章第 2 节(符合甲醛排放量标准)。(d)测算方法及对含超低甲醛排放制造商的特殊规定。第三方认证进行人造板甲醛释放量测试时，主要方法为大气候箱法，次要方法有穿孔萃取法等。每年必须由第三方认证机构为其使用的每个测试实验室至少证明一次次要方法与主要方法的直接等效性。除了第三方认证外，CARB 制定了控制措施来允许制造商以较低频率测试其产品，数据合格后可申请无甲醛或低甲醛免认证。根据第 93120 章第 3 节 d 篇，针对胶合板的测试结果必须不超过第二阶段的排放标准；针对刨花板和纤维板的排放标准，则规定了目标值和上限值（表 5-3）。免认证有效期均为两年。（e）产品标签要求。符合甲醛释放标准的每块产品上必须明确贴标，标识至少包括以下内容：制造商的名称、生产批号和所生产的批量、符合排放标准的标志、CARB 批准的第三方认证机构编号。（f）延续销售的规定。在法规第 93120 章第 12 节附录 1 中，专门对制造商、进口商、分销商、零售商、加工商的延续销售进行了规定。人造板制造商在每个规定生效日期之后，延续销售的最长时间是 3 个月，进口商也是 3 个月，而分销商则是 5 个月，零售商是 1 年，加工商是 18 个月；成品的进口、分销、零售商的最长时间是 18 个月。

表 5-2   ATCM 法规的甲醛释放量限值   （单位：ppm）

阶段	代号	实施日期	单板芯硬木胶合板	复合芯硬木胶合板	刨花板	中密度纤维板	薄中密度纤维板
第一阶段	P1	2007 年 1 月 1 日	0.08	/	0.18	0.21	0.21
		2009 年 7 月 1 日	/	0.18	/	/	/
第二阶段	P2	2010 年 1 月 1 日	0.05	/	/	/	/
		2011 年 1 月 1 日	/	/	0.09	0.11	/
		2012 年 1 月 1 日	/	/	/	/	0.13
		2012 年 7 月 1 日	/	0.05	/	/	/

注：测量方法按 ASTM E 1333 — 96(2002)，以 ppm（百万分之一）作为单位，这是一种大型气候箱测试方法，与中国穿孔萃取法以 mg/100 g 为单位不同。

资料来源：中华人民共和国商务部．出口商品技术指南：木制品［R/OL］．［2013 – 05 – 10］．http：//sms. mofcom. gov. cn/article/zt_ jshfw/

表 5-3   刨花板、纤维板的超低甲醛释放量目标值和上限值   （单位：ppm）

	刨花板	纤维板	胶合板
甲醛释放（目标值）	0.05	0.06	0.05
甲醛释放（上限值）	0.08	0.09	—

注：测量方法按 ASTM E 1333 — 96(2002)，以 ppm（百万分之一）作为单位，这是一种大型气候箱测试方法。与中国穿孔萃取法以 mg/100 g 为单位不同。

ATCM 法规的认证分析。人造板甲醛释放量测试的主要方法有：（a）穿孔萃取法。测量人造板单位重量中的甲醛释放量（mg/100g）。方法：钻孔取试样，经苯溶剂萃取试样的甲醛，用滴定法确定萃取液中含有甲醛的量，再与取定的试验重量比。主要适用对象：中密度纤维板、刨花板。（b）干燥器法。测量人造板在封闭干燥器中释放并溶解在一定量水中的甲醛重量与相应溶液重量的比值（mg/L）。方法：取一定尺寸、一定数量的人造板模块，24 天后用红外分光光度仪测试。主要适用对象：胶合板、细木工板。（c）气候箱法。测量人造板在一定尺寸（$1m^2$）气候箱中的甲醛释放量（mg/m^3）。方法：一定尺寸（$1m^2$）、恒温恒湿内部空气循环系统的气候箱，反复抽取空气，并经一装有水溶液的试管过滤，求得溶液中甲醛的含量，再求出各种人造板甲醛释放量。目前，绝大多数国家采用穿孔萃取法和干燥器法，美国主要采用大气候箱法。为了便于比较，北美人造板制造商协会副主席 Chris Leffel 提供了穿孔萃取法测定值（Y）与美国大气候箱法（X）换算的经验公式，$Y = 29.332 X + 4.2569$；日本干燥器法测定值（Y）与美国大气候箱法（X）换算的经验公式，$Y = 7.0309 X + 0.1021$。

欧美计算标准差异：欧洲标准采用穿孔萃取法。欧洲标准与美国 ATCM 甲醛释放标准比较见表5-4。从表5-4可以看出，美国 ATCM 实施的第一阶段（P1）标准，对刨花板和中密度纤维板而言，低于欧盟 E1 标准；但是对胶合板而言，高于 E1 标准。美国 ATCM 实施的第二阶段（P2）标准，对刨花板、纤维板而言，甲醛释放标准比其 P1 阶段分别提高了 27% 和 28%，比欧盟用 EN717－1 方法测定的 E1 级提高许多；就胶合板而言，明显比 E1 标准高。当然，美国和欧盟采用的方法不同，根据经验公式，各测算值在单位转换过程中会存在误差，会间接影响甲醛排放量的值。

表 5-4　欧洲 E1 标准与美国 ATCM 法规的甲醛释放标准比较　　单位：mg/100g

阶段	代号	实施日期	胶合板		刨花板		中密度纤维板	
			美国 ATCM	欧盟 E1	美国 ATCM	欧盟 E1	美国 ATCM	欧盟 E1
第 1 阶段	P1	2007 年 1 月 1 日	6.6	8.3	9.5	8.3	10.4	8.0
		2009 年 7 月 1 日	6.6	8.3	9.5	8.3	10.4	8.0
第 2 阶段	P2	2010 年 1 月 1 日	5.7	8.3	9.5	8.3	10.4	8.0
		2011 年 1 月 1 日	5.7	8.3	6.8	8.3	7.4	8.0
		2012 年 1 月 1 日	5.7	8.3	6.8	8.3	7.4	8.0
		2012 年 7 月 1 日	5.7	8.3	6.8	8.3	7.4	8.0

注：该表数据来源于 CARB 法规，根据 Chris Leffel 提供的穿孔萃取法测定值（Y）与美国大气候箱法（X）换算的经验公式 $Y = 29.332X + 4.2569$ 换算得出。

中美计算标准差异：2001 年 12 月，中国颁布《室内装饰装修材料人造板及其制品中甲醛释放限量》（GB18580—2001），对甲醛释放量作了强制规定（归纳见表5-5），相关产品若达不到要求，自 2002 年 1 月 1 日起禁止在市场上销售（张运明、曾灵、陈文渊等，2006）。与 GB/T 11718 —1999 相比，GB18580—2001 标准明显提高了，但是仍跟不上形势的发展，与国外标准相比依然差距甚大。目前中国一些企业自发采用 E0 级标准（E0 并非国家强制标准），其游离甲醛含量≤0.5mg/L，而日本的 E0 级标准则是 ≤0.3mg/L（干燥器法），美国的 E0 级标准则是≤0.4mg/L。可见中国的标准仍相对较低。市场调查显示，E0 是企业自发采用的标准，E1 也有一些国内大品牌产品能达到。据估计，目前中国 E1 级产量还不到人造板总产量的一半，E0 级产量更是少之又少。日本的标准很早就被认为是中国木地板出口日本的最大障碍。前几年欧盟已废除 E2 级，又把原 E1 级从 9mg/100g 改为 8mg/100g。这些都有可能成为中国人造板行业出口瓶颈之一（张运明、韦淇峰，2010）。中美甲醛排放计算标准比较见表 5-6（张运明，2005）。从表 5-6 可以看出，美国 ATCM 实施的第一阶段（P1）标准，对刨花板和中密度纤维板而言，低于中国 E1 标准；但是对胶合板而言，比中国 E1 标准高。美国 ATCM 实施的第二阶段（P2）标准，均明显比中国 E1 标准高。当然，美国和中国采用不同的方法，根据经验公式，各测算值在单位转换过程中会存在误差，也间接影响甲醛排放量的值。

表 5-5　中国国内人造板甲醛释放标准

产品名称	实验方法	限量值	限量值标准
纤维板	穿孔萃取法	9.0mg/100g	E1
		30mg/100g	E2
刨花板	穿孔萃取法	9.0mg/100g	E1
		30mg/100g	E2
胶合板	干燥器法	1.5mg/L	E1
		5.0mg/L	E2
人造板	气候箱测试法	0.12mg/m³	E1

注：数据来源于国家标准 GB18580—2001《室内装饰装修材料人造板及其制品中甲醛释放限量》，E1 为可直接用于室内的人造板，E2 为必须饰面处理后允许用于室内的人造板。

表 5-6　中国国内甲醛排放标准与美国 ATCM 标准比较　　　　单位：mg/100g

阶段	代号	实施日期	胶合板		刨花板		中密度纤维板	
			美国	中国(E1)	美国	中国(E1)	美国	中国(E1)
第 1 阶段	P1	2007 年 1 月 1 日	6.6	10.0	9.5	9.0	10.4	9.0
		2009 年 7 月 1 日	6.6	10.0	9.5	9.0	10.4	9.0
第 2 阶段	P2	2010 年 1 月 1 日	5.7	10.0	9.5	9.0	10.4	9.0
		2011 年 1 月 1 日	5.7	10.0	6.8	9.0	7.4	9.0
		2012 年 1 月 1 日	5.7	10.0	6.8	9.0	7.4	9.0
		2012 年 7 月 1 日	5.7	10.0	6.8	9.0	7.4	9.0

注：该表数据来源于 CARB 法规，根据 Chris Leffel 提供的穿孔萃取法测定值（Y）与美国大气候箱法（X）换算的经验公式 $Y = 29.332 X + 4.2569$ 换算得出。

②美国《复合木制品甲醛标准法》。2010 年 7 月 7 日，《复合木制品甲醛标准法》（Formaldehyde Standards for Composite Wood Act，S. 1660）由美国总统签署正式成为美国法律。该法基于美国家具用品联盟（AHFA）与 CARB 在 2007 年制定的 ATCM 标准。根据该法，《有毒物质

控制法》(Toxic Substances Controls Act，TSCA)应该做相应的修改。该法于 2011 年 1 月 3 日生效，适用于在美国供应、销售或制造的本国或进口硬木胶合板、中密度纤维板、刨花板及其制品。

（4）技术标准。美国有 400 多个行业协会、专业团体、政府部门制定技术标准，一些标准在国际上很有影响力。例如，美国试验与材料学会(ASTM)是世界上最大的制定自愿标准的组织，它制定的标准超过 11000 项。又如，美国标准学会(ANSI)根据美国国会授权，将其中一些行业标准、专业标准、政府部门标准上升为美国标准。此外，美国办公家具协会(BIF-MA)、美国防火协会(NFPA)和美国保险商实验室(UL)等标准组织也制定相应的标准，或被引用为美国国家标准(ANSI)。上述标准多数可在相关网站免费下载。

5.1.1.2　欧盟的碳技术法规、标识和标准

1985 年，欧盟理事会批准、发布了《关于技术协调和标准化新方法》，规定欧盟发布的指令是对成员国有约束力的法律，成员国需要制定相应的实施法规。只有涉及产品安全、工业安全、人体健康、消费者权益保护等内容时才制定欧盟指令。欧盟指令只规定基本要求，具体内容由基本技术标准规定。这些标准被统称为"欧盟协调标准"。欧盟技术标准分为欧洲标准和成员国标准两个层次，目前有 10 万多项，很多是推荐性的，但是众多欧洲消费者喜欢符合这些标准的产品，因此，进口商品也只能尽量满足相关标准要求。

欧盟技术法规的主体由新方法指令和旧方法指令构成。在林产品中，涉及安全的主要指令包括：《通用产品安全指令(2001/95/EC)》，也称 GPSD 指令，是为了弥补欧盟各国有关消费者安全保护方面法规的差异性，确保投入市场的产品的安全性而对 92/59/EEC 指令的修订；《建筑产品安全指令(89/106/EEC)》《针对甲醛的欧盟 93/68/EEC 指令》《挥发性有机化合物指令(1999/13/EC)》《有害物质限制指令(76/769/EEC)》及其一系列的修订和补充，对产品所使用的油漆等物质中可能含有的限用物质进行规定；化学品注册、评估、许可和限制制度(REACH 法规)(欧盟 1907/2006 条例和 2006/121/EC 指令)等。

（1）欧盟 REACH 法规。该法规于 2007 年 6 月 1 日正式实施，对进入其市场的所有化学品进行预防性管理，这意味着外国企业向欧盟出口化学品及其下游产品，必须通过欧盟境内的生产商或者进口商进行注册，否则将被迫退出欧盟市场。REACH 法规还规定了严格的检测程序和高昂的检测费用，这些费用全部由企业承担。据欧盟估算，每种化学品的基本检测费平均 8.5 万欧元，每种新化学品的检测费平均 57 万欧元。另外，针对挥发性有机化合物(VOC)，在 1976 年欧盟合作行动的第 18 号报告的基础上，由英国标准协会(BSI)的 CEN/TC134 制定了 prEN TC134N1113 文件，后来被国际标准化组织采用，成为 ISO/TC 219N135 标准。

（2）欧盟《关于限制经过砷防腐处理的木材进入市场的指令》(2003/2/EC 指令)。该指令于 2003 年 1 月 6 日通过，明确了从 2004 年 6 月 30 日起，输往欧盟的木材及木制品除 CCA(加铬砷酸铜)外，不得使用其他含砷防腐剂。凡是用 CCA 进行防腐处理的木材及木制品，在投放市场前，需加贴标签"内含有砷，仅作为专业或工业用途"，即不得用作居家结构材料等。

（3）欧盟的人造板 CE 标准。CE 认证标志，属于欧盟市场的强制性安全认证标志，本土或进口生产的产品，在欧盟市场流通就必须加贴 CE 标志，以表明产品符合欧盟《技术协调与

标准化新方法》指令的要求。CE 是从法语"Communate Europpene"缩写而成，意为欧洲共同体。事实上，CE 还是欧洲许多国家语种中，"欧共体"一词的缩写。CE 还代表"欧洲统一"（CONFORMITEE EUROPEENNE）或"符合欧洲（要求）"（CONFORMITY WITH EUROPEAN（DEMAND）。从 2004 年 4 月 1 日起，欧盟以外国家生产并在欧盟地区销售的人造板产品需要实行 CE 认证，采用欧盟标准，EN 13968 是欧盟认证的标准。欧盟人造板的标准和中国国家标准有相同之处，也有众多差别。同时，CE 认证重视工厂质量控制，而不是送到质检部门进行外部检验。另外，在抽样数量和检验结果的表述方面，中国采用 GB 2828 抽样检验方案，而欧盟采用 EN 326 抽样标准；从抽样统计结果看，欧盟 EN 326 比中国 GB 2828 的置信概率高；从检验结果看，欧盟 EN 326 标准除算术平均结果外，更注重标准差和板内及板间差。

（4）欧盟的生态标签（Eco - label）。2009 年 11 月 26 日，欧盟通过了"关于建立对木质地板覆面授予欧盟生态标签的生态标准的决议"（2010/18/EC）、"关于授予木制家具欧盟生态标签的生态标准的决议"（2009/894/EC），将木地板和木家具纳入生态标签制度。欧盟的生态标签制度起源于 1992 年通过的 EEC880/92 号条例的"生态标签体系"，2000 年通过的欧盟 1980/2000 号条例进一步修改和补充，允许贸易商和零售商为自己品牌的商品申请生态标签，标签图案像一朵绿色小花，故又名"欧洲之花"，加贴生态标签的产品被称为"贴花产品"。作为欧盟规定的一种自愿性产品标签体系，生态标签是一个门槛较高的"绿色壁垒"，是欧盟可持续消费和生产行动计划的重要组成部分。2010/18/EC 涵盖"木地板覆面"产品组，是指在产品中超过 90% 的质量由源于木、木粉和/或以木/植物为基础的材料构成的原木覆面、层压地板、软木覆面板及竹地板。欧盟有些成员国使用不同于欧盟统一规定的"生态标签"，例如德国的"蓝天使"标志、北欧诸国的"天鹅"标志。2000 年欧盟在生态标签补充条例中规定，成员国可以制定本国的生态标签体系，但是产品的选择标准、生态标准应该与欧盟生态标签体系一致。如果企业已经获得 ISO14001 认证或 EMAS（欧盟生态管理及审计体系）认证，则更容易申请到生态标签，还可以获得 25% 的标签使用费减免。ISO14001 认证或 EMAS 侧重于对企业生产的环保要求，而生态标签则关注企业某一特定产品的环保标准。

5.1.1.3　日本的碳技术法规、标识和标准

日本于 1950 年颁布《建筑基准法》，2003 年 7 月 1 日修改该法，对建筑物防震、材料、环境和环保等作了详细规定。由于林产品涉及濒危物种，还需遵守《华盛顿公约》和《濒危野生动植物种国际贸易公约》（CITES）。此外，视产品，还需遵守《家居用品质量标签法》、《消费品安全法》（PSC）、《工业标准法》（JIS 体系）和《农业标准化管理制度》（JAS）等。

日本还有针对甲醛的 JAS - JPIC - EW - SE00 -01 等标准，针对有机挥发物（VOC）的 JIS A1901：2003 等标准。

5.1.1.4　其他规定

（1）植物检疫措施国际标准第 15 号（ISPM 15）。为控制入侵虫害的蔓延，2002 年《国际植物保护公约》植物检疫措施临时委员会对国际贸易中包装用木材制定了《植物检疫措施国际标准第 15 号》（ISPM 15）。截至 2006 年 1 月，执行此项标准或正在按照 ISPM 15 制定国家标准的有欧盟及其他 20 多个国家，其中包括使用包装用木材的主要工业产品出口国和进口国。

（2）回收或再生纸类产品环保标签标准。表 5-7 显示了一些国家回收或再生纸类产品环

保标签标准(于宁，2012)。

表 5-7　一些国家回收或再生纸类产品环保标签标准

国家	纸浆来源	原料质量或特性	限用或禁用物质	其他要求		
				废水	制程	环境负荷
德国	100% 废纸	符 合 1，2，5 级	甲醛、五氯酚、氯丙醇、荧光剂、染料/色料、双氨染料、乙二醛			
美国	100% 废纸	20% 为消费后	染料/色料、香料、油墨		漂白、去油墨不得使用氯	
加拿大	人工林					能源消耗 + 固废 + COD + TEFsub 总量限制
日本	100% 回收浆		荧光增白剂、双氨染料			
新西兰	100% 回收浆	50% 为消费后，人工林需有验证	染料/色料/涂料、界面活性剂、清洁剂、杀菌剂、消泡剂、乙二胺四乙酸(EDTA)	废水、空气、废弃物管理，污染改善计划		能源管理(含 CO_2 减量)
北欧国家			香料、有害物质甲醛、乙二醛、含氯有机物	废水、空气		能源消耗

资料来源：于宁. 亚洲地区绿色采购政策与活动. 中国台湾绿色采购联盟，环境与发展基金会。

　　总之，目前各国相互效仿，涉林碳技术法规、标识和标准的形式愈加繁多，要求越来越高。取得碳标识意味着取得了进入实施碳标识制度国家市场的"通行证"，但碳标识的标准严格、认证程序复杂、手续繁琐，往往会增加生产和交易成本，也为一些国家制造"绿色技术性贸易壁垒"提供了借口。

5.1.1.5　技术性贸易壁垒及其评判标准

　　近年来，经济学界对技术法规和标准对国际贸易造成的障碍进行了模型化评估(包括规则保护模型、供给变化模型和需求变化模型等)。尽管各个分析模型很难精确地量化技术法规和标准的差异对国际贸易造成的障碍，但是，最显而易见、最主要的障碍是出口国出口商和生产商因遵守进口国的技术法规和标准而导致的产品成本升高。

　　由于技术法规是强制性遵守的，进口产品如果不符合进口国技术法规的相关要求，将不能进入进口国市场；标准虽然是自愿遵守的，但是，如果进口产品不符合进口国相关标准，其竞争力和市场份额将受到非常不利的影响。所以，要使产品合法进入进口国市场并占有一席之地，出口国生产商、出口商须使该产品符合进口国相关的技术法规和标准。由此产生的成本主要包括两个方面：①一次性发生的产品重新设计以及建立相应管理体系的成本；②重复发生的维持产品质量监控的成本以及确定是否符合进口国的技术法规和标准的检验、鉴定的成本。换句话说，上述成本一类是因采取相应措施以使进口产品符合进口国的技术法规和标准而产生的成本；另一类是评定进口产品是否符合进口国技术法规和标准而产生的成本，也即合格评定的成本。

由此，出口国和出口国生产商面临着两种选择：是花费巨额成本建立面向国际市场的生产平台，在此基础上经过轻微调整就能符合特定出口市场的技术要求；还是建立面向国内市场的生产平台，在此基础上耗费很大成本做相应调整以符合出口市场的技术要求。前一个策略经常为发达国家以及实力雄厚的大公司所采用；而发展中国家和小公司由于资金、技术等掣肘因素不得不选择后者。这就使发达国家和发展中国家的产品之间、大公司和小公司的产品之间存在着不同的竞争力。上述成本在很大程度上抬高了进口门槛，削弱了进口产品的市场竞争力，甚至使外国生产商或者出口商因为成本的提高、利润的降低而不愿出口（张江红，2013）。

（1）各国为消除技术法规和标准差异对国际贸易造成的障碍所做的努力。各国以及区域性经济合作组织纷纷制定同一技术法规和标准（Harmonization）或者互相承认协议（MRA，Mutual Recognition Agreement）。尽管同一技术法规和标准以及互相承认协议对国际贸易起到了积极的促进作用，但是，如果缺乏相关的国际准则，仍有可能出现制定技术法规和标准的目的仅仅是为了保护本国产业的情况，尤其是在关税壁垒逐步消除的背景下。为了避免技术法规、标准以及合格评定程序的制定和实施给国际贸易造成不必要的障碍，关税与贸易总协定（GATT）及世界贸易组织（WTO）开展了一系列的谈判并达成了技术性贸易壁垒协议。GATT1947 仅在第 3 条、第 1 条和第 20 条概括性地提及了技术法规和标准。1994 年乌拉圭回合议定的技术性贸易壁垒协议（TBT）明确规定了为使技术法规、标准以及合格评定程序不给国际贸易造成不必要的障碍，各缔约方应有所为有所不为。不为应所为，为所不应为，都可能给国际贸易造成不必要的障碍。

（2）技术性贸易壁垒的评判标准。如何判断一国在制定、批准和实施技术法规、标准和合格评定程序时的相关措施构成了技术性贸易壁垒，从而给国际贸易造成了不必要的障碍，是问题的关键。总的来说，如果存在以下情况，则可以认为技术法规、标准以及合格评定程序限制了贸易，给国际贸易造成了不必要的障碍：其采用及其实施仅仅是为了增加成本。比如，在进行合格评定时迟延检测或者主观地收取额外费用；如果技术法规和标准规定的水平高于达到某一特定的政策目标所需的必要程度，通过牺牲国内产品利润以减损进口产品的利润，则可能有贸易保护的目的；如果其在适用时或者对国内产品和进口产品发生影响时有所区别，那么，区别的差额部分即是不必要的保护；是否在所有可行的备选方案中选择了对贸易造成最小障碍的技术法规、标准以及合格评定程序。

①技术法规不应给国际贸易造成不必要的障碍。具体地说，为了确保技术法规不给国际贸易造成不必要的障碍，TBT 第 2.1、2.2 条规定了以下原则：（a）各成员方在执行技术法规时不应因原产地不同而对进口产品有所区别（最惠国待遇原则）；（b）不应给予进口产品低于国内产品的待遇（国民待遇原则）；（c）应基于相关的科学和技术信息；（d）不以给国际贸易造成"不必要的障碍"的方式制定和实施。

同时，TBT 还明确规定了制定技术法规时应遵循的指导方针。TBT 第 2.2、2.3、2.4、

2.5 条规定，如果制定技术法规时同时符合以下情况，则不应认为技术性法规对国际贸易造成了不必要的障碍：（a）采用技术性法规的目的是为了达到正当的目标。这些正当目标包括：国家安全的要求，防止欺诈行为，保护人身健康和安全，保护动物、植物的生命和健康，保护环境；（b）技术性法规和标准基于国际标准。如果认为国际标准不存在或者国际标准不合适，则制定的技术性法规不应比实现上述正当目标的必要程度更严格，并且考虑了不能实现上述目标所产生的风险。

根据 TBT 的相关规定，判断一个不以国际标准为基础的技术性法规是否对贸易造成了不必要的障碍，首先看该法规要达到的目标。如果制定该法规的目标是上述正当目标之一，那么，下面要做的是审查该法规规定的技术标准是否比达成上述目标所要求的技术标准的必要程度更严格，并且，如果采用一个不如该法规严格的法规，则存在着不能实现上述正当目标的风险。在评估不能实现上述目标的风险时，应考虑的因素有：（a）已有的科学和技术法规；（b）相关的加工生产技术；（c）该产品预计的最终用途。

②标准不应给国际贸易造成不必要的障碍。如果各成员方之间自愿采用的标准差异很大，那么，自愿采用的标准也可能会对国际贸易造成很大的障碍。为了协调各国在制定标准时尽量一致或者相似，TBT 第4.1 条规定，各成员方须保证其中央政府标准化机构接受并遵守协议附件三中的制定、采用和实施标准的良好行为规范（code of good practice for the preparation, adoption and application of standards）。它们应采取能够采取的适当措施确保其境内的地方政府和非政府的标准化机构以及它们参加的或其境内有一个或者多个机构参加的区域性标准化组织，接受并遵守良好的行为规范。此外，成员方不得采取直接或者间接导致要求或鼓励这些标准化机构违反良好行为规范的措施。无论标准化机构是否接受良好行为规范，确保其境内的标准化机构遵守良好行为规范是各成员方的义务。

该规范要求：（a）在标准方面，各标准化机构应给予原产于 WTO 其他任何成员方境内产品不低于给予本国同类产品以及原产于其他任何国家同类产品的待遇（D 条）；（b）各标准化机构应保证不制定、不采用以及不实施在目的上或效果上给国际贸易造成不必要障碍的标准（E 条）；（c）当国际标准存在或者即将制定完毕时，各标准化机构应当以它们或者其相关部分作为制定相应标准的基础，除非它们或者相关部分由于保护力度不够、基本的气候、地理因素或者基本技术等原因而收不到效果或者不合适（F 条）；（d）为了使标准在尽可能广泛的基础上协调一致，各标准化机构须以适当的方式在资源允许的条件下，充分参与有关国际标准化机构有关它们已采用或准备采用的某种产品标准的制定工作（G 条）；（e）各标准制定机构应尽可能基于性能方面的产品要求而非对描述性特征的设计方面的产品要求制定标准（I 条）；（f）各标准化机构应至少每 6 个月公布一次工作计划，包括其名称、地址、正在制定的标准以及以前采用的标准（J 条）；（g）在采用一个标准之前，标准化机构应留出至少 60 天的时间让世界贸易组织其他成员方境内的利害关系方对标准草案提出意见（L 条）；（h）标准化机构在对此标准做进一步的处理时，应考虑在征询意见期间收到的意见，对已接受本良好行为规范的各标准化机构提出的意见，应尽可能快地给予答复，答复内容必须包括该标准有必要偏离有关国际标准的原因（N 条）。

如果某国制定、实施标准时违反了上述规定，给国际贸易造成了不必要的障碍，其他成员方的生产商或者出口商可以根据相关国内法的规定，请求国内救济；或者依据 WTO 相关争端解决的协议，请求本国政府与制定规范的成员方进行磋商以至启动争端解决程序。

③合格评定程序不应给国际贸易造成不必要的障碍。

TBT 第 5 条规定：（a）制定、采用和实施合格评定程序时，给予进口产品的待遇不应低于给予原产于国内产品的待遇；（b）经要求，应该提供给外国供应商有关评定期间的信息，以及评定供货商要出口的产品是否合格所要求的信息；（c）向外国供应商收取的任何费用与评定国内产品合格时收取的费用相比是公平的；（d）合格评定程序中所用的设备的地点以及样品的抽取不应给外国供应商及其代理人带来不必要的不便；（e）应在合格评定程序中设立复审程序审查对该程序的投诉。

5.1.2　碳关税

5.1.2.1　国际碳循环

通过国际贸易等途径，碳在国际间进行大循环，形成巨大的国际碳流（图 5-1）。其中，中国扮演着重要的角色，是隐含碳出口大国。中国出口贸易的隐含碳主要流向了欧盟、美国等主要贸易伙伴。这样的贸易和碳排放格局，使欧美避免国内碳排放量的增加，而中国则因出口导致国内温室气体排放量大增，不得不面临巨大的减排压力。例如，SHUI B 和 HAR-RISS R C（2006）的研究表明，1997～2003 年美国从中国大量进口而减少了碳排放。谢来辉（2008）采用投入产出法，根据行业能耗强度的大小，选取 8 个代表性能源密集型行业，测算中国对欧盟贸易的隐含能源，结果表明：金属制品业、化学原料及制品制造业以及非金属矿物制品业出口占比较大，这些行业的隐含能源占比也较高；有色金属矿采选行业、黑色金属与有色金属冶炼及压延加工业、造纸及纸制品业虽然贸易份额不大，但隐含能源却非常可观。WEI Qiu 和 KITSON L 等人（2011）的研究认为，欧盟、美国分别是中国商品的第一和第二大出口市场，2009 年对欧盟的出口额占中国商品出口总额的比重达 20%，基于生命周期评价法计算，对欧盟出口的隐含碳排放占当年中国出口隐含碳排放总量的 13%；2009 年对美国出口额占中国商品出口总额的 18%，按照生命周期评价法计算，对美国出口货物隐含碳占当年中国出口货物隐含碳的 12%。

图 5-1　国际贸易隐含碳流图示

资料来源：于玲玲. 碳关税对中国出口贸易的影响及对策研究[D]. 沈阳：辽宁大学，2012：110.

5.1.2.2　碳关税动态

目前，发达国家，尤其美国和欧盟正在努力实现碳关税合法化，声称要征收碳关税。发展中国家存在被迫接受碳关税的可能性。

(1)美国。在碳关税问题上表现最为积极。

①法案。美国多个法案涉及边境调节措施，包括 S.1766(2007 年 7 月)、S.2191(2007 年 7 月)、S.3036(2008 年 5 月)、H.R.6186(2008 年 6 月)、H.R.6316(2008 年 6 月)和 H.R.2454 (2009 年 6 月)和《美国电力法案》(草案，2010 年 5 月)。其中，有 3 部影响力巨大(朱鹏飞，2011)。其一，2008 年 5 月提出的《利伯曼—沃纳气候安全法案》(S.3036)①②。其二，由众议院议员克里斯多佛·范·霍伦于 2009 年 4 月 1 日在众议院提出的《碳排放上限和红利法》(H.R.1862)③。其三，由众议院议员亨利·韦克斯曼和爱德华·马基提出，2009 年 6 月 26 日众议院通过的《美国清洁能源与安全法案》(H.R.2454)，授权总统在不迟于 2018 年 1 月 1 日之前作出如下判断：遵守美国 CAT 是否会继续造成国内生产和就业的下降以及未实行减排国家温室气体排放的增加？由此决定是否采取边境调节措施④。在这 3 部法案中，边境调节措施一般包含适用的国家、适用的产品、计价方法等 3 方面。

②动态。2010 年 5 月 12 日，在美国参议院听证会上，约翰·克里(John Kerry)和乔·利伯曼(Joe Lieberman)提出了参议院版气候法案草案。草案发布后，奥巴马总统发表声明对该法案予以支持。该草案包含了碳关税条款，即"如果与美国高能耗行业存在竞争的国家到 2025 年仍没有达到美国的能效或减排要求，则美国将从那时候开始对相关产品的进口征收边境调节税"。

③目的。这些法案，不仅保护气候安全，也开始兼顾其他政策目标，出发点和动机基本相同，即将外国产品因不受减排约束而获得的额外优势抵消，以保护美国产业的国际竞争力。《利伯曼—沃纳气候安全法案》适用的产品范围和国家范围都比较有限，有明确地确定进口产品碳排放配额价格和数量的计算方法，规定的各项参数非常具体，可操作性强。例如，确定了判断是否对一国的产品采取边境调节措施的办法：是否具有相同的效果由国际气候变化委员会来确定，要求该国所削减的温室气体量的百分率等于或高于美国的水平；如果难以确定削减百分率，国际气候变化委员通过评估该国所采取的削减温室气体排放的绿色技术、该国所执行的削减温室气体排放的规制项目，来确定该国采取的减排措施是否与美国采取的减排措施具有可比性。而《碳排放上限和红利法》和《美国清洁能源与安全法案》的产品范围、国家范围都有所扩大，进口产品的碳排放配额价格和数量的计算不甚明确，执行人员的自由裁量权和操作余地更大，为贸易保护主义预留了更多的空间。因此，这 3 个法案对须支付的进口费用计算方法各不相同，但都希望保证美国产品的竞争力。《碳排放上限和红利法》和《美国清洁能源与安全法案》的规定相对笼统。

---

①　[2010 − 12 − 09]. http：//www. govtrack. us/congress/billtext. xpd? bill = s110 − 3036.

②　[2010 − 12 − 16]. http：//www. pewclimate. org/docUploads/L − Wonepager. pdf.

③　Cap and Dividend Act of 2009, H. R. 1862, 111th Cong. §9902(b)(2)(B).

④　American Clean Energy and Security Act of 2009, H. R. 2454, 111th Cong. §767(b)(2).

我们不难发现，"碳关税"是美国的一个威慑策略，是推行新能源技术、发展新能源产业的谈判工具，其实质目的如下：(a)迫使以中国、印度为代表的新兴经济体实施强制减排承诺；(b)保护本国产业竞争力，降低出口国竞争优势。从美国政府与国会对碳关税的态度来看，最终碳关税成为美国贸易措施的一部分将不可避免。由于美国的国际地位，其碳关税的相关论调和举措在世界范围内掀起风波，引起各国的普遍关注。

(2)欧洲国家。与美国遥相呼应的是法国，甚至在碳关税实施计划上走在美国前面。在第 12 届联合国气候变化大会上，法国建议"对没有签署后《京都议定书》减排目标和义务的国家的工业产品出口征收额外关税(extra tariff)"。其主要目的有二：其一，在欧美贸易中保持本国竞争力，矛头实指美国，要因是美国没有征收碳税，而欧盟国家多征收碳税，在欧洲没有实施一定的减缓或补偿措施条件下，碳税征收将对那些能源密集型部门产生不利影响，使其降低甚至失去竞争力；其二，在当时气候谈判格局下，"碳关税"成为"要挟"美国签署《京都议定书》的博弈筹码。2009 年 9 月，萨科齐在联合国气候大会上鼓吹设立欧盟碳税边界机制，对来自"污染国家"的产品征收关税。法国国民议会和参议院于 2009 年 10 月和 11 月先后投票，通过了从 2010 年 1 月 1 日起在法国国内征收碳税的议案，标准为化石能源每排放一吨二氧化碳征税 17 欧元；并将考虑对一些发展中国家出口产品征收"碳关税"。2010 年 1 月，萨科齐特别提出，2010 年法国将继续推动设立欧盟碳关税，以加强针对"环境倾销"行为的斗争。2010 年 4 月 15 日，萨科齐与贝卢斯科尼联名致信欧盟委员会主席巴罗佐，呼吁对欧盟外生产的不符合其碳排放标准的产品在进入欧盟时收取补偿金，并以此手段促进欧盟以外国家采取积极措施减少二氧化碳排放量。这一提议被纳入欧盟审议范畴，并得到了比利时、荷兰、丹麦等国政界人士的响应和支持。作为碳关税的前期准备，许多发达国家都开始在国内征收碳税。

(3)发展中国家。在碳关税问题上缺少反制措施和话语权。①由于经济和技术制约，发展中国家的产品普遍达不到发达国家的碳排放标准。同时，许多发展中国家产品对发达国家市场依赖性很大，对碳关税并没有足够的制约工具，即便在因反对发达国家碳关税而报复的贸易战极端情况下，受损也将远超过发达国家。显然，发展中国家在与发达国家的碳关税谈判中处于弱势地位。②发展中国家之间在碳减排和碳关税方面立场并不协调，这也在一定程度上制约了其话语权，主要原因有两点：一是发展中国家出口的所谓高碳产品普遍属于国际产业价值链低端产业，在发展中国家之间的替代率较强，再加上大多数发展中国家短期内又必须依赖这些产业发展，因此互相竞争现象不仅不可避免而且普遍存在；二是发达国家利用小岛国、非洲国家等对全球变暖的恐惧心理，分化发展中国家集团，造成发达国家、新兴发展中大国和发展中小国在气候变化问题上的对立局面，孤立发展中大国，进而削弱发展中国家整体的碳关税谈判能力。

由此可见，在碳关税问题上，发达国家将长期处于强势，其是否出台碳关税的核心考虑因素不在于担心发展中国家实施报复措施，而在于其国内政治经济利益需要。目前看，发达国家的主流政治力量均倾向于对未承担减排义务的国家实施碳关税，这预示着未来这些国家在碳关税问题上很可能达成一致立场，对进口产品联合采取边境限制措施，一种新的贸易保护措施将紧锣密鼓地出现在世界经贸舞台上。

5. 1. 2. 2　碳关税对世界经济的影响

发达国家出台碳关税的可能性很大，从以往经验看，WTO 在有关气候问题贸易争端的解决上一般难有作为，这一前景必然会给世界经贸带来诸多影响。

（1）战略性新兴产业将面临更为激烈的国际竞争。实施碳关税产生的倒逼机制，势必使低碳经济成为各国发展战略的主攻方向。作为低碳经济涵盖的范畴，以节能环保、信息技术行业、新能源、新材料、生物医药和生物育种等为主体的战略性新兴产业成为各国竞相发展的重点。目前大多数国家和地区都制定了清洁能源、信息技术、新材料、节能环保产业发展的鼓励政策，全力抢夺未来产业制高点和核心竞争力。在全球化的世界经济体系中，一国一旦在某一领域形成竞争优势，必然会依托这一优势制定有利于自身的行业标准、产品标准，塑造新的国际分工格局。占领低碳经济先机的发达国家更是有可能凭借先行者的产业优势对发展中国家形成制约，使之陷入"经济发展—能源短缺，气候变化—国际分工利益受损—发展受挫"的轨道。无论是发达国家还是发展中国家都认识到，在未来 20 年，如果不能迎头赶上低碳经济步伐，很可能在新一轮国际分工中被边缘化，成为国际规则的被动接受者，同时产业利益会被大量剥夺。因此，与低碳经济密切相关的战略性新兴产业将成为各国竞相发展和争夺的重点，争取国际资源的重点配置，获得高新技术，拓展新兴产业国际市场发展空间，将成为今后一段时期新兴产业的竞争重点，外部竞争压力巨大。

（2）国际贸易摩擦的数量和范围将不断扩大。在当前贸易保护主义抬头，全球反倾销、反补贴等贸易摩擦数量逐渐增加的形势下，再将碳关税纳入，配合技术性贸易壁垒、国内规章等与相关措施，将使国际贸易摩擦形势更加复杂和不可控。同时，碳关税征收无法确立一个统一的客观标准，例如在定义与进口产品"同类"或"竞争性"的国内产品、定量判断出口国与进口国减排措施差异等方面都没有统一标准，因此，碳关税的出台必然带有很强的随意性。只要是高碳产品，发达国家就有可能在宣扬"环境保护"的前提下，结合"两反两保"或技术性贸易措施，征收相应的惩罚性关税。即使进行相应调查，也会在调查结果出来之前障碍发展中国家的高碳产品出口。发达国家碳关税征收的易得性，将产生征收数量、产品和地区的扩散效应，而发展中国家如果采取报复措施，将造成愈演愈烈的国际贸易争端。胡国珠，张蕾（2010）基于经济学局部均衡理论研究也显示，进口国实施边境碳调节措施的贸易与环境效应具有不确定性，与进口弹性、出口企业执行碳排放标准的成本以及这一成本在生产成本中的比重有关，且该措施只针对进入该国市场的碳密集型产品而并没考虑到该产品生产过程中产生的全球外部性。因此，边境碳调节措施作为一项以环境保护为外衣的单边贸易措施，难以达到减缓全球气候变化的效果，反而会引发贸易摩擦。

（3）新兴经济体国家尤其是中国经济将受到严重冲击。值得注意的是，发达国家制造业所占比重低，经济主要以服务业为主，而服务业对能源的需求少，排放也较少；反之，许多发展中国家具有比较优势的是制造业，出口比重较大。因此，"碳关税"推行对发展中国家的出口和产业发展尤为不利（蓝庆新，2010）。首先，产品出口受阻，企业发展面临严峻挑战。一旦开征碳关税：一方面对于少数有能力达标的企业，因减排技术研发、设备投入的增加，产品价格上涨，价格优势削弱，出口减少；另一方面对于大部分企业来说，因资金、技术等方面的限制，产品碳排放不能达标，开征碳关税即意味着某国或某一地区市场的封闭。其次，产业链断裂，制造业受到冲击。碳关税虽然直接针对造纸、钢铁、水泥、化肥等产品，但是由于这些产品中包括塑胶、五金、电子零件、包装等材料，开征碳关税的危害将覆盖所有这些行业的上游供应商，甚至整个供应链。在碳关税开征前，发展中国家如果没有替代产业出现，而仅仅是单纯地淘汰现有的高能耗、高排放产业，会造成产业链断裂。

5.1.2.3　碳关税对中国的影响

目前中国面临碳关税的重压。美国是中国最大的单一国家出口市场，如果美国征收碳关税，必然使本已处在产业链低端、利润率不高的中国企业更加困难。欧盟也是中国出口重点地区，如果欧盟也效仿美国征收碳关税，那么中国贸易将雪上加霜。

表 5-8 和表 5-9 所示（王海鹏，2010），2003～2007 年中国碳排放强度大的行业，在出口总额中所占比例较低，而碳排放强度小的行业，在出口总额中所占比例较高。以 2007 年为例，电子通信设备制造业、电气机械设备制造业、纺织服装业和交通运输设备制造业在出口总额中占比较高，分别为 36.12%、7.83%、5.46%、5.22%；而这些行业的碳强度则相对较低，分别为 0.04、0.05、0.06、0.06。相对而言，木材加工业、造纸及纸制品行业出口占比相对较低，分别为 0.8% 和 0.7%，但是碳排放强度并不低，分别约为上述四个行业的 3～7 倍。2010～2011 年的数据显示，家具、玩具和杂项制品是中国出口美国仅次于机电产品的第二大商品，是中国出口欧盟仅次于机电产品、纺织品和服装的第三大产品。

因此，一旦遭遇碳关税，中国林产品出口贸易总体必然遭受巨大打击。

表 5-8　2003～2007 年中国各行业出口占出口总额的比重　　　　　　单位:%

行业	2003	2004	2005	2006	2007
煤炭采掘行业	0.48	0.48	0.42	0.30	0.22
石油、天然气开采行业	0.54	0.41	0.41	0.38	0.22
黑色金属采选行业	0.00	0.01	0.01	0.01	0.01
有色金属采选行业	0.07	0.08	0.14	0.11	0.09
非金属采选行业	0.13	0.13	0.09	0.06	0.05
其他采选行业	0.00	0.00	0.00	0.00	0.00
饮料加工制造业	0.29	0.23	0.22	0.25	0.24
食品制造业	0.88	0.77	0.79	0.81	0.78
食品加工业	2.45	2.37	2.22	2.14	2.00
烟草制造业	0.07	0.05	0.04	0.04	0.03
皮革毛加工制造业	4.61	3.89	3.58	3.22	2.97
纺织业	8.34	7.23	6.76	6.14	5.46
服装加工制造业	6.78	5.74	4.81	4.50	4.32
木材加工业	0.73	0.72	0.80	0.80	0.80

（续）

行业	2003	2004	2005	2006	2007
造纸及纸制品行业	0.73	0.56	0.64	0.70	0.70
印刷复印行业	0.35	0.35	0.29	0.29	0.28
文、教、体用品制造业	2.27	2.09	1.95	1.85	1.74
家具制造业	1.11	1.26	1.46	1.45	1.41
石油加工业	1.09	0.68	0.67	0.46	0.47
化学原料及制品制造业	3.16	3.07	3.22	3.12	3.34
医药制造业	1.09	0.90	0.88	0.87	0.87
化学纤维加工制造业	0.30	0.26	0.32	0.35	0.48
橡胶制品制造业	1.02	1.02	1.19	1.18	1.16
塑料制品制造业	2.86	2.63	2.61	2.51	2.39
非金属矿制品制造业	1.82	1.79	1.84	1.79	1.76
黑色金属压延业	1.24	2.32	2.36	2.98	3.31
有色金属压延业	1.28	1.34	1.36	1.78	1.47
金属制品业	3.70	3.93	3.67	3.57	3.76
普通机械制造业	3.00	3.17	3.44	3.63	3.79
专用设备制造业	1.31	1.29	1.54	1.77	1.95
交通运输设备制造业	3.49	3.48	3.83	4.50	5.22
电气机械制造业	6.97	7.41	7.61	7.47	7.83
电子通信设备制造业	31.78	34.84	35.73	36.14	36.12
仪器仪表制造业	3.29	3.18	2.96	2.87	2.85
其他制造业	2.75	2.31	2.10	1.94	1.90

资料来源：王海鹏. 对外贸易与我国碳排放关系的研究[J]. 国际贸易问题，2010(7)：3~8.

表5-9 2003~2007年中国分行业二氧化碳强度   单位：t CO_2/万元

行业	2003	2004	2005	2006	2007
煤炭采掘行业	1.67	1.23	0.86	0.57	0.47
石油、天然气开采行业	0.95	0.59	0.43	0.33	0.30
黑色金属采选行业	1.23	0.84	0.69	0.57	0.45
有色金属采选行业	0.73	0.59	0.43	0.32	0.25
非金属采选行业	1.17	1.00	0.80	0.64	0.49
其他采选行业	1.68	2.48	1.73	1.48	1.11
饮料加工制造业	0.24	0.24	0.21	0.17	0.14
食品制造业	0.28	0.26	0.23	0.19	0.16

（续）

行业	2003	2004	2005	2006	2007
食品加工业	0.19	0.16	0.14	0.12	0.10
纺织业	0.33	0.34	0.29	0.27	0.24
服装加工制造业	0.09	0.08	0.08	0.07	0.06
木材加工业	0.31	0.31	0.28	0.23	0.17
造纸及纸制品行业	0.70	0.71	0.57	0.49	0.38
文、教、体用品制造业	0.12	0.11	0.10	0.08	0.07
家具制造业	0.12	0.08	0.07	0.06	0.04
石油加工业	1.04	1.02	7.29	0.50	0.46
化学原料及制品制造业	1.39	1.19	0.99	0.86	0.72
医药制造业	0.27	0.22	0.19	0.16	0.13
化学纤维制造业	0.90	0.49	0.38	0.33	0.27
橡胶制品业	0.42	0.39	0.35	0.31	0.26
塑料制品业	0.20	0.21	0.21	0.18	0.15
非金属矿制品制造业	1.72	1.76	1.49	1.22	0.94
黑色金属压延业	1.77	1.37	1.26	1.20	1.00
有色金属压延业	1.15	0.85	0.66	0.48	0.43
金属制品业	0.32	0.27	0.25	0.22	0.18
普通机械制造业	0.20	0.16	0.14	0.12	0.10
专用设备制造业	0.17	0.18	0.15	0.12	0.10
交通运输设备制造业	0.11	0.11	0.09	0.08	0.06
电气机械制造业	0.08	0.08	0.06	0.05	0.05
电子通信设备制造业	0.05	0.04	0.04	0.04	0.04
仪器仪表制造业	0.09	0.06	0.05	0.05	0.04
其他制造业	0.70	0.53	0.41	0.32	0.24
汇总	1.03	1.16	1.05	0.73	0.57

资料来源：王海鹏. 对外贸易与我国碳排放关系的研究[J]. 国际贸易问题，2010(7)：3～8.

5.1.3　气候友好型补贴

为了履行其温室气体减排义务，加大对气候友好型产业的扶持力度，政府可以采取补贴措施，详见第 2 章相关分析。基于财政政策视角，主要国家应对气候变化的基本模式见表5-10。

表 5-10　主要国家应对气候变化的基本模式（财政政策视角）

国家	应对气候变化的基本模式
欧盟	协同运用各类经济政策手段，利用市场机制，构建最低成本的温室气体减排体系，实现已确定的各项减排目标。其中，《欧盟气候变化计划（ECCP）》统筹欧盟应对活动，并与《共同体环境行动计划》《欧洲框架计划》《欧盟可持续发展战略》《2010 年可再生能源欧洲共同体战略行动计划》（ALTENER）等配合实施；税收、收费及税收优惠措施；补贴、专用拨款及能效审计；政府采购政策
英国	建立了较完整的气候变化管理框架，并于 2008 年正式批准《气候变化法》。英国对节能问题非常重视，不仅将其作为能源战略的首要目标，更作为创新经济发展模式的重要内容。英国计划在 2020 年前为碳减排计划投入 1000 亿英镑，争取 2020 年前二氧化碳排放量比 1990 年减少 34%，2050 年前较少 80%
美国	政府的主要职责是补充市场机制，解决外部性，维护整体利益，调动各方力量应对气候变化。联邦政府重点关注气候变化科学研究与政策制定、可再生能源及其他能源科技开发利用、建立全球气候观测体系、强化资源管理等领域活动，并通过一系列财政政策措施予以推动。能源部（DOE）具体负责美国能源政策制定和执行，环保署（EPA）和联邦能源管理机构（FERC）辅助推动美国节能工作。普遍认为，美国联邦政府在气候变化问题上行动迟缓，资金投入有限，政策力度不足。地方政府在立法及政策方面进展较快，约 40 个州建立了温室气体报告制度，30 多个州设立可再生能源发展目标、制定了气候行动计划，超过 20 个州实施了排放贸易政策
日本	政府通过补贴、税收优惠、排放交易、信息服务、公众教育等措施，动员全社会相关利益方普遍参与，并通过开展"领跑者计划""自愿行动计划""清凉商务运动"等，推动技术创新，打造节能型经济结构，兼顾环境保护与经济发展双重目标
澳大利亚	于 1998 年 11 月公布了全国温室战略。2008 年，正式加入《京都议定书》，目标是到 2020 年将排放量在 2000 年水平减少 10%～25%，到 2050 年减少 90%。"澳大利亚温室办公室（AGO）"负责协调气候变化的国内政策并执行联邦政府的各种计划
印度	2008 年 6 月，印度颁布了首个《气候变化国家行动方案》，概述现有和未来减缓和适应气候变化的政策和计划，确定了 8 个核心应对气候变化"国家使命"。政府陆续出台了相关能源、交通政策
南非	2004 年，南非公布了国家应对气候变化响应战略，为政府公共部门及其相关执行机构应对气候变化问题制定了一个广泛的，涉及法律体制、资金机制、制度安排和机构设立、意识教育培训和能力建设以及技术研发和项目示范各个方面的行动框架。南非的代表性减缓政策包括改革和重组能源生产行业，引进水电和天然气以促进能源供应多样化发展，提高能源生产和高能耗行业的能源效率，以及发展可再生能源和核能等。虽然南非在应对气候变化问题上是较为活跃的发展中国家，但普遍认为，政府制订了雄心勃勃的计划，执行进程却比较缓慢
中国	政府采取了一系列的有效措施减少温室气体的排放：制定和完善节能环保法规和标准——颁布实施新修订的《节约能源法》《民用建筑节能条例》《公共机构节能条例》，发布了《火电等 22 项高耗能产品耗能限额强制性国家标准》等；加大经济结构调整——关停小火电机组、淘汰炼铁、炼钢、造纸等落后产能；落实节能减排目标责任制——国务院转发了《节能减排统计监测考核实施方案》和《办法》；加强节能减排技术开发、示范和推广；实施节能减排的重点工程等

应对气候变化，包括适应和减缓两个方面。减缓行动关乎各国在发展中保持竞争优势、争取发展空间，减排政策主要受特定的自然地理条件、要素禀赋、发展阶段、经济模式的影

响；适应行动与政策的紧迫性和力度受自然地理条件影响，同时也与一国经济发展阶段密切相关。

发展阶段对政策措施有影响。发展中国家，特别是新兴经济体国家，处在工业化高排放增长阶段，经济增长高度依赖传统能源消耗，很难立即采取大幅降低排放总量的减排、限排强制措施，主要以补贴、奖励等引导性政策措施为主。发达国家经济结构中服务业占很大比例，面临开辟新经济增长点的要求，同时占据科技优势，减排压力较小，减排积极性较高，政策引导与强制措施并重，推出了诸如碳税、气候变化税等力度大、影响面广的措施，英国还将减排目标结合预算案实施，全面推行碳减排。

发展阶段对政策重点也有影响。在发展中国家，工业部门、特别是能源部门是主要排放部门，交通部门、建筑部门排放比重较高，家庭所占比例相对较小，政策重点放在能源和工业部门。以南非为例，该国总排放量的一半出自公有公用事业 Eskom 公司，全国电力 95% 来自该公司，其中又有 90% 来自于煤电；另一个排放大户石油化工集团 Sasol 公司下属的 Se-cunda 煤制油（CTL）工厂是全球最大的二氧化碳单一排放者。因此，二者成为南非减排措施（包括财政补贴及税收优惠政策）的重点对象。发达国家交通部门排放占比明显增加，生活部门排放比例也随经济发展成熟程度显著提高，针对交通、建筑、家庭部门的减排措施比较多，如美国通过"能源之星"计划，在全社会大力推广"绿色家电"，加强建筑节能；欧洲各国普遍对节能型家用电器推广和使用给予现金补贴等。

受要素禀赋和能源消费结构制约，化石能源储藏和消耗量大且缺乏弹性的国家，如中国、美国、印度等国，在减缓行动方面难度比较大，财政政策在鼓励新能源开发利用的同时，特别重视现有能源体系的升级改造。另一些国家，如巴西，可再生能源资源丰富，实施减缓行动相对容易，代表性政策措施为鼓励乙醇燃料、生物柴油和甘蔗渣的生产使用，加强水电及其他可再生能源的电力开发，控制森林砍伐，增加天然气消费，提高车辆燃油效率等。欧洲国家技术先进，清洁能源占比较大，政府资金和政策除用于支持新能源、可再生能源研发和推广之外，还大量投入碳捕获与填埋等前沿技术的研发活动。

一些对气候变化极为敏感的非洲、亚洲、小岛和两极附近的国家和区域，愿意积极采取应对行动，特别是适应行动。例如，马尔代夫提出到 2020 年成为全球第一个实现碳平衡国家，并将在 10 年内大力发展可持续性能源，其中包括修筑人工岛、建设大型风力发电、太阳能发电等设施，等等。

此外，基于共同但有区别的责任原则，无论发达国家还是发展中国家都积极通过增加森林覆盖率来加大碳储存力度，同时发挥森林在环境保护、自然资源保育、生物多样性维系等方面的重要作用，从而最终解决全球气候变化和生态危机问题。许多国家政府一直就有提供林业补贴的做法。例如，为了促进森林可持续发展，同时使提供森林生态产品和服务的林农得到补贴与支持，欧盟在共同农业和农村发展政策的基础上开展了森林生态补偿措施。欧盟通过森林战略、共同农业政策与农村发展计划、交叉遵守政策等与"LIFE"环境财政工具的结合，形成了较为完善的森林生态补偿体系。其中，欧盟各成员国经常采用的森林生态补偿途径是通过消耗性支出，由政府对具有生态价值的森林进行经营和管理。

5.1.4　绿色采购政策

增加对气候友好产品的采购并不违反 WTO 的《政府采购协议》。许多国家纷纷制定绿色采购政策，众多行业协会、非政府组织和企业也纷纷推出非强制性的"负责任采购政策"或"绿色采购"措施，不断"绿化"企业的供应链。详见本书第 8 章相关内容。

5.2　WTO 林产品贸易争端

5.2.1　WTO 林产品贸易争端评述

很多林产品贸易争端寻求双边或在区域范围内解决，向 WTO 申诉的林产品贸易争端并不多，这与 WTO 争端解决机制(DSM)有很大关系。

(1)DSM 促进更多的争端按照多边原则解决，使 WTO 时期贸易争端数及解决效率较 GATT 时期高。

首先，DSM 的特点、原则、目标、规则、程序都较 GATT 时期有明显进步。从 WTO DSM 的运作情况来看，它在许多方面是对争端解决机制的补充和完善，并有所创新。因而，它在实践中积累了许多成功的经验：引入了强制管辖权原则、从"权力取向"向"规则取向"的转变、严格的时间限制、从全体一致通过机制到全体一致否决机制的转变、区分了违反之诉与非违反之诉等。DSM 管辖范围较宽泛；DSM 运作的原则和目标起了鼓励成员方申诉争端的作用；DSM 解决争端的方法也起了鼓励申诉争端的作用。DSM 解决争端的方法有政治(外交)、法律、经济等手段；WTO《关于争端解决规则和程序的谅解》(DSU)较为科学地规定了争端解决各阶段的时限，明确提高工作效率。

(2)DSM 不完善，使 WTO 时期同样问题一再引起争端。WTO 的争端解决机构(DSB)克服了 GATT 体制下缔约方全体的软弱性。但是 DSM 的作用有限，并不完善。对木材贸易而言，主要是裁决的执行问题不完善，具体分析如下。

磋商程序。在磋商中，讨价还价能力是主导因素，实力强者，磋商解决对其有利；实力弱者则受损失，即使通过裁决，对实力弱者造成的结果也是如此。因此，许多贸易争端是在 WTO 框架外解决的。

专家小组(panel)程序：在争端当事方之间的磋商未果或一方对磋商的请求未予答复的情况下，进入专家小组程序。对该程序，争议较多的是专家小组评审程序里的期间评审程序，有学者认为这一程序可能使败诉方的疑虑得以消除或者使败诉方的请求得以满足，并且这一程序还可用于消除报告中的模糊因素，使专家小组的观点更为明确清晰，但是它也可能起到相反的作用，包括可能导致专家小组软化其裁定，从而损及报告的确定性；有的学者认为该程序一无是处，它延长了争端解决的时间，并将争端当事方干预专家小组内部工作的行为法定化，而争端各方的观点还将被载入最后报告中，使最后报告的内容不平衡。

上诉评审程序：是多边贸易争端解决机制的重大完善，可以防止错案的发生，保证对有关协议规则的正确适用，明确解释有些较为模糊的法律规则。上诉评审程序的前提条件是争端当事方提起了上诉，只要有上诉，上诉机构就应立即开始工作。在有关当事方上诉只是为了拖延争端最后的结论或是为了回避实质性问题时，上诉行为都是可以成立的(缪东玲、李淑艳，2009)。与国际仲裁不同，DSM 的申诉方不能是成员方的企业，而是其政府；如果信息不畅通或效率不高，从事件发生到引起争端、要求 DSB 解决到争端解决，时间不会太短。

　　裁决的执行、补偿的执行和减让义务的中止：虽然 DSU 规定有裁决不予执行时的惩罚措施，但由于各成员方让渡给 WTO 的权利十分有限，因此 DSB 鼓励争端解决更多地利用磋商，而不是裁决；其次，裁决的执行如何确定也是一个问题。交叉报复也成为少数发达国家推行保护主义的借口；另外，有实力进行报复的总是那些发达国家，大国对小国的报复是很有威慑力的，而小国的报复对大国几乎不会造成什么影响，反而不利于发展中成员方。此外，实际上的"既往不咎"原则是某些成员方有恃无恐挑起争端的原因之一。

5.2.2　WTO 木材贸易争端分析

　　WTO 木材贸易争端案件共计 8 起，概况见表 5-11。

表 5-11　WTO 木材贸易争端概况

申诉时间 案件编号	被诉方	申诉方	事由	结果
1998 – 06 – 17 DS137	欧盟	加拿大	对原产加拿大的针叶材实施卫生与技术进口限制措施	经磋商解决
2000 – 05 – 19 DS194	美国	加拿大	美国对针叶材反补贴及 1930 年关税法 771(5)节	DSB 通过专家小组报告，加拿大的出口限制不构成补贴
2001 – 01 – 17 DS221	美国	加拿大	美国对针叶材反倾销、美国 URAA 第 129(c)(1)条及其所附的 SAA	DSB 通过专家小组报告，加拿大认为美国的做法与 GATT1994 第 6(2)、6(3)、6(6a)，ADA 第 1、9.3、11.1、18.1 和 18.4 条，WTO 协定第 16(4)条不一致不成立
2001 – 08 – 21 DS236	美国	加拿大	美国对特定针叶材反补贴初步认定	DSB 通过专家小组报告，认定在一定程度上美国违反了 SCM，使加拿大在该协议下的利益丧失或减损，要求美国改正
2002 – 03 – 06 DS247	美国	加拿大	对加拿大特定针叶材临时反倾销	经磋商解决
2002 – 03 – 03 DS257	美国	加拿大	对加拿大特定针叶材肯定性最终反补贴税决定	经磋商解决
2002 – 09 – 13 DS264	美国	加拿大	对加拿大特定针叶材产品反倾销最终决定	经磋商解决

（续）

申诉时间 案件编号	被诉方	申诉方	事由	结果
2002－12－20 DS277	美国	加拿大	对加拿大针叶锯材第四次调查	2004 年 3 月 22 日 WTO 通过了专家小组报告，认为美国肯定性损害终裁，违反 ADA 第 3.5 和 3.7 条，违反 SCM 第 15.5 和 15.7 条，建议美国改正。 第三方：中国、欧盟、日本、韩国。
2004－04－14 WT/DS311	美国	加拿大	美国商务部未确定每个出口商单独的最终反补贴税税率	经磋商解决

注：《关贸总协定 1994》（GATT1994）《补贴与反补贴措施协议》（SCM）《反倾销协议》（ADA）《世界贸易组织协定》（WTO 协定）。

资料来源：WTO. Index of disputes issues. [2013－05－01]. http：//www.wto.org/english/tratop_ e/dispu_ e/dispu_ subjects_ index_ e.htm#selected_ subject.

缪东玲. 美国反补贴反倾销交替引起木材贸易争端探究[J]. 北京：国际贸易问题，2003（9）：55~59.

WTO 木材贸易争端的特点如下。

（1）争端涉及的成员方、贸易领域、措施、协议都较集中。1998 年，双方磋商达成一致后，加拿大与欧盟的争端没有再发生。以后的木材贸易争端基本上都是加拿大和美国围绕反倾销和反补贴措施交替展开的，涉及《关贸总协定 1994》（GATT1994）、《补贴与反补贴措施协议》（SCM）、《反倾销协议》（ADA）、《世界贸易组织协定》（WTO 协定）。争端中涉及的第 3 方也集中，主要为欧盟、印度、日本、中国和韩国。

其中，WTO 的历次木材反补贴贸易争端，申诉方都是加拿大，争端更加复杂，见表 5-12 所示（缪东玲，李淑艳，2009）。

表 5-12　加拿大向 WTO 申诉的历次木材反补贴贸易争端分析

案件编号（名称）、简介	争论的主要问题	与 SCM 相关的 WTO 裁决摘要、专家组或上诉机构报告援引的主要条款
WT/DS 194（加拿大申诉美国将出口限制解释为补贴）2000 年 5 月 19 日加拿大要求磋商。2001 年 8 月 23 日通过专家组报告	①加拿大的出口限制是否构成 SCM 第 1.1（a）的间接补贴。②加拿大的申诉是否满足成立的条件，美国是否违反其 WTO 义务	专家组报告：①争端所定义的（加拿大的）出口限制不构成 SCM 第 1.1（a）（1）iv 项所指的财政资助。②美国进行行政措施陈述，对 771（5）（B）（iii）条的"实践""解释"，并非与 SCM 第 1.1 条不一致。对此加拿大没有主张，专家组不必要也不合适做出裁决。据 DSU 第 19.1 条，对美国在 SCM 和 WTO 协定下的义务没有建议 报告援引的主要条款：SCM 的第 1.1（a）

（续）

案件编号（名称）、简介	争论的主要问题	与 SCM 相关的 WTO 裁决摘要、专家组或上诉机构报告援引的主要条款
WT/DS 221（加拿大申诉美国的 URAA 第 129 条（c）款（1）项及其所附的 SAA） 2001 年 1 月 17 日加拿大要求磋商。2002 年 8 月 30 日通过专家组报告	①美国的关税估价体系是否与 WTO 一致，预期和回顾关税估价体系是否有区别。②美国 URAA 第 129 条（c）款（1）项是否使美国违反其 WTO 义务	专家组报告：①预期关税估价体系和回顾关税估价体系（prospective and retrospective duty assessment systems）应该是一致的。②加拿大认为美国 URAA 第 129 条（c）款（1）项与 GATT1994 第 6（2）、6（3）、6（6a），ADA 第 1、9.3、11.1、18.1 和 18.4 条，WTO 协定第 16（4）条不一致的主张不成立；对该结论没有建议。 报告援引的主要条款：SCM 的第 10 条、19.4 款、21.1 款、32.1 款；ADA 第 1、9.3、11.1、18.1、18.4，注释 12
WT/DS 236（加拿大申诉美国对其特定针叶材反补贴税初裁） 2001 年 8 月 21 日加拿大要求磋商。2002 年 11 月 1 日专家组报告通过	①美国商务部认定以提供商品或服务方式支持木材采伐业、构成财政支持的解释，是否与 SCM 第 1.1（a）条一致。②美国计算补贴额方法是否符合 SCM1.1（b）、14（d）的规定	①美国商务部认定以提供商品或服务方式支持木材采伐业、构成财政支持的解释，并非与 SCM 第 1.1（a）条不一致。美国商务部没有按加拿大要求的根据 SCM1.1（b）、14、14（d）主导市场价格确定争端商品的生产者受益事实及受益总额；不论下游端商品的生产者是否得益于无关的上游原木生产者的投入，就确定下游争端商品的生产者受益的做法失败。美国强制采取临时反补贴措施违反了 SCM 第 1.1（b）、10、14、14（d）、17.1（b）条。美国从 2001 年 9 月 4 日起，超限额征收反补贴税，违反了 SCM 第 10、17.2、17.5、19.4 及 32.1 条和 GATT1994 第 6（3）条。②美国商务部根据 SCM 第 20.6 条做出"紧急情况初步决定"，及根据该决定强制实施临时反补贴措施违反了 SCM 第 20.6、17.3、17.4 条。③美国相关补贴法律法规的"加速"（即"快轨道程序"）和"行政评议"并非与 SCM 第 19 和 21 条不一致，也就拒绝了"加拿大对美国不能保证其法律法规使美国能够履行其 SCM 第 32.5 条和 WTO 协定第 16（4）条规定的义务"的主张。④根据 WTO《关于争端解决规则和程序的谅解》（DSU）第 3.8 条，专家组认定在一定程度上美国违反了 SCM 的规定，使加拿大在该协议下的利益丧失或减损。建议 DSB 要求美国改正 报告援引的主要条款：SCM 的第 1 条、第 14（d）项、20.6 款、第 17.3 和 17.4 款
WT/DS 257（加拿大申诉美国对其特定针叶材反补贴税终裁） 2002 年 5 月 3 日加拿大要求磋商。 2003 年 10 月，美国上诉。 2004 年 2 月 17 日上诉机构报告和经修正的专家组报告通过	美国发动第四次木材调查、反补贴税终裁的法律程序、计算"补贴"额的方法、反补贴税率等，是否违反了 SCM 第 1、2、10、11、12、14、15、19、22、32.1 条和 GATT1994 第 6（3）、10（3）条 美国为遵守 DSB 建议和裁	专家组报告：美国商务部的反补贴税终裁与 SCM 的第 10、14（d）和 32.1 条，与 GATT 1994 第 6（3）条不一致。美国应据 SCM 第 19.4 和 GATT1994 第 6（3）条规定征收反补贴税；美国调查当局收集证据应遵循 SCM 第 12 条规定的法律程序，应据 SCM 第 10、11.4、32.1 条开始调查。建议 DSB 要求美国改正 上诉机构报告：支持专家组的裁定，即美国恰当地认定了加拿大省政府给予立木特定采伐权构成 SCM 第 1.1 条规定的补贴；推翻了专家组对 SCM 第 14（d）条的解释和认为"美国认定补贴受益额度"不正确的裁定，上诉机构无法判断美国在调查中确定"受益额

（续）

案件编号（名称）、简介	争论的主要问题	与 SCM 相关的 WTO 裁决摘要、专家组或上诉机构报告援引的主要条款
2004 年 12 月 30 日加拿大要求成立第 21.5 条专家组，并请求 DSB 授权中止其减让或其他义务 2005 年 9 月 6 日，美国上诉 2005 年 12 月 20 日第 21.5 条专家组报告和上诉机构报告通过	决所采取的措施与美国在 SCM 第 10、32.1 条和 GATT 1994 第 6(3) 条下的义务是否一致	度"是否正确；支持专家组关于美国的做法与 SCM 和 GATT 1994 不一致的裁定，包括美国未能分析拥有锯木厂的木材采伐者通过出售原木给其他木材生产者是否给予补贴；推翻了专家组关于美国的做法与其 WTO 的义务不一致的裁定，包括未能判定通过锯木厂将初级木材销售给无关的木材深加工者是否给予了补贴，因为初级木材产品和深加工木材产品都是美国商务部联合调查的产品 报告援引的主要条款：SCM 的第 1.1(a)(1)(ⅲ)项、第 14(d)项 第 21.5 条专家报告：认为美国继续违反 SCM 第 10、32.1 条，GATT 1994 第 6(3) 条 第 21.5 条上诉机构报告：认为专家组在权限内行事，程序正确，维持专家组的裁定。报告援引的主要条款：SCM 的第 10 条、第 32.1 款
WT/DS 277（对加拿大针叶锯材第四次"双反"调查） 2002 年 12 月 20 日加拿大要求磋商 2004 年 4 月 26 日专家组报告通过 2005 年 2 月 14 日加拿大请求成立第 21.5 条专家组 2006 年 1 月 13 日加拿大上诉 2006 年 5 月 9 日上诉机构的报告和经修正的专家组报告通过	①加拿大政府提供伐木权的做法是否构成 SCM 第 1.1(a) 意义上的"财政资助" ②美国计算补贴额方法是否符合 SCM1.1(b)、14(d) 的规定 ③美国 ITC 的木材反补贴损害调查是否符合 ADA 第 3.5、3.7 条和 SCM 第 15.5、15.7 条规定的条件 美国为遵守 DSB 的建议和裁决所采取的措施或此类措施与美国在 SCM 第 10、32.1 条和 GATT 1994 第 6(3) 条下的义务是否一致	专家组报告： ①加拿大政府提供伐木权的做法构成 SCM 第 1.1(a) 意义上的"财政资助"。②美国计算补贴额方法不符合 SCM1.1(b)、14(d) 的规定。③美国国际贸易委员会的产业损害威胁最终裁定未能满足 ADA 第 3.5、3.7 条和 SCM 第 15.5、15.7 条规定的条件（即"实质性进口大幅增长"、"国内产业损害威胁和进口之间存在因果关系"）。美国对加拿大针叶材产品的反倾销和反补贴措施违反了美国的义务，建议美国改正 第 21.5 条专家组报告认为：美国 ITC 的裁定执行了专家组和 DSB 的建议，并没有与美国在 ADA 和 SCM 下的义务不一致 第 21.5 条上诉机构报告认为：专家组评议"美国 ITC 的裁定（第 129 节）"时，适用标准不当，不符合 BSU 第 11 条的规定，因此上诉机构推翻了专家组关于"美国国际贸易委员会的裁定"并非与美国在 ADA 第 3.5 或 3.7 条、SCM 第 15.5 和 15.7 条不一致的结论，也推翻了专家组关于美国已执行了 DSB 的建议和裁决的结论。由于缺乏确凿证据，上诉机构未能就"美国国际贸易委员会的裁定（第 129 节）"是否与"美国在 ADA 第 3.5 或 3.7 条、SCM 第 15.5 和 15.7 条下的义务一致"进行分析并给出结论 报告援引的主要条款：SCM 的第 1.1、14(d)、15 条
WT/DS311（加拿大申诉美国商务部未确定每个出口商单独的最终反补贴税税率） 2004 年 4 月 14 日加拿大要求磋商	美国的做法是否违反了 SCM 第 10、19.1、19.3、19.4、21.1、21.2、21.4、32.1 条和 GATT 1994 第 6(3) 条	撤诉。以《美国—加拿大软木协议》作为一揽子解决方案

资料来源：WTO. Index of disputes issues.［2013－05－01］. http：//www.wto.org/english/tratop_ e/dispu_ e/dispu_ subjects_ index_ e. htm#selected_ subject.

缪东玲，李淑艳. 美加木材反补贴贸易争端及其对中国的影响与启示. 北京林业大学学报（社会科学版），2009，8（4）：78~82.

（2）美国与加拿大的争端反复交替围绕反补贴和反倾销发生。加拿大和美国是最重要的木材及木材制品贸易伙伴，美国一直从加拿大进口大量木材，他们自然特别关心木材贸易利益。两国也是经济水平较接近的对手，又都有利用 WTO 争端解决机制（DSM）的丰富经验，也可能因此而针锋相对，展开持久较量。争端反复发生，这说明美国一直在限制加拿大的特定针叶材进口，持续地保护其国内木材产业。

美加木材贸易争端的一揽子解决方案：北美自由贸易协定屡次判定，没有证据证明加拿大木业接受补贴，并于 2005 年夏天要求美国停止征税、允许加拿大木材在美国市场自由贸易，并返回早前征收的全部 53 亿美元税金。美国、加拿大于 2006 年 9 月 12 日正式签署《美国—加拿大软木协议》，设置加拿大木材在美国市场占有率的上限（34%），美国实施边境税（当北美市场的软木价格降至 360 美元时征税）、退还自 2002 年 5 月以来所征收的 50 亿美元反倾销税及反补贴税中的 78%，明确禁止对加拿大软木行业提供新的补贴，加拿大软木公司放弃对美国公司的相关法律诉讼。该协议于 2006 年 12 月 12 日生效。2006 年 10 月 12 日，美国和加拿大通告 DSB，他们根据 DSU 第 3.6 条就 WT/DS236、WT/DS247、WT/DS257、WT/DS264、WT/DS277 和 WT/DS311 争端达成共识（其中，WT/DS247、WT/DS264 主要涉及美国对加拿大木材反倾销），以《美国—加拿大软木协议》作为一揽子解决方案。两国长达 20 多年的软木贸易争端终于告一段落。

美加木材贸易争端的新问题：2008 年 1 月 10 日加拿大当局宣布，在木材行业遇到市场困难时，将通过省级政府提供 10 亿美元的支持。同年 1 月 13 日，美国公平木材进口联盟表示，对加拿大当局公布的木材行业补贴计划担忧，认为该计划违反了《美国—加拿大软木协议》。类似情况后续不断。

（3）第三方的实质利益许多并不直接涉及木材，而主要是认为美国根据其国内立法实施反补贴或反倾销与 WTO 有关协定、协议的规定不一致（缪东玲，2002）。由此可以得知 WTO 有关协议的国内效力与美国复杂的国内法律效力问题，也是引起争端较多的原因之一。这类争端往往很棘手，也会反复发生。木材贸易争端是一例。

5.2.3　WTO 纸制品贸易争端分析

WTO 纸制品贸易争端概况见表 5-13（WTO，2013）。

WTO 纸制品贸易争端的特点如下。

（1）争端涉及的贸易领域、措施、协议都较集中。申诉方主要是印度尼西亚、中国、瑞士，被诉方相对分散，涉及澳大利亚、韩国、美国和南非。争议集中于对纸制品的反倾销，或反补贴，或"双反"。

（2）争端较为简单。多数经过磋商解决。

表 5-13　WTO 纸制品贸易争端概况

申诉时间 案件编号	被诉方	申诉方	事由	结果
1998 – 02 – 20 DS119	澳大利亚	瑞士	对覆膜的胶版印刷纸（即道林纸）采取反倾销措施	1998 年 3 月 13 日双方达成了一致同意的解决办法
2004 – 06 – 04 DS312	韩国	印度尼西亚	对商业信息纸和胶版印刷纸（即道林纸）征收反倾销税	2005 年 11 月 28 日 DSB 通过专家小组报告，认为韩国违反《反倾销协议》。2006 年 12 月 22 日印度尼西亚要求成立第 21.5 条专家组，并请求 DSB 授权中止其减让或其他义务。2007 年 10 月 22 日 DSB 通过第 21.5 条专家组报告，认为韩国违反 ADA 的第 6.8 条、附件 2 第 7 段、第 6.2 条 第三方：加拿大、中国、欧盟、日本、美国和中国台北
2007 – 09 – 14 DS368	美国	中国	对覆膜的胶版印刷纸（即道林纸）的"双反"初步决定	中国认为美国违反 ADA 第 1、2、7、9 和 18 条；GATT 1994 第 6 条；SCM 第 1、2、10、14、17 和 32 条。磋商解决
2008 – 05 – 09 DS374	南非	印度尼西亚	对未覆膜的胶版印刷纸（即道林纸）的反倾销措施	印度尼西亚认为南非违反 ADA 第 11.3 和 11.4 条。由于南非的反倾销终止，2008 年 11 月 20 日，印度尼西亚撤诉

资料来源：WTO. Index of disputes issues. [2013 – 05 – 01].

http：//www. wto. org/english/tratop_ e/dispu_ e/dispu_ subjects_ index_ e. htm#selected_ subject.

5.3　中国林产品遭遇的贸易壁垒和贸易争端

5.3.1　中国林产品遭遇的贸易壁垒

（1）贸易救济措施。截至 2012 年，中国连续 18 年成为反倾销调查最多的国家，连续 7 年成为反补贴调查最多的国家。而反倾销和反补贴（"双反"）也一直是中国木质家具、木地板、纸和纸制品等林产品外贸发展中遭遇的主要贸易壁垒形式。中国林产品从 1993 年第一次接受外国反倾销调查以来，几乎每年都遭受了不同程度的反倾销或"双反"合并调查（印中华，宋维明，张英，等，2011），美国是对华进行反倾销调查最多的国家（表 5-14）；2008 年之前立案密集，之后有所缓和（表 5-15）。

表 5-14　1995～2013 年 5 月中国主要林产品遭受反倾销概况：基于反倾销发起国

国别或地区	涉案的主要林产品	案件数	实施最终措施数
美国	铜版纸、活性炭、卧室木家具、涂布纸、薄棉纸和皱纹纸、礼品盒、盒装铅笔、胶合板、实木复合地板	10	5
加拿大	复合木地板、木质百叶窗帘、窗板	2	2
阿根廷	木质衣架、铅笔	2	1

（续）

国别或地区	涉案的主要林产品	案件数	实施最终措施数
欧盟	粉状活性炭、胶合板	2	2
韩国	印刷和打印纸、胶合板	2	1（调查中 1 起）
中国台湾	非涂布纸	1	1
印度	热敏纸、中密度纤维板	3	—（调查中 1 起）
土耳其	原木胶合板、复合木地板	2	2
埃及	铅笔、木螺丝钉、壁纸	3	2
以色列	中密度纤维板、胶合板	1	1
澳大利亚	A4 复印纸、胶合板	2	—
新西兰	日记本	1	—
摩洛哥	胶合板	1	1
南非	铜版纸	1	调查中 1 起
合计		33	17（调查中 4 起）

资料来源：2011 年前来源于贾祥翔, 石峰, 吴盛富, 等. 我国林产品对外贸易壁垒及应对策略[J]. 林产工业, 2011(1)：12 ~ 15. 从 2011 年起, 作者根据商务部网站整理。

表 5-15   中国林产品遭受反倾销、反补贴调查案件概况：基于反倾销发起时间

时间	反倾销数量	反补贴数量	涉及林产品类型	发起国家
1993	1	0	铅笔	美国
2002	1	0	打印及印刷纸、道林纸	韩国
2003	1	0	木制卧室家具	美国
2004	2	1	胶合板	欧盟
			复合木地板（双反）	加拿大
2005	3	0	皱纹纸、薄页纸	美国
			透明玻璃纸薄膜	印度
2006	4	2	文具纸、铜版纸（双反）	美国
			家具	欧盟
			复合木地板（双反）	加拿大
2007	3	2	卫生纸（双反）	澳大利亚
			牛皮纸	韩国
			蜡光纸(反补贴)、日记本	美国
2008	2	1	低克重热敏纸	美国
			复合木地板（双反）	加拿大

（续）

时间	反倾销数量	反补贴数量	涉及林产品类型	发起国家
2010	1	1	多层木地板（双反）	美国
2011	2		木质纤维板	印度
			胶合板	摩洛哥
2012	2	1	硬木装饰胶合板（双反）	美国
			胶合板	韩国
2013	1		铜版纸	南非

资料来源：2011 年前来源于印中华，宋维明，张英，等. 中国林业产业应对国际贸易壁垒的策略研究［J］. 世界林业研究，2011（6）：55～60. 从 2011 年起，作者根据商务部网站整理。

（2）技术性贸易壁垒。近年来，中国竹木标准化工作得到很大的发展，标准体系逐渐形成。采用或修改国际或国外相关的产品标准工作越来越得到重视。例如，胶合板 GB/T 9846.1～9846.8－2004 标准，就采用或修改 ISO 或 JAS 相关标准。但是中国木制品标准还存在不少问题。第一，产品标准中国木制品标准的主要内容方法标准较少。以人造板标准为例，现有标准46 项，产品标准占46.4%。而 ISO 标准者以基础标准、方法标准为主，重在统一术语、试验方法、评定手段，使得各方提供的数据均有可比性。例如，在 24 项 ISO 家具标准中，17 项是方法标准。第二，中国特色产品在现行标准中得到充分体现。例如竹藤产品在国家和行业标准中比重较大，但是在 ISO 标准体现中，很多产品没有对应的标准。第三，中国木制品标准与 ISO 标准同类产品的同类项目检查方法不同。

目前，技术性贸易壁垒已经取代反倾销调查，成为中国出口面临的第一大非关税壁垒。近年来中国出口产品结构受国外技术性贸易壁垒冲击呈逐步扩大趋势（表 5-16）。虽然技术性贸易壁垒目前并没有成为影响中国林产品对外贸易的主要因素，但是其影响的林产品种类正在逐渐增多。受其影响较大的林产品有木家具、木制品、纸、纸板和纸制品等。在很长一段时间里，技术性贸易壁垒都将长期存在，同时随着技术水平的提高和贸易需求的变化，各国采取的技术性措施层出不穷，手段也越来越苛刻，并通过不断修订和更新技术标准，产生的影响越来越广。

表 5-16　中国林产品遭受技术性贸易壁垒概况

启动时期	技术性贸易壁垒类型	涉及的林产品
2002 年 1 月 15 日	欧盟 2001/95/EC，简称 GPSD 指令	木质家具
2003 年 1 月 1 日	日本甲醛释放量标准	人造板
2004 年 4 月 1 日	欧盟 CE 认证	人造板
2007 年 6 月 1 日	欧盟 REACH 法规	木质家具
	欧盟 2010/18/EC 和 2009/894/EC 决议	木质地板覆面、木制家具

（续）

启动时期	技术性贸易壁垒类型	涉及的林产品
2009 年 1 月 1 日	美国 CARB 的 ATCM 法规	人造板及含人造板的产品
2011 年 1 月 3 日	美国《复合木制品甲醛标准法》	复合木制品（人造板及含人造板的产品）

资料来源：根据商务部网站资料整理而得。

（3）绿色贸易壁垒。部分林产品绿色采购政策及绿色法规归纳见表5-17。详见第8～第9章。

表 5-17　部分林产品绿色法规或标准概况

启动时间	绿色法规或标准	涉及的林产品
2009 - 04 - 01	欧盟木材及木制品规例和新环保设计指令议案	木质家具及木制品
2009 - 11 - 30	欧盟生态标签标准	所用林产品
2008 - 15 - 15	美国《雷斯法》修正案	分阶段，所用林产品进口和国内采伐的木材及其产品
2013 - 03 - 03	《欧盟木材法》（EU TR）	进口和国内采伐的木材及其产品，有林产品清单
2014 - 11 - 30	澳大利亚《非法采伐禁止法 2012》（ILP）	进口和国内采伐的木材及其产品，需 2 年来制定"特别进口禁止清单"

资料来源：根据商务部网站资料整理而得。

例如，为了打击木材非法采伐，在中国政府的配合下，缅甸政府决定从2006年3月26日开始封关。封关对中国进口缅甸木材造成了严重的影响：①木材进口数量急剧下滑。2006年中国进口缅甸原木102.7万 m^3，比2005年进口量下降9.4%，其中，柚木减少49.3%，红木减少46.2%，克隆木减少18.8%，铁杉等针叶木减少50.8%。②缅甸材价格大幅上涨。2006年中缅封关，缅甸材进口量下半年大幅下降，同时缅甸提出要在边贸中由中方的检查站代收15%资源补偿费，这大大增加木材进口成本，造成了缅甸进口木材价格的上涨。2006年中国原木平均到岸价上升了40.1%，而缅甸材价格猛增了291.5%，达到337.87美元/m^3，远远高于同期从巴布亚新几内亚、马来西亚进口热带材的价格。③随着中缅木材封关，木材进口的减少对中国，尤其是云南省，木材产业上下游企业产生了较大影响（陈勇，2008）。

（4）知识产权壁垒。最有影响的是美国337调查。美国337条款原指美国《1930年关税法》第337条，它最初主要管制对美倾销产品和垄断商业等不公平贸易行为，以后经多次修改补充，形成系统的主要管制外国厂商侵犯美国知识产权的法律规则，现被汇编在《美国法典》第19编1337节。根据337条款进行救济的主要进程简称337调查，包括：申请发动调查、立案调查、答辩、文据披露、初步裁定、USITC审查、总统复议、上诉。

被诉侵权规模：截至2010年12月31日，美国共发起778起337调查，涉及中国的共计140起（表5-18），占18%。其中337调查涉华涉林案件有2起（表5-19）（USITC，2011）。

表 5-18　不同时期 337 调查涉华案件数量(截至 2010 年 12 月 31 日)

年 代	1980s	1990s	2000	2001	2002	2003	2004	2005	2006	2007	2008	2009	2010	总数
立案数	1	10	3	1	5	8	10	9	13	20	14	15	31	140
未结案	0	0	0	0	0	0	0	0	1	0	0	4	27	32

资料来源: USITC. 337 Investigative 337 Investigative History［EB/OL］［2011 – 01 – 01］. http://info. usitc. gov/ouii/public/ 337inv. nsf/56ff5fbca63b069e852565460078c0ae? SearchView. 经过作者整理。

表 5-19　337 调查涉华涉林案件概述(截至 2010 年 12 月 31 日)

案件编号	涉案产品	调查开始时间	侵权类型	结案情况
545	复合地板	2005 – 08 – 03	专利侵权	2007 – 01 – 10 签署: 停止令和普遍排除令。38 家全球被诉企业在美国销售的地板专利侵权全部成立, 包括中国 18 家地板企业, 全部败诉。终裁令一出, 相关企业将不能再向美国违规出口锁扣地板, 已经输入美国库存的产品将被销毁或缴纳保证金。今后在美国市场销售, 将向 Unilin 公司支付专利费
693	折叠凳	2009 – 12 – 01	专利侵权	撤诉

资料来源: USITC. 337 Investigative 337 Investigative History［WB/OL］［2011 – 01 – 01］. http://info. usitc. gov/ouii/public/ 337inv. nsf/56ff5fbca63b069e852565460078c0ae? Search View. 经过作者整理。

被诉侵权类型: 涉华的 140 起 337 调查案中, 以专利侵权最多, 共 122 起, 占 87.14%; 其次是商标侵权 8 起占 5.71%。其余为盗用商品外观侵权 1 起; 擅用商业秘密 1 起; 虚假广告 1 起; 专利和商标同时侵权 2 起; 专利和著作权同时侵权 1 起; 商标和盗用商品外观同时侵权 1 起; 专利、商标和著作权同时侵权 2 起; 商标、盗用商品外观、假冒和虚假代理同时侵权 1 起(图 5-2)。其中及林产品的 2 起均为专利侵权(表 5-18)。

被诉产品范围: 涉华的 140 起 337 调查案中, 涉及机电产品 114 起, 占 81.42%; 涉及轻工产品 11 起, 占 7.86%; 涉及化工产品 9 起, 占 6.43%; 食品及食品添加剂 4 起, 占 2.86%; 塑料制品和金属材料 2 起, 占 1.43%(图 5-3)。其中, 2 起涉及林产品, 占比 1.43%。

结案情况: 截至 2010 年 12 月 31 日, 涉华的 140 起 337 调查案中, 有 32 起尚未做出裁定。在已结案的 122 起中, 15 起胜诉, 在结案数量中占 13.89%; 21 起与控方达成和解, 占 19.44%; 13 起控方撤诉, 占 12.04%(由于控方收集侵权证据不足, 自动放弃; 或类似于和解, 也是被控企业承诺交纳一定费用来换取控方撤诉, 中国以后一种情况居多); 只签承诺令的 8 起, 占 7.41%; 发出有限排除令 7 起, 占 6.48%; 发出普遍排除令 3 起, 占 2.78%; 同时签发停止令、承诺令、排除令等多种方式结案的 41 起, 占 37.96%(图 5-4)。其中 2 起涉及林产品, 一起以停止令和普遍排除令结案, 一起撤诉(表 5-19)。

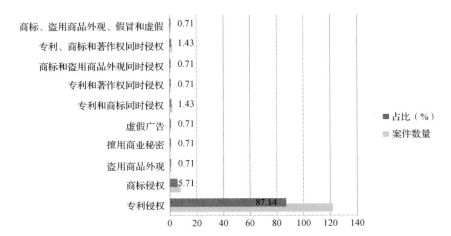

图 5-2　涉华 337 调查案的被诉侵权类型

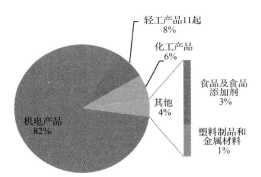

图 5-3　涉华 337 调查案的被诉产品范围

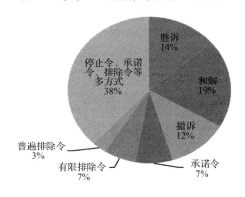

图 5-4　涉华 337 调查案的结案方式

资料来源：USITC. 337 Investigative 337 Investigative History［EB/OL］［2011－01－01］. http：//info. usitc. gov/ouii/public/337inv. nsf/56ff5fbca63b069e852565460078c0ae? SearchView. 经过作者计算整理。

5.3.2　中国林产品贸易争端

林产品反倾销或其他贸易措施的实施，引发了贸易争端，但是多数并没有依靠 WTO 多边机制解决，而是通过诉讼或磋商解决，一波三折，历时数年。以下援引美国对华林产品贸易反倾销或"双反"引发的争端来佐证。

(1)美国对华木制卧室家具反倾销案引发系列贸易争端和诉讼。2003 年 10 月 31 日，由 14 家美国家具生产商组成的家具生产商联盟正式向美国商务部和美国国际贸易委员会提出针对中国木制卧室家具的反倾销申请。2003 年 12 月 17 日，美国商务部对原产于中国的木制卧室家具进行反倾销调查，涉案产品海关编码为 94035090.40、94035090.80 和 70099250.00。2004 年 1 月 12 日，美国国际贸易委员会初步裁定中国木制卧室家具进口对美国国内产业造成了实质损害。2004 年 6 月 17 日，美国商务部对中国木制卧室家具做出倾销的初步裁定，认定涉案企业的倾销幅度从 4.90% 到 198.08% 不等；7 月 29 日，美国商务部对倾销初步裁定进行了修改。2004 年 11 月 17 日，美国商务部对该案做出反倾销终裁，裁定中国涉案企业的倾销幅度为 5.07% ~ 198.08%。2004 年 12 月 10 日，美国国际贸易委员会最终裁定中国木制卧室家具对美国国内产业造成了实质损害。2005 年 1 月 4 日，美国商务部将中国涉案企业的倾销幅度修改为 0.83% ~ 198.08%(中国商务部，2013)。

该案涉及金额较大，涉案企业众多。此案涉及金额超过 10 亿美元，涉案企业达 130 多家，堪称中国加入世贸组织以来轻工行业涉案金额和涉案企业最多的案件之一。

该案件持续时间长，影响范围广泛。该案持续至今，每年复审一次，每年重新确定税率，至今每次行政复审都是肯定性裁决。目前情况预示着出口家具企业如果要继续进入美国市场，除了按要求提交复审资料外别无选择。

该案企业集体应诉，成为典型案例。国内家具行业涉案企业在中国家具协会的组织下，不惧外来压力，集体应诉，维护行业的合法权益，成为轻工行业应对国外反倾销中的典型案例，具有一定的代表性。

(2)美国对华复合木地板双反案引发系列贸易争端和诉讼。例如，2013 年 3 月 20 日，美国国际贸易法院(USCIT)就美国商务部对华复合木地板反倾销和反补贴案作出判决。由于该案涉及机密信息，法院判决于 4 月 2 日公布(中国商务部，2013)。具体说明如下。

该案原告：Swiff - Train Co.、Metropolitan Hardwood Floors Inc.、BR Custom Surface、Real Wood Floors、LLC、Galleher Corp.、DPR International。

该案被告：美国政府。

该案被告介入方：美国硬木平价联盟。

该案争议点：该案涉及原告根据《美国国际贸易法院规则》第 56.2 条提出的就调查机关记录作出判决的动议。Swiff - Train Co.、Metropolitan Hardwood Floors Inc.、BR Custom Surface、Real Wood Floors、LLC、Galleher Corp.、DPR International(合称"原告")对美国国际贸易委员会(USITC)对华复合木地板反倾销和反补贴案的终裁裁决提出质疑。USITC 认定，美国生产复合木地板(MLWF)的产业由于自中国进口的以低于正常价值在美国市场销售的产品而遭受了实质损害。2013 年 1 月 23 日，USCIT 就该案举行了口头辩论。

该案司法审查标准：审查 USITC 的终裁后，USCIT 表示将做出发回重审的判决，依据 19 U. S. C. §1516a(b)(1)(B)(2000)，如果该终裁"不具备案卷记录中存放的实质性证据的支持，或在其他方面符合法律……"。

该案判决结果：USCIT 根据 28 U. S. C. §1581(c)，判决如下：(a)发回 USITC 对其硬木胶合板地板生产商不能纳入国内产业的认定，要求 USITC 重新予以考虑。USITC 应该重新开放相关证据记录，以确定国内硬木胶合板制造商，并评估其用于生产木地板的产品，对国内硬木胶合板生产商发放额外的调查问卷，或进一步解释其将硬木胶合板生产商排除在调查之外的决定依据。(b)USITC 应当专门认定涉案进口产品对法律规定的价格削低和价值抑制等因素的影响，不仅应讨论委员观点中援引的因素，还应讨论持异议的观点中提出的经济影响因素。(c)USITC 应重新考虑涉案进口产品"在商业周期背景下以及不同于受影响产业的竞争条件背景下"对国内产业的影响，尤其需要考虑持异议观点中提出的经济影响因素。(d)US-ITC 应当作出并支持一项关于涉案进口产品是否对国内同类产品造成了"排他性的"实质影响的认定。(e)USITC 应在 2013 年 9 月 30 日之前将重审裁决提交至 USCIT。(f)当事方应在 2013 年 10 月 31 日之前就该重审裁决提交相关的评述意见。

该案案件背景：2010 年 11 月 18 日，美国商务部(USDOC)对华复合木地板启动反倾销和反补贴("双反")调查。2011 年 10 月 18 日，USDOC 作出反倾销终裁，中国涉案企业所获最终税率为 0.00%～58.84% 不等；同日作出反补贴终裁，中国涉案企业所获最终税率为 0.33%～26.73% 不等。

该案后续背景 1：上述始于 2010 年 11 月 18 日的美国对华木地板"双反"案引发的贸易诉讼还没有结案。而 2013 年 1 月 30 日，USDOC 发布公告，对原产于中国的复合木地板进行"双反"行政复审，倾销调查期为 2011 年 5 月 26 日～2012 年 11 月 30 日，补贴调查期为 2011 年 4 月 6 日～2012 年 12 月 31 日。

该案后续背景 2：美国 2010 年 11 月 18 日开始的对华复合木地板双反案引发的贸易争端还没有解决，又有中国类似产品遭遇美国新一轮"双反"调查。2012 年 9 月 27 日，美国"硬木胶合板公平贸易联盟"(Coalition for Fair Trade of Hardwood Plywood，由美国北卡罗来纳、纽约州和俄勒冈州硬木胶合板制造商组建)要求美国政府对原产于中国的硬木装饰胶合板发动"双反"调查，认为中国制造商和出口商正在美国市场"倾销"硬木装饰胶合板，其价格较公平市值低 298%～322%，同时受到中国政府补贴，补贴幅度超过 2% 的允许范围。按照美方程序，正式征收"双反"税需要美国商务部(USDOC)及美国国际贸易委员会(USITC)同时做出肯定性裁决方可生效。在中国企业积极应诉，产业协会、商务部的密切配合下，2013 年 11 月 5 日 USITC 公告，对原产于中国的硬木装饰胶合板做出"双反"否定性终裁，裁定涉案产品未对美国国内产业造成实质性损害或实质性损害威胁。根据 USITC 的否定性裁决，美国将不对原产于中国的硬木装饰胶合板征收反倾销和反补贴税。中国最终获得实质性胜利。USDOC 和 US-ITC 的调查结果归纳见表 5-20。

表 5-20　美国商务部对我国胶合板"双反"调查结果

时间	事件	结果
2013 年 2 月 27 日	USDOC 初裁	反补贴税率 22.63% ~27.16%
2013 年 4 月 30 日	USDOC 初裁	反倾销税率 22.14% ~63.96%
2013 年 9 月 17 日	USDOC 终裁	反倾销税率 55.76% ~121.65%；反补贴税率 13.58% ~27.16%
2012 年 11 月 9 日	USITC 初裁	6 票赞成 0 票反对
2013 年 11 月 5 日	USITC 终裁	1 票弃权 5 票反对

资料来源：中国商务部. 美国对华硬木装饰胶合板作出反倾销初裁. (2013－5－2). http://www.cacs.gov.cn/cacs/newcommon/details.aspx？articleId=112296USITC 网站［2014－10－1］http://www.usitc.gov/investigations/701731/2012/hardwood_plywood_china/preliminary.htm

5.4　本章小结

　　一些低碳法律和政策措施带有明显的贸易壁垒色彩，影响力日渐显现，其中碳技术法规、标识和标准，碳关税，气候友好型补贴和绿色采购政策最有可能成为潜在的林产品碳贸易壁垒。目前已经实际存在、涉及林产品的贸易壁垒还是以传统贸易壁垒（例如贸易救济措施）为主，并由此引发了贸易争端。争端很多并没有通过 WTO 多边机制解决，而是通过磋商或诉讼，一波三折，历时数年。

第3篇
转型篇

第6章 森林碳汇利用、碳汇市场与林产品贸易

低碳经济对林产品贸易的影响，除了第2章分析的碳贸易规则、碳贸易措施和碳贸易摩擦外，针对森林、林业的特点及其在应对气候变化、发展低碳经济中的独特作用，问题更加集中于森林多功能经济利用的合法性乃至可持续性要求，由此涉及森林产权与森林管理权、相关标准、认证和认可等问题。

本章侧重分析森林碳汇利用和碳汇市场的相关机制、规定和LULUCF与REDD＋等主要议题及其动态，初步探讨这些涉林低碳行动对林产品贸易的影响。第8章分析打击非法采伐及其相关贸易问题。第9章分析森林认证、合法性认证、碳认证和其他相关技术法规、标准和合格评定程序问题。

6.1 森林碳汇利用和碳汇市场形成的基础

6.1.1 森林碳汇利用

气候变化是全世界共同面临的严峻挑战。在此背景下，森林碳汇功能的经济利用越来越受到重视，涉林低碳行动和碳汇市场也随之发展。FLEGT（forest law enforcement governance and trade，森林执法、施政与贸易）行动计划对于促进森林可持续经营、减少木材非法采伐与贸易、维护国际林产品市场秩序有着重要意义。而LULUCF（land use，land – use change and forestry，土地利用、土地利用变化与林业）以及随后的REDD＋（reducing emissions from defor-estation and degradation and enhance forest carbon storage，减少毁林和森林退化造成的碳排放以及增强森林的碳储存）机制的设计不仅使得国际社会为森林减排增汇提供资金支持，而且为森林的可持续经营和保护提供一种新的融资方式，对气候变化和森林保护起到重要的作用。

6.1.2 碳汇市场形成的基础

（1）碳汇市场形成的理论框架。气候变化问题是全球人类面临的最大市场失灵问题。温室气体排放具有负外部性，容易排放过多，而温室气体减排具有正外部性，容易减排过少；同时温室气体排放空间等气候资源属于公共物品，国际气候制度也可以看作公共物品，搭便车者在所难免，这导致国际气候治理制度维持困境，也是国际气候谈判陷入僵局的要因之一。全球气候谈判和国际气候协议的发展，实质上是通过国际环境规制对温室气体排放容量进行国际制度安排。而碳汇市场就是在设定未来全球温室气体容量上限的国际制度安排之下，谋求通过将环境外部性内部化，以市场手段影响碳源和碳汇在全球的空间分布及其变

化，进而实现全球碳汇资源的优化配置，从而探索在有效应对气候变化的同时促进全球可持续发展的途径与措施。

（2）碳汇市场形成的国际政治经济基础。碳汇市场能够产生并运转的推动力首先源于国际政治的博弈，其背后则是全球环境容量的有限性和应对气候变化的紧迫性。而决定碳汇市场演进方向和演进路线的关键和核心因素则来自于国际经济利益的博弈，其背后则是全球化能源的有限性和对新经济变革时代国际经济主导权的争夺。碳汇交易，正是源于这种由气候变化所引发的国际政治经济博弈，通过国家间谈判，基于《联合国气候变化框架公约》（UNF-CCC）和《京都议定书》（KP）的规定，由具有国际法律约束效力的国际公约创设出来的一种拟制交易。

（3）碳汇市场形成的国际法基础。气候变化领域的国际法规定主要包括 UNFCCC 及 KP。KP 是人类历史上仅有的以国际法的形式对特定国家的特定污染物质排放量做出定量限制。为帮助发达国家缔约方减轻其减排义务负担，KP 引入了 3 个灵活机制，即发达国家与经济转型国家之间的联合履行机制，发达国家之间的排放贸易机制，发达国家与发展中国家之间的清洁发展机制。这些机制设计的初衷是为了各国（特别是发达国家）可以采用成本效益最佳的方式来减排。鉴于 KP 第一期于 2012 年到期，各缔约方于 2007 年 12 月达成了巴厘岛路线图（BAP），为在 2009 年底之前的 COP15 会议达成一项减缓全球变暖的新协议确立了明确的议题和时间表。

6.2　森林碳汇利用和碳汇市场的相关机制、规定和议题

6.2.1　林业减缓气候变化的国际进程和政策机制概述

6.2.1.1　应对气候变化的国际进程及林业的作用

在气候变化谈判中，林业议题谈判可能涉及的具体问题及对案包括在减缓、适应、REDD、LULUCF、生物质能源生产与利用以减少对化石能源的需求等方面。李怒云等人（2010）对林业减缓气候变化的国际进程、政策机制进行了较系统地研究，要点如下。

回顾 1992～2010 年气候变化的国际进程，主要包括科学报告与政策行动两个方面，其中林业都占有十分重要的地位。科学报告是指联合国政府间气候变化专门委员会（简称 IPCC）评估报告，这是气候变化问题最具权威性和影响力的科学报告。政策行动是指从 1992 年制定《联合国气候变化框架公约》（简称 UNFCCC），到 1997 年签署《京都议定书》（简称 KP），到 2007 年形成《巴厘路线图》，以及 2009 年底达成的不具法律约束力的《哥本哈根协议》这 4 份重要的政策协议，也就是气候变化国际谈判的四个非常重要的发展阶段。

（1）IPCC 评估报告肯定林业的重要作用。IPCC 第 4 次评估报告在论述林业增汇固碳功能时指出，林业具有多种效益，兼具减缓和适应气候变化双重功能，是未来 30～50 年增加碳汇、减少排放成本、经济可行的重要措施。同时指出，增加碳汇林业的主要途径是保持或扩大森林面积、保持或增加林地层面的碳密度、保持或增加景观层面的碳密度、提高林产品的

异地碳储量和促进产品和燃料的替代。

（2）从 UNFCCC 到 KP 突出林业增汇减排的作用。UNFCCC 确立的目标是"将大气中温室气体的浓度稳定在防止气候系统受到危险的人为干扰的水平上"，并指出"应对气候变化的政策和措施应当讲求成本效益，确保以尽可能最低的费用获得全球效益"。UNFCCC 于 1992 年签署，于 1994 年生效。为了实现 UNFCCC 目标，各国经过艰苦谈判，于 1997 年形成了 KP，首次以法律形式规定附件 1 国家（包括主要工业化国家和经济转型国家）在第一承诺期内（2008～2012 年）的量化减排目标（即在 1990 年排放水平的基础上平均减少 5.2%）。

在 KP 通过后，各缔约方就如何利用林业活动来帮助发达国家完成减排任务进行了长时间谈判，最终形成了一系列缔约方大会决定。考虑到工业减排成本高、难度大，KP 规定附件 1 国家除了主要在国内工业和能源领域进行实质性减排外，还可通过以下两方面的途径进行减排：一方面可在国内利用碳汇林业抵减其在工业、能源领域的排放量，即利用本国 1990 年以来的林业活动产生的碳汇来抵消其 2008～2012 年间的部分温室气体排放量。另一方面，也可通过联合履约（JI）、碳排放交易机制（ET）和清洁发展机制（CDM），到境外开展减排增汇项目。其中，与发展中国家直接相关的林业活动是 CDM 造林、再造林项目，即发达国家可以通过 CDM 项目，购买发展中国家造林、再造林项目产生的碳汇，来部分抵消其在 2008～2012 年期间的温室气体排放量。按照缔约方会议有关规定，附件 1 国家利用碳汇林业约可完成 KP 为本国规定的减排任务，只能占到购买国 1990 年温室气体排放量的 1%。由于碳汇林业成本较低，减轻了发达国家履行 KP 减排承诺的压力。

（3）《巴厘路线图》进一步重视碳汇林业的作用。IPCC 第 4 次评估报告表明，全球毁林排放的 CO_2 多于交通部门，是位居能源、工业之后的全球第 3 大温室气体排放源，约占全球温室气体总排放量的 17.4% 左右。由于 KP 第一承诺期到 2012 年就结束，第二承诺期谈判在 2005 年 KP 生效后就摆上了议程。在 KP 第二承诺期谈判中，发达国家如何继续利用碳汇林业来实现未来减排承诺成为谈判中的难点，受到了发达国家和发展中国家的密切关注。与此同时，热带地区的一些发展中国家长期以来面临着严重的毁林困扰。

在 2007 年底通过的《巴厘路线图》中，将减少发展中国家毁林和森林退化导致的碳排放，以及通过森林保护、森林可持续管理、森林面积变化而增加的碳汇（简称 REDD +），作为发展中国家减缓措施纳入气候谈判进程，要求发达国家要对发展中国家在林业方面采取的上述减缓行动给予政策和资金支持。《巴厘路线图》进一步提升了林业在应对全球气候变化中的重要地位。

（4）《哥本哈根协议》对林业的表述。2009 年 12 月，在 UNFCCC 缔约方第 15 次大会（COP15，下文出现的 COP 都是指"UNFCCC 缔约方大会"）期间，发展中国家集团与发达国家集团角力激烈而复杂，最后形成了不具法律约束力的《哥本哈根协议》，进一步明确："减少滥伐森林和森林退化引起的碳排放至关重要，需要提高森林碳汇能力以及立即建立包括 REDD + 在内的正面激励机制"。

由此可见，在当前及今后一个时期，国际社会围绕 UNFCCC、KP 原则和规定、《巴厘路线图》授权所做的种种努力，以及目前达成的相关共识，必将长期影响人类的发展模式、生活方式以及国际利益格局。林业作为气候谈判的重要议题之一，将面临着更多的机遇和挑战。

6.2.1.2　林业碳汇国际法规则谈判的阶段性成果和局限性

气候变化谈判一直在两个平行的轨道上进行。一个是在 AWG—LCA(《联合国气候变化框架公约》下的长期合作行动问题特设工作组)下，重点讨论巴厘岛路线图确定的"共同愿景"、适应、减缓(包括减少发展中国家毁林排放，REDD)、融资和技术五个部分。另一个是在 AWG—KP(《京都议定书》之《联合国气候变化框架公约》附件 1 缔约方进一步减排承诺特设工作组，简称京都议定书特设工作组)下，讨论重点则是附件 1 国家的总体与个别减排承诺、清洁发展机制(CDM)的变革以及土地利用、土地利用变化与林业(LULUCF)问题等。截至 2010 年，两个工作组较为突出的进展分别为 AWG—LCA 下的林业议题和 AWG—KP 下的各国减排目标(李怒云、黄东、张晓静等，2010)。

在 UNFCCC 和 KP 框架内，发展中国家希望发挥林业在应对气候变化中的作用，并希望将林业减缓气候变化纳入应对气候变化的国际进程，以促进解决林业发展中面临的突出问题；发达国家则希望在后京都时代利用更多的土地与林业活动来帮助其完成第二个承诺期的减排任务，以减轻工业、能源领域的减排压力。由于各缔约方之间存在很多分歧，以及减少毁林在控制温室气体中的重要性，林业相关议题仍将是今后谈判的热点。尽管资金及技术履约程度、转移排放、人均排放、国家主权等仍可作为发展中国家向发达国家进行斗争的利器，但是随着欧美在碳减排上不断强势，"共同但有区别原则"正在受侵蚀。在全球范围内，LULUCF、REDD 已成为林业应对气候变化的新动向。各国政府在 LULUCF、REDD 方面起着至关重要的作用。

林业碳汇国际法规则谈判的阶段性成果：①明确了林业碳汇的概念和项目种类。COP4(1998 年)最早提到了林业碳汇问题。2001 年在德国波恩召开的气候变化大会上达成了这项决定，首次明确了林业碳汇的相关概念和种类。根据 2001 年波恩协议的《关于土地使用、土地使用的变化和林业的决定》，林业碳汇是指通过实施造林、再造林和进行森林管理，减少毁林等活动，吸收(或减少)大气中的二氧化碳并与政策、管理和碳贸易相结合的过程、活动和机制。林业碳汇是自然科学和社会科学相结合的范畴。②2001～2004 年的缔约方大会集中对 CDM 中的林业碳汇问题进行了持续的谈判，明确将造林再造林作为合格的清洁发展机制项目(AR CDM)，AR CDM 的具体运行模式和程序规定已经比较完善；③2005～2009 年的缔约方大会重点对"减少毁林和森林退化导致的排放"(REDD)的林业碳汇问题进行谈判，鼓励 REDD 机制。

林业碳汇谈判已达成的国际法规则的局限性：①部分规则缺乏可操作性，内容过于原则化。有关 ARCDM 项目的决定已较为详尽，项目的申请资格、如何申请、审批机构、如何审批、具体的方法学等都比较完善，但对发达国家如何向发展中国家 ARCDM 项目提供资金支持和技术援助却始终没有明确、可依据的国际法规则。关于林业碳汇价格的规定也不明确，许多发达国家利用国际法规则的不完善打压发展中国家的利益，使国际碳汇交易市场的公平性受到威胁。有关 REDD+、森林管理、森林生态平衡等方面的规则也都存在操作性不强的问题，这些规定的原则化导致其必将成为日后林业碳汇国际谈判的焦点(吴水荣，2010)。②忽视了生物多样性的保护和森林生态系统平衡。林业碳汇活动的开展与森林生态系统及生物多样性保护密切相关。尽管从 LULUCF 开始，许多林业碳汇国际法规则提到要求林业碳汇活动的开展必须"同时考虑到应有助于生物多样性的保护和自然资源的可持续利用""采取森林碳汇的行动必须基于保护生物多样性……"，但至今没有一项专门的决定阐明如何处理好林业碳汇活动和生物多样性、森林生态系统的关系，没有具体的可遵循、可操作的国际法规则，其实也是森林管理活动的实质性要求。我们也必须认识到并不是所有的林业碳汇活动对森林生态系统和生物多样性产生的都是正面影响。③忽视了草原等其他有碳汇功能的环境要素的重要作用。④忽视了森林产品的储碳功能。森林产品包括木材和木制品，森林产品都是通过对森林的砍伐加工得到的。森林产品在砍伐和加工的过程中，原树木已储存的碳会继续留存，只有当树木死亡腐朽时才会把原存储的碳重新释放到大气中。森林碳汇的碳储量增加其实只有在树木生长期或是森林面积扩大时发生，已生长成熟的树木碳储量将不再增加，树木的生长量和腐朽量平衡时碳储量也不会发生变化。因此，我们要改变对森林树木砍伐的误解，不能一味禁止砍伐林木，而是在必要合理的采伐基础上多复种，对成熟林进行采伐更新，对木材合理加工，才能真正地提高森林碳汇的碳储存能力。森林产品储碳功能的促进可以通过森林管理活动的国际法规则来实现。但目前林业碳汇国际法规则主要集中在造林、再造林项目和 REDD + 的谈判上，只在 LULUCF 中给出了"森林管理"的定义，后续谈判和会议上没有涉及森林管理活动的议题，森林管理还未正式走入各缔约方的视野中。

6.2.1.3 主要国家林业应对气候变化行动及政策机制

林业成为应对气候变化国际关注的热点问题，许多国家如英国、美国、加拿大、日本、德国、印度、俄罗斯、澳大利亚、瑞士等都制定了相关的林业应对气候变化的行动计划和政策机制。

（1）英国林业委员会调整林业发展战略。2008 年，英国林业委员会将林业减缓和适应气候变化作为林业战略的重要组成部分，制定了各共和国林业应对气候变化的目标。其中较有影响的是《森林和气候变化指南——咨询草案》和《可再生能源战略草案》。前者明确了林业应对气候变化的 6 个关键行动计划，即保护现有森林，减少毁林，恢复森林植被，使用木质能源，用木材替代其他建筑材料，以及制定适应气候变化的计划。后者提出在 2020 年前，生物能源具有满足可再生能源发展目标 33% 的潜力，其中木质燃料是一个很重要的方面。此外，苏格兰林业委员会提出了苏格兰林业适应和减缓气候变化的关键林业行动《合作计划2008 ~ 2011 年》。

（2）美国林业碳计划以及林业应对气候变化战略框架和措施。美国林业碳计划是为个人和组织提供利用植树来补偿温室气体排放的平台。林业碳计划有两种模式：①出售碳信用以补偿特定活动导致的碳排放；②出售造林项目的碳汇，同时着手制定为林业减缓气候变化的行动提供担保以激励个人和组织开展植树造林的行动框架。美国林务局还制定了林业应对气候变化的战略框架，提出优先发展领域。其中，美国应对气候变化技术（CCTP）制定了关于森林的国家政策，将通过造林、护林帮助改善人居环境作为目标。美国林业适应气候变化的措施主要有：加强森林和草原管理以促进生态系统健康发展，增强适应气候变化的能力；完善监测和模拟气候变化对生物及水影响的能力；预防和减少气候变化对物种迁移的影响；调整种植方法，恢复生态系统；建立伙伴关系，加强森林碳补偿，如鼓励森林私有者积极管护森林，提高森林储碳量，通过森林碳汇交易市场进行碳补偿，推广扩大城市碳吸收的树木培育措施。

（3）加拿大"新的森林发展战略"。2008 年，加拿大政府发布了新的森林发展战略。重点关注林业部门的改革和应对气候变化。一致认为林业部门改革和应对气候变化相互影响，相互依赖。加拿大林业适应气候变化涉及脆弱性评估、加强适应能力、信息共享等一系列的管理政策和行动。加拿大林业应对气候变化的具体措施包括两方面：①减缓。通过加强森林火灾、虫灾的防治，减少森林砍伐等减少碳排放，同时加强森林管理和促进使用林产品增加储碳量。②适应。计划提供 2500 万美元，用 5 年时间帮助社区适应气候变化，为全国 11 个以社区为基础的合伙企业提供资助，推进社区应对气候变化的信息共享和能力建设。

（4）日本新森林计划。日本防止气候变暖的森林政策包括两个方面：①通过植树造林增加碳汇；②通过推进森林健康、加强国土保安林的管理以及生物资源的合理利用减少排放。2006 年 9 月，日本林野厅公布了新森林计划，根据增加碳汇、推进实施森林可持续经营、加强木材供给和木材有效利用等要求，提出了"防止地球变暖的森林碳汇 10 年对策"及今后的 4 个方向：①森林可持续经营；②保安林管理；③木材和生物质能源利用；④国民参与造林。在日本政府发布的 2008 年度《森林、林业白皮书》中明确了将包括农村、渔业地区等作为生物资源的供给源，提出了通过间伐可持续利用森林，扩大建筑使用木材等行动计划，并明确提出了长期减排 60%～80% 的目标。

（5）印度国家行动计划。①应对气候变化：主要有太阳能计划、提高能源效率计划、喜马拉雅生态保护计划、绿色印度计划等，核心都是保护生态环境，促进社会和经济可持续发展，增强适应气候变化的能力。②减缓政策措施：包括提高能源利用效率，促进水电、风能、太阳能等可再生能源的发展，开发利用清洁煤炭发电技术，推广使用更清洁低碳的交通燃料，强化森林保护和管理等。2008 年 6 月印度政府批准了第一个关于气候变化的国家行动计划，其中确定了 8 个核心内容，强调森林可持续经营、保护与开发并重的方式利用非木材林产品、退化林区的开发和恢复等，此项行动持续到 2017 年。2007 年，印度宣布了包括在已退化林地上重新造林 6 万 km² 的"绿色印度计划"。

（6）俄罗斯的《森林工业基本发展纲要》。为了提高俄罗斯林业和木材加工业的国际竞争力，俄罗斯政府加强了对森林工业企业的调控力度，进一步深化林业企业改组，调整产业结构，提高产品加工能力，扩大林产品出口。俄罗斯工业科技部已制定了《森林工业基本发展纲要》，其中心内容是将木材加工业的赢利重点从原木出口转向木材深加工。2008 年俄罗斯联邦政府提高了原木出口关税，以限制原木出口。

（7）澳大利亚的森林碳市场机制。澳大利亚提出了建立森林碳市场机制，其中包括 REDD 以及通过造林和再造林活动更多地消除大气中的温室气体。建议今后将土地部门也纳入 REDD 机制中。该机制旨在避免逆向的负面结果，包括鼓励当地人和原住民积极参与本国的 REDD 行动，最大限度地保护生物多样性以及当地社区和原住民的利益。该提案中的碳市场机制主要在国家层面落实。

（8）瑞士的新林业行动计划。提出了最大限度地挖掘木材的价值，以逐步提高林主、企业主和公众对木材多种用途的认识。

（9）法国在若干领域也采取了一些新举措，包括木材生产与加工、重视自然保护区以及促进和开发森林的休闲功能等。

（10）中国林业在应对气候变化中的作用。中国政府高度重视林业在应对气候变化中的特殊作用，采取了一系列支持和促进森林碳汇发展的重大举措。国务院发布的《应对气候变化国家方案》，明确把林业纳入我国减缓气候变化的6个重点领域和适应气候变化的4个重点领域。2007年9月，胡锦涛同志在第15次APEC领导人会议上提出建立"亚太森林恢复与可持续管理网络"倡议，被国际社会誉为应对气候变化的森林方案。2009年9月，胡锦涛同志在联合国气候变化峰会上庄严宣布，中国要大力增加森林碳汇，到2020年森林面积比2005年增加40万km^2，森林蓄积量比2005年增加13亿m^3。中国林业应对气候变化重点领域和主要行动见表6-1所示。

表6-1 中国林业应对气候变化重点领域和主要行动

序号	重点领域	主要行动	备注
1	领域一：植树造林	行动1：大力推进全民义务植树	林业减缓气候变化的重点领域和主要行动
2		行动2：实施重点工程造林，不断扩大森林面积	
3		行动3：加快珍贵树种用材林培育	
4	领域二：林业生物质能源	行动4：实施能源林培育和加工利用一体化项目	
5	领域三：森林可持续经营	行动5：实施森林经营项目	
6		行动6：扩大封山育林面积，科学改造人工纯林	
7	领域四：森林资源保护	行动7：加强森林资源采伐管理	
8		行动8：加强林地征占用管理	
9		行动9：提高林业执法能力	
10		行动10：提高森林火灾防控能力	
11		行动11：提高森林病虫鼠兔危害的防控能力	
12		行动12：合理开发和利用生物质材料	
13	领域五：林业产业	行动13：加强木材高效循环利用	
14		行动14：开展重要湿地的抢救性保护与恢复	
15	领域六：湿地恢复、保护和利用	行动15：开展农牧渔业可持续利用示范	
16	领域一：森林生态系统	行动1：提高人工林生态系统的适应性	林业适应气候变化的重点领域和主要行动
17		行动2：建立典型森林物种自然保护区	
18		行动3：加大重点物种的保护力量	
19		行动4：提高野生动物疫源疫病监测预警能力	
20	领域二：荒漠生态系统	行动5：加强荒漠化地区的植被保护	
21	领域三：湿地生态系统	行动6：加强湿地保护的基础工作	
22		行动7：建立和完善湿地自然保护区网络	

资料来源：国家林业局. 中国林业与应对气候变化［EB/OL］.

http：//www. forestry. gov. cn/ZhuantiAction. do？dispatch = content&id =499868&name = apec，2011－09－05.

一些行动说明如下：

编制《林业发展"十二五"规划》和《全国造林绿化规划纲要》，明确在"十二五"期间，每年计划完成造林任务 585 万 hm^2、森林抚育经营(含低产林改造)7 万 km^2。

制定《应对气候变化林业行动计划》，确立了林业减缓和适应气候变化的 3 个阶段目标、9 大重点领域，以及 22 项主要行动，见表 6-1。

推进林业碳汇计量监测体系建设，在山西、辽宁、四川等地开展试点，相继成立国家林业局林业碳汇计量监测中心和西南林业碳汇计量监测中心。

在广西实施了全球首个 CDM 碳汇造林项目，在国际上树立了样板，赢得了赞誉。

启动了国内碳汇造林试点。制订了《碳汇造林技术规定(试行)》《造林项目碳汇计量监测指南(试行)》等技术规范，为探索碳汇计量监测标准、碳汇管理政策、开展森林碳汇交易等积累经验。

建立中国绿色碳汇基金会。这是中国首家以增汇减排、应对气候变化为目的的全国性公募基金会，旨在推进植树造林、森林经营、减少毁林和其他相关的增汇减排活动，普及有关知识，提高公众应对气候变化的意识和能力，支持和完善中国森林生态效益补偿机制。

6.2.2　UNFCCC 和 KP 框架内有关森林碳汇利用和碳汇市场的规定

林业碳汇谈判是气候变化谈判的重要组成部分，因此气候变化领域的国际法规定自然成为林业碳汇国际法规则谈判的法律基础，包括 UNFCCC 和 KP。

在 UNFCCC 和 KP 框架内，有关森林碳汇利用和碳汇市场的规定概述如下。

6.2.2.1　《京都议定书》(KP)的相关规定

《京都议定书》(KP)第 3.3 条明确规定，1990 年以后所进行的造林(afforestation，A)、再造林(reforestation，R)及毁林(deforestation，D)之二氧化碳吸收或排放净值，可并入减排量计算。关于森林管理、植被恢复、农地管理和牧地管理的第 3.4 条规定，因加强森林经营管理(forest management，FM)所额外增加的碳吸存量也可并入减排量。同时借助联合履约(joint implementation，JI)(第 6 条)、清洁发展机制(clean development mechanism，CDM)(第 12 条)及排放权交易(emissions trading，ET)(第 17 条)等 3 种灵活机制，使森林资源所吸存的二氧化碳成为一种可交易的商品，而且碳交易已成为一项国际上的重要产业。KP 中的碳汇林业相关内容，如图 6-1。

6.2.2.2　《哥本哈根协议》的相关规定

《哥本哈根协议》是国际气候谈判激烈背景下妥协的产物，主要内容：重申对于气候变化议题的重视，要求大家遵守国际间排放量计算的可测量、可报告、可核查(MRV)规范，非附件 1 国家每两年应提交国家通讯，强调对 REDD 议题的重视，资金筹措与分配建议等。以下仅就《哥本哈根协议》第 5、6、8 与第 12 条中与碳汇林业相关的要点摘录如下。

第 5 条：非附件 1 国家所采取的减缓行动，要求可量测、可报告与可查证(MRV)，并将其结果通过国家通讯依据缔约方大会采纳的指导纲要为基础，每两年送达报告一次。

第 6 条：了解减少毁林与森林退化导致的排放之重要性，以及改善森林移除造成温室气体排放量之必要性，同意有必要通过建立包括 REDD + 的机制，提供正面诱因之必要性，以

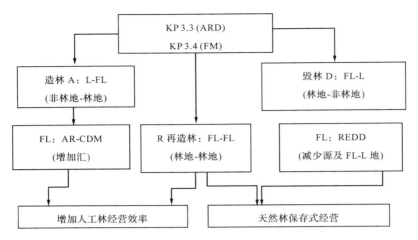

图 6-1   KP 中的碳汇林业相关内容

便能够动员来自于发达国家的资金。

第8条：扩大规模、新增与额外、可预测与足够之资金，和获得改善之资金取得性，将在依据公约相关条款规定下，提供给发展中国家，使其能够支持减缓行动，包括对 REDD、调适、能力构建、技术发展及移转的实质融资，以改善公约的实施。

第12条：建立哥本哈根绿色气候资金，作为公约的融资机制运作实体，支持发展中国家与减缓相关的计划、方案、政策与其他活动，包括 REDD、调适、能力建立、技术发展及移转。

6.2.3   LULUCF 议题的进展

6.2.3.1   LULUCF 的含义和相关议题的进展

LULUCF 是土地利用、土地利用变化与林业(land use, land-use change and forestry)。

LULUCF 活动在减缓气候变化中的角色长久以来就已被认知。在国际气候谈判中，相关 LULUCF 议题的进展如下。

（1）UNFCCC 和 KP 框架下的 LULUCF 活动。UNFCCC 已认识到 LULUCF 活动在气候变化问题的重要性并包含与此部门相关的承诺。在 UNFCCC 之下，多数有关 LULUCF 的讨论将重点放在温室气体清单，主要关注的议题是如何收集活动数据、如何根据这些信息正确地估计源的排放和汇的清除。在达成 KP 之前的谈判中，考虑到有许多国家强调将 LULUCF 的汇与排放包括在 KP 承诺中的重要性，KP 的一些条款指出，缔约方可将 LULUCF 活动纳入其对实施 KP 努力的一部分，以为减缓气候变化做出贡献。但是，有关 LULUCF 的问题被视为过于复杂且缺乏科学证据，因而增加了谈判过程的难度。2001年，COP7 通过的《马拉喀什协议》为 KP 第3.4条之下的活动提供了规则手册。据此，造林和再造林项目（A/R CDM）纳入 KP 框架下发达国家与发展中国家间在林业领域的唯一合作机制。这意味着那时的制度设计并没有把握 LULUCF 的全部碳汇机会，只实现了这个潜力很小的一部分（主要是通过 A/R CDM）。

（2）后京都时代基于 AFOLU 活动的国际谈判。在 UNFCCC 之下围绕后京都时代的国际气候谈判中，主要有如下3个的谈判进程。

AWG—KP(《京都议定书》之《联合国气候变化框架公约》附件 1 缔约方进一步减排承诺特设工作组)的谈判进程。在此谈判进程下，有一个关于 AFOLU 的具体议程项目，包括：基于 KP 第 3.3 条和第 3.4 条的以活动为基础的办法；基于 UNFCCC 下报告的以土地为基础的办法；木质林产品（HWP）；此外，如湿地管理、恢复和退化以及森林退化，也都包括在讨论中。此进程的结论和决定必定将影响对附件 1 缔约方监督和报告 AFOLU 活动的要求。LULUCF 议题是 AWG—KP 下讨论的优先主题之一。AWG—KP 鼓励各缔约方于 2009 年 8 月之前递交提案，以便更好地处理后京都协议中 LULUCF 问题。中国、哥伦比亚、白俄罗斯、澳大利亚、日本和巴布亚新几内亚均提交了提案。

AWG—LCA(《联合国气候变化框架公约》下的长期合作行动问题特设工作组)的谈判进程。AWG—LCA 的成立是为了通过长期合作，以完整、有效和可持续地实施 UNFCCC 有关森林的方面。《巴厘行动计划》第 1（b）段第 3 点规定：与减少发展中国家缔约方毁林和森林退化所致排放量有关问题的政策方针和积极激励办法；以及发展中国家森林养护、可持续森林管理及加强森林碳储存的作用。由此在 AWG—LCA 谈判中强调：包括何种林业活动；报告可衡量、可核实的减排量和储存量提高方面的后果。

SBSTA(《联合国气候变化框架公约》附属科学技术咨询机构)下有关 REDD 的讨论。根据《巴厘行动计划》第 2／CP113 号决定，SBSTA 启动了一个工作项目来处理有关减少因毁林和森林退化引起的排放活动（REDD）的一系列政策办法和积极激励的方法学问题。缔约方已被要求提供其对尚未解决的方法学问题的观点。

2010 年 6 月的波恩会议期间，中非国家注意到，当时的 REDD + 议题谈判对发展中国家制定了许多严格要求，但在 LULUCF 议题谈判中发达国家却在为自己引入越来越多的灵活性，例如现行的碳汇计量规则允许发达国家用人工林替代现有森林。一些缔约方担心 LULUCF 谈判案文中的漏洞使得附件 1 中的国家可能通过单纯调整其来自森林和森林经营的碳汇与排放的基线参考水平来冲抵其减排目标。2010 年 8 月的波恩会议，重点讨论了森林经营的碳汇计量规则及其基线参考水平的确定、不可抗力导致排放的界定及其计量、伐后木制品（HWP）的碳计量规则及是否应该将 HWP 纳入计量范畴。在 2010 年 10 月天津会议期间，各方对上述问题开展了进一步讨论，旨在减少选项、缩短谈判案文，就发达国家核算 2012 年后承诺期内现有森林碳汇时，如何从步骤、程序上保证发达国家使用的数据、方法等具有公开、透明性，形成了初步一致的意见(曾文革，陈娟丽，2010)，然而进展不大。

6.2.3.2 LULUCF 议题的共识和分歧

（1）共识。UNFCCC 已认识到 LULUCF 的重要性并包含与此部门相关的承诺。根据 UNFCCC 第 4 条的规定，所有缔约方均有义务用可比方法编制、定期更新、公布并按照第 12 条向缔约方会议提供关于《蒙特利尔议定书》未予管制的所有温室气体的各种源的人为排放和各种汇的清除清单，即国家温室气体清单，并尽可能降低不确定性。

土地利用变化和林业（LUCF）温室气体清单是国家温室气体清单的重要内容。COP7 就 LULUCF 议题达成一致意见，并应其第 11／CP.7 号决议中的要求，于 2003 年专门编制出版了《IPCC 土地利用、土地利用变化和林业优良做法指南》（IPCC – GPG – LULUCF）。根据该指南，土地利用类别及其转化包括：林地——林地和其他地类转化为林地；农地——农地和其他地类转化为农地；草地——草地和其他地类转化为草地；湿地——湿地和其他地类转化为湿地；居住地——居住地和其他地类转化为居住地；其他土地——其他土地和上述5类土地转化为其他土地。该指南的第4章专门针对《京都议定书》关于造林、再造林和毁林（ARD）的3.3条款，关于森林管理、植被恢复、农地管理和牧地管理的3.4条款，第6条和第12条有关 LULUCF 项目的温室气体源汇计量方法学指南，使各缔约方有关 KP LULUCF 的计量有方法可依，而且计量方法更加灵活、完整（吴水荣，2010）。

（2）分歧。在 UNFCCC 和 KP 的框架之下的 LULUCF 谈判表明，识别并推动基于 LULUCF 活动的碳汇潜力对于附件1缔约方和非附件1缔约方都存在很大困难，这对于国际社会利用 LULUCF 的全部碳汇潜力作为减缓气候变化的努力构成了一大难题。LULUCF 包括的核算活动类型、核算规则和具体方法一直是各方争论的焦点。

6.2.3.3　基于 LULUCF 活动的碳汇潜力和效果

2012年后的国际气候制度可能需要在非附件1缔约方国家纳入范围更广的一组符合条件的活动，其中包括农业、林业和其他土地利用（AFOLU）。AFOLU 根本上和2000年 IPCC 不确定性管理优良做法指南中的 LULUCF 有相同意思，2006年 IPCC 国家温室气体清单优良作法指南将农业与 LULUCF 部门整合，变成 AFOLU。基于 LULUCF 乃至 AFOLU 活动的碳汇潜力见表6-2（刘硕、李玉娥、高清竹等，2011）。其中造林（再造林）、森林经营管理和森林保护属于基于林业活动的碳汇潜力；草地（牧地）、轮作和减少耕作以及高碳作物属于基于农业和其他土地利用活动的碳汇潜力。表6-2所示，AFOLU 活动横跨许多经济和发展部门，不仅从气候变化的角度来看很重要，对于更广泛的发展政策，如粮食安全、能源生产和木材生产，也相当重要。也正因如此，尤其是对广大的发展中国家而言，对表中基于农业和其他土地利用活动的碳汇潜力，尚面临很大的不确定因素。

表6-2　基于 LULUCF 乃至 AFOLU 活动的碳汇潜力

类型	碳汇潜力						
	活生物量			死有机质		土壤	木制品
	地上部分：树木	地上部分：非树木	地下	枯落物	粗大枯死木		
造林	Y（主要的）	M	Y	M	M	M	M
森林经营管理	Y（主要的）	M	Y	M	Y	N	Y
森林保护	Y（主要的）	M	Y	M	M（减少或增加）	M	M（减少或增加）
草地或牧地	–	M	M	–	–	Y（主要的）	–
轮作和减少耕作	–	M	M	–	–	Y（主要的）	–
高碳作物	Y（主要的）	M	Y	M	N	Y	–

注：Y 指碳汇潜力大，（主要的）是指可能代表了主要的碳汇潜力。M 指碳汇潜力可能是重要的也可能是不重要的，这取决于以前的土地利用方式，替代性的土地利用方式以及可获得的资金，（减少）指潜力可能表现为碳源，（增加）潜力可能表现为碳汇。N 指碳汇意义可能不重要。– 指在本表中此类型不适用或不存在。

资料来源：王岩，李全修. 后京都时代中国基于 AFOLU 活动的碳汇市场展望与政策建议[J]. 广东社会科学，2009(6)：57–63.

按照 UNFCCC 国家信息通报指南的要求，温室气体的排放源和吸收汇涉及：能源活动、工业生产过程、农业、土地利用变化和林业、废弃物处置等五个领域。在每个领域中都存在着相当数量的可得碳汇技术，但在没有政府政策干预和制度创新支持的情况下，并非所有碳汇技术都具商业竞争力。而基于发展的需要，既然短期内无法避免化石燃料燃烧所排放的温室气体，为实现 UNFCCC 的最终目标，增加基于农林和其他土地利用（AFOLU）活动的自然碳汇被认为将在任何目前经由联合国谈判进程所形成的 2012 年后国际气候制度中扮演关键角色。基于 AFOLU 活动的自然碳汇选项必将被视为应用于接下来 20～30 年，甚至更长期的选择。同时，我们也必须明确：实现上述全部碳汇潜力更需要制度能力、资本投资、研究与开发、知识转让、适当的政策与激励以及国际合作。

6.2.3.4　基于 LULUCF 活动的政策工具与政策基础

讨论政策工具时，需要区分两部分：用来解决基于 AFOLU 活动的政策工具，以及工具能被使用的层级（地方、区域或国家）。这包括 UNFCCC 下的后京都国际气候制度谈判，国家层级的直接法规、赋税（如碳税）和补助，转移支付和许可证贸易。其中，虽然赋税和补助由国家层级所定义，有关转移支付和许可证贸易的法规也可在国际层级协议。在 2012 年后京都时代，何种工具可被使用，以及使用效果如何，需要依政策目标和优先领域来识别。

要实现 UNFCCC 框架下的可持续性森林管理，在国际层面应该完善森林管理和治理；在国家层面应该澄清森林产权，注重以森林为生的居民等利益相关者的广泛参与。发挥 AFOLU 活动的最大碳汇潜力需要具备的一个最重要的政策基础是林地的产权保障。如果农地、林地权属存在短期限和不明确，将成为 AFOLU 活动长足发展最为重要的制约因子。

6.2.4　REDD 议题的进展

6.2.4.1　REDD 的含义和实质

（1）REDD 的含义。RED：减少发展中国家毁林导致的排放（Reducing Emissions from Deforestation in Developing Countries）。REDD：减少发展中国家毁林及森林退化导致的排放 = "RED" + "减少森林退化导致的排放"。REDD + = "REDD" + "森林碳汇保护、森林可持续管理以及加强森林碳汇"。REDD + + = "REDD +" + "林业以外的碳汇保护、可持续管理以及加强碳汇"。REDD + + 与"农林和其他土地利用"（AFOLU）含义类似。

REDD 机制设计初期，只考虑了"毁林"（RED）、"毁林和森林退化"（REDD）问题，只有那些高毁林和森林退化严重的国家才能从中获得利益和补偿，这明显不公平，特别是对那些已经对森林保护做了积极工作的国家（例如，中国）。随着谈判的深入，REDD 议题扩展到包括"减少森林退化导致的排放，以及森林保护、可持续经营和森林存量增加活动"（REDD +），以及林业部门之外的减少排放活动（REDD + +）。根据《REDD 手册》，REDD + 定义的范围与减排有关，其内涵可分为两个方面：减少毁林和林地退化造成的排放，即减少空气中的碳排放活动；森林面积的增加、森林保护和管理引起的碳储量的增加，即 REDD + 中的 +，它是指碳封存或者除去大气中的碳。因而，从广义上讲，REDD + 的范围还包括了碳保持（王岩、李金修，2009）。

（2）REDD 的实质。REDD 是旨在为森林固碳赋予经济价值的政策框架，为避免毁林、开展造林与森林恢复活动提供激励的一种机制。REDD 利用市场机制、基于保护成效来进行经济补偿，其实施需要大量配套工作，例如，发展中国家的林业规划、林业监测和立法等。

广泛地说，可以将 REDD 所有活动分成 3 类：基于项目、基于政策和部门的 REDD。基于项目的 REDD 活动根据局部地区碳储备的保持性生成信用额。目前许多 REDD 项目关注森林保护、创建保护区和公园，以保护濒危森林，这些基于地点的 REDD 项目可保护一块土地上的碳储备，否则该土地上的森林可能被采伐。基于政策的 REDD 活动通过以可能减少采伐森林的方式改革土地使用政策来生成信用额。采伐森林造成的碳排放可通过土地使用政策而削减，例如，农业补贴往往对采伐森林形成激励机制，运输网络为采伐森林并运出木材提供了通道，改革土地使用政策可能会使林业碳排放大幅削减，正如能源政策改革可望削减电力领域的排放率那样。部门的 REDD 活动通过减少整个国家的净森林采伐率而生成基于市场的信用额（张小金，2011）。

6. 2. 4. 2 REDD 的谈判进程

REDD 是减缓问题谈判的重要组成部分，主要针对如何发挥发展中国家森林减缓气候变暖的作用。最早 REDD 机制是在 AWG－KP 下讨论的，但阻力很多。目前，REDD 的相关议题是在 AWG－LCA 下进行谈判。REDD 谈判进程如下。

1997 年 12 月：在 COP3 上，对于是否将防止毁林产生的碳信用纳入 KP 中，发达国家之间（特别是美国和欧盟）和发展中国家（巴西和南美国家）之间产生了巨大的分歧。KP 确定了围绕不同类型补偿机制的规则和融资结构，同时，由于采伐森林所造成碳排放量以及采伐林监督能力的不确定性，KP 各方最终将 REDD 排除在补偿机制之外。但是 KP 将造林、再造林（AR）纳入碳交易体制，在 LULUCF 框架下为 REDD 奠定了基础。

2001 年 8 月：由于基线、泄漏、方法学等问题，在《马拉喀什协议》谈判中将 REDD 从 LULUCF 中除去，放弃将防止毁林纳入碳交易体制之中。之后的谈判又重启是否将防止毁林机制纳入碳交易的讨论，讨论未果。

2003 年：和 LULUCF 相关的造林（A）、再造林（AR）活动被纳入 CDM 项目。

2005 年 7 月：对 REDD 的看法在 2005 年蒙特利尔各方会议上发生了变化。哥斯达黎加和巴布亚新几内亚代表雨林国家联盟提出，通过 REDD 活动产生的信用额使发展中国家进入碳市场，首次向 UNFCCC 秘书处建议，在 COP11 临时议程中增加"减少发展中国家毁林排放：激励机制"议题，得到了多个国家的支持。

2005 年 12 月：在 COP11 上，以巴布亚新几内亚和哥斯达黎加为首的雨林国家联盟，正式提出了 REDD 机制。REDD 重返谈判议题之中。作为回应，UNFCCC 推出一个为期 2 年的倡议计划，以审查 REDD 的潜力，它在 2007 年巴厘岛召开的 COP13 会议期间达到高潮。

2006 年 10 月：《斯特恩报告》建议"避免砍伐森林的举措"应该纳入全球气候政策中。

2007 年 9 月：澳大利亚和印度尼西亚建立伙伴关系，由澳大利亚提供 3000 万澳元的初始资金，在印度尼西亚加里曼丹中部发展和实施一个大规模的 REDD 示范项目。

2007 年 12 月：《巴厘路线图》将 REDD 作为重要的减缓措施纳入其中，就 REDD 补偿问题取得了新进展。①同意各缔约方在自愿的基础上，继续支持和推进减少发展中国家毁林的各种行动；同意在考虑减少毁林排放的同时，一并考虑因森林退化导致的温室气体排放和因森林保护、可持续管理和森林面积增加导致的碳储量增加的情况。②鼓励各缔约方，特别是发达国家缔约方对发展中国家减少毁林等的自愿行动、能力建设、数据收集、碳排放计量、监测、报告等提供资金和技术支持；鼓励开展示范项目，进一步探索导致毁林、森林退化和因森林可持续经营带来碳储量增加的各种驱动力。③为示范项目制定指定性原则。鼓励使用 LULUCF 最新指南报告减少毁林等排放。④同意请 UNFCCC 附属的科学技术咨询机构（SAB-STA）就减少毁林和退化排放和可持续经营、森林面积增加引起碳储量采取政策措施和激励手段时所涉及的方法学问题进行讨论，并提出工作计划，邀请各缔约方就基准线、在国家和次国家（地区）层面上考虑泄漏等问题提出建议，在此基础上，针对方法学问题组织相关研讨会，并向 COP14 报告上述工作结果；请 UNFCCC 秘书处依据资金通过建立网络平台来促进缔约方、各相关组织和利益方对此类信息的共享。⑤同意在实施 UNFCCC 未来承诺期谈判，即《巴厘路线图》中，进一步考虑有关 REDD +（发展中国家因减少毁林、森林退化导致的排放以及森林保护、面积增加和可持续经营引起的碳储量增加）采取的政策措施和积极激励机制问题。从形式上看，巴厘决策非常谨慎，在其他减排活动中，《巴厘行动计划》正式将 REDD 列为实现排放目标的一种可能方式，并鼓励 REDD 自愿行动，至于 REDD 是否和如何适合国际气候减排战略的决策被推迟到 2009 年哥本哈根 COP15 做出。然而，巴厘岛会议是 REDD 的转折点，使 REDD 作为 UNFCCC 缓解气候变化更广泛战略的一个工具而合法化，并将其放在 2012 年后讨论的相同路线和时间框架内。巴厘决策发出一个信号，即国际气候变化框架将处理采伐森林所造成的碳排放问题，但融资机制确定为时尚早。

2008 年 6 月：刚果盆地森林基金（CBFF）成立，通过促进当地社区的森林管理能力，减少刚果盆地的森林砍伐。初始资金来自英国和挪威政府提供的 1 亿英镑（1.65 亿美元）。

2008 年 7 月：为支持把 REDD 纳入"后 2012 年气候体制"的国际对话，联合国环境规划署、发展规划署以及粮农组织联合建立 UN – REDD 项目。

2008 年 8 月：巴西建立了一个国际基金，为亚马孙地区减少森林砍伐提供资助，第一笔 1 亿美元的承诺资金来自挪威。

2009 年 4 月：全世界的土著代表签署了关于气候变化的《安克雷奇宣言》，强调了需要让土著居民参与国际气候谈判，并尊重他们的权利，包括在任何达成一致的 REDD 项目中的权利。

2009 年 9 月：联合国秘书长潘基文在纽约主持召开气候变化峰会，推动 REDD + 项目发展也是此次峰会的重点议题之一。潘基文呼吁各国政府和私人企业投资此类项目。

2009 年 12 月：AWG – LCA 讨论了 REDD + 的政策方法；SBSTA 讨论了 REDD + 的方法学、基线参考水平问题；不同国家、组织分别就 REDD + 问题提出了自己的解决方案，包括雨林国家联盟提案、刚果提案（CfRN）、巴西提案和印度尼西亚提案等国家级的提案，也包括"绿色和平"组织的保护森林拯救气候提案（Forest For Climate）。在 2009 年 12 月哥本哈根联合国气候大会期间，就 REDD + 的行动范围、阶段性实施方法、指导原则、基线参考水平与实施规模等方面初步达成一致意见，产生了最终方案，REDD + 产生的减排指标获得承认，但是未就 UN – REDD 项目具体方法取得共识，也未将此方法纳入碳计量和交易体系中。

2010 年 8 月：波恩谈判期间，沙特阿拉伯、玻利维亚和土耳其对现有 REDD + 谈判案文提出了较多的修改意见，包括：发达国家不能利用 REDD + 活动作为抵偿机制来实现其减排承诺；对资助森林相关的活动提出了新的资格标准；将"减少毁林和森林退化导致的排放"改成了"减少毁林和森林退化"。对于这些突如其来的变化，一些缔约方表示担忧，担心现有的 REDD + 谈判成果遭到破坏，但也有一些缔约方认为上述国家提出了建设性的补充意见。新的谈判案文将这些修改意见作为独立的选项综合到原有案文之中。

2010 年 10 月：天津谈判期间，就 REDD + 议题来看，虽然各方并未就 REDD 议题的案文逐段逐句地进行谈判，但听取了沙特阿拉伯、玻利维亚对现有 REDD + 谈判案文修改意见的解释，加深了对沙特阿拉伯、玻利维亚立场的理解，有助于进一步缩小分歧，寻求共识，对下一步谈判达成协议有积极的意义。

2010 年 11 ~ 12 月：坎昆 COP16 /CMP6 气候大会通过了 REDD、LULUCF 两个林业议题决定，林业作为减缓和适应气候变化的有效途径和重要手段，在应对气候变化中的特殊地位进一步得到了国际社会的充分肯定和各国政府的高度重视。REDD + 议题决定要求：发达国家通过多边和双边渠道为发展中国家开展 REDD + 提供资金和技术支持；在获得资金和技术支持后，发展中国家要根据国情和能力，制定国家战略或行动计划；在国家或次国家层面上，针对核算减少森林排放及保护和增加森林碳储量行动的效果，确定参考水平（基准线），建立森林碳监测体系；通过发达国家和发展中国家共同努力，扭转全球森林面积减少趋势，进一步增加全球森林碳汇。LULUCF 议题决定要求：发达国家要向 UNFCCC 秘书处提交核算森林管理活动碳汇和碳排放的基准线数值，说明其确定基准线数值依据的数据和方法，并经过专家评审；基准线数值评审合格后，将被正式确定下来，作为发达国家 KP 第二承诺期核算森林管理活动的碳源/碳汇的重要依据。此外，发达国家还主张增加湿地管理、HWP 的碳源/碳汇核算，扣除不可抗拒自然因素引起的森林火灾、病虫害导致的碳排放等。《坎昆协议》强调了计划建立一个由发达国家提供资金援助的 REDD + 机制的框架，以及要求发展中国家开发 REDD + 活动的国家行动计划，监测和报告所实施的 REDD + 活动的监测体系，以及确立国际林业参考水平，但未对该框架的资金来源等问题进行具体、明确的说明。发展中国家需要每两年发布一个进展报告，报告国家的减缓行动，各国政府同意提供技术和资金支持，迅速采取行动控制发展中国家的毁林和森林退化导致的碳排放。英国、美国、日本和欧盟等认为，《坎昆协议》是全球气候行动框架的重要步骤，应对气候变化又前进了一步，指引了前进的方向；玻利维亚则表示，《坎昆协议》未遵循"协商一致"的原则，主要是最富有国家在减排和资金上没有新的内容，因此拒绝接受坎昆协议，最终玻利维亚的反对未被采纳，但其意见被记录在案。

2011 年 11 月 ~ 12 月：德班 COP17 /CMP7 气候大会对 REDD + 、LULUCF 两个林业议题又进行了深入磋商和谈判。在 REDD + 的结果是否应包括支付非碳效益的问题上，各缔约方仍然存在分歧，坦桑尼亚、苏丹、玻利维亚、马拉维和菲律宾表示这是取得成果的不可分割的部分；玻利维亚呼吁采取各种办法，提出一个侧重于非市场的方式，作为 REDD + 的替代方法。

2012 年 11 月 28 日：第一次非正式会议上，欧盟、哥伦比亚和巴布亚新几内亚提出了新的"REDD +"提案。各缔约方还讨论了如果 AWG – LCA 轨道在多哈会议结束，REDD + 的谈判在 2012 年之后应该如何发展的问题。巴布亚新几内亚提出了一项 REDD 新机制，坦桑尼亚、印度尼西亚和多米尼加对此表示支持，而美国、挪威和澳大利亚则表示反对，并强调应将重点放在职能和现有机制上（埃琳·迈尔斯，2012）。

6.2.4.3　REDD 的分歧和共识

经过 2009 年的谈判，REDD 机制加进了另外 3 个活动：森林保护、森林可持续管理、增加碳储量，变成了 REDD + 机制，逐渐合理。《哥本哈根协议》认可了 REDD + 对于缓解气候变化的重要性，并同意迅速启动 REDD + 机制，政治意愿上已经没有大的障碍，争议更多是在细节上。尽管存在分歧，REDD + 却是目前谈判议题中争议最小的议题之一。随着实际项目的开展，REDD + 机制的减排效果逐渐显现。在相对充足的资金支持下，争议内容正逐渐被解决，迅速启动 REDD + 的呼声很高。坎昆会议没有达成有法律约束力的协议，主要谈判方都要求"一揽子决议"，也就是说，即使 REDD + 解决了所有的自身问题，也很难形成协议。在没有新的决议的前提之下，双边或者"小"多边的 REDD + 机制也会快速启动，发展中国家和发达国家之间的志愿双边 REDD 项目逐渐增多，UN – REDD 试点也日益活跃。例如，挪威已经承诺向印度尼西亚提供 10 亿美元；FCPF 已经在世界上 37 个国家开展 REDD + 的准备工作。

主要分歧：REDD 的目标、行动范围（RED、REDD、REDD + 或 REDD + + ）、指导原则、REDD 是否用作碳抵偿、REDD 与国家缓减行动（NAMAs）之间的联系、融资激励机制的形式（基金、基于市场或两者的混合）、制度框架、实施方法、行动结果是否要达到可测量、可报告、可核查（MRV）的要求等方面存在分歧。巴西、中美洲及非洲的发展中国家希望通过基金的方式获得额外的资金和技术支持，而美国、澳大利亚和欧盟等发达圈家却更倾向于 CDM 市场机制（吴水荣，2009）。很多缔约国还强调有必要保证 REDD 尊重土著居民和森林社区的权利，以及保护生物多样性。REDD 得到各缔约国广泛的支持，REDD + 也得到一些缔约国的支持。

① REDD 应该是一个志愿的机制，还是需要为发展中国家设立毁林率降低的硬性目标？如果 REDD 机制的实施是以发展中国家设定毁林率降低目标为前提，那很多发展中国家是难以接受的。

② 关于 REDD – 活动的范围：哪些活动符合条件？巴西等支持 RED，加拿大等赞同 REDD，中国等支持 REDD + 。共识：应该只允许发展中国家参与；尽管 REDD 得到了越来越多的支持，各方倾向于分阶段的方法，最开始是 RED，然后是 REDD 和 REDD + 。

③关于阶段性方法。基本达成共识：REDD + 阶段性方法——UNFCCC《坎昆协议》明确了 REDD + 分三个阶段实施，各阶段内容如图 6-2。

④关于方法学。基本共识：IPCC 指南和良好做法指导意见提供的方法学可以作为发展中国家估算和监测毁林与森林退化减排的基础，并作为监测本国森林碳储量变化的基础；雷达和遥感技术及通过卫星数据数字分析、地面调查、绘制森林覆盖图等来评估森林面积变化和毁林的面积。

⑤关于参照范围和参照期。参照范围：次国家层面、国家层面、全球层面？参照期：历史基准、调整后的历史基准、预计的基准？基本形成的共识：倾向于在国家层面上计算，尽

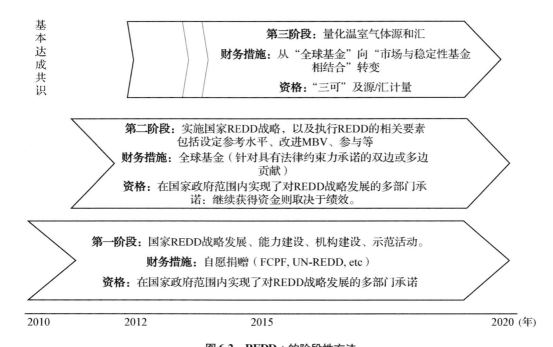

基本达成共识

第三阶段：量化温室气体源和汇

财务措施：从"全球基金"向"市场与稳定性基金相结合"转变

资格："三可"及源/汇计量

第二阶段：实施国家REDD战略，以及执行REDD的相关要素包括设定参考水平、改进MBV、参与等

财务措施：全球基金（针对具有法律约束力承诺的双边或多边贡献）

资格：在国家政府范围内实现了对REDD战略发展的多部门承诺；继续获得资金则取决于绩效。

第一阶段：国家REDD战略发展、能力建设、机构建设、示范活动。

财务措施：自愿捐赠（FCPF, UN-REDD, etc）

资格：在国家政府范围内实现了对REDD战略发展的多部门承诺

2010　　　2012　　　　　2015　　　　　　　　　　　　　2020 (年)

图 6-2　REDD + 的阶段性方法

管可能影响一些没有能力建立国家碳计量的发展中国家；大多数 NGO 倾向于选择历史基准，而大多数政府提案建议使用发展因子调整后的历史基准。

⑥关于 REDD + 的融资机制。

资金筹措：资金从哪里来？是否有多重资金流？自愿捐款、碳市场，或与市场有关的机制？很多发展中国家是要求通过发达国家的公共资金来解决资金问题，不愿意通过碳市场融资来筹集资金。各方越来越多地同意采取分阶段方法，这种综合了为 REDD 的各个方面通过支持的不同资金来源的方法最有可能成功，也可以使不同国家根据其自身发展现状及其他需要而使用不同的融资机制。

资金分配：资金流向何方？有没有额外的机制用于激励碳储存？大部分提案主张根据缔约方自身的行动直接给予激励和补偿。另有提案建议应设计一种分配机制，使得除产生减排量的主体之外的其他各方也能够从中受益。

⑦其他技术层面的争议。例如，如何定义森林和森林退化，如何进行森林碳的计量等等。

⑧各缔约方利益如何均衡：各缔约方利益如何均衡见表6-3，争议颇多。一些土著居民反对 REDD，因为很多发展中国家缺乏明确的土地权属，REDD 的实施有可能使土著居民失去他们长期依赖的土地。

图6-3　各缔约方利益如何均衡

	低森林覆盖率（＜50％）	高森林覆盖率（＞50％）
高砍伐率 （＞0.22％/年）	象限Ⅰ 例如：危地马拉、泰国、 马达加斯加 国家数量：14 森林面积：28％ 森林碳总量：22％ 年砍伐率：48％	象限Ⅲ 例如：巴布亚新几内亚、 巴西、刚果（金） 国家数量：10 森林面积：39％ 森林碳总量：48％ 年砍伐率：47％
低砍伐率 （＜0.22％/年）	象限Ⅱ 例如：多米尼加共和国、 安哥拉、越南 国家数量：15 森林面积：20％ 森林碳总量：12％ 年砍伐率：1％	象限Ⅳ 例如：苏里南、伯利兹、 加蓬 国家数量：11 森林面积：13％ 森林碳总量：18％ 年砍伐率：3％

6.2.4.4　REDD 的主要国际行动和项目

（1）世界银行的森林碳伙伴基金（WB—FCPF）：2007 年 11 月，在印度尼西亚巴厘岛召开的联合国气候变化框架公约第 13 次缔约方大会上，REDD 被正式列入减缓温室气体排放的重要措施，设立森林碳伙伴基金（FCPF）的计划也被正式宣布。FCPF 作为世界银行旗下的一个组织，于 2008 年 6 月开始正式运作（其官方网站为 www. forest carbon partnership. org），目的在于提供技术援助赠款（准备金），帮助发展中国家降低毁林和森林退化造成的排放，为开展避免森林砍伐和退化减排活动进行能力建设，设备、评估和试验 REDD 行动。目标注资额为 3 亿美元，其中 1 亿美元为准备金，2 亿美元为碳基金。

对项目的资金支持包括 2 种机制：其一，"准备"基金（readiness fund）支持的"准备"机制（readiness mechanism）：通过选择一些国家，由它们建立国家层面的 REDD 战略以及相应的监测体系，实现大规模的、有效的激励机制，以实现通过控制毁林和森林退化，减少温室气体排放的目的。其二，碳基金（carbon fund）支持的碳财政机制（carbon financial mechanism）：以合同的形式选择一些国家，根据它们所实施 REDD 项目产生的可核证的温室气体减排量来支付报酬，以市场机制获得项目资金。FCPF 力求通过世界银行向热带地区的成员国提供资金支持、技术援助，以实施 REDD 试点项目，并检验和展示 REDD 项目能够圆满实施的不同措施。

项目合作伙伴的选择：FCPF 的基金管理团队（FMT）根据热带、亚热带国家所提交的加入 FCPF 伙伴关系的申请召开了 3 次会议，先后确定玻利维亚、哥斯达黎加、刚果（金）、加蓬、加纳、圭亚那、肯尼亚、老挝、利比里亚、马达加斯加、墨西哥、尼泊尔、巴拿马、越南、阿根廷、喀麦隆、哥伦比亚、埃塞俄比亚、尼加拉瓜、巴布亚新几内亚、巴拉圭、秘鲁、刚果(布)、乌干达、瓦努阿图、柬埔寨、中非共和国、智利、萨尔瓦多、赤道几内亚、危地马拉、洪都拉斯、印度尼西亚、莫桑比克、苏里南、坦桑尼亚和泰国等 37 个国家，作为实施 REDD 项目的国家和 FCPF 的合作伙伴。这 37 个国家中有 14 个在非洲、15 个在拉丁美洲和加勒比海地区、8 个在亚太地区，它们的森林资源和地理位置基本代表热带和亚热带地区。14 个国家对 2013 年 1 月 31 日之前加入 FCPF 进行申请，包括伯利兹、不丹、布基纳法索、布隆迪、乍得、科特迪瓦、斐济、牙买加、尼日利亚、巴基斯坦、菲律宾、斯里兰卡、苏丹、多哥。赤道几内亚入选 FCPF，但是还没有签署加入协议。

　　申报和审批程序：FCPF 的准备基金和碳基金分别以拨款和购买核证温室气体减排量的形式向 REDD 国家提供资金支持。二者在资助活动、申请材料和审查程序上有所区别。申请"准备基金"、运用"准备机制"的国家，应提交发展中国家与 REDD 项目实施有关的背景情况，并制订实施 REDD 项目的国家战略。国家战略要体现减少温室气体排放的目标、生物多样性保护及改善依赖森林资源的民众生计、国家优先发展领域和制约条件，以及尽可能完善的测量、监测和核证温室气体减排量的方法。符合 REDD 条件的国家须编制完成"准备计划要点说明"、准备计划(readiness plan)、准备综合报告(readiness package，RP)。其中，RP 包括国家基本情况、REDD 战略和监测系统 3 部分内容。当上述程序履行完整并合格后，REDD 国家将与 FCPF 签订参与者协议，并在以前文件的基础上发展形成准备筹备计划(readiness preparation proposal)。准备筹备计划被接受后，项目申请国即可获 20 万美元的前期工作经费。截至 2009 年 6 月底，圭亚那、印度尼西亚和巴拿马等 3 个国家已签署了前期工作经费合同并向 FCPF 上报了"准备计划"，将进入获得项目资金的最后程序。另有 30 个国家签订了参与协议，其中的 18 个国家提交了前期工作经费申请报告。只要 REDD 国家加强与 FCPF 合作，尽可能使 REDD 国家的意愿与捐赠者的目标一致，REDD 就会取得较好的效果。

　　资金筹措：在第 1 财政年度(2008 年 7 月到 2009 年 6 月)，澳大利亚、芬兰和法国开发署等认捐 1.1 亿美元给准备基金，接近募集计划的 60%；德国、挪威以及欧盟委员会大自然保护协会和英国认捐 0.5 亿美元给碳基金，为募集计划的 25%。截至 2012 年 6 月，18 个捐赠者向 FCPF 认捐 4.57 亿美元，其中 2.39 亿美元为准备基金，2.18 亿美元为碳基金。表 6-4 归纳了 WB—FCPF 的捐赠者和赠款。

表 6-4　WB—FCPF 的捐赠者和赠款(百万美元)，2008~2012 年

捐助方 (commitments and pledges)	准备基金	份额(%)	碳基金	份额(%)	合计	份额(%)
德国	38.6	16.1	69.6	31.9	108.2	23.6
挪威	30.2	12.6	61.0	27.9	91.2	19.9
加拿大	41.4	17.3	5.0	2.3	46.4	10.1
澳大利亚	23.9	10.0	18.4	8.4	42.3	9.2

（续）

捐助方 （commitments and pledges）	准备基金	份额（%）	碳基金	份额（%）	合计	份额（%）
英国	5.8	2.4	17.9	8.2	23.7	5.2
荷兰	20.3	8.5	0.0	0.0	20.3	4.4
瑞士	8.2	3.4	10.8	4.9	19.0	4.2
美国	9.0	3.8	14.0	6.4	23.0	5.0
芬兰	14.7	6.1	0.0	0.0	14.7	3.2
日本	14.0	5.8	0.0	0.0	14.0	3.1
欧盟委员会	5.2	2.2	6.7	3.1	11.9	2.6
AFD	10.3	4.3	0.0	0.0	10.3	2.3
西班牙	7.0	2.9	0.0	0.0	7.0	1.5
丹麦	5.8	2.4	0.0	0.0	5.8	1.3
The Nature Conservancy	0.0	0.0	5.0	2.3	5.0	1.1
意大利	5.0	2.1	0.0	0.0	5.0	1.1
CDC Climat	0.0	0.0	5.0	2.3	5.0	1.1
BP Technology Ventures	0.0	0.0	5.0	2.3	5.0	1.1
合计	239.4	100	218.4	100	457.8	100

注：As of June 2012, 18 donors had pledged US $457 million to the FCPF: US $239 million to the Readiness Fund and US $218 million to the Carbon Fund.

资料来源：IEG (Independent Evaluation Group). 2011. The Forest Carbon Partnership Facility. Global Program Review Vol. 6, Issue 3. P 55. Table C－1.

资金分配：截至 2010 年 10 月，WB—FCPF 选择了 37 个国家，为其提供资金支持其 REDD 准备与示范活动。截至 2012 年 6 月，20 个主要国家获得资金情况见表6-5。

表6-5　WB—FCPF 的主要受赠国

国家	R-PP Formulation Grant Signed Date	R-PP Formulation Grant Signed Date	Commitment Amount	Disburse-ments				
				2010 财年	2011 财年	2012 财年	合计	份额	比重%
民主刚果	3/19/09	3/24/11	3591	177	14	797	988	20.1
尼泊尔	8/26/09	3/29/11	3600	91	109	500	700	14.2
加纳	4/01/09	12/08/11	3600	200	0	400	600	12.2
刚果共和国	7/21/09	1/10/12	3595	87	108	381	577	11.7
印度尼西亚	3/15/11 *	6/11/11	3600	0	0	518	518	10.5
哥伦比亚	10/19/10		200	0	134	66	200	4.1

（续）

国家	R-PP Formulation Grant Signed Date	R-PP Formulation Grant Signed Date	Commitment Amount	Disburse-ments				
			2010 财年	2011 财年	2012 财年	合计	份额	比重%
埃塞俄比亚	9/02/09		200	100	100	0	200	4.1
利比里亚	5/18/09	6/29/12	3782	75	107	0	182	3.7
老挝	10/15/09		173	50	123	0	173	3.5
肯尼亚	9/07/09		169	0	169	0	169	3.4
乌干达	9/08/09		165	40	140	(15)	165	3.4
哥斯达黎加	7/9/09	6/29/12	3761	139	22	0	161	3.3
尼加拉瓜	8/31/11		200	0	0	123	123	2.5
喀麦隆	10/22/10		200	0	55	3	58	1.2
萨尔瓦多	7/20/11		200	0	0	52	52	1.1
泰国	12/29/11 *		200	0	0	37	37	0.7
瓦努阿图	5/14/10		200	0	0	21	21	0.4
墨西哥	n. a.	(Sept 2012)	3600	0	0	0	0	—
莫桑比克	1/29/12		200	0	0	0	0	—
越南	n. a.		200	0	0	0	0	—
合计	31，436		959	1 082	2 884	4 925		100.0

资料来源：IEG（Independent Evaluation Group）. 2011. The Forest Carbon Partnership Facility. Global Program Review Vol. 6，Issue 3. P 56. Table C –2.

　　（2）世界银行的森林投资计划（WB – FIP）：支持发展中国家降低毁林与森林退化造成的排放，同时也考虑在适当时机帮助发展中国家适应气候变化对森林造成的影响，确保森林发挥效益，包括生物多样性保护和农村民生。

　　（3）联合国 REDD 项目（UN – REDD）：2008 年 7 月，UNEP、UNDP 和 FAO 联合建立了 UN – REDD 项目，旨在支持把 REDD 纳入后京都机制的国际对话。其目标是每年从发达国家筹集 300 亿美元用于帮助发展中国家减少毁林造成的温室气体排放。REDD 执行的第 1 年已批准 3700 多万美元用于帮助巴拿马、刚果（金）、坦桑尼亚和越南制止毁林的行动。另有 20 个国家也对加入 REDD 表示了兴趣。

　　截至 2010 年 6 月，UN – REDD 已经筹资 1.12 亿美元，作为 2013 年的快速启动资金。截至 2010 年 10 月，吸收了来自亚太、非洲和拉丁美洲的 9 个示范国和 18 个伙伴国参与。那时伙伴国没有直接获得项目的资金支持，但是可以通过该项目获得其他利益，包括建立网络联系、分享知识与经验、参与该项目的全球性及区域性研讨会、作为官方观察员参加该项目的政策委员会会议等。通过这些经验交流活动等，使伙伴国加强能力建设，做好 REDD 的实施准备。项目也在加强融资，以便在未来为伙伴国提供直接的资金支持。

　　截至 2012 年 12 月，UN – REDD 吸收了来自亚太、非洲、拉丁美洲和加勒比地区的 46 个伙伴国(partner country)。UN – REDD Programme's Policy Board 接受了 16 个伙伴国, 共计 0.673 亿美元的国家项目, 主要致力于发展和补充国家 REDD 战略(National REDD Strategies)。有 UN – REDD 国家项目的国家包括: 玻利维亚、柬埔寨、刚果民主共和国、厄瓜多尔、印度尼西亚、尼日利亚、巴拿马、巴布亚新几内亚、巴拉圭、菲律宾、刚果共和国、所罗门群岛、斯里兰卡、坦桑尼亚、越南和赞比亚。其他伙伴国家: 阿根廷、孟加拉国、贝宁、不丹、喀麦隆、中非共和国、智利、哥伦比亚、哥斯达黎加、埃塞俄比亚、加蓬、加纳、危地马拉、圭亚那、洪都拉斯、科特迪瓦、肯尼亚、老挝、马来西亚、墨西哥、蒙古、摩洛哥、缅甸、尼泊尔、巴基斯坦、秘鲁、苏丹、苏里南和乌干达。

(4)国际热带木材组织 REDD 项目(ITTO – REDDES)。

(5)REDD 伙伴关系。2010 年 5 月奥斯陆会议期间, 建立了一个临时的 REDD 伙伴关系, 旨在利用筹集的资金帮助发展中国家实施 REDD 行动, 同时支持和促进联合国气候变化公约谈判进程。

2010 年 5 月 58 个合作伙伴, 对 2010~2012 年期间的认捐额达 45 亿美元, 各方认捐份额如图 6-3。

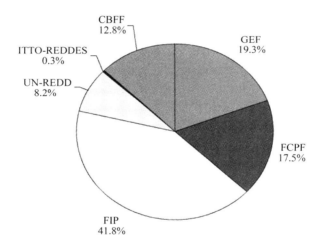

图 6-3 REDD 伙伴关系的 REDD 融资份额

(6)其他 REDD 项目。例如, 巴西的 JUMA 项目。2007 年, 亚马孙州政府就启动了森林保护补助计划, 目的是保护森林免遭砍伐的同时, 改善原住民的生活水平, 并为他们提供可持续的谋生途径。项目主要针对家庭和社区。根据项目要求, 当地居民保护树木免遭砍伐, 就会得到定期奖励。项目保护区内的每个家庭都有一张银行卡, 当检查人员确定当地的树木没有遭到损害后, 每个家庭的银行卡里就会每月增加 28 美元。JUMA 项目每年的总投资为 810 万美元, 资助方是巴西 Bradesco 银行以及多家大型企业。如万豪国际酒店除了提供 200 万美元的捐赠, 每晚向顾客收取一美元的自愿碳补偿来支持这一项目。JUMA 的发起人希望其未来发展成一整套可推广的模式, 由发达国家以及那些无法按要求减排的企业提供资金, 帮助发展中国家保护其热带雨林免遭砍伐, 以此抵消碳排放量, 也给雨林中的居民保护环境提供了新的激励机制。和世界其他地方的 REDD 项目相比，巴西的 JUMA 不仅规模更大，带头人的来头也很不一般。项目由巴西的亚马孙可持续基金会(FAS)负责执行，该基金会主席是巴西发展、工业和贸易前部长费尔南多·富兰(Fernando Furlan)，其负责人则是环境和可持续发展领域权威专家、圣保罗大学热带森林教授、巴西亚马孙州环境局前局长维尔吉利奥·维亚纳(Virgílio Viana)。JUMA 项目更大挑战来自一些唯利是图的企业。据世界银行统计，巴西被砍伐的森林中，90% 都是企业造成的。为了打击非法伐木行为，JUMA 项目还通过架设无线电网络让村民们互相联络和帮助。在全球各地，类似巴西的 JUMA REDD 项目正悄然萌芽。

6.2.4.5　REDD 的成效和问题

(1)REDD 项目成效。《森林与气候变化：REDD + 何去何从》是世界自然基金会(WWF)发布的《森林生命力报告》之第三章，该章关注的焦点是气候变化与各种情景下碳排放之间的关系，它采用情景模型——森林生命力模型研究技术，分析了 4 种未来可能情景下遏制全球天然林毁林和退化，以及将遏制天然林毁林与退化趋势持续到 2050 年的可能性与重要意义，同时将关注的焦点聚焦于气候变化与各种情景下碳排放之间的关系。该情景模型分析的结果向人们提出严重警告：世界各国所采取的行动拖得越久，地球所丧失的森林将越多。WWF 认为，减少发展中国家毁林和森林退化排放以及通过造林和可持续管理增加森林碳储量 (REDD +)机制，是应对毁林和气候变化的独特机会；如果没有 REDD + 机制，将不可能实现到 2020 年全球森林零净砍伐和零净退化目标(ZNDD)；无论政府、企业还是个人都需要评估和减少自身的生态足迹；各国政府必须承诺一个包括减少森林砍伐具体规模和速度的全球目标；而私营机构可以制定林业、农业、采掘业和商品贸易链中实现森林零净砍伐和零净退化目标的相关政策，其中涉及生产者、厂商、贸易商、财政部门和使用者等利益相关者；每一个人都应该在地球可持续发展的范围内谋求生计和福祉(佚名，2009)。

在正式气候谈判之外，REDD 行动在融资和实践方面也取得了较大进展。目前很多发达国家和热带发展中国家通过双边合作，为发展中国家开展 REDD 提供资金帮助，从短期内来看，效果是积极的，一些国家的毁林率开始下降，森林碳排放开始降低。世界银行、联合国、全球环境基金也启动了多边 REDD 项目。全球第一例成功的 REDD 项目是由 TNC 于 1997年在玻利维亚的诺坎普(Noel Kampff)开发的，当时是面向 CDM 市场设计的，由于 CDM 市场没有接纳 REDD 项目，所以该项目转而在 CCX(芝加哥碳交易所)成功注册。在 COP14(《联合国气候变化框架公约》第 14 次缔约方会议)上，由 15 个捐资国和 TNC 共同出资 3.5 亿美元发起了 FCPF("森林碳伙伴关系"基金)，为 REDD 的开展提供资金和技术支持。

自 2004 年以来，由于启动"REDD"计划，巴西的亚马孙热带雨林的保护工作已经取得了意想不到的成功，森林砍伐面积从 2005 年的 2.7 万 km^2，下降到 2009 年的 0.7 万 km^2。根据自然保护联盟专家休伯曼(David Huberman)参与撰写的一份有关 REDD 的财政支出的最新报告提供的数据，总的来说，REDD 具有很高的成本效益。以 REDD 机制减排 1t 二氧化碳的平均支出为 2~10 美元，其中还包括实施和交易费用。2007 年，通过 REDD 机制减排的二氧化碳超过 200 万 t，而为此支付的减少砍伐森林的费用为平均每吨 4.8 美元；与此相对比，2008年欧盟排放交易系统每吨二氧化碳的价格为 23~33 美元，而工业减排的支出则在每吨 50 美元以上。为吸引资金投入，保障 REDD 的正常运转，其关键在于相关发展中国家必须先行建立国家一级的法律框架（丁洪美，2012）。

根据 CIFOR（2009）对 REDD 项目活动的一项调查，目前已有 100 多个 REDD 项目，其中 40% 为示范项目，60% 为 REDD 预备项目。尽管这些项目活动还处在早期阶段，但 REDD 的实践经验和教训有助于指导谈判案文中的未决事项，还可以对已经取得一致意见的事项进行验证。

更关键的是，REDD + 机制引发了林业创新，包括：①林业经营思想和理念的改变。首先，林业生产和经营要求重视森林的碳汇功能，碳汇成为衡量林业效益的主要指标之一；其次，REDD + 计划为森林环境服务功能开辟了新的融资思路、渠道和工具，有助于解决长期以来森林所有者或经营者作为环境资源的供给者一直无法得到合理经济补偿的问题；第三，REDD + 机制为森林环境服务价值的经济实现奠定了市场化基础，虽然国际社会关于 REDD + 计划的激励机制并未最终确立，但是一系列的能力建设，如完备的监测、报告和核查体系为碳汇商品的数量度量提供了保证，同时也为林业碳汇市场交易奠定了基础。②丰富和拓展了林业产业的范畴和内涵。传统上，林业产业仅仅局限于木材和部分非木质林产品生产，实际上，林业产业不仅包括森林有形产品的生产（主要包括木材和非木质林产品等），也应该包括无形产品的提供，即森林生态系统提供的各种环境服务，如涵养水源、固碳释氧、生物多样性保护以及游憩娱乐等，REDD + 计划的实施有助于森林碳服务价值的经济实现，突破了传统林业产业的内涵，极大扩展了其范畴。③促进林业战略、政策以及经营管理策略的改革。随着世界范围内 REDD + 计划的开展，各国与之相配套的机构和政策也将逐渐建立和完善，REDD + 计划要求各缔约国按照 REDD + 协议加强能力建设，建立 REDD + 国家战略和行动计划，发展 MRV（监测、报告和核查）体系，并且通过政策创新和经营管理层面的改革，加强对林业碳汇的重视程度等。REDD + 项目是实现多功能森林经营的具体表现形式。

（2）REDD 项目在体制设计、效果验证等方面的问题。以下摘录一些质疑，从某种程度上可以看作是对 REDD 机制的本质再思考。

援助资金挪作他用。英国《经济学人》杂志指出，要想取得实际的效果，REDD 必须避免重走 CDM 的老路。自 2006 年起，发展中国家就能通过 CDM 出售碳抵消（carbon offset）额度，把这些资金用于推广节能技术，如将整个村庄都换成节能型灯泡或种植大量树木。但该机制也被诟病在管理设计等方面存在诸多缺陷，一些国家将出售碳抵消所得花在受争议的项目上，如建造水坝。

减排量可能被夸大。REDD 本身也存在一些隐忧。有环保人士认为，发达国家通过 REDD 把减排责任"外包"给发展中国家之后，本国就不再采取更多减排措施；而那些已经采取有效措施应对森林减少的发展中国家也无法从 REDD 中获益。还有人质疑 REDD 所承诺的减排量是否被夸大。巴西航天中心的任务之一是从太空监控雨林被砍伐的状况，该中心负责人认为，因为近年来巴西热带雨林被砍伐的速度已明显放缓，根据现有的数据设定 REDD 项目的标准很可能不准确，很可能会夸大项目的实际效果。对此英国经济学家 Nicholas Stern 指出，预测 REDD 能带来的减排效果并不是十分重要，15% 或 20% 都无关紧要，关键是 REDD 带来了切实的减排效果。即便 REDD 存在夸大的可能，但只要能达到 10% 的减排量，就相当可观。

如果在产权明晰前 REDD 不断扩大，特别是在地方产权的正式承认以前，REDD 机制的有效性、效率和公平性将会在许多方面被削弱，包括：①限制政策选择。不清晰或有争议的产权限制政策选择，例如，基于环境服务支付（PES，public – private partnerships，eco – environmental service））或基于社区林业的 REDD 项目，如果没有了安全的产权，将是高风险项目，这意味着可能不得不主要依赖于其他类型的政策和措施。②不平等地分享 REDD 利益。含糊不清或有争议的产权意味着合同和利益可能归属于较少的大森林所有者、当地或国家的精英或者非森林利益相关者，这将增加不公平现象，并引发不满和冲突，特别是如果 REDD 的资金是由强大的利益集团掌控。执行过程中的腐败也是 REDD 捐助方的主要担忧之一。③增加冲突：政府可以更新和增加对森林的控制来扩大森林面积，这样会造成或导致"枪支和围栏"模式，将人民排除在森林保护之外，更多的国家控制意味着人们将被驱逐出他们赖以生存的森林，更侵害传统的森林使用权和其他权利，将意味着更多的冲突（林德荣、李智勇、吴水荣等，2011）。

伪解决方案：REDD 提案的构想是把森林纳入碳市场，减少森林砍伐的举措将产生抵消信用额度，后者可以出售给工业化国家和公司。但是按照这种体系，只有工业化国家的公司继续产生污染，一个森林才能得到保护，这导致了不存在气候净收益。Nicholas Stern 和其他经济学家提出，给碳设定一个强劲而稳定的价格是减少碳排放的最佳方式。但是近来绿色和平组织撰写的一份报告显示，在碳市场中纳入 REDD 抵消信用额度可能让碳的价格下跌至多75%，显著地减少了发达国家和发展中国家投资清洁和可再生技术的动力。这份报告描述了这如何会"锁定"不清洁的技术，让温度的上升保持在 2℃ 之下所需的减排变得更昂贵和更困难。诸如 CDM 等碳市场的历史也表明，投资者倾向于集中在少数排放率高且拥有很强的能力的发展中大国（巴西、中国、印度和韩国），预计 REDD 也会发生同样的情况。此外，尚不清楚许多拥有热带森林的发展中国家是否能满足市场参与者的严格的监测、报告和会计标准（谢来，2009；马蔷，2011）。

6.3 涉林碳交易和碳市场的实践和争议

6.3.1 碳交易和碳市场概述

6.3.1.1 碳交易的相关概念

碳补偿：一个单位的碳补偿是指通过在其他地区减少 1t 二氧化碳当量（记为 $CO_2 – e$）的排放量而抵消或补偿某地的 $1tCO_2 – e$ 的排放量，或通过吸收来消除存留于大气层中的 $1tCO_2 – e$。

碳补偿项目类型：其一，CDM/JI，项目正在/即将在 CDM 执行理事会或 JI 相关管理机构注册，并将有能力生产经核证减排量 CERs 和减排单位 ERUs；其二，非 CDM/JI，项目并非寻求 CDM/JI 注册并且也不是为了实现京都计划或欧盟减排计划，而此类项目所产生的碳信用额称为"确认减排量"VERs。碳补偿项目提供的碳/温室气体信用额或减排量可以被购买，然后再在二级市场进行购回和销售。碳信用额的单价受到很多因素制约，包括当前市场价格、项目风险、项目质量、相关的共同利益。

额外性：是指项目减排量相对于一般商业计划方案下可能发生的减排量是额外的。

基线：指在没有补偿项目，即仅有一般商业项目条件下的温室气体排放量。

碳信用额：基线排放量与补偿项目下的碳排放量之间的差额。

核查和核证：项目实施过程中和实施后，需要进行工程验收以证明事先承诺的减排量确实已经实现。为确保最高信誉度，项目开发商需要寻求已获得许可的独立的第三方机构进行项目核查和核证。

长期性：指项目在气候的变化性和不确定性的情况下能够提供碳减排量的能力。例如，植树造林的长期性将因为树木被烧毁或提前采伐而消失。

泄漏：指当项目以外的与项目有关的事件发生而导致项目碳收益减少的情况。例如，在一个地方植树造林却导致另外一地的毁林加速。任何类型的项目都有可能发生泄漏。

6.3.1.2　碳交易的方式

当一个实体从另外一个实体购买一定量的减排信用额或者排放许可来满足其排放目标时，就完成了一次碳交易。排放目标可以是自愿制定或由规则规定提出的。例如，一个公司的排放目标是 $20000tCO_2 - e/$ 年，而公司当前的排放量是 $25000tCO_2 - e/$ 年，即使通过减少能源消耗以及提高能源利用率等内部措施，公司的排放量仍然只能降低到 $22000tCO_2 - e/$ 年，这时，此公司每年就需要购买 $2000tCO_2 - e$ 的减排信用额或者许可，以达到它的 $20000tCO_2 - e/$ 年的排放目标。

排放限额由最高限额与限制贸易体制的管理者建立和分配，在最高限额与限制贸易体制中，管理者分配 $CO_2 - e$ 的数量、参与者允许排放的限额，最终宣布每个参与者的最高限额。在年底执行期间，参与者可以自由的买卖他们的限额，最终，每个参与者所持有的限额与他们的实际排放量相同。这些交易活动创造了"碳市场"。

6.3.1.3　碳交易的动因

购买者最关心的就是在国际竞争中减排的成本问题。排放量交易理论上允许国家和公司使用最有效的方式达到温室气体减排。有些公司可以通过低成本达到甚至超过减排目标，这就产生了额外的限额，他们可以出售这些限额从中获利，而那些内部减排成本较高的公司则需要购买此类额外的限额，以便降低成本。

6.3.1.4　项目交易和准许交易的相互关系

在碳市场中，项目交易可以产生信用额，通过项目交易的介入，可以使减排成本比通过准许交易或内部减排成本更低。同时，项目也会带来一些共同利益，如新技术的使用/技能培训/促进当地经济发展/加强生物多样性保护等。一般来讲，碳信用额可以从项目开发商或代理商购买，然后再在二级市场购回或者出售给其他市场参与者。

在京都规则下，碳补偿所产生的碳信用额可以与碳限额相互交换。

6.3.1.5　碳市场类型之一：规则市场(京都市场)

(1)京都市场(2008~2012)，包括清洁发展机制(CDM)和联合履约(JI)下的准许市场和项目市场。

(2)欧盟排放贸易计划(EU ETS)(2005~2008),欧盟范围内帮助欧盟各国实现京都目标的试验性计划,允许清洁发展机制(CDM)和联合履约(JI)项目下的碳信用额进入市场。

(3)新南威尔士温室气体削减计划(2003~2012),在澳大利亚,受南威尔士州管理,为电力零售商创造排放基准。

6.3.1.6 碳市场类型之二:自愿市场(非京都市场,非规则市场)

自愿碳市场(voluntary carbon market)分为2个主要部分:其一,自愿但有法律约束力的总量管制和排放交易体系;其二,更广义的不具约束性的场外交易市场(Over the Counter, OTC)。自愿市场是并非为实现规则目标而购买碳信用额的市场主体(公司、政府、非政府组织、个人)之间进行碳交易。例如,英国排放贸易计划(UK ETS),芝加哥气候交易所(Chicago Climate Exchange, CCX),零售市场。

碳补偿的零售市场非常小而且比较零散,主要分布在欧洲、美国和澳大利亚。部分零售补偿提供商见表6-6。而买方包括企业、非政府组织、政府机构、国际会议和个人,可以自愿地购买 CDM 或非 CDM 项目下的信用额。这种自愿行为的划分是以信用额是否用于完成规则目标而言的。

表6-6 零售补偿提供商

名称(地区)	项目类型	项目所在地	核证	价格/tCO_2-e
500ppm(德国)	能源(+ SD 效益);CDM 和非 CDM	发展中国家	CDM 黄金标准;DOE 认证	不明
美国林业(美国)	林业	美国	不明	不明
Atmosfair(德国)	可再生能源;能源效率(+SD 效益);CDM 项目	发展中国家	CDM 黄金标准;DOE 认证	15 欧元(18 美元)
Bonneville 环境基金	可再生能源	美国	不明	不明
气候关怀(英国)	能源(小型、社区);部分林业	发展中国家;英国国内少量	独立第三方	6.5 英镑(11.70 美元)
保护国际(美国)	造林与再造林避免毁林(包括生物多样性和可持续发展)	发展中国家	不明	5 美元避免毁林;8~12 美元修复或承诺碳
EAD 环保科技公司	能源(尤其是可再生能源);部分地下吸收项目	大部分在美国	不明	5~7.5 美元/500kWh 用电量
Face Foundation / Business For Climate(荷兰)	林业(可持续 + 生物多样性)	发展中国家	CDM 标准;FSC 标准;DOE 认证	13 欧元(15.6 美元)个人;10 欧元(12 美元)公司
未来森林(英国)	林业;部分能源	主要在英国;部分在发展中国家	独立第三方;试点项目由 KGMP 审核	个人:13~16 英镑(23.40~28.80 美元);对于欧洲有分公司的大公司:10 万英镑(18 万美元)

（续）

名称(地区)	项目类型	项目所在地	核证	价格/tCO_2-e
Green Fleet(澳大利亚)	林业	澳大利亚	不明	平均9.30澳元(7.00美元)
Grow-a-Forest(英国)	林业(植树)	英国	内部	15英镑(27美元)
我的气候(瑞士)	能源(＋可持续发展)	发展中国家	CDM 黄金标准；由瑞士联邦技术研究所的专家小组进行认证	30欧元(36美元)
国家能源(美国)	能源(＋可持续发展)	美国本土；美洲国家	不明	15美元
Vivo计划/爱丁堡碳管理中心	社区农林	发展中国家	ECCM认证；有时也用SGS	3.5~6.0英镑(6.3~10.80美元)
Primaklima(德国)	林业	2/3在德国；1/3在发达和发展中国家	不明	1.5欧元(1.8美元)

注：2004年数据。

零售市场发展迅速。其标准、方案和方法众多。

①CDM/JI 标准，由国际监管机构设置。为了获得 CERs 和 ERUs，CDM 和 JI 必须设置一些标准的细节规则。项目开发商需要提供项目方法以进行基线排放的计算和监测计划，并向 CDM 执行理事会(EB)提交申请通过。项目开发商可通过现有的项目方法或者提出新的方法来进行项目的设计开发。同时 CDM 执行理事会(EB)还商定了一套规则用以确定额外性的方法。由 CDM 执行理事会(EB)审核通过的指定经营实体(DOE)需要准备项目设计文档(PDD)，其中包括额外性的分析、基线的计算和监测计划。审核过程中需要深入研究项目设计文档(PDD)以确保其符合现行的规定，然后提交 CDM 执行理事会(EB)。项目实施后，另外一个指定经营实体(DOE)(不同于项目实施方的)需要核实项目是否真正实现了温室气体的减排，项目核查包括文件核查和现场核查。认证是由指定经营实体(DOE)提供书面材料确认其项目确实达到了核实的温室气体减排量。小型项目也必须采用指定经营实体(DOE)的认证服务，但允许进行方法简化，并降低交易费用。SGS、KPMG 和日本咨询学会都是经认可的指定经营实体(DOE)。显然，注册费用与使用指定经营实体(DOE)的服务都是一个漫长、复杂且昂贵的过程。

②黄金标准，由非政府组织联合体为能源项目创建。WWF 下的一个非政府组织集团创立了黄金标准，为了达到这个黄金标准，项目必须通过三个审查。一是项目类型审查，本标准限于可再生能源和终端能源效率项目包括太阳能、生物能、风能、地热能、小型水电等项目。二是额外性和基线审查。三是可持续发展审查，涉及与其他环境、经济、社会影响相关的成本和收益分析，以及执行之前与当地利益关系的协商等。对于这一标准，指定经营实体可以按照正常的 CDM 程序进行黄金标准的检验，但是需要使用附加的黄金标准作为指导方针。非 CDM/JI 项目也可以按照黄金标准的指导方针进行检验，并接受来自认证机构的认证。

但是，黄金标准认证的项目是否能够保证买家所购项目的信誉度以及对可持续发展的贡献也存在一定的争议。非政府组织和政府实体通常会对项目执行公司宣布的减排信用额进行详查和核证，这会为项目带来一定的信誉风险，同时，因为严格检查的存在，会促进项目实施方在保证项目质量方面作出更大努力，进而提高项目质量。这种质量优势对卖家来说，理论上会导致价格的上涨。因此，采用黄金标准确实可以保证质量更高，相比那些只按照正常的CDM 标准和没有包括林业政策的标准的产品来讲，因相对较高的价格，而获得相对更多的经济收益。

③气候、社区、生物多样性标准，由非政府组织联合体和私人财团为以土地为基础的碳汇项目而设立。气候、社区、生物多样性联盟是一个非营利组织，其业务上由环境领导中心负责，它制定了对于 LULUCF 的黄金标准，全称叫做气候、社区、生物多样性标准（CCBS）。CDM 林业项目包括造林、再造林、森林保护、农林混合作业、生物工程、能源木材生产等。该标准的开发是为了鼓励发展有生物多样性和社区发展效益在内的碳汇林业项目。在此标准中，项目必须满足 15 个要求以论证其对气候、生物多样性和社会经济发展的有利之处，最终，独立的评审将根据项目质量评价并分出等级登记。

④自主开发的标准，由提供确认减排量 VERs 的单独的提供商设立。目前，大部分零售商采用的是自己开发的标准及检验程序。自行开发的标准难以评价，与已建立的标准相比可能更宽松或更严格，需要交易双方进行自行评估。因此，一个必不可少的特征是独立的第三方审核，否则补偿将不会有可信度。

⑤标签计划：由其他一些提供商开发。一些组织为那些想销售自愿碳减排项目的公司制定了标签计划。例如，气候中立网络（Climate Neutral Network），一个由企业联合组成的非政府组织，创立了 Climate Cool 认证，通过此认证，整个企业或个人的产品或服务都可以获得标签，条件是他们需要通过内部减排，然后将剩余的额度通过补偿来抵消。另外，未来森林（FF），一个英国的零售商，注册了名为碳中性（CarbonNeutral™）的商标，并发起一个协议，要求协议下的公司达到统一的标准以宣布它们属于碳中性（CarbonNeutral™），这个协议尽可能地采用现有的标准。例如，一个公司必须根据世界资源研究所/世界商业理事会的可持续发展碳计量 KP 或英国政府的指导方针对初始排放进行评估，并且公司选择进行投资的碳补偿项目也必须符合一定的标准要求，KP 本身由 SGS 进行认证。但是，"碳中性"的贸易商标已经引起其他业者的不满。

6.3.2 国际碳交易和碳市场动态

（1）2005～2010 年市场概览。

强制交易市场：是主流市场，2005～2010 年其市场概览见表 6-7。2010 年市场总额较上一年略有减少，是碳排放交易市场自 2005 年正式建立后的首次下滑，但是迄今为止欧盟排放交易体系依然是全球最重要的碳排放交易市场，EUAs 交易额占全球碳排放交易市场的 84%，如果加上 CDM 二级市场的交易额，则总市场额占全球的 97%，始终在整个市场中占绝对优势比重（倪晓宁，2012）。

表 6-7　2005～2010 年国际强制排放碳市场概览(市场价值　单位：亿美元)

年份	EU 限额	ETS 其他限额	一级市场 CDM	二级市场 CDM	其他补偿	总量
2005	7.9	0.1	2.6	0.2	0.3	11.0
2006	24.4	0.3	5.8	0.4	0.3	31.2
2007	49.1	0.3	7.4	5.5	0.8	63.0
2008	100.5	1.0	6.5	26.3	0.8	135.1
2009	118.5	4.3	2.7	17.5	0.7	143.7
2010	119.8	1.1	1.5	18.3	1.2	141.9

资料来源：根据世界银行报告《2011 碳市场现状和趋势》第 9 页整理．http：//siteresources.worldbank.org/INTCARBONFINANCE/Resources/State_ and_ Trends_ Updated_ June_ 2011.pdf.

自愿减排市场：自愿减排交易市场以芝加哥气候交易所为代表，也基本建立在“总量限额和交易”的基础上，是企业出于诸如社会责任、品牌建设、未来经济效益等目标自愿进行碳排放交易的市场。芝加哥气候交易所建于 2003 年，较欧盟排放权交易体系出现更早，会员中包括美洲银行、IBM、杜邦、英特尔和福特等国际跨国公司，该交易所不依赖法律强制减排，大部分交易的减排量无需统一核证 ，机制灵活，占世界碳排放交易总额的比例很小。自愿减排市场可分为碳汇标准交易与碳中和标准交易两种。碳汇交易的配额部分，主要产品有芝加哥气候交易所开发的碳金融工具 CFI，基于项目部分的自愿减排量 VER，以及由很多非政府组织开发的自愿减排碳排放交易产品。至于自愿市场的碳中和标准交易，是在《碳中和议定书》框架下发展出的相对独立的四步骤碳抵消方案(评估碳排放、自我减排、通过能源与环境项目抵消碳排放、第三方认证)，以实现碳中和目标。自愿减排市场状况见表 6-8。由于芝加哥气候交易所官方文件当时称其第二期为时四年的碳限额交易即将在 2010 年 12 月 31 日结束，并不再进行第三期，受此困扰，其成交价格和市场容量几乎归零，但是其他自愿的场外交易并未受到太大影响。

表 6-8　自愿减排市场价格和市场容量

		平均价格(美元/tCO_2e)		市场容量($MtCO_2$-e)		价值(百万美元)	
		2009 年	2010 年	2009 年	2010 年	2009 年	2010 年
芝加哥交易所(CFI)		1.2	0.1	41.1	1.6	49.8	0.2
自愿的场外交易市场	总量	6.5	5.8	55.4	125	357.8	393.5
	VCS	4.7	5.2	16.4	26.1	76.8	134.8
	CAR	7	5.8	14.6	13.4	101.9	78.2
	黄金标准	11.1	11.4	3.2	4.8	35.2	54.7
	双边 CCX	0.8	0.2	5.5	61.4	4.3	1.4

资料来源：根据世界银行报告《2011 碳市场现状和趋势》第 54 页整理．http：//siteresources.worldbank.org/INTCARBONFINANCE/Resources/State_ and_ Trends_ Updated_ June_ 2011.pdf.

(2)2011 年市场概览。与 2010 年相比，2011 年全球碳市场按照数量衡量，增长了 17%，达到 102 亿 t $CO_2 - e$；按照价值衡量，增长了 10%，达到 1756 亿美元。其中，EU - ETS 增长 11%，达到 1479 亿美元，占世界碳市场交易额的 78%。自愿碳市场(VCM)数量下降 28%，为 9500 万 t $CO_2 - e$，但是金额增长 33%，达到 5.76 亿美元。另外值得注意的是，2011 年 2 月，第一个 REDD credits 进入自愿碳市场。2011 年 6 月，11 个新的 AR CDM 项目(造林再造林 CDM 项目)获得承认，共计 263.50km^2，可以抵消 30 万 t $CO_2 - e$。2012 年 1 月加利福尼亚空气资源机构(California's Air Resources Board)采纳了国家温室气体上限和交易项目(the State's greenhouse cap - and - trade programme)。2012 年 4 月，第一个 REDD credits 在巴西被签发，作为临时 CERs，基于市场的 REDD 机制得到进一步发展。2015 年之前，澳大利亚、中国、韩国等一些国家准备提交其全部市场机制的国家温室气体排放清单。尽管存在上述增长，受到欧洲金融和经济危机、美国政治阻力、UNFCCC 谈判进程缓慢、缺乏 REDD 运作细节等因素影响，碳交易放缓(世界银行，2012)。

6.3.3 涉林碳交易和碳市场的争议

国际碳排放交易市场由政治干预人为创造，市场参与各方对潜在利益的追求会影响到该制度的设计过程和设计结果，最终达成各方商业利益和政治利益的平衡。目前对这一新生事物主要存在两方面质疑：第一，该机制是否能够实现清洁发展；第二，是否能够控制住总量限额。

陆地碳汇(森林)作为碳补偿项目，其实施效果及在减缓气候变化中的实质性作用等，还有许多争议。因此，近年来，林业项目在整个 CDM 市场中所占的份额并没有取得较好的进展。

提倡开展碳汇林业项目的观点认为：①20%～25% 人为排放到大气中的温室气体是由土地利用变化引起的，因此缓和气候变化需要解决土地利用和砍伐森林的问题；②林业项目也可以额外增加社会经济和环境效益，如生物多样性保护和促进社区发展；③林业项目可以帮助一些非常贫穷的国家进入碳市场，尤其是非洲国家，但这一点本身仍然是有争议的。

与此同时，反对方认为：①不能保证森林在未来某个时期内不被烧毁或破坏，而被毁坏的森林又以将 CO_2 排放到大气中；②林业项目将使注意力从以化石燃料为基础的开展全球范围内的实质性减排这个真正的问题上移开；③林木的碳储量难以计算；④过去的一些大型的单一理念的种植项目已经引起环境的负面影响并使当地居民流离失所。

可以看到，在这些争论中，一些提供商和买主认为只有能源项目才能成为可信的碳补偿项目。其他的零售商，如关注气候(Climate Care)和未来森林(Future Forest)的目标则是建立一个由 20%～25% 的土地利用项目和 75%～80% 的能源项目构成的捆绑项目，以此来总体反映土地利用变化和化石燃料能源对气候变化的影响。这种投资方法也在一定程度上降低了项目风险。

至于碳计量的问题，一些自愿市场上的碳汇林业项目采用计入期为 100 年来计算，这意味着在今后 100 年内，碳减排量在它真正产生之前就已经被售出，这种做法风险可能会很大。然而，有一种意见认为，碳汇林业项目的投入大部分都出现在项目的前几年，这就为用 100

年计算的做法提供了支持。因此，"事后"计算，即在项目有效期内碳补偿产生后再销售，在经济上并不可行；并且进一步指出，一个好的审查过程和正确的激励措施将有效降低项目风险。

EU – ETS 禁止将碳汇林业项目所产生的碳补偿用于实现计划的第一阶段目标。但是一些倡导者大力游说希望改变此政策，并已采取措施通过实施相关项目来提高碳汇项目的信誉（例如 CCBS），同时他们呼吁在第二阶段能把碳汇林业项目纳入 EU – ETS 整个贸易计划之中。

6.4　森林碳汇利用与林产品贸易

6.4.1　主要国家的碳汇林业措施

森林碳管理（forest carbon management）策略主要分为碳吸存（carbon sequestration）、碳保存（carbon conservation）、碳替代（carbon substitution），以森林的碳汇功能利用为基本。主要国家的碳汇林业措施归纳见表6-9。

表 6-9　主要国家的碳汇林业措施

国家或地区	碳汇林业措施									
	造林		加强森林经营						绿化	木材及林产品
	造林、再造林	农地造林、混农林业	环境林、防护林、保带经营	森林防火经营、病虫害防治	天然林保育与更新	土壤经营	树种选择与造林技术	林道经营	都市绿化	林产品、生物质能使用及增加木材利用效率
澳大利亚	◎	◎	◎		◎					
中国	◎	◎	◎	◎	◎		◎		◎	
新西兰	◎		◎		◎	◎				
加拿大	◎	◎		◎			◎			◎
美国	◎	◎		◎		◎				
欧盟	◎			◎						◎
俄罗斯	◎		◎	◎		◎	◎			
日本	◎		◎	◎	◎			◎		◎
韩国	◎			◎					◎	◎

6.4.2 森林碳汇利用衍生的林产品贸易问题

低碳经济政策应该对林业问题给予全盘考虑，而非将林业简单地视为一个碳库或视林业为一个让其他部门逃避减排责任的机会。

要让林业成为有效碳汇的最佳途径，所制定的政策就必须既能认识到林业所具有的多重作用，又能超越气候保护这个单一目的，寻找一个不仅对气候有益，同时也能有利于林业生产者、消费者、空气、水土、野生动物栖息环境和林业生产系统的最佳方案。林产品贸易以森林的木材资源经济利用为前提，森林碳汇功能的经济利用及其相关方面可能衍生许多与林产品贸易有关的问题。

（1）REDD 可能衍生与林产品贸易有关的问题。包括：

木材供给来源将可能由天然林转为人工林，此一转变是否满足市场需求？

森林认证重要性增加。监测及验证成本高。木材价格及林地价格可能增加。

人工林重要性增加，在木材需求量大的情形下，有提早砍伐的压力，可能与 AR（造林再造林）冲突。人工林经营效率可能提高。

REDD 成效依国家的执行力而有所差异，有可能诱发更严重的非法采伐问题。

全球毁林主要发生在热带地区，所以 REDD 的重点地区是热带国家，拥有热带森林面积较少、而且毁林现象较少发生的温带国家很难从国际上筹措较多的 REDD 碳汇基金。但是转变成为 REDD + 机制之后，在森林保护、森林可持续管理上有成就的温带发展中国家，也有可能被纳入 REDD + 机制中。以中国为例，中国是森林净增长国之一，未来还将继续增加。中国的天然林保护工程就是一个中国自己创造的 REDD + 机制，这个机制比国际进程早了很多年。中国可以参与双边或多边 REDD + 机制，有实施潜力，也面临森林资源总量不足、质量不高，林地保护管理压力增加和营林难度越来越大等问题。不过中国 REDD + 机制对多功能森林经营的融资间的森林保护和造林是自身驱动型的，并不依赖于国际资金，所以 REDD + 机制对中国的影响不会很大，但是使用 REDD + 机制来促进国内生态补偿，却是一个方向，可以鼓励更多渠道的资金用于林业。REDD + 对中国的木质林产品贸易的短期影响不大，但长期影响不可忽视。目前，中国是热带木材的主要进口国，木制产品又主要用于出口，中国木材加工企业势必面临来自于供需两方面的压力：一方面，REDD + 机制尤其关注热带林毁林和森林采伐问题，可能导致较长时期内热带木材供给减少，REDD + 机制还可能使森林经营者更加强调森林的碳汇功能，而忽视森林生态系统的其他环境服务功能和木材资源功能，影响木材供给，并进而影响国际林产品贸易；另一方面，随着中国经济的持续发展和国际需求的趋动，对木材需求数量增加趋势明显，欧美市场对木材进口产品标准提高，贸易难度加大（林德荣，李智勇，吴水荣，等，2011）。

盛济川和吴优（2012）在成功努力补偿法的基础上提出了结构变量 REDD + 机制政策评估方法，使之适用于森林覆盖率持续增加的国家，将经济发展、人口增长、初始森林面积、农产品出口价格和林木产品出口价格作为结构变量，对 1990 ~ 2009 年巴西、中国、印度、印度尼西亚和墨西哥五个发展中大国的森林减排政策进行了实证分析。研究表明，森林增长率与初始森林面积、人口密度负相关，而与人均 GDP、农产品出口价格和林木产品出口价格正相关。中国和印度的个体固定效应更加显著，而时间固定效应呈现上升趋势，这五国前 REDD + 年代的森林政策效果差异较大。

REDD 机制的建立势必将对世界林业，尤其是发展中国家林业的发展带来巨大影响和新的机遇，但同时也将对原有的林业制度和政策产生影响，包括林业经营思想和理念的改变；林业产业范畴和内涵的丰富和拓展；林业战略、政策以及经营管理策略的改进。近些年来，多功能经营管理和开发利用森林日渐成为全球共同发展趋势。在全球气候变化背景下，一国开展多功能森林经营必须考虑林业在此过程中如何减缓和适应气候变暖，尤其是全球 REDD + 机制对多功能森林经营的潜在影响。这些潜在影响主要体现在以下 3 个方面，世界木材供给减少与国内木材需求增加的矛盾会进一步显现。

第一，REDD + 机制尤其关注热带林毁林和森林采伐问题，这可能导致较长时期内热带林国家的木材供给水平降低。一方面，世界木材产量的减少影响到国际林产品贸易，导致国际木材供给短缺，市场价格上涨；另一方面，随着中国经济的持续发展，对木材需求增加趋势明显，国内木材供求缺口继续加大。在此境况下，多功能森林经营能否为国民经济发展提供充足的木材供应，如何保证和提高多功能森林经营的木材供给能力，这是由传统森林经营向多功能森林经营转变所必须慎重思考和解决的重要问题，将影响到多功能森林经营的总体规划和经营策略。

第二，为多功能森林经营的融资开辟新的渠道和思路。在林业分类经营中，商品林经营通过市场融资，生态公益林实行公益事业化管理。那么，多功能森林经营的资金来自于哪里？市场融资还是财政拨款？实践表明，无论是单纯依靠市场融资还是财政拨款都难以使多功能森林经营得以持续发展 。中国拥有的热带森林面积较少，而且毁林现象较少发生，因此，中国可能从国际上难以筹措到较多的 REDD + 碳汇基金。但是，REDD + 机制对多功能森林经营的融资问题有所启示。森林生态环境服务产品也可以通过量化而出售，为我们提供了一条森林环境产品和服务的市场化机制和实现途径。因此，多功能森林经营融资不能仅仅依靠有形产品的市场融资和无形产品的财政融资，更要积极探索森林生态环境服务的市场和社会融资途径。

第三，林业减排和增汇功能可能成为多功能森林经营关注的主要指标之一。虽然不同区域，不同森林类型关注的主导功能可能有所不同，然而，在森林生态系统提供的所有环境服务功能中，碳汇服务是目前唯一有希望通过 MRV 体系进行衡量和认定，并且可以将量化的标准单位进行交易而得以经济实现的功能。增强森林的减源增汇能力是应对气候变化的有效途径，REDD + 机制赋予林业碳汇价值得以经济实现的特征，使森林经营者可能更加强调和重视森林的碳汇功能，而忽视森林生态系统的其他环境服务功能的生产。

（2）HWP 估算法影响对林产品贸易规模、格局和流向的评估。HWP 估算法归纳如图 6-4（李俊彦，韩俞华，2010）。

贮量变化法（stock change approach，SCA）：HWP 的碳贮存纳入产品消费国，且产品出口视为碳排放并纳入产品的出口国；进口国由于进口 HWP 而增加碳贮存，但是当产品在进口国腐烂或是分解时，碳排放则纳入林产品的消费国。因此，在此方法的观念下，碳贮存可以由一国移动到另一国。不利于木材输出国。

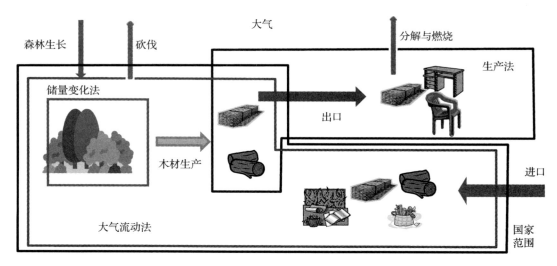

图6-4 HWP 估算法

资料来源：李俊彦，韩俞华. 估算台湾木质林产品碳贮存量. 台湾林业，2010，36(3)：24～30.

HWP 估算法：储量变化法(stock change approach，SCA)、生产法(production approach，PA)、大气流动法(atmospheric flow approach，AFA)。

生产法(production approach，PA)：主要是估算发生于报告国国内林木采伐生产时所产生的碳贮存量，以及使用后腐朽所产生的碳排放造成全球碳贮存量之变化。意即当报告国将产品出口至他国，在进口国所发生之碳排放亦归于报告国。不利于木材输出国。

大气流动法(atmospheric flow approach，AFA)：主要是估算 HWP 与大气间碳流动，意即估算 HWP 因废弃及腐朽等原因所排出之二氧化碳，以大气为系统边界，报告 HWP 与大气间的碳流动。简言之，此方法为计算国家内的碳排放与清除，以及发生此动作的时间及地点。由于森林生长而产生的碳贮存纳入森林生长国，而 HWP 氧化分解发生的碳排放则纳入消费国，这恰好与贮量变化法相反，消费国不会因为进口 HWP 而使 HWP 的碳贮存增加，但必须报告由于进口 HWP 的腐烂或分解而发生的碳排放量。不利于木材输入国。

6.5 本章小结

本章侧重分析涉林低碳行动之———相关国际林业议题、森林碳汇功能的经济利用和碳市场，并简要分析它们对林产品贸易的影响。林产品贸易以森林的木材资源经济利用为前提，森林碳汇功能的经济利用及其相关方面可能衍生许多与林产品贸易有关的问题，进而影响林产品贸易的资源基础、规模、格局、流向和利益。

第 7 章　打击木材非法采伐及其相关贸易

本章分析打击木材非法采伐及其相关贸易，即林产品贸易的合法性要求问题。

7.1　木材非法采伐及其相关贸易现状、危害与要因

7.1.1　木材非法采伐及其相关贸易的现状

7.1.1.1　形势不容乐观

非法采伐在各国的定义有所不同，但以下是共识：非法采伐行为是指与法律字面含义或立法意图相悖的，或者与腐败相关联的砍伐行为。美国林纸协会（网址 http：// www. afandpa. org）在非法采伐定义中做了较为细致的分类，包括①偷盗木材或原木；②在公园、保护区或类似的区域砍伐；③在虽经政府批准但是通过舞弊获得的区域砍伐（孙久灵，陆文明，2009）。由世界银行发起的部长级地区论坛"森林执法与施政"（Forest Law Enforcement and Governance，FLEG）也做了类似定义：非法采伐是指在木材收获、加工、运输、买卖过程中违反各国法律的行为，包括①相关许可的获得为非法或者未经明确许可的；②采伐受保护的物种或者在保护区采伐的；③超过许可数量进行采伐、采伐小于或超过许可规格的林木或者在许可区域外进行采伐的[①]。

结合本书第三章的分析可知，世界林产品重点交易市场包括中国、美国、欧盟、日本、俄罗斯、中非、东盟和南美等国家和地区。其中，俄罗斯和非洲国家主要出口原木和锯材；亚洲和南美洲主要出口高附加值的木材加工品，如家具、纸张和木条等。欧盟主要从北美进口阔叶木、原木、贴面木料和板材，从俄罗斯进口原木，从非洲、亚洲和拉丁美洲的初级木材产品进口量不大。

当前，木材非法采伐十分猖獗，成为国际社会关注的林业热点问题之一。但是关于非法采伐的规模和危害，研究结论并不相同。

2002 年世界银行和 2004 年 Seneca Creek Associates 的研究认为，非法采伐带来的全球损失为每年 230 亿美元（World Bank，2002；Seneca Creek Associates，2004）。2004 年 Seneca Creek Associates 和 Wood Resources International（2004）的综合评估认为，在世界工业用原木产量中，非法采伐的比例为 5% ~ 10%，因为多数非法采伐发生在发展中国家，所以这些国家

[①]　转引自绿色和平网站，见：http：//www. greenpeace. org/international/campaigns/forests/asia - pacific/solutions/fleg，2010-02-01.

的非法采伐率更高。2006 年世界银行估计因为在公共土地上非法采伐，全球发展中国家每年损失超过 100 亿美元，而且还有 50 亿美元的税收损失。2012 年 UNECE/FAO 的林产品市场年度报告显示：森林的压力仍然很高。

定义非法采伐非常困难，不同的定义导致不同的研究结论。这不仅仅是技术问题，更取决于施政水平。尽管如此，基于国家案例的许多研究表明，在一些地方，非法采伐十分严重（表 7-1）。

表 7-1   世界非法采伐估计量及其资料来源

国家	非法采伐比例（%）	来源	国家	非法采伐比例（%）	来源
贝宁	80	SGS，2002	哥伦比亚	42	Contreras – Hermosilla，2001
喀麦隆	50	The European Commission，2004	厄瓜多尔	70	Thiel，2004
加纳	至少 66	Birikorang，G 2011	洪都拉斯	硬木 75~85，软木 30~50	Richards et al，2003
莫桑比克	50~70	Del Gatto，2003	尼加拉瓜	40~45	Richards et al，2003
柬埔寨	90	Global Witness，1999	哥斯达黎加	25	MINAE，2002
印度尼西亚	66 73~88	World Bank 2006 Schroeder – Wildberg and Carius，2003	阿尔巴尼亚	90	Blaser et al，2005
马来西亚	33	Dudley，Jeanrenaud and Carius，2003	阿塞拜疆	非常大	Blaser et al，2005
缅甸	80	Brunner et al. 1998	保加利亚	45	
玻利维亚	80	Contreras – Hermosilla，2001	格鲁吉亚	85	Blaser et al，2005
巴西（亚马孙）	80	Viana，1998	俄罗斯	20~40	Blaser et al，2005

资料来源：Chatham House workshop. The Growth and Control of International Environmental Crime［C］. UK：Chatham House，2007 – 12 – 10 ~11：6.

表 7-2 列示了 2006 年部分国家木材出口涉及的 4 类非法采伐及其份额。巴西、中国等国家成为关注重点。

表 7-2   2006 年部分国家木材出口涉及的 4 类非法采伐及其份额

来源国	非法分配/再分配特许权	森林管理计划不符合要求	非法采伐	经济犯罪
巴西（亚马孙）	40%	40%	20%	30%
喀麦隆	20%	30%	10%	10%
中国	10%	？	20%	？
刚果（布）	30%	60%	40%	30%
赤道几内亚	80%	80%	80%	90%
加蓬	10%	60%	10%	50%

（续）

来源国	非法分配/再分配特许权	森林管理计划不符合要求	非法采伐	经济犯罪
加纳	30%	？	20%	30%
印度尼西亚—木材	30%	20%	20%	30%
印度尼西亚—纸浆	？	0%	30%	30%
马来西亚	10%	15%	15%	10%
巴布亚新几内亚	90%	90%	20%	20%
俄罗斯东	？	？	10%	20%
俄罗斯西	5%	？	10%	15%

注：对每一个国家，合计份额都超过100%，因为一些特别的木材采伐或运输涉及多项违法。

资料来源：James Hewitt. 转引自：Chatham House Workshop. The Growth and Control of International Environmental Crime[C]. UK：Chatham House，2007 – 12 – 10 ~ 11：6.

非法采伐的木材进入国际贸易的数量难以确切知道。一些分析估计，非法采伐的原木及其初级产品每年约为50亿美元，约占全部初级产品贸易额的6%，但是实际数字可能更高，因为这些研究没有考虑那些"合法化或被清洗"产品。根据欧盟委员会2008年10月提出的《关于木材及木制品供应商责任的法案》[COM（2008）0644]附件①，2005年世界工业用材产量为17亿 m³，其中约6亿 m³ 来自非法采伐高风险地区，约11亿 m³ 来自低风险地区及欧盟（表7-3）。非法采伐比例最高的地区是非洲（30%）和亚洲（30%），其次是俄罗斯及独联体国家（17%）和中南美（15%）。全球非法采伐木材近1.4亿 m³，相当于世界木材生产总量的8%。欧盟27国的木材产量为3.7亿 m³，木材及木制品的进口量换算为原木约1.4亿 m³，出口量约1.1亿 m³，木材消费量为4亿 m³。在欧盟，木材及木制品进口的主要国家是意大利、德国、芬兰和英国，这4国分别占欧盟进口量的15%、14%、11%和11%；其次是法国（9%）、西班牙（6%）、比利时（6%）、荷兰（5%）、瑞典（5%）、奥地利（2%）和其他国家（16%）。对欧盟出口量最大的国家是俄罗斯，约占欧盟全部进口量的1/4。

表7-3　2005年世界木材生产量与估计非法采伐量

地区或国家	工业用材产量（万 m³）	估计非法采伐量（万 m³）	占有率%
1 高风险地区			
非洲（不含南非）	4500	1400	30
亚洲（不含日本）	22100	6600	30
中南美	18700	2800	15
俄罗斯和独联体国家	16200	2800	17
小计	61500	13600	22

---

① 该议案最终导致2010年《欧盟木材法》生效，并于2013年3月3日在欧盟全面实施。

（续）

地区或国家	工业用材产量（万 m³）	估计非法采伐量（万 m³）	占有率%
2 低风险地区			
挪威及瑞士	1300		
南非	1800		
日本	1600		
美国及加拿大	63200		
澳大利亚和新西兰	4600		
小计	72600		
3 欧盟 27 国	36800	300	1
4 合计	170900	13900	8

资料来源：《关于木材及木制品供应商责任的法案》[COM(2008)0644]附件(Accompanying document to the Proposal for a regulation of the european parliament and of the councll determining the obligations of operators who make timber and timber products available on the Market.）

7.1.1.2　中国受责难颇多

（1）中国被指责为最大的非法木材进口国。在上文的全球非法采伐现状分析中已经可以看出中国成为被指责的对象。Seneca Creek(2004)研究认为，2002 年在中国进口的木材中，可疑硬木胶合板比例高达56%，可疑比例低者为软木锯材，也达到17%，见表7-4(Schloenhardt A，2008)。

表 7-4　2002 年中国进口木材及可疑木材比例

	软木进口量 （1000m³）	软木进口受怀疑比例 （%）	硬木进口量 （1000m³）	硬木进口受怀疑比例（%）
原木	16800	31.5	8550	30.6
锯材	1189	17.0	4210	32.0
胶合板	155	55.0	480	56.0

资料来源：Seneca Creek. (2004)'Illegal' logging and global wood markets: the competitive impacts on the US wood products industry. Poolesville & University Place: Seneca Creek Associates & Wood Resources International, 15~16.

转引自：Andreas Schloenhardt. (2008)The illegal trade in timber and timber products in the Asia – Pacific region. Research and Public. Canberra ACT: Australian Institute of Criminology, Policy Series No. 89.

2008 年 7 月世界自然基金会(德国)发表报告《欧盟市场上的非法木材》，从自身利益出发，多次提到关于中国木制品出口中包含的非法木材问题，列出了非法木材进入欧盟市场的4 个主要来源——东欧、东南亚和中国、拉丁美洲、非洲，认为中国向欧盟大量出口家具和木制成品(折合原木当量 RWE，2003 年近 400 万 m³，2006 年达到 1150 万 m³，增长了 2 倍)，其原料多从印度尼西亚、俄罗斯及非洲进口，这些原料中有相当部分是非法的。

（2）中国林产工业正在转型，但是非法采伐指责并没有减轻。

锯材加工业：中国是仅次于美国和加拿大的世界第三大锯材生产国。众多中小型锯材厂为家具公司、当地民用建筑工地、包装行业和基建等生产锯材。大约能满足国内锯材总需求量的 77%。

胶合板行业：中国从 2001 年就是胶合板净出口国。2009 年中国胶合板的产量稳定在 270 万 m³。中国胶合板的特点是芯材用杨木等国产材，面板和背板用进口硬木树种的木材，特别是胶合板。中国胶合板面临向国内和国际市场提供木材合法性证明的挑战。

造纸行业：2008 年，中国是世界最大的纸和纸板生产国，木浆的主要进口国和生产国。中国的造纸原料主要以国内浆和废纸为主，使用少部分进口浆、纸浆用材（用于漂白牛皮纸浆粕）和用于制造出口纸张的阔叶木浆，而这些阔叶木浆很大可能来源不明或来自潜在的受威胁的森林。由于传统的废纸资源（美国和欧盟）不稳定、中国各地人工林项目发展不理想等原因，中国只好从高风险国家大量进口原木和木浆。

家具行业：中国的家具行业以私营企业为主。企业数目众多、高度分散化。2004 年以后，中国已经称为世界最大的家具出口国。美国份额约占 50%，欧盟约占 20%。中国的广东是中国主要的家具生产和出口基地。中国家具企业使用的木材来源的合法性验证十分复杂，因为一家家具可能同时使用实木和人造板、进口材和国产材。加之中国政府推动经济结构转型、越南、马来西亚家具竞争日剧等因素，部分中国家具制造商开始将注意力转向国内市场。

中国林产工业正在转型：①中小型企业纷纷倒闭，这是 2008 年以来经济衰退的结果，也是其不能满足"仓储式"大型零售商沃尔玛、宜家等要求的结果。②由于加蓬、俄罗斯等主要木材供给国出口限制和关税提高等政策调整，中国被迫降低对其进口木材依赖度，转而依靠新西兰等国家；同时中国出现半成品进口增加、尽可能依靠国产木材的趋势。③由于劳动力成本增加，中国初级加工优势逐渐丧失，林产工业将向高端加工产品整体转变。④国内市场是中国林产工业的新目标。中国将是未来木制品增长最快的国家，以满足美国、欧盟和其他地区的需求，尤其是国内迅速增长的需求。2009 年，除了相对狭小的中东外，中国是全球主要消费市场中唯一增长的国家。

进口：仍被认为是短期内弥补中国木材缺口最简单的办法。"国办发［2005］58 号"文件出台，要求采取多项措施弥补缺口。2006 年国家发改委（NDRC）发布公告称，根据调研，中国每年国内木材产量和总需求之间的缺口是 1.4 亿~1.5 亿 m³。2010 年 10 月，中国木材市场月度报告（国际木业，5 卷 10 期）引用国家林业局官员的发言，称中国林产品折合原木当量，2007 年的总消费量为 3.71 亿 m³，国内供给为 2.02 亿 m³，缺口约 1.7 亿 m³；2020 年，预计总消费为 4.57 亿~4.77 亿 m³，木材供给缺口将缩小为 1.0 亿~1.5 亿 m³，但以国内资源再增加 0.8 亿~1 亿 m³ 为基础。

出口：自 2009 年以来，中国至少 7 次提高出口退税率，以减少外向型企业的压力。中国出口贸易对象仍以美国、欧盟和日本为主，三者的出口份额之和在 50% 以上，主要木材出口市场不断提高对木材合法性的要求。

目前，中国林产品约 50% 依靠进口，且大多数来源于施政记录比较差的国家和地区。国产木材整体上被认为是低风险的。中国政府重视木材的合法性问题，但是对一些经营者而言，取得地方层面的木材来源地证明还有困难。验证中国国产木材合法性最大和最困难的阻碍之一可能是土地资源分配过程中出现的违法行为。尽管如此，超过1400家中国制造企业通过了COC认证，包括大量的纸浆和造纸厂、家具制造厂和人造板加工厂。中国的林产工业像印度尼西亚、越南那样，有潜在的脆弱性，尤其是胶合板、木家具和木地板。中国是失去美日欧市场，还是能将市场新变化作为机遇，有待后续研究和监测。森林趋势的研究有类似结论：2009年中国林产品进口达到新高。2009年出口量下降但出口额没有太大下降，2010年有所缓和。进口来源地区仍以非法采伐高风险区域为主（图7-1），出口贸易对象仍以美国、欧盟和日本为主（图7-2）。

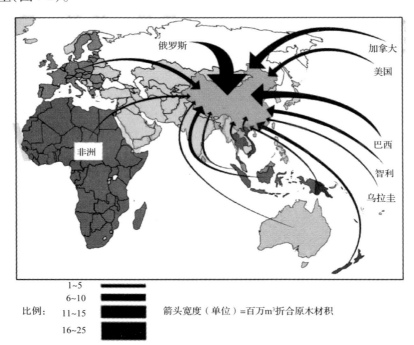

图7-1　2009年中国林产品进口示意图（不含家具）

资料来源：中国海关统计，由森林趋势整理。SUN XF, CANBY K. FLEGT Asia, BASELINE STUDY 1, CHINA: Overview of Forest Governance, Markets and Trade[R]. Forest Trends, 2011: 6.

7.1.1.3　木材非法采伐有被夸大之嫌

关于木材非法采伐的报告，经常是经过绿色非政府组织（NGO）的努力，找到自己的方式进入媒体，再传达给公众，并不总是可靠的。事实上，国际非法采伐数量有可能被夸大了。例如，在考虑FLEGT计划和进行禁止非法采伐的立法时，在其审议阶段，澳大利亚政府可能受到WWF等NGO的影响，WWF估计印度尼西亚、加蓬生产的木材中非法采伐率达70%，俄罗斯达25%。但是2010年国际经济中心（the Centre for International Economics）的报告显示，在世界木材生产中，非法采伐只占5%～10%。

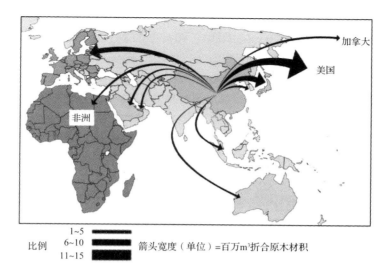

比例　1~5
　　　6~10　箭头宽度（单位）=百万m³折合原木材积
　　　11~15

图 7-2　2009 年中国林产品出口示意图（不含家具）

资料来源：中国海关统计，由森林趋势整理。SUN XF，CANBY K. FLEGT Asia，BASELINE STUDY 1，CHINA：Overview of Forest Governance，Markets and Trade［R］. Forest Trends，2011：6.

据 2006 年世界银行估计，每年由于非法采伐产生的经济损失大于 100 亿美元，超过了可持续林业管理的发展援助资金总额的 6 倍。而据另一项世界银行和世界自然基金会相关数据显示，全球 65% 的森林受到非法采伐的威胁，发展中国家每年因非法采伐及相关贸易导致的经济损失达 1500 亿美元，占全球贸易总额的 1/10。

尽管任何数量的非法伐木都是不可接受的，但不同报告之间的差异非常明显，除了技术原因之外，不禁令人质疑，在某些报告中木材非法采伐是否有被夸大之嫌？

7.1.2　木材非法采伐及其相关贸易的危害

非法采伐所造成的危害是多层面的。

环境层面：非法采伐使得森林资源减少，破坏了野生动植物的生长环境。森林资源对于物种多样性的保持异常重要，因为世界上近 90% 的物种都以森林为生。以中非为例，森林资源的减少已经严重威胁到大猩猩和黑猩猩的种群数量。

气候层面：非法采伐造成森林覆盖率减少，减弱了森林吸收二氧化碳的能力，因此很多专家将非法采伐看作目前气候变化的元凶。由森林采伐导致的二氧化碳排放几乎占到世界总排放量的 1/5，而专家也认为，减少森林采伐是减少二氧化碳排放量最省钱的方法。

物理层面：非法采伐对于森林的破坏对于地表有撞击效应，使得洪灾和泥石流的发生率提高。例如在菲律宾发生了造成成千上万民众死亡的洪水和泥石流，官方将此惨剧的发生归咎于非法采伐的泛滥。而对生态环境的保护、减少森林采伐，也被认为是减少泥石流灾害的首要因素。

财政层面：非法采伐造成政府财政收入的减少。在印度尼西亚，因非法采伐而未支付的税款与费用，全年约为 10 亿~20 亿美元（2003 年印度尼西亚预算总额大概为 400 亿美元）。另据菲律宾参议院相关委员会调查，在 20 世纪 80 年代，该国每年因非法采伐而损失的财政收入高达约 18 亿美元。

发展层面：今天的非法采伐将给未来人类带来更大的灾难。例如，越南在 1985~2000 年间损失了 1/3 的森林资源（很大一部分由非法采伐所致）；1997 年柬埔寨非法采伐的规模是合法采伐的 10 倍之多。显然，这样的采伐速度严重威胁了可持续发展，造成了森林资源的过度消耗，进而影响该国在国际贸易中的利益。

社会层面：非法采伐会使人们逐渐丧失对法治和政府的信心；同时，采伐许可的行为本身也经常与腐败相关联。

贸易层面：非法采伐的木材价格远低于合法木材，使得林产品国际市场发生扭曲，并使得合法采伐的积极性受到打击。美国 2004 年的一项产业调查显示，非法采伐已经导致不同种类的林产品产生 7%~16% 的降价，从而造成相关美国公司高达 4.6 亿美元的损失。

政治层面：在非法采伐兴盛的某些国家，非法采伐的绝大部分收入被用于资助国家或地区冲突。

有证据表明，非法采伐及相关贸易对发展中国家的生态破坏性影响不断增加。非法采伐不仅带来巨大的经济损失，还导致环境破坏、气候变化、资源枯竭、贫困加剧、地区冲突、政府税收流失等严重问题。

7.1.3   木材非法采伐及其相关贸易的要因

许多研究涉及非法采伐及其相关贸易的原因。表 7-5、表 7-6 显示，非法采伐现象的存在，从根本上来说是基于其背后巨大利益的诱惑，以及商人对于更高利益无限制的追求。首先，采伐许可的获得需要付出相当的代价，政府基于管理的角度制定的森林开采计划，往往与商人所希望获得的利益相差甚远。配额的获取，数量、范围、种类等限制，都让商人感觉到利益的点滴流逝。同时，进出口贸易中支付的关税也是商人试图努力避免的。世界林产品贸易中的巨大需求，以及大量林业资源国家森林资源保护立法、执法不力，也使得大量商人涌入这个领域。

总之，非法采伐及相关贸易产生的原因，一方面是由于木材生产国的森林经营管理和执法不力，森林施政的失败，导致国内木材生产处于无序状态，木材生产商为了追求经济利益，乱砍滥伐，造成了木材特别是热带木材非法采伐严重，给世界森林造成极大破坏；另一方面，由于受到国际林产品消费市场需求的刺激，木制品消费大幅增加，对木材的需求也就有所上升。这对于木材生产和消费国来说都是一大难题。因此，需要木材生产国和最终消费国的政府、企业和非政府组织的多方参与，共同打击国际木材非法采伐。

表7-5 五个区域森林守法低效的主要因素

主要因素	中非	西非	巴西亚马孙	中美洲	东南亚
政策和法兰城框架不一致	主要障碍	主要障碍	需要协调	主要障碍	主要障碍
低效的执行能力	培训和资金能力有限	主要障碍	需要加强	主要障碍	缺少独立监督和资金
缺乏数据，信息和知识	信息总体不可获得	主要障碍	主要障碍	缺乏信息，尤其社区	主要障碍
存在破坏	一些乡村	主要障碍	不认为是问题	在一些乡村	政治认识
市场和价格扭曲	木材出口存在	在区域水平存在	不认为是问题	需要区域改进	不认为是问题

资料来源：ITTO & FAO. Forest Governance and Climate – Change Mitigation. (2010 – 03 – 01). http：//www. illegal – logging. info/ item_ single. php？it_ id = 895&it = document.

表7-6 森林守法和施政水平低的主要原因

	识别的主要原因	观察到的主要问题
政府	缺乏精确的土地使用规划；缺乏组织能力；缺乏技术；缺乏数据和信息	缺乏能力、技术和森林通道
国内社会	执行能力低；组织弱；腐败；缺乏参与权；缺乏数据和信息	法律制度不健全、缺乏执行能力和林业部门的腐败
私人部门	市场失灵、价格扭曲；缺乏数据和信息；腐败	森林经济利用中各种形式的扭曲

注：中非、西非、东南亚和中美洲。

资料来源：ITTO & FAO. Forest Governance and Climate – Change Mitigation［EB/OL］. (2010 – 03 – 01). http：//www. illegal – logging. info/item_ single. php？it_ id = 895&it = document.

7.2 木材非法采伐及其相关贸易的全球治理概述

木材非法采伐及相关贸易问题已经成为世界可持续发展面临的一个热点、敏感问题。遏制非法采伐及其贸易、促进林业可持续发展已成为各国政府首脑关注的大事，各国也努力通过各种重大外交活动，发挥各自在推动林业可持续发展中的影响地位。例如，2007 年 9 月，由时任中国国家主席的胡锦涛倡议，"亚太森林恢复与可持续管理网络"被写入了 APEC 通过的《悉尼宣言》，并于 2008 年 11 月正式启动。2007 年 11 月第三届东亚峰会通过的《气候变化、能源和环境新加坡宣言》明确提出，在造林和恢复植被方面加强合作，减少毁林、森林退化和森林火灾，促进森林可持续管理，打击非法采伐，保护生物多样性，解决与之相关的经济与社会根源问题，并提出了具体措施。2007 年 9 月，巴西、喀麦隆、哥伦比亚、刚果、哥斯达黎加、刚果民主共和国、加蓬、印度尼西亚、马来西亚、巴布亚新几内亚和秘鲁等 11 国首脑在美国纽约发表了《热带雨林国家领导人联合声明》，强调 11 国加强合作，促进各种类型森林的管理、保护和可持续发展，以保障经济持续增长，消除贫困，同时将减少毁林和森林退化，加快森林恢复，加强森林经营和森林保护，扭转森林减少的趋势，积极发挥林业可持续发展在应对气候变化中的作用。

多边协议：联合国森林论坛（UNFF）、国际热带木材组织（ITTO）和联合国粮农组织（FAO）等机构则一如既往地推动着针对森林良治和非法采伐的国际进程，ITTO 和 FAO 还支持合理措施的执行。《生物多样性公约》（CBD）在其森林生物多样性保护工作中也涉及了非法采伐的问题。《濒危野生动植物种国际贸易公约》（CITES）也有潜力为解决非法采伐和森林退化作出贡献。CITES 虽然仅限于某些特定树种，且效果有赖于各国的执行情况，但它是目前为止唯一一个允许进口国没收涉及珍稀濒危物种的非法进口木材的多边协议。

双边层面：例如，木材生产国与欧盟之间达成一系列自愿伙伴关系协议（VPAs），确定协议双方应对非法采伐的承诺和行动，旨在改善森林施政，提高合法伐木收入，并加大对木材生产国的支持和能力建设。VPA 希望在每个伙伴国家建立合法木材的认证系统，欧盟成员国在进口木材时，防止非法木材产品进入欧盟市场。同时，希望该协议还能提供能力建设，帮助各国建立认证体系，改进执法与施政。方案最初只包括原木、锯材、胶合板和贴面板。

国家层面：许多国家努力推进制止非法采伐和加强森林施政的进程。越来越多的国家已经制定了绿色公共采购政策，要求木材及其相关产品的来源具备合法性和可持续性。为了使其森林和木材产品取得合法性认证，进而获准进入欧盟市场，马来西亚等国专门制定了相关森林认证体系。例如，马来西亚木材认证委员会（MTCC）利用《马来西亚森林经营认证标准、指标、活动和基准》体系评估森林经营单位（FMUs），该体系的基础是国际热带木材组织1998年制定的《天然热带林可持续经营的标准与指标》。澳大利亚森林认证体系（AFSC）根据澳大利亚林业标准（AFS）制定，通过了国际森林可持续管理评估体系认可，即森林认证体系认可计划（PEFC），该体系用于认证国内森林和庄园，包括"产销监管链"认证标准，跟踪供应链上的林产品和木材产品的去向。

私营部门和公民社会层面：为了回应政府进一步规范木材产业的系列行动，同时也由于来自大众的压力越来越大，私营部门业主纷纷着手制定对策并身体力行，确保将非法采伐木材隔绝在其供应链之外。国际非政府组织和研究机构在打击非法采伐与贸易和促进森林的可持续经营上也起着重要作用。例如，世界自然基金会（WWF）就积极推动私营部门参与到这些事务中。全球见证（Global Witness）和国际野生物贸易组织（TRAFFIC）等机构也都参与到了针对非法采伐和贸易的监测和调查以及其他相关活动中。

归纳起来，打击木材非法采伐及其相关贸易的全球治理进程由发达国家（尤其欧盟）主导，可分为三个主要阶段。第一阶段：实施绿色采购政策（GPP）或负责任采购政策（RPP）。第二阶段：制定政府间打击木材非法采伐及其相关贸易的行动计划和协议。全球已经形成了8个区域森林可持续经营标准和指标体系、5个区域森林执法与施政（FLEG）进程、4个区域林业部长会议机制和多个区域林业合作网络机制。第三阶段：通过禁止非法木材进口的相关法案。包括：2008年《美国雷斯法修正案》、《欧盟木材法》（EU TR）、澳大利亚《2012年非法采伐禁止法案》（ILP）。

相关措施包括：①供给面措施。在生产国，提高对非法木材采伐者的惩罚风险，降低合法生产的成本。②需求面措施。通过控制国际贸易，减少非法生产获利，区分合法和非法来源的木材产品。

7.3 打击木材非法采伐及其相关贸易：全球治理的成效、局限和困难

7.3.1 打击木材非法采伐及其相关贸易：全球治理成效

森林必须与其他经济用地竞争。如果单纯抵制热带木材，可能导致当地的林地潜在经济价值丧失而迅速被转换成其他用途，毁林就必然发生；反之，如果通过可持续的木材供应源源不断得到回报，将有助于防止毁林。上述政策和法规有助于遏制木材非法采伐和贸易，促进森林可持续经营。生产国可以控制所有出口的木材及其产品，保证了国家从出口木材及其产品中的收入。消费国保证进口木材及其产品的合法性。国际社会层面，本体系并不排斥国际社会目前做出的各种努力以及开发的各种方法、体系，并为这些努力和方法、体系提供了发展机会（可以争取木材生产国政府的理解和认可，作为该国木材合法性的方法）。

目前，对打击木材非法采伐及其相关贸易的国际进程还缺少系统的成效评估。2008 年欧盟委员会的一项评估报告显示，如果充分执行欧洲打击非法采伐的林业法规，则欧盟 15 国、美国的原木、锯材和人造板的产量将增加 1% ~ 7%，出口量将增加 0% ~ 49%，而巴西、马来西亚、中国、中部和西部非洲、印度尼西亚、俄罗斯的产量等几乎都将减少（表 7-7）。

表 7-7　充分执行欧洲林业法规的模拟影响　　　　　　　　　　　　单位:%

比较项目	国家及地区	原木变化	锯材变化	人造板变化
1 世界价格		19	37	16
2 产量				
	欧盟 – 15 国	5	5	0
	日本	13	7	2
	美国	1	1	2
	马来西亚	8	– 2	1
	巴西	– 2	– 2	– 2
	中国	– 23	– 10	– 9
	中部和西部非洲	– 23	– 28	2
	印度尼西亚	– 33	– 31	– 32
	俄罗斯	– 16	– 32	5
3 出口				
	美国	0	49	35
	欧盟 – 15 国	4	12	5

（续）

比较项目	国家及地区	原木变化	锯材变化	人造板变化
	巴西	0	−1	4
	马来西亚	48	−1	5
	中部和西部非洲	−39	−51	10
	印度尼西亚	−44	−55	−52

资料来源：European Commission. (2008 – 10 – 23)［2011 – 01 – 18］. Impact Assessment：Report on Additional Options to Combat Illegal Logging. http：//ec. europa. eu/environment/forests/pdf/impact_ assessment. pdf .

多数观点认为，这种国际治理机制有助于打击木材非法采伐和贸易，促进森林可持续经营。已有迹象表明，政府制定的 GPP 或 RPP 的乘数效应已经显现，许多非政府组织/行业协会和企业纷纷采取措施，通过木材采购和林业投资政策，确保林产品的供应来自合法/可持续经营的森林，增进对现有认证项目的需求并促进其改善，提高对非法采伐及其后果的认识，促进林产品的合法交易和相关国家木材的可持续发展。

然而，应该看到发展中国家的负担加重了。EU TR 于2013 年 3 月 3 日全部生效，法规还需配套文件。通过尽职调查，欧洲议会有效地迫使发展中国家的生产者必须证明其产品全部合规，该举证责任与进口木材和木材产品的西方公司无关。实际上，来自发展中世界的木材或木材产品是否合法，FLEGT 使得欧盟是最终仲裁者，无需诉诸 WTO。发展中国家的增长、就业和经济竞争往往依赖出口，他们要证明自己木材产品并非非法采伐，所有木材及木材产品的供应链合规。通过征收额外费用，削弱了发展中国家的廉价优势。繁琐的规则令高成本的欧盟厂商免受外来竞争，获得其在自由市场上从未有的竞争优势（European Commission，2008）。FLEGT 坚持"对进口产品和国产品一视同仁，然而考虑到欧洲经济技术比其发展中国家的竞争者领先许多，这简直是妄言"。

7.3.2 打击木材非法采伐及其相关贸易：全球治理局限性

7.3.2.1 难以平衡，发达国家主导进程

发达国家主导表现在：①理念主导，截至目前，全球森林可持续经营标准和指标、森林认证、打击木材非法采伐及其相关贸易及减少毁林排放等都是发达国家提出并推动的；②资金主导；③机制主导，利用理念和资金优势，占据主要话语权，主导林业国际规则的谈判走向；④市场主导，主要应用其话语权和资金及技术优势，以某种方式限制市场准入，包括森林认证和打击木材非法采伐。

7.3.2.2 难掩矛盾，利益博弈分歧重重

例如，欧洲出于自身利益，以森林可持续发展为借口，必须以森林认证作为木材合法和可持续的唯一依据，实为贸易保护主义；美国强调根据美国森林的具体情况，可采取更为务实、变通的办法，如风险评估或环保采购政策，来解决木材是合法的可持续发展的依据问题，则侧重保护美国相关企业的利益。

7.3.2.3 难以实施，存在许多技术难题

以欧洲为例，其大多数公共采购政策朝着认证和可持续发展的方向发展，此外，深受 FLEGT 及其 VPA 认证机制和有关法律法规的影响，还强调全面的可追溯性和独立的第三方认证，其操作难度很大。

（1）独立的第三方认证问题。独立的认证和产品标签能够部分地解决非法采伐问题。它是具有资格的审核人员根据以前制定的标准进行森林经营业务的现场评估。这些标准应建立在对林主、产业、贸易联盟、环境团体、政府有关部门等利益各方进行广泛咨询的基础之上。审核程序还应包括木材贸易公司，以建立从森林到最终用户的产业链监管，最后在木制品上附上环保贸易标记。

森林生态系统远比其他系统如电子装置系统的认证要复杂得多，甚至比有机作物的生长系统也要复杂。森林的类型、经营和管理的目标，在林子与林子之间，甚至在同一座林子里，在不同国家的森林里是各不同的。所以，要制定一个针对性的标准，在技术上具有极大的挑战性。一方面，在没有一个具有广泛可操作性的认证和标签计划的情况下，提供一个针对性的采购政策是极具挑战性的。因为，有大量非法采伐的木材用于木材供应国国内，根本未进入国际市场，致使绿色采购政策的影响有限；通过第三国转移等方式，把贸易从环保敏感性高的市场向环保敏感性低的市场转移。另一方面，对"合法""可持续发展的森林经营"等的精确定义需待时日，制定一个具有广泛可操作性的认证和标签体系，需克服极大的技术难度，更需林主、环保主义者、产业、贸易联盟和政府等利益诸方的共同意愿。

（2）产品全面可追溯性的可操作性问题。以美国为例，与世界上其他大多数国家不同，美国的森林主要是由私人业主拥有（约73%硬木林由私人拥有）。约1100万个私人林主，其林权延续了好几代人，平均拥有森林20hm^2。通常林主终其一生，出售硬木原木可能只有一次或是两次，所得也只占预期收入很小的比例，即使木材的价格因认证而提高，也难以调动其认证积极性。根据最近的一项调研，在美国的家族私人林主中，对森林认证系统（包括 ATFS，FSC 和 FSI）只有极低的参与率（2%）和很低的自觉参与程度（17%）。通常锯木厂从遍布全国的成千上万个私人林主那儿采购原木，这些林主可能只拥有几公顷林地。林主的分散性也意味着从单片的森林到销售点进行木材的追溯也是极端困难的事。因此，美国阔叶材外销委员会正在努力说服欧盟放弃全面的可追溯性和独立的第三方认证，改用"风险评估"。美国推出的"风险评估"是由木材采购机构执行系统的程序，从供应商处收集有关林业信息（必要时，可能是现场访谈问卷），将供应商评定为"低风险"和"高风险"类别。被评定为"高风险"的供应商如果希望继续供应木材，就要尽快提交独立的合法证明或全面的认证。对"低风险"的供应商则只需提供签署过的声明，声明所供应的木材没有来自存在争议的来源。美国认为，风险评估将是一个高效的工具，用以鼓励人们更广泛地采用负责任的采购活动，有助于增加可得到的标记木制品。它也可以把能源和资源分配到"高风险"林区去解决它们的问题；而"低风险"林区的供应商则无需面对新的和不必要的要求。实际上，风险评估已作为一种政策工具，被用于主要的认证规划中，以努力促进非认证的木材进入认证产品之列。

（3）其他配合条件问题。绿色和平组织建议的 RPP 列出了如下五类外部协助资源：①国际非政府组织（NGO）；②木材行业/政府间组织；③政府进程；④审计与认证机构；⑤国际

公约。因此，除了解相关资源外，企业还需制定木材采购原则，建立强有力的内部审计团队，确切了解木材流通环节，逐步完善采购和监控体系，确保木材供给全部来自负责任的森林经营等步骤，最后还要通过独立的审计流程向社会通报成果。在这个过程里，企业内部往往缺乏相应的资源或知识，也难以聘请第三方审计机构或可提供产销链监管服务的公司。

以绿色木材公共采购政策为例，许多配套条件并不成熟：①采购程序应包括一些风险分析，以区分不同的供应商，细分措施；②政策应切实可行，避免对供应商强加无法做到的条件。有些国家要求所有木材必须经 FSC 认证或同等认证，并不考虑不同供应国面临的挑战或具体情况，要求的证据形式缺乏灵活性；③在可能的情况下，政策应获得木材供应商的积极支持，特别在一些缺乏政策资源和能力的国家尤为如此；④政策需要保持长期性，确保供应商现在对环保认证所做的投资将来必定可以得到好的回报。

以绿色建筑倡议(green building initiative)为例，一般旨在生命周期评估中引进最新的研究成果来评定整座建筑的环保性能。然而，这些提案的具体内容很不相同，评估标准往往是最新的科学知识与政治程序的结果之间的妥协，它们在竞争产业、终端用户群体和环保主义者之间进行利益的平衡。在某些情况下，在特殊利益服务的游说集团的强烈干预下，标准常常会走样。

以 FLEGT 及其 VPA 机制为例，它也存在不少漏洞：可以通过非伙伴国规避许可证制度，或非伙伴国可以通过将自己生产的木材出口到伙伴国而利用许可证制度的市场优势获益；大多数木材贸易都是在欧盟以外的国家完成的，并不受许可证制度的约束。

7.3.2.4 难以协调，容易引发贸易摩擦

经济全球化推动了林业全球化，导致林业经济合作关系调整、森林资源竞争态势加剧、全球林产品贸易格局深刻变化和林业的内涵不断丰富。欧美对非法采伐木材的关注一方面是出自对温室效应使地球变暖的忧虑，要求保护森林特别是热带雨林；另一方面则出于自身利益的考虑。一项美国林纸协会委托 Seneca Associates 咨询机构的研究表明，非法采伐的木材以低于国际价格 16% 以上的价格销售，它每年使合法木材的营业损失高达 6 亿美元；暗中压低了合法经营者的木制品价格，也损坏了木材业的整体信誉。欧美貌似公允的打击非法木材的贸易政策和法规，实际上并没有充分考虑发展中国家的经济和社会发展水平，也没有充分考虑发展中国家林业实际情况，但却筑起了高高的非关税壁垒，有贸易保护之实，贸易摩擦在所难免。

按照目前的做法，结果只能是将发展中国家的林产品挡在发达国家市场之外。

环境产品作为一种公共物品，其供给是一个要由社会上(国际上)的主要利益集团的利益所决定的公共选择过程。环境作为一个整体是不可以分割的，也无法分割人们的权利和义务，因此，其供求不同于市场选择的过程，只能通过公共选择的方式加以决定。布坎南说过，在与公众有关的比如环境产品的供给决策中，人们或各种利益之间往往是相互冲突的，实际上并不存在根据公共利益进行选择的过程，而只存在各种特殊利益之间的相互制约。因此，环境产品的供给及其制度安排的过程，不过就是利益集团之间的缔约过程，取决于各种利益集团的相对力量及其合力，也与这种公共选择的决策制度和方式有关。由于发达国家和发展中国家相比厂商数量和规模不同，可持续经营水平总量是不同的，显然 GPP 及其认证标

志等统一标准的制定就存在"利益倾斜"问题，更何况目前发达国家的林业可持续水平远远高于不发达国家，这种"利益倾斜"尤其显得明显。

另一方面，林产品绿色政府采购为各国创造了新的"灰色区域"，各国纷纷制定各自的认证标准、绿色标志和各种国内法，从而使正常规范的林产品贸易及其非关税壁垒，重新又以各种绿色保护措施展现出来，以最大限度地维护本国利益。不同国家在建立自己的木材政府采购制度的时候，都会根据本国的具体情况或以本国的根本利益为出发点，来规定适合自己的政府采购原则。例如在新西兰，由于该国在森林可持续经营方面一直走在世界前列，因此实施木材政府采购的一个重要目标就是保护国内合法林产品经营商的利益，维护国内林业产业的顺利发展。在全球性经济一体化过程中，日趋扩大的林产品贸易流动会直接引起森林环境的流动，如果没有新的相应制度约束和调节，发达国家就会通过贸易流动来输出或扩散具有负的外部影响的环境产品，把这种外部影响强加给不发达国家身上。

森林认证本身就是一种市场措施，加入森林认证体系并不统一，因此为适应林产品绿色政府采购政策所带来的巨大市场需求，各认证体系将不可避免地相互争抢市场，由此可能引发认证的有效性。

绿色保护主义的新领域：在早期成功应对滴滴涕（DDT）和转基因生物（GMOs）后，绿色NGO扩大了范围，渗入了几乎世界经济的所有部门，包括发展中国家生产、出口到发达国家的林产品。通过提高公众意识、使发达国家的竞争厂商受益，绿色 NGO 的公关活动增加了其会员，在全球经济衰退下，又助长、催生了额外的保护。政府和大公司越来越多地依靠环境运动和 NGO 倡议的政策工具对发展中国家构筑保护性非关税壁垒。

7.3.3　打击木材非法采伐及其相关贸易：任重道远

木材非法采伐及其相关贸易的存在是多方面因素共同作用的结果，除了木材生产国的森林管理和执法不力，也有林产品消费国市场需求的刺激[①]。森林必须与其他经济用途竞争用地，单纯的禁伐令、抵制热带木材等，可能导致当地林地的潜在经济价值丧失，非法采伐或改变林地用途等毁林行为就必然发生，这往往违背打击木材非法采伐及其相关贸易的初衷。反之，国际社会共同携手，从需求入手的同时，加强生产国的能力建设，寻求通过可持续的木材供应源源不断得到回报，才有助于从根本上防止毁林，实现打击木材非法采伐及其相关贸易的初衷。因此，经济手段是遏制非法木材采伐及贸易，保护森林、气候和物种多样性的基本方法。

然而国际合作谈何容易！因为木材及木材制品产业既要顾及贸易利益，又要兼顾环保、公共健康、社会责任等非贸易利益，这种兼顾的具体标准和实施相当复杂。如果发达国家一味地以高标准非贸易利益为由限制来自其他国家对非贸易利益有所损害的商品进口，而不是投入资金和技术支持致力于非贸易利益的根本救助和改善，那么，国际社会对非贸易利益的

---

① 在这个问题上可能有负面影响的消费国家：欧洲国家、美国、加拿大、日本；存在非法采伐高风险的国家：印度尼西亚、马来西亚、喀麦隆、加纳、加蓬、科特迪瓦、刚果、巴西、秘鲁、厄瓜多尔、俄罗斯、爱沙尼亚、拉脱维亚；在加工和贸易方面存在高风险的国家：中国、韩国、越南、泰国、印度尼西亚、印度、孟加拉国。

关注极有可能陷入新贸易保护主义的漩涡，进一步加大世界贫富两极分化，从根本上无益于维护非贸易利益，从这个意义上说，追求全世界人民的共同富强才是协调贸易利益和非贸易利益统一，才是打击木材非法采伐及其相关贸易的根本途径。

　　总之，在现实中，打击木材非法采伐及其相关贸易，是木材生产国和消费国的政府、企业、组织多方参与的国际进程，并逐步融入国际气候制度安排中，受国际机制约束，并演变为经济、政治和外交问题，是一场复杂的博弈。因此，打击木材非法采伐及其相关贸易注定是全球治理的难中之难。任何一方都难以保持自愿和自主，必须重视策略，并随时调适。

7.4　本章小结

　　本章侧重分析打击木材非法采伐及其相关贸易，并简要分析这些涉林低碳行动对林产品贸易的影响。打击木材非法采伐及其相关贸易的全球治理进程由发达国家（尤其欧盟）主导，分为三个主要阶段：实施绿色采购政策（GPP）或负责任采购政策（RPP）；制定政府间打击木材非法采伐及其相关贸易的行动计划和协议；通过禁止非法木材进口的相关法案。相关措施包括：从供给角度，在生产国提高对非法木材采伐者的惩罚力度，降低合法生产的成本；从需求角度，通过控制国际贸易，区分合法和非法来源的木材产品，减少非法生产获利。目前，对打击木材非法采伐及其相关贸易的国际进程还缺少系统的成效评估。

第 8 章　认证、标准与林产品贸易

认证、标准等涉林低碳行动越来越普遍，形式越来越多样。就认证水平而言，第一方认证是由供应商或森林经营企业进行的认证，通常指内部审计；第二方认证是由与供应商或森林经营企业相关的组织，例如顾问、客户、提供支持的组织进行的认证；第三方认证是由供应商或森林经营企业独立组织进行的。认证水平越高，独立性和可信性的水平就越高。就认证内容而言，包括森林认证、合法性认证和碳认证等。

8.1　森林认证

8.1.1　森林认证的起源

自 1992 年联合国环境与发展大会以来，森林问题特别是森林可持续发展问题作为全球环境问题中一个必不可少的组成部分，被纳入国际谈判议程，受到普遍关注。保护环境、保护森林已成为共识。一些非政府组织（NGO）、个人和企业也积极采取行动，其共同发起的行动之一就是"森林认证"。森林认证的独特之处在于它以市场为基础，并依靠贸易和国际市场来运作。而促进森林可持续经营的传统方法（如发展援助、软贷款、技术援助和海外培训等）大多忽视了商业部门，特别是忽视了木材产品的国际贸易。

8.1.2　森林认证的概念、要素、审核与模式

（1）森林认证的概念。森林可持续经营认证是一种运用市场机制来促进森林可持续经营的工具，简称森林认证、木材认证或统称认证，包括森林经营（FM）认证和产销监管链（CoC）认证。FM 认证是根据所制定的一系列原则、标准和指标，按照规定的和公认的程序对森林经营业绩进行认证，针对森林经营单位。CoC 认证是对木材加工企业的各个生产环节，包括从原木运输、加工、流通直至最终消费者的整个链条进行跟踪，以确保最终产品源自于经过认证的经营良好的森林或其他合乎要求的来源，是一个完整的"链式过程"。通过认证后，企业有权在其产品上标明认证体系的名称和商标，即标签。

特点：森林认证具有自愿性、独立性、公正性、公开性或透明性、可靠性、可信性、非欺骗性等特点。

局限性：独立的认证和产品标签能够部分地解决非法采伐问题。但是森林生态系统远比其他的系统如电子装置系统的认证要复杂得多，甚至比农作物的生长系统也要复杂。要制定一个针对性的认证标准在技术上具有极大的挑战性。对"合法""可持续"森林经营的精确定义

要取得一致需待时日。

（2）森林认证的要素。一般来说，认证都包含标准、认证和认可三大要素。标准规定了认证必须达到的要求，它是认证评估的基础。认证是由认证机构验证森林经营单位或企业是否达到认证标准要求的过程。而认可是对认证机构的能力、可靠性和独立性进行认定，以提高第三方认证机构的可信度。如果要对产品作出认证声明，还需建立产品跟踪和标签体系，即产销监管链认证和标签制度。以这几大要素为基础而成立的机构、制定的规则并开展相应的活动就组成一个完整的森林认证体系（表8-1）（徐斌，2010）。

表8-1　森林认证体系要素

机构	活动	产出
标准制定机构	制定标准	森林认证标准
认证机构	森林经营评估 产销监管链评估	森林经营认证 产销监管链认证
认可机构	认可评估	认证机构注册
标签机构	批准企业	林产品标签

资料来源：徐斌. 森林认证对森林可持续经营的影响研究［D］. 北京：中国林业科学研究院，2010：17. 经过作者改编。

（3）森林认证的审核。森林认证是由独立的认证机构进行审核。认证机构组织主审员和当地专家组成评估小组，依据森林认证标准对森林经营状况进行评估，并在审核过程中征求有关利益方的意见。一般步骤：申请；预评估；利益方咨询；主评估；同行评审；认证决定并颁发证书；年审。

产销监管链认证的过程相对简单，包括申请、主评估、认证决定并颁发证书以及年审等步骤。如果通过认证，就可颁发认证证书，证书有效期一般为5年，每年进行一次年审。

8.1.3　森林认证的模式

（1）独立认证。独立认证是指对独立经营者经营的森林进行认证。森林经营者可以是国家、集体、企业或私有林主。独立认证模式的优点是开展森林认证较容易，一般适用于森林面积比较大的森林经营单位。

（2）联合（团体）认证。联合认证也称团体认证，即将多个森林经营者拥有的分散的、相互独立的小片森林联合在一起，组成一个"联合经营实体"来开展认证。联合经营实体可以是个人、组织、公司、协会或其他法律实体，负责组织整个认证进程。森林认证体系认可计划（PEFC，原名泛欧森林认证体系）本身就是为适应欧洲的小私有林主进行森林认证而设计的，其特点就是小林主联合认证。目前，森林管理委员会（FSC）也开展了联合认证。实践证明，联合认证减少了咨询、审查手续的重复性操作，由联合会员共同承担认证费用，大幅度降低了个体成本；那些分散在偏远地区的小林主能够及时获得信息和专家技术服务，还可以相互交流获取认证的经验，全面提高经营水平。在美国和欧洲，小私有林林主占多数，对联合认证更为青睐。

（3）资源管理者认证。资源管理者认证是由若干个林主将其拥有的森林委托给资源管理者（可以是一个组织，也可以是个人）经营管理，由资源管理者来负责这些森林的认证。这也是小林主联合认证的一种方式，只不过资源管理者拥有经营权。资源管理者必须具有一定的森林经营管理能力，按照森林认证原则与标准来经营森林，使其管理的森林达到良好经营状态，能够通过森林认证。资源管理者认证省去了由小林主成立联合认证协会带来的一系列组织工作，同样达到了简化手续、节省费用的目的。这种类型的认证被 PEFC 和 FSC 采用，在欧洲应用较多。

（4）区域认证。区域认证的概念是由 PEFC 体系提出的，它可以对一个区域内的全部森林进行认证。区域认证的申请者必须是一个法律实体，并且必须代表在该区域经营了 50%以上森林面积的林主或经营者。申请者负责让所有的参与者满足认证要求，保证认证参与者和认证森林面积的可信性，并实施区域森林认证条例。林主或森林经营者可以在自愿的基础上参加区域认证，具体方式可以是单独签署承诺协议，也可以服从林主协会的多数决定。只有参与区域认证的林主或经营者采伐的木材才能被认为是来自经过认证的森林，并可贴上 PEFC 标志。PEFC 认为，在很多国家，区域认证是避免对小林主认证歧视的最佳方式。但此种模式不能确保区域内所有森林达到认证标准的要求，很多环保组织认为这种模式不可信。

（5）其他认证模式。小规模低强度经营森林（SLIMF）认证项目。为了应对 SLIMF 的现实需要，降低其认证成本，对于经营面积不超过 $100 \sim 1000 \text{hm}^2$（依各国实际情况确定），以及年采伐率不超过年生长量的 20%且认证期间年采伐量或平均年采伐量不超过 5000m^3 的低强度经营森林，FSC 专门提出了 SLIMF 认证项目。该项目简化了认证程序，并可依据专门制定的 SLIMF 认证标准进行审核。仅生产非木质林产品的非人工林也可申请该项目。

阶段式认证。也称阶梯式认证，是由国际热带木材组织（ITTO）针对较难一次性达到森林认证标准的热带木材生产国而提出来的。这种方式是将认证的最终目标分步、分阶段实现，寻求认证的经营单位或企业通过不断努力提高森林经营水平，在一定期限内分阶段逐步达到认证要求。阶段式认证也可先满足一部分企业对"合法性"的需求。目前，各认证体系还未制定可行的阶段性认证方法。但一些认证机构已经开展了阶段性认证，如美国雨林联盟（RA）的"精明木材"（smart wood）开展了针对 FSC 认证的"Smart Step"项目，为多家林业企业提供了分阶段认证服务。

8.1.4 森林认证的目的、动力机制与推动措施

8.1.4.1 森林认证的目的

认证的逻辑：如果消费者偏好于按可持续原则管理而被认证的林产品，或者消费者愿意为经认证的林产品支付更高的价钱，那么森林生产者就会有采用可持续森林管理方式经营的动力。近年来，经认证的森林面积迅速扩大。

认证的主要目标：提高森林的经营水平，实现可持续性；保证并促进市场准入，获取市场利益。另外，森林认证还有其他一些目标，如在市场上区分产品、森林服务商业化、降低投资风险、促进利益方的参与、加强法律法规的实施等。当然，认证是一个单一的"软政策工具"，有一定的局限性，并不能代表国家林业立法、政策、教育等手段。认证仅针对森林

经营单位，并不能直接影响土地使用计划和国家政策，并不能解决所有森林问题。

8.1.4.2   森林认证的动力机制与推动措施

（1）森林认证的动力机制。图8-1显示了供应链认证林产品供求的驱动力（徐斌，2010）。

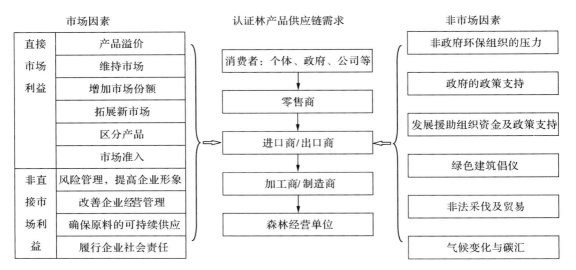

图8-1   供应链认证林产品需求的驱动力

资料来源：徐斌. 森林认证对森林可持续经营的影响研究[D]. 北京：中国林业科学研究院，2010：17.

（2）企业开展森林认证的动力。据联合国欧洲经济委员会（UNECE）的调查显示，企业开展森林认证的动力依重要性由大到小排列依次是：市场准入、环境非政府组织的压力、市场需求、政府支持、社会责任和期望溢价。

（3）各方的推动政策与措施。在推动森林认证和培育认证产品市场的过程中，各方制定的政策和采取的措施起到了关键的作用，包括世界自然基金会（WWF）等非政府环保组织的推动及全球森林与贸易网络（GFTN）；宜家（IKEA）、欧倍德（OBI）、家乐福（Carrefur）、百安居（B&Q）等企业绿色采购政策；英国、丹麦、荷兰、比利时、德国、法国和奥地利以及美国的一些州等的政府支持和公共采购政策；欧盟的"鼓励安排"政策；世界银行、汇丰银行等发展援助组织的资金和政策支持；"领先能源与环境设计"（LEED）等绿色建筑倡议等。

8.1.5   森林认证体系

目前，世界上有3个层次的森林认证体系在运作：全球体系、区域体系和国家体系。全球体系有森林管理委员会体系（FSC）；区域体系有泛欧森林认证体系（PEFC，现在改名为森林认证认可程序体系，向全球体系发展）；国家体系主要有马来西亚木材认证委员会（MTCC）、加拿大标准化协会（CSA）、印度尼西亚生态标签研究所（LEI）、美国可持续林业倡议（SFI）、德国的 NATURLAND、英国的森林保护计划（UKWAS）以及美国林主协会（ATFS）等。

由于不同体系的发展背景和适用区域不一样，支持的利益团体各不相同，因而各具优缺点(徐斌,陆文明,刘开玲,2005)。下文对正在运作的、具有代表性的几个森林认证体系作简单的介绍与评估。

8.1.5.1 森林管理委员会体系(FSC 体系)

FSC 体系是由非政府组织发起的全球体系,也是全球第 1 个森林认证体系,它强调环境、社会和经济三方的利益平衡和决策共享。森林管理委员会(FSC)于 1993 年 11 月成立,是一个独立的、非营利性的非政府组织,旨在促进对环境负责、对社会有益和在经济上可行的森林经营活动。FSC 制定了全球统一的 FSC 原则与标准,通过其认可的认证机构认证森林,并提供全球统一的 FSC 认证标志。另外,它在各国发展了 34 个国家倡议组织,在 FSC 原则与标准的框架下制定了国家和地区标准,并开展了地区性活动。FSC 自身并不直接认证森林,它是标准制定机构和认可机构,通过认可的认证机构来认证森林。认证包括两个部分:森林经营认证和产销监管链认证。它以自愿的绩效标准为基础。经过森林经营认证和产销监管链认证后,林产品就可以贴上 FSC 商标和标志。FSC 的资金来源于认可费、会费,以及政府、环境组织和个人的捐赠,但它不接受企业的资助。

(1)FSC 体系的认证标准。

《FSC 原则与标准》:1994 年由 FSC 制定(共 10 条原则和 56 个标准),1999 年和 2000 年两次修订,是全球适用的国际标准,它为认证森林经营提供了总体框架或一般性标准,适用于热带、温带和寒带森林。

FSC 地区标准:适用于不同地区、国别、区域或某种森林类型和非木质林产品的更详细的标准——任何国家和地区都可根据 FSC 国家倡议手册,成立 FSC 国家工作组,制定地区标准,使其更符合当地的特定环境,促进负责任的森林经营。FSC 的地区标准适用于该地区,是《FSC 原则与标准》在该地区开展森林认证审核的实际应用版本。为了保证全球不同地区 FSC 标准的一致性和完整性,任何地区标准都须经过 FSC 董事会的批准。到 2007 年 3 月 30 日,FSC 已经批准的地区标准包括 17 个国家的 28 个标准。

(2)认证方法。FSC 提供了 3 种认证方法:独立认证、资源管理者认证和联合认证。

(3)认证过程。一般都包括预审、主审、同行评审以及颁发认证证书等几个过程。如果符合认证标准要求,认证机构就可颁发认证证书。但认证机构仍可就一些次要不符合项,要求森林经营单位在规定时间内采取措施进行改进。认证证书有效期为 5 年,每年接受一次年度监督审核。认证机构在网上公布认证报告概要,供各方查询与监督。

(4)认证机构。截至 2009 年 2 月,FSC 认可了 22 家认证机构,分别是:美国科学认证体系森林保护计划(Scientific Certification Systems Forest Conservation Program),简称 SCS;美国非政府组织雨林联盟精明木材认证计划(Rainforest Alliance Smart Wood Program),简称 SmartWood 或 SW;英国非政府组织土壤协会木材标签计划(Soil Association Woodmark Scheme),简称 SA;南非的 SGS 公司;英国的 BM TRADA 认证有限公司,简称 TT;德国农业技术咨询公司 Terra 体系,简称 GFA;意大利的 Certiquality;瑞士的 IMO;荷兰的 SKAL;加拿大的 KPMG 森林认证服务公司,简称 KPMG;瑞士质量和管理体系协会(SQS);法国的 CTBA;法国的 EUROCERTIFOR,简称 EUR;意大利的 ICILA;墨西哥的 VIBO;法国的 Bureau Veritas Certification(BV);比利时木材技术研究所(CTIB);瑞典的 Det Norske Veritas Certification AB

（DNV）；俄罗斯的 Euro Partner（EP）；奥地利的 Holz Cert Austria（HCA）；德国的 LGA Inter-Cert GmbH（IC）；加拿大的 SAI 全球认证服务（QIM）。另外，曾经认可的认证机构加拿大的 SFF 和南非的 SABS 被暂停或吊销了认证资格。还有 7 个国家的 8 个认证机构向 FSC 提出了申请。

（5）产销监管链认证。FSC 产销监管链分为两种类型：完全产销监管链认证和部门产销监管链认证。选择第一种类型的生产者必须，而且只能使用认证的原材料，而第二种则指森林生产者同时使用认证和非认证的原材料。

相应的产销监管链体系采用以下 3 种控制方法：完全控制、绝对控制和混合控制。第一种方法是当企业寻求完全产销监管链认证时，管理制度非常简单，重点放在适当的记录和归档上。因为它只和认证的林产品有关，只要控制人、存货清单和输出即可，不需要进行认证产品和非认证产品的分离、识别和控制。第 2 种方法和第 3 种方法都是针对部分产销监管链认证的。绝对控制是指生产者通过物理分隔、标记等方法，保证认证材料和非认证材料完全分离。混合控制指生产者进行产品加工过程中含有认证和非认证的材料。

针对在加工过程中含有认证和非认证的材料，森林管理委员会制定了专门的政策，称为"基于百分比的声明政策"。如果产品生产线按最低百分比采用了经 FSC 认证的材料，那么这条生产线的最终产品可以贴上 FSC 认证标志，并在标签上要标明认证原材料所占的百分比。FSC 允许贴有 FSC 标志产品的原材料不是全部来自经 FSC 认证的原始木材或纤维，可以混合未经认证的（非争议性或限制性的）原始木材或纤维，回收木材或纤维，或者非木质纤维。各种产品的最低比例要求是不一样的，如对实木产品（原木、板条、包装等），其认证产品的重量或材料百分比必须超过 70%；组合产品（胶合板、家具和乐器等）认证产品百分比必须超过 70%；木片和纤维类产品（刨花板、纤维板、纸浆和纸等），按重量至 30% 的原材料经过认证，至少所使用的纤维和木片的总重量的 17.5% 经过认证。

2004 年，FSC 修改了其产销监管链标准，将其认证产品分为三类，并有不同的认证标志，包括 FSC 完全认证产品、FSC 混合来源认证产品和 FSC 循环产品。FSC 完全认证产品指的是产品所有的原材料均来自于经过 FSC 认证的良好经营的森林；混合来源的认证产品包含了经过 FSC 认证的材料以及可控材料或回收材料；FSC 循环产品指的是产品使用的都是经过消费的再回收材料。可控木材指的是经过确定的没有采伐自以下森林的木材或木材纤维：①破坏了当地传统和民间权利的林区；②未经 FSC 认证的受到森林经营活动威胁的高保护价值森林；③经过基因改良或非法采伐的林木。相应地，FSC 发布了《森林经营企业供应的非 FSC 认证的可控木材标准》《公司供应和生产 FSC 认证产品标准》《非 FSC 认证的可控木材标准》《FSC 产品标签要求》《FSC 比例声明政策》等。另外，FSC 为了降低认证成本，还出台了针对产销监管链认证的联合认证和多地点认证政策。

（6）认证标志。只有通过 FSC 产销监管链认证并按期年审的产品才能使用 FSC 标签。不同类型的产品按照 FSC 的要求将贴上不同的标志。如果产品的加工过程分多个步骤，或在不同的工厂甚至在不同的国家加工，每一个步骤都必须经过审核，以确保 FSC 认证的木材确实来自经过 FSC 认证的森林。任何贴有 FSC 标志的产品，在 FSC 标志上都印有产销监管链证书号，一旦出现疑问，可查询证书持有者身份。如果采用最低百分比方法，标签上就应该标明百分数。

（7）FSC 体系的优势。FSC 认证得到了 WWF 和森林与贸易网络（GFTN）的支持，在某种程度上，WWF 倡导成立的 GFTN 促进了市场对 FSC 认证产品的需求，该网络成员承诺开展负责任的森林管理与木材采购；得到了非政府组织、贸易组织和消费者的广泛认可，国际市场认可度最高；认证程序严格规范；具有可靠的绩效标准；是目前世界上最为严格和可靠的认证体系之一。但是，由于不是所有国家都制定了 FSC 国家或地区标准，因此在这些国家开展认证可能会出现一定问题（如不能真正反映当地森林可持续经营的要求）；有些国家和利益方对 FSC 的框架要求和认可体系提出了质疑，FSC 只能由自己认可的认证机构开展认证，而忽略了各国认可机构的权利；对于发展中国家来说，FSC 的认证费用太高，使其推广受到一定限制。

8.1.5.2　森林认证认可程序体系（PEFC 体系）

PEFC 体系由欧洲私有林场主协会于 1999 年 6 月发起成立，总部设在卢森堡，原名泛欧森林认证体系。2003 年根据在全球开展森林认证工作的需要，改为现名，从而由一个区域性森林认证体系发展成为全球性、自愿性森林认证体系。它根据 PEFC 的《技术文件：共同要素与要求》来认可国家认证体系，发展了各国认证体系间相互认可的框架。PEFC 没有制定统一的认证标准，但对各国标准规定了统一的要求，如以全球八大森林可持续经营标准与指标为基础制定，并符合各国法律法规的要求等。它通过各个国家认可的认证机构来认证森林，并提供统一的 PEFC 产品认证标志。另外，PEFC 允许在区域水平上开展森林认证。目前 PEFC 接纳了来自欧洲、北美洲、南美洲、亚洲和大洋洲的 30 个国家的会员体系，批准了其中 17 个国家认证体系和认证标准。

优点：提供了各国认证体系的认可框架，为实现相互认可打下了基础；对认证机构的认可制度符合国际认可论坛的要求和国际惯例，得到部分国家的支持；要求认证机构采纳国际劳工组织标准，正对其认证程序作进一步改善。

缺点：体系过于灵活，没有统一、可靠和基于绩效的认证标准，不足以发行可信的产品标签；体系的发展和标准的制定主要由林主和企业控制，缺乏独立性；市场认可度较低，虽然认证面积很大，但尚未得到主要环境市场的认可；允许认证机构在区域水平上开展认证，影响评估的可靠性，因此其可信性一直受到质疑和批评。

8.1.5.3　美国可持续林业倡议体系（SFI 体系）

SFI 体系由美国林纸协会和外部专家发起，它根据 1994 年制定的 SFI 标准和指标可以由第三方机构开展审核认证，也可进行自行评估。该体系采取会员制，凡是美国林纸协会的会员都要承诺按照该标准开展森林经营。该体系在北美地区开展认证，主要针对大规模的工业林。2002 年该体系成为 PEFC 的会员。

优点：采用会员制进行推广，认证的是大规模的工业人工林，所以发展速度非常快；标准的质量已得到改进，对改善美国和加拿大林业公司的经营起到了一定作用，加强了 SFI 和美国林纸协会的独立性和参与性，让一些环保组织参与体系的发展。

缺点：没有最低的绩效标准，标准中对天然林、珍稀和濒危物种的保护不够，也忽略了原住民和职工的权利；公司可自由选择标准进行自我评估，体系基本由林业机构控制，缺乏独立性；没有规范的产销监管链体系，不能保证标签的产品来自可持续经营的森林。从本质上说，该体系是由林业企业发起并为服务的，可信度较低。

8.1.5.4　加拿大标准化协会体系（CSA 体系）

CSA 体系是由加拿大的森林工业利益团体发起的国家森林认证体系。加拿大标准化协会是制定标准和实施认证的自愿会员协会。其资金由加拿大林产品协会和加拿大联邦政府提供。1994 年初，加拿大制浆造纸协会与 CSA 签订协议，由 CSA 成立技术委员会负责制定森林认证标准，并作为加拿大的国家标准。CSA 标准由 2 部分组成，其绩效标准与加拿大森林可持续经营标准与指标（以蒙特利尔进程标准指标为基础）一致，体系标准则与 ISO 14001 一致。目前，该体系已成为 PEFC 会员。

优点：修订后的 CSA 标准包括了一些最低绩效要求；具有明确的参与性程序；具有完善的产销监管链体系。

缺点：公司可以根据自身情况制定经营目标和认证标准（与 ISO 14001 相似），因此没有统一的最低绩效标准；虽然认证过程中有当地利益方参与的程序，但该程序处于公司的控制之下，作用不明显；没有充分重视原住民的权益。

8.1.5.5　马来西亚木材认证委员会（MTCC）体系

MTCC 由马来西亚初级产业部与马来西亚木材工业发展委员会（现名马来西亚木材理事会）于 1998 年发起成立。其目标是建立马来西亚独立第三方的自愿森林认证体系。

1999 年，该组织根据 ITTO 标准与指标和该国的法律，制定了认证标准 MC&I。2002 年 1 月，MTCC 体系正式运作。为了确保国际上对其标准和体系的认可，MTCC 于 1999 年开始寻求与 FSC 的合作，2000 年开始制定与 FSC 相符的认证标准，并将在未来应用。MTCC 在积极争取 FSC 认可的同时，也在积极向欧洲靠拢。2002 年 11 月该体系已被接纳为 PEFC 正式会员。

优点：体系发展受到政府扶持，认证费用也得到政府的资助，因而从国家层次上推动了认证的发展和森林可持续经营；在发展国家体系过程中，积极寻求国际体系的认可，并制定了与 FSC 相符的认证标准；在国际市场上积极推销其认证产品，取得一定成效；体系发展比较完善，文本清晰。

不足：目前应用的标准无最低的绩效要求；标准中没有对土地产权和使用权的规定，原住居民的权利也未得到足够重视；体系发展和标准制定过程中，缺少非政府组织以及原住居民的参与，使得新标准不能得到 FSC 的认可；认证产品在国际市场上认可度仍较低，影响到森林经营单位开展认证的积极性。

8.1.5.6　印度尼西亚生态标签研究所（LEI）体系

1998 年，印度尼西亚生态标签研究所（LEI）正式成立，其主要目标是通过开展可信的生态标签认证体系确保自然资源和环境的可持续经营。LEI 自身是体系管理机构、认可机构和认证的监督机构。它通过认可的认证机构和经过注册的评估员和专家组来认证森林，并认可独立的培训机构开展相关培训。在认证机构不符合其要求之前，LEI 自身可作为认证机构认证森林。印度尼西亚从一开始就与 FSC 开展合作，并于 2000 年签订了联合认证协议。LEI 主要开展天然林认证。

优点：在政府的支持下，发展了较为完善的体系，标准也较为严格；制定了较为可行的"逐步认证"的方法，使得森林经营单位可以在一个较长的时间内完成认证进程；寻求与 FSC 的合作争取国际认可。

不足：由于政治腐败、盗伐、林权争议和社会争端等外界因素而影响到体系的正常运作；国家林业政策与认证标准差距太大，使得按照国家政策经营的森林经营单位难以达到认证要求；动力不足，认证产品难以获得国际市场的认可。

8.1.5.7　认证体系比较

下文对正在运作的 2 个全球体系和 8 个国家体系进行简单的比较分析。

发起组织：森林认证体系的发展都强调多方参与，但发起方与推动者各不相同。有的体系是由环保组织发起的，强调各方均衡参与，如 FSC 体系；有的由私有林主发起，如 PEFC、美国 ATFS 体系和巴西 CERFLOR 体系；有的由行业协会或工业集团发起，如美国 SFI 体系和加拿大 CSA 体系；有的由政府主导，各方共同参与，如马来西亚 MTCC 体系和印度尼西亚 LEI 体系；有的由多方共同发起，包括政府、木材工业界、林主协会等，如智利 Certfor 体系和澳大利亚 AFS 体系。从总体上说，FSC 是由非政府组织倡导成立的体系，而其他体系主要是由林业部门发起成立的。政府在各体系发展中的作用也各不相同。

推广机制：从本质上说，森林认证是一种市场机制，依靠市场来运作。但在实际发展过程中，不同体系的推广机制不完全相同。FSC 得到世界自然基金会（WWF）推动的森林与贸易网络（GFTN）的支持，网络会员承诺优先使用和销售认证的产品，因此 FSC 在国际市场上认可程度最高，FSC 也声称是世界上唯一的依赖市场机制运作的体系；美国 SFI 体系采取会员制，要求会员企业开展认证；有些国家政府直接出资开展森林认证，如马来西亚 MTCC 体系；还有些国家政府出台了相关的鼓励措施，如英国制定了认证产品的优先采购政策，并准备为通过认证的企业给予财政补助；其他体系也得到相应利益方的支持，具有相应的推广机制。

体系运作：各体系在具体运作模式上各不相同。①适用范围：不同的认证体系在不同的区域范围运作，FSC 在全球范围运作，PEFC 由欧洲向全球化的方向发展。国家体系在相应的国家运作，美国 SFI 体系在美国和加拿大开展认证。几乎所有体系都适用于不同类型的森林，但有的还在发展之中，如巴西的 CERFLOR 体系和智利的 Certfor 体系，目前仅对人工林开展认证。除 PEFC 以外，所有的体系都在森林经营单位水平上运作，适用于一定面积的森林。而 PEFC 可以开展区域水平的认证。②认可机制。PEFC 和国家认证体系对认证机构的认可权利都在各个国家。而 FSC 自身就是认可机构，只能由它认可的认证机构才能开展 FSC 认证。③认证标准。认证标准是森林认证的核心，也是各体系发展的基础与核心。各体系都非常重视认证标准的制定。所有的认证标准都是在一定的国际标准框架下或以之为基础制定的。除 FSC 批准的国家标准外，很多非 FSC 标准的制定也参考了 FSC 的原则与标准（如巴西、马来西亚、印度尼西亚等国）或以之为基础。有些国家标准是以森林可持续经营标准与指标（如 ITTO，泛欧和蒙特利尔）为框架制定的，但均发展成为森林经营单位层次可操作的标准。有些国家标准则重点以 ISO 14001 环境管理体系为基础，如加拿大 CSA 体系和美国 SFI 体系，强调了森林经营的管理计划和持续改进。一般来说，不同认证体系的标准都包括了森林经营的绩效要求和体系要求，是二者的统一。绩效标准已成为标准制定的基本要求和发展方向。最早以体系标准为基础的认证标准也添加了最低的绩效要求，如美国 SFI 体系和加拿大 CSA 体系。虽然所有的体系都声称自己的标准是绩效标准，但除 FSC 外，大部分认证标准的绩效要求是不完善和不明确的。从标准的内容来看，基本都涵盖了森林可持续经营的基本要素。但在具体要求上差别很大，特别是在当地居民的权利、咨询过程、天然林转化为人工林和非林地、杀虫剂的使用、转基因产品的应用等方面规定差异很大。相对而言，FSC 的原则与标准在环境和社会方面更为严格，而 PEFC、加拿大 CSA、美国 SFI、印度尼西亚 LEI 等体系的社会标准比较薄弱。④认证程序。从认证程序上看，各认证体系基本都包括预审、主审、撰写报告和作出结论等过程。FSC 体系、马来西亚 MTCC 体系和印度尼西亚 LEI 体系具有同行评审制度，即审核员的报告要交给同行专家评审后才能通过，以保证认证的可信度。各体系的证书有效期各不相同。大部分体系为 5 年，澳大利亚 AFS 体系为 3 年，马来西亚 MTCC 体系为 6 年。大部分体系都有年度或定期的监督回访制度，但美国 SFI 和 ATFS 体系的监督体制不明确。⑤产销监管链和标签制度。各体系基本都建立了产销监管链和标签制度。但 SFI 体系的产销监管链程序不很明确，ATFS 体系未建立产销监管链制度和标签体系。各体系产销监管链的具体要求不完全一致。

8.1.6 森林认证的国内外实践

8.1.6.1 全球森林认证现状

FSC、PEFC、美国 SFI 和美国 ATFS 体系的认证面积位居世界前 4 位，占世界森林认证面积的 97% 以上。一般来说，认证面积较多、发展较快的体系都有一个成功的运作机制和推广机制。国家体系与国际体系的接轨是世界森林认证的发展趋势。各国认证体系在发展过程中都在积极寻求国际体系的认可和合作。绝大部分国家认证体系都已成为 PEFC 的会员，部分已得到其认可，而马来西亚和印度尼西亚体系也在寻求与 FSC 的合作。但两大国际体系 FSC 和 PEFC 之间的合作和相互认可没有明显进展。随着时间的推移，认证体系多元化与趋同化的趋势将并存。

UNECE/FAO 的报告《FPAMR2012》系统分析了全球森林认证和产销监管链认证。要点如下。截至 2012 年 5 月，全球森林认证面积 3.94 亿 hm^2，比 2011 年 5 月增长 4%。CIS 次区域几乎都是增长的，尤其是俄罗斯。北美也处于增长趋势。2012 年全球森林认证面积比例：北美 51%，EU/EFTA25%，其他欧洲国家和 CIS12%，拉丁美洲 4%，大洋洲 3%，亚洲 3%，非洲 2%。约 92% 的森林认证面积是北温带森林，只有 2% 是热带森林。截至 2012 年 5 月，估计来自认证森林的工业原木为 4.69 亿 m^3，约占全球工业原木产量的 27%（表 8-2）。欧盟、美国和亚太的绿色建筑法规继续对林产品产生影响。许多政府项目，包括美国《雷斯法》案和《欧盟木材法》的尽职调查都要求森林认证。依靠林产品生产者、政府和利益相关群体更加积极的行动，认证和其他基于市场的森林可持续支持体系可以得到完善。森林认证也面临挑战，将根据变化的目标反映特定市场问题，包括气候变化政策、非法采伐控制和生物质材料的保证（bio-based material assurances）。在主要森林认证体系所认证的森林面积中，PEFC 的认证面积最多。

表 8-2　2010～2012 年认证面积和自认证森林的工业原木

地区	总面积（百万 hm²）	认证面积（百万 hm²）			认证面积比例（%）			估计来自认证森林的工业原木（百万 m³）			估计来自认证森林的工业原木比例（%）		
		2010	2011	2012	2010	2011	2012	2010	2011	2012	2010	2011	2012
北美	614.2	199.8	201.0	198.0	32.6	32.7	32.2	194.6	227.5	224.0	10.9	12.8	12.7
西欧	168.1	85.0	85.3	95.4	51.2	50.8	56.7	261.7	201.0	224.7	14.6	11.3	12.7
CIS	836.9	29.9	44.3	47.5	3.6	5.3	5.7	5.8	8.5	9.1	0.3	0.5	0.5
大洋洲	191.4	11.6	12.3	13.2	5.6	6.4	6.9	2.8	3.5	3.8	0.2	0.2	0.2
非洲	674.4	7.3	7.6	7.3	1.2	1.1	1.1	0.8	0.8	0.8	0.0	0.0	0.0
拉丁美洲	955.6	14.4	16.1	14.7	1.6	1.7	1.5	2.7	3.2	2.9	0.1	0.2	0.2
亚洲	592.5	8.6	8.1	9.5	1.5	1.4	1.6	3.4	2.8	3.2	0.2	0.2	0.2
世界合计	4033.1	356.7	374.9	385.5	9.0	9.3	9.6	471.8	447.3	468.6	26.4	25.3	26.5

资料来源：Individual certification systems, Forest Certification Watch, the Canadian Sustainable Forestry Certification Coalition, 2010；FAO, 2007 and 2010 and authors' compilation. Information valid at May 2012.

转引自：UNECE/FAO. FPAMR 2012. UNECE/FAO, 2013：109.

8.1.6.2　FSC 森林认证的国际进展

森林认证自 1994 年由森林管理委员会开始实施以来，在全球发展迅速。1998 年 6 月，森林认证（FSC）认证林面积仅为 1000 多万 hm²，2002 年 5 月增加到了 2883 万 hm²，2004 年 1 月增到 4052 万 hm²。此后，认证林面积增速加快，获得 FSC 认证的国家也不断增多。

据 FSC 年度报告数据统计，截至 2013 年 1 月 15 日，全球已有 80 个国家的 1175 家森林经营单位开展了森林认证工作，经过认证的森林认证面积约 1.7188 亿 hm²，其中，40.74% 在北美洲（认证面积为 7029.36 万 hm²，参与认证的森林经营单位为 223 家），43.04% 在欧洲（7204.51 万 hm²，475 家），7.23% 在南美和加勒比地区（1295.77 万 hm²，244 家），4.26% 在非洲（717.85 万 hm²，44 家），3.29% 在亚洲（696.04 万 hm²，154 家），1.44% 在大洋洲（244.20 万 hm²，35 家）。从认证森林面积来看，排在全球前五位的国家分别是加拿大（5554.24 万 hm²，68 家）、俄罗斯（3118.46 万 hm²，86 家）、美国（1415.89 万 hm²，122 家）、瑞典（1162.80 hm²，24 家）、巴西（730.80 万 hm²，92 家）。按照认证森林类型分：亚寒带林（0.8957 亿 hm²，占比 52.11%）和温带林（0.6236 亿 hm²，占比 36.28%）为主，热带林和亚热带林所占分额很小（0.1995 亿 hm²，占比 11.61%）。按照认证森林经营类型分：天然林 1.1013 亿 hm²，占比 64.07；半天然林和混合林 0.4739 亿 hm²，占比 27.56%；人工林 0.1436 亿 hm²，占比 8.35%。进行 FM 认证和 COC 的认证数量都在逐年增加。有 111 个国家参与 COC 认证，合计认证数量为 24789 个（Forest Stewardship Council, 2013）。

8.1.6.3　FSC 森林认证的国内进展

FSC 认证在中国已经有了十多年的实践。国家林业局于 2001 年 7 月成立中国森林认证工作领导小组，统一协调、管理森林认证有关事务。2007 年 5 月，中国林业产业协会开始主导筹备国内第一家森林认证机构，至 2009 年，该机构处于标准和规则的制定之中。虽然目前中国尚未出台森林认证的正式法规，但是相关机构也积极探索，出台了一些标准，如《中国森林认证行业标准》《中华人民共和国认证认可条例》《认证证书和认证条例管理办法》《中国森林可持续经营标准与指标》《中国森林认证原则与标准》《中国森林认证产销监管链认证原则与标准》等。全国各类森林经营单位开始尝试开展 FSC 认证，如 2002 年 2 月，浙江省临安市昌化林场的 940hm² 森林通过了 FSC 认证，这是中国第一家经过独立第三方认证的森林经营单位；2006 年 5 月，北京郊区延庆县境内 2940hm² 的八达岭林场通过了 FSC 认证；2009 年，吉林森工集团组织三个经营单位同时开展认证工作，认证面积达 272825hm²，COC 产销监管链认证单位 5 个。截至 2010 年 12 月 15 日，中国共有 29 家森林经营单位的 172.53 万 hm² 的森林通过 FSC 森林认证。由此可知，森林认证（FSC）不仅在全球范围内被各国认可和实施，在中国亦有其一席之地（中国森林认证，2013）。

8.1.7　森林认证对森林经营的影响

8.1.7.1　直接影响

（1）改善森林经营。森林经营认证标准不同程度地高于国家法律法规，或包括了更多的因素，如环境方面。森林经营不仅要达到森林认证的要求，还要求进一步改善和提高，包括改善经营体系、规划和档案，以及采取预防和缓和措施减少对环境的影响。

（2）对森林经营的示范效应。森林认证早期的主要影响是认可良好的森林经营，因为森林认证标准是建立在良好的经营实践的基础之上的。从目前的森林认证实践来看，认证的森林没有或极少数处于毁林或退化的状态。森林认证的主要作用是对其他森林经营者的示范效应，表明通过了森林认证的森林经营单位的森林经营良好。

（3）可能的负面影响。在下列条件下，森林认证有可能鼓励和导致不良的森林经营：一是森林可持续经营标准和指标没有完全考虑到适合当地可持续性的因素；二是森林认证机构没有充分了解当地的情况，从而错误地引导了森林经营；三是一些森林经营单位认为其经营水平达不到认证的要求，或无能力承担费用时，可能将产品转向无环境意识的消费者，从而恶化森林经营，甚至可能会导致毁林。这些负面影响，可以通过合适的标准、加强森林认证的管理、森林认证机构保持良好的影响评估等措施，加以避免和消除。

8.1.7.2　间接影响

（1）森林经营单位能力建设。森林认证有助于森林经营单位提高森林经营水平，改进森林作业规程，这是实现生态环境改善的基本条件。森林认证培训能提高职工技能，改善企业与外部联系的现状与能力，对企业的成本效益、库存管理、森林健康和安全记录有积极的影响。

（2）市场激励。森林认证对于企业的激励作用常取决于企业的类型。许多已进行良好经营的公司，森林认证提供了可持续发展的回报，并鼓励其长期投资。企业的回报来源于开拓的市场，消费者是主要驱动力。

（3）林业政策和机构能力。大多数实行 FSC 认证的国家都有较为完备的林业政策和机构，如瑞典、美国和南非等，而一些林业政策不够完备、林业机构较为薄弱的国家，主要依靠以市场为导向的企业来推动森林认证的。

8.1.8　森林认证对林产品贸易的影响

森林认证对林产品贸易市场的影响表现在两方面：一方面是国际市场对林产品的环境意识和敏感性不同，另一方面是主要出口国的市场分布不同。

8.1.8.1　贸易流向

由于购买者团体的环境意识、环境非政府组织在林产品生产和销售中的积极作用，以及政府采取的促进森林认证的贸易行动，奥地利、比利时、丹麦、德国、卢森堡、荷兰、瑞士和英国等成为环境最为敏感的国家。这些国家的市场是一些林产品出口国的主要市场。由于森林认证和标签的出现，贸易有可能多元化，环境敏感市场的市场格局可能受到冲击，一些不符合环境要求的产品可能退出市场，而通过认证的产品有机会占领市场。举例来说，近年来，非洲出口商转向亚洲市场的主要原因，可能是欧洲市场环境保护限制的明显增多。但目前还很难评估森林认证对贸易流向的影响。

8.1.8.2　企业竞争力

如果森林认证被广泛应用，它将影响个体生产商的竞争力。与平等性一样，一些大公司将在竞争中获胜，而一些小公司，特别是发展中国家则处于不利位置。为了避免产生这种负面影响，需要促进这些团体参与森林认证，并采取特别措施来获得潜在的收益。在森林认证标准制定和森林认证设计中应充分考虑这个问题。

8.1.8.3　认证产品需求

各个国家状况不同，对森林认证和标签的林产品的需求也不一样。目前，大多数国家对认证产品没有太大的需求，在短期内也不会改变这一状况。需求受到供应的影响，如果市场上有大量可用的认证产品，这种局面就会改变。许多出口国采取的行动表明，增加认证产品的供应能起一定的推动作用。

8.1.8.4　替代产品

现在，仍然没有一个标准能较好地比较林产品及其替代产品对生物圈的环境影响。在林产品的使用这一问题上一直存在争议。一方面，林产品作为可更新和可再生的自然资源在环境保护中可以发挥重要作用；另一方面，以资源为生的初级加工企业需要集中大量的原材料和大批木材，也会影响环境。林产品的认证和标签以森林的可持续经营为基础，有利于保护环境，但它在综合环境评估中的作用还有待评价。同时，值得考虑的是可选林产品之间的相互替代。研究表明，开展森林认证能增加热带材的销售。

8.2　合法性认证

8.2.1　相关概念

木材合法性的提出源于木材非法采伐问题及其相关贸易活动。

（1）非法采伐与非法贸易。

非法采伐：没有统一、完整的定义，一般情况下是指违反资源国有关森林采伐、运输、加工、利用和林产品贸易方面的法律法规的行为，包括违反国际公约的行为。

非法贸易：一般指以非法采伐的木材或相关产品为对象进行的贸易活动。包含两种情况：一是非法产品的合法贸易，即将非法采伐木材或相关产品获得合法贸易手续后进行的贸易行为。二是非法产品非法贸易，即违反贸易方面法律法规，直接将非法采伐木材或相关产品进行贸易的行为，即走私行为。

（2）合法性和合法木材。国际社会对合法性还没有形成统一的概念或界定标准，尤其对应符合哪些法律没有一致看法。

合法木材一般指的是木材原产地的采伐和森林经营合法，由两部分组成：森林经营（forest management）和供应链控制（supply chain control），如图 8-2。

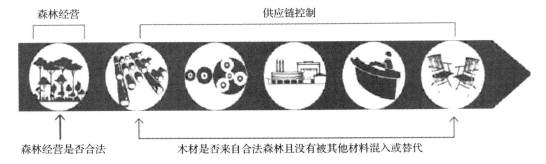

图8-2　合法木材

资料来源：Proforest. Review of timber legality verfication schemes. Proforest, 2010：2.

一些组织将森林经营合法认证分为 2 步，即合法来源认证（verification of legal origin，VLO）；合法遵守认证（verification of legal compliance，VLC），如图 8-3。

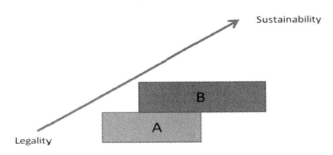

图8-3　合法来源和合法遵守认证

资料来源：Proforest. Review of timber legality verfication schemes. Proforest, 2010：2.

FLEGT VPA、欧盟木材法（EU TR）、英国、丹麦、比利时和荷兰的公共采购政策中的合法定义有许多方面相同，广泛一致（表 8-3），均包含五个方面：采伐权合法；遵守与森林经营、环境、劳工和福利、健康和安全相关的法律；遵守相关税法和许可；如果受木材采伐权影响，应当尊重土地和资源的原有权属和使用权；遵守贸易和出口程序的要求，有的还包括遵守国际公约（例如，CITES，ILO，CBD）（Proforest，2011）。

表 8-3 合法的定义

FLEGT VPA[a]	欧盟木材法（EU TR）[b]	英国、丹麦、比利时和荷兰的公共采购政策[c]
依法划定采伐区域，遵守法律限定的采伐权限	在合法界限内采伐木材	要求林主或经理拥有森林的合法使用权
遵守一切相关的林业法规，包括环境、劳工和社区福利方面的要求	木材采伐，包括环境和森林立法（包括与木材采伐有关的森林经营和生物多样性保护）	要求森林经营组织和任何合约人遵守当地或国际相关法律，包括：森林经营；环境；劳动和福利；健康和安全；其他方的所有权和使用权
遵守税法、进出口关税、特许经营权费，以及其他与木材采伐和贸易相关的费用规定	采伐权和包括木材关税在内相关费税	标准要求支付所有相关许可和税
如果新的采伐权影响了土地和资源的原有权属和使用权关系，应当尊重原有权属和使用权	木材考虑第三方的合法权属和使用权	遵守上述"其他方"权属和使用权
遵守贸易和出口程序的要求	遵守贸易和出口关税法律，就林业部门而言	要求遵守 CITES 签字国的要求

注 a：FLEGT Briefing Note No. 2. What is legal timber?

b：Reguiation（EU）No 995/2010 of the european pariiament and of the counciil of 20 october 2010 laying down the obligations of operators who place timber and timber products on the market.

c：UK Government Timber Procurement Policy：Criteria for Evaluating Category A Evidence.

资料来源：转引自：Proforest. An overview of legality verification systems（Briefing note）. Proforest，2011：3.

英国"合法木材"的定义：采伐者对森林拥有合法使用权；森林管理组织遵守地方和国家法律，包括与森林管理、环境、劳工及福利、卫生及安全、其他人们土地权使用相关的法律；已支付了所有相关的使用费和税款；遵守《濒危野生动植物种国际贸易公约》。英国还定义了"可持续木材"，它建立在一整套涉及经济、环境和社会利益领域的国际原则上，在实践中是指森林经营应该尽可能地确保维持生产力、生态系统健康、活力和生物多样性。

荷兰木材贸易协会（The Netherlands Timber Trade Association）：2004 年 12 月，提出了一项要求确认合法木材的草案（The Keurhout Protocol for the Validation of Claims of Legal Timber），根据法律渊源，定义了合法；通过遵从可持续森林经营、认证机构的要求和产销监管链标准提出了 12 条原则，进而定义了可持续性：负责森林经营的组织应该有精确的森林经营计划；森林的常规功能得到保护；各个生态系统的生物多样性得到保护；预防森林经营的副作用；森林的木材生产能力得到保护；非木质林产品（NTFPs）的生产能力得到保护；当地人口的参与得到保护；当地人口和就业的社会和经济福利得到保护；通过森林之内和森林周围居民的生计利用，保护森林的社会文化功能；通过森林开发减少负面社会影响；认证机构必须能够证实有能力评估森林经营和管理系统；木材从其加工、运输，直到被进口至荷兰的所有阶段必须可追溯和监测。

　　森林管理委员会(FSC)和森林认证认可程序(PEFC)：其森林经营(FM)认证体系通常包括合法性，但只是在森林经营认证体系的标准里作为可持续森林经营总体思路的一部分，并非作为一套独立的合法标准。例如，FSC 有"非法采伐木材"的定义，即"违反国家法律(包括从合法主人那里获得采伐权)，违反采伐方式和所有相关费和许可而采伐的木材。"FSC 还定义了"没有受控制的木材"，认为必须将其从混合认证和未经过认证产品的未经证明部分中去除，并采纳或修改了一些私人部门组织和倡议的工作定义，包括：森林采伐地的传统或公民权利被侵犯；从非 FSC 认证的森林采伐木材，这些具有高保护价值的森林正在受到威胁；从转基因树木采伐木材；非法采伐木材；天然林被转化为人工林或无林地。PEFC 有"可疑来源"的定义，即"非法或未经授权的采伐，包括在受法律保护的区域，在政府当局(或法律授权的机构)正式公布将被列入法律严格保护的区域采伐，没有政府当局(或法律授权的机构)的采伐许可。"

　　EUFLEGT：其第 9 条原则(Briefing Note No. 9)确定了合法针对的 4 个重点领域，即拥有合法采伐权的人只在划定区域采伐；在许可采伐水平上采伐，并遵守环境法和劳工法；支付木材许可费和其他直接有关的费用；如果采伐权影响了土地和资源的原有权属和使用权关系，应当尊重原有权属和使用权。

　　由丹麦环境部林业和自然资源局(Ministry of Environment，Danish Forest and Nature Agency)资助，Proforest 进行了一项研究并于 2006 年 1 月报告，该报告对一些国家、组织、认证机构的"合法定义"关键点进行了归纳，见表 8-4。结果表明，不同定义之间的合法性范围差异很大，许多定义要求遵守所有国家法律，包括从木材采伐到木材最终产品的任何一个环节(Joycelam Yik Sum，2006)。

表 8-4　合法定义的关键

要求	Danish 丹麦	EUFLEGT	FSC	GFTN	Eurocertifor OLB	TFT	TFF	SGS VLO + VLC	MoF/TNC 印度尼西亚	FEBO	Keurhout 合法性
合法采伐权											
合法使用权	√	√	√	√	√	√	√	√	√		√
尊重第三方认证	√	√	√		√		√		√		√
各方权利											
支付税费	√	√	√	√	√	√			√		√
遵守法律											
所有国家法律			√		√						
所有国家森林法律	√		*		√	*			√		
采伐限额法律	√	√	*	√	√	*		√	√		√
环境安全法律	√	√	*		√			*			√
健康和安全法律	√		*		√			*	√		
森林经营法律	√		*		√	*	√	*	√		
遵守国际公约(例如 CITES)	√		√		√						√

（续）

要求	Danish 丹麦	EUFLEGT	FSC	GFTN	Eurocertifor OLB	TFT	TFF	SGS VLO + VLC	MoF/TNC 印度尼西亚	FEBO	Keurhout 合法性
没有腐败 合法贸易		√									

√：明确要求；　＊：通过总体要求"所有"的法律而含蓄要求。

资料来源：Joyce Lam Yik Sum. Evaluation of the Danish Guidelines on public Purchase of tropical timber. Sub Project B. Comparison with policies in UK, Netherlands, France and Germany together with updates on certification schemes. Danish Forest and Nature Agency, 2006：27.

8.2.2　合法性认证的定义

合法性认证是指检查森林经营和供应链控制满足确定的合法要求。

8.2.3　合法性认证的体系

如表8-5所示，合法性认证体系大致可分为2类：强制合法性认证（mandatory legality verification）和自愿合法性认证（voluntary legality verification）。一些非政府组织（NGO）的倡议也有合法性认证意味，涉及很多机构[①]。

---

① 1. ASEAN：《东盟合法木材标准》作为一种区域性框架标准，供东盟成员国参考。《东盟森林认证阶段方法指南》（The ASEAN Guideline on Phased-Approaches to Forest Certification）中包括木材合法性的标准和指标。见：www.illegal-logging.info/uploads/Hinrichs2009BriefingNote.pdf.

2. Bureau Veritas（BV）：《BV 检测集团的木材来源和合法标准》（The Bureau Veritas Origin & Legality of Timber Standard），可以从巴黎的 BV 林业认证部获得（BV forestry certification staff in France）。

3. CertiSource：以世界自然基金会（WWF）合法性指南为起点，推出合法性认证政策，或在特定国家基础上建立任何其他"可信的"标准。见：www.certisource.co.uk.

4. FLEGT：森林执法、施政和贸易。见：www.loggingoff.info.

5. Keurhout：Keurhout 经营权威标准（The Keurhout Management Authority Standard），是合法来源木材的全球标准。见：www.keurhout.nl.

6. Société Générale de Surveillance（SGS）：瑞士通用鉴定公司，建立了全球和国家标准。见：www.sgs.com/forestry-monitoring.

7. The Tropical Forest Foundation（TFF）：热带森林基础，建立了2个全球标准：减少采伐影响（reduced impact logging，即 RIL）和产销监管链合法认证（legal verified with chain of custody）。TFF 在东南亚、非洲和南美部分地区（例如巴西）实施这些标准，并通过第三方审计。TFF 合法性认证标准见：www.tropicalforestfoundation.org.

8. Timber Trade Action Plan（TTAP）：木材贸易行动计划，由森林信托基金（TFT）管理，www.timbertradeactionplan.info.

9. TUV Rheinland：在印度尼西亚开展合法性认证，也包括减少采伐影响，使用 TFF 标准。

10. TRAFFIC：一个合法性认证的全球交通框架（A TRAFFIC global framework for legality verification），由欧盟资助，和 WWWF 合作，通过全球森林和贸易网（Global Forest and Trade Network）、国家 FTNs 和 TRAFFIC，制定合法性清单和标准。他们也制定一系列国家标准。见：www.traffic.org.

11. Woodmark：土壤协会的木材标记项目（The Soil Association's Woodmark Programme）开展合法性相关审计。见：www.soilassociation.org/forestry.

12. WWF：与 TRAFFIC 合作，WWF Denmark 和 WWF Russia 已制定合法认证清单。见：http://www.wwf.dk/dk/Service/Bibliotek/Skov/Rapporter+mv./verifying+the+legal+origin+of+russian+timber.pdf.

13. Smart Wood（SW）。

表 8-5　合法性认证认证体系列表

类型	水平	体系/计划名称
强制合法性认证	国家或次国家水平 由政府或代表政府认证	主要有三类：EU FLEGT 计划下的自愿伙伴协议（VPAs）所要求的合法保证和出口许可；国家或次国家政府规章和文件，例如，马来西亚木材产业机构（MTIB）和 Sarawak 木材产业发展团体（STIDC）签发的木材产品出口许可证；代表政府对私人部门的监管，例如，由 SGS 提供的强制性合法木材监管（MLTV）
自愿合法性认证	公司水平	SGS 的木材合法性和可追溯性认证（TLTV），包括合法来源认证（VLO）和合法遵守认证（VLC）的步骤 SmartWood（SW）的合法来源认证（VLO）和合法遵守认证（VLC）；Bureau Veritas（BV）的木材来源和合法性（Origine et Légalité du Bois，即 OLB）；SCS 的合法采伐认证（LHV）；Certisource 的合法认证体系（LVS）
NGO 的倡议	公司水平	关注合法性：例如，热带森林基础（TFF）的减少木材采伐影响（RIL），不是合法性认证体系，但是包含合法性，开展独立审计。关注认证：例如，由森林信托基金（TFT）管理的木材贸易行动计划（TTAP）的合法性检查列表（legality checklist）；雨林联盟（Rainforest Alliance）的 Smart-Step

　　"绿色和平组织"制定了 6 项评估标准，对 7 大木材合法性认证体系（机构）进行了评述和信用分级，并于 2008 年公布了此次评估结果，要点归纳见表 8-6。

表 8-6　2008 年"绿色和平组织"关于木材合法性认证体系的评估结果

木材合法性认证体系（机构）	信用等级	评述
雨林联盟（RA）的精明步骤（SmartStep）	B +	良好的，但是在界定广义合法性上需更完善
森林信托基金（TFT）的木材贸易行动计划（TTAP）	B −	良好的，但需加强透明度
SGS 的木材合法和可追溯认证（TLTV）（中非）	C −	普通的，对一些标准需要改进
Certisource 的合法认证体系（LVS）	C −	普通的，对一些标准需要改进
热带森林基础（TFF）	D	很难奏效的，对大多数标准需要改进
瑞士通用鉴定公司俄罗斯分部（SGS Russia）	D −	很难奏效的，对大多数标准需要改进
GFS	F	不可接受的，几乎全部标准需要改进

　　资料来源：绿色和平. 绿色和平关于木材合法性鉴定机构的评估报告. 绿色和平，2008，1.

　　转引自：绿色和平（Greenpeace）. 负责任采购政策（Responsible Purchasing Policy，简称 RPP）：企业社会责任与森林保护的解决方案. 绿色和平，2008.

　　"绿色和平组织"认为，木材合法性认证体系必须拥有以下内容才能发挥作用：完整的透明度；多方参与的平衡性；合法性标准；健康有力的审计程序；产销链监管协议；履行对环境和社会负责的森林经营承诺，特别是执行森林认证委员会（FSC）认证的时间表。合法性可以而且必须是木材贸易的起点，而终级目标是确保林产品来自可持续经营的森林。

8.2.3.1　强制合法性认证体系

（1）EU FLEGT 计划下的自愿伙伴协议（VPAs）所要求的合法保证和出口许可（VPA licensing）。EU FLEGT 行动计划的长远目标是要达到可持续地经营森林，因此合法木材的定义必须包括能够达到可持续性的三个方面：经济、环境、社会发展可持续。通过自愿伙伴关系协议（voluntary partnership agreement，即 VPA），欧盟希望在每个伙伴国家建立合法木材的认证系统，防止非法木材产品进入欧洲市场；同时，还希望该协议还能提供能力建设，帮助各国建立认证体系，改进森林执法与施政。方案最初只包括原木、锯材、胶合板和贴面板。虽然 VPA 不可能覆盖全部地理范围，也不能包含所有木材产品，但是这样的协议却为各国进行改革提供了前所未有的机遇，使所有与森林管理相关的各个部门和利益相关方都参与了进来。

合法木材的定义不仅仅是列出一个国家内与林业相关的所有法律。每个木材生产国都有权诠释什么是合法木材。但是，他们必须全面考虑相关评估程序的可操作性、定义是否能实现制定者的期望目标、不同法律之间的兼容性、森林利益相关者权利的平衡等因素。大多数国家都有繁多的林业法规，而要评估采伐是否符合所有法规，是一项繁杂和困难的工作。再者，不是所有的法律都和打击非法采伐相关。在一些国家里，不同法律之间可能存在冲突或相互不兼容，特别是在国家和地方层面都有立法权的国家里更是如此。例如，印度尼西亚森林施政的国家法律和部门规章制度之间就存在互相矛盾的地方。这就需要决定在发生冲突的情况下，哪种法律或规章制度具有优先权，至少在没有解决法律的兼容性之前，临时措施完全有必要。另外，一些国家的现行法律可能忽视了当地居民使用森林资源的权利，使一些居民不得不进行非法活动来满足自己的基本生计需求，或者说一些小林户根本没有能力遵守法规，这些问题都必须通过重新审视法律的具体内容及修改不合理的法律规定来解决。

EU FLEGT 许可证：VPA 中列出的所有木材产品出口都由 VPA 国家的权威机构按该国的 FLEGT 许可证项目，并根据合法性保证系统（LAS）签发。

合法性保证系统（LAS）：是 VPA 的核心要素，保证从协议国家出口到欧盟的木材或木材产品生产遵守了相关国家法律。该系统包括：合法生产木材的定义；验证定义遵守情况的系统；木材从森林到出口地或国内市场的跟踪系统；证明其合法性的出口许可；所有要素的独立监督。

在 EU FLEGT 的 VPAs 框架下，定义合法性是一个多方参与、对话的过程，一般原则是确保充分和平衡。EU FLEGT 计划下 VPAs 的合法标准、合法认证、FLEGT 许可证和独立监管比较完备，但是供应链控制定义或表述比较宽泛。

（2）国家或次国家的政府规章和文件。例如，马来西亚：马来西亚木材产业机构（MTIB）和沙捞越木材产业发展团体（STIDC）签发的木材产品出口许可证。申请许可证时，一个公司需要在 MTIB 或 STIdC 注册为出口商；MTIB 或 STIdC 收到并验证相关文件，例如发票、通行证（removal passes）和海关文书，并签发出口许可证。印度尼西亚：许多木材产品出口需要强制出口注册（ETPIK），ETPIK 由木材产业机构（Timber Industry Revitalisation Board，BRIK）签发，所有木材进入工场需要运输许可（SKSHH，类似于马来西亚的通行证。马来西亚和印度尼西亚两国正在与欧盟进行 VPA 谈判，一旦签署 VPA 之后，这些体系将被修改或替代。

（3）代表政府对私人部门监管认证。例如，由 SGS 提供的强制性合法木材监管（MLTV），项目于1994年设计，由 SGS 在喀麦隆、刚果民主共和国、利比亚、刚果共和国和巴布亚新几内亚运行。

8.2.3.2 自愿合法性认证体系

瑞士通用鉴定公司(SGS)、精明木材(Smart wood，即 SW)、必维国际检测集团(Bureau Veritas，BV)、科学认证体系(Scientific Certification Systems，SCS)等机构开发了自愿性合法性认证体系(表8-7)，在公司水平上供森林经营公司、制造商或贸易商的客户要求产品合法而使用。自愿性认证体系在标准制定、认证、认可、产品跟踪和标签上并非总是遵从国际良好实务(例如 ISO 指南)，这意味着，其执行和管理没有共同的方法，谁定义合法、如何定义合法、如何认证等差异很大。不同自愿性合法认证体系关于合法的规定归纳见表8-8。

表8-7   一些自愿性合法认证体系概览

自愿性合法认证体系	概　　述
SGS 的木材合法和可追溯认证(timber legality & traceability verification，TLTV)	当时 SGS 开始为喀麦隆和刚果共和国的客户进行合法认证审计，以出口欧洲市场时向客户提供合法性证据获得成功，于是 2005 年建立了 TLTV。从 2010 年开始，SGS 分两步提供 TLTV 服务，即(VLO) 和(VLC)，要求最多 2 年达到 VLC 标准。VLC 的期限没有限制
SW 的合法来源认证(verification of legal origin，VLO) 和合法遵守认证(verification of legal Compliance，即 VLC)	VLO 和 VLC 由 Smartwood 进行，是总部设在美国纽约的热带雨林联盟的一个项目。第一代 SmartWood VLO 和 VLC 标准制订于 2007 年 11 月，最近被修改。Smartwood VLO 允许最多 3 年达到 VLC 要求(视具体案例而定)，3 年达到 FSC 等要求(视具体案例而定)
BV 的木材来源和合法认证(origine et légalité du bois，OLB – origin and legality of wood)	OLB 标准在 2004 年由总部设在巴黎的 Eurocertifor (后来成为 Bureau veritas Certification 的一部分)进行。该体系基于公司(主要是热带地区的公司)要求证明其活动和木材产品的合法性而发展起来，其第一个标准基于中非经验和该地区森林合法性要求的知识而建立。没有制定向着高水平森林认证发展的期限
SCS 的合法采伐认证(legal harvest verification，LHV)	LHV 标准由 SCS 开发和管理。标准的最新修订版本于 2010 年 7 月 19 日完成。没有制定向着高水平森林认证发展的期限
Certisource 的合法认证体系(legality verification system)	在 2007 年 3 月提出，被作为印度尼西亚 merbau 木材产品的合法性认证的一种方法。2009 年 6 月修订。仅仅为印度尼西亚那些准备出口美国、欧洲、澳大利亚、新西兰和新加坡的锯木厂和木材加工厂提供服务。2 年达到 FSC 标准的要求

资料来源：Proforest. Review of timber legality verfication schemes. Proforest，2010：4.

表8-8　不同自愿性合法认证体系关于合法的规定

比较项目	SGS TLTV – VLO	SGS TLTV – VLC	SW VLO	SW VLC	SCS LHV	BV OLB	Certisource
依法划定采伐区域，遵守法律限定的采伐权限	√	√	√	√	√	√	√
遵守一切相关的林业法规，包括环境、劳工和社区福利方面的要求	⊖	√	⊖	√	√	√	√
遵守税法、进出口关税、特许经营权费，以及其他与木材采伐和贸易相关的费用规定	√	√	√	√	√	√	√
如果新的采伐权影响了土地和资源的原有权属和使用权关系，应当尊重原有权属和使用权	√	√	√	√	√	√	√
遵守贸易和出口程序的要求	X	√	√	√	√	√	√
附加标准，遵守 ILO、CBD、CITES 等国际公约	√	√	√	√	√	√	√

注：√ 全部包括　⊖ 部分包括　X 不包括。

资料来源：Proforest. An overview of legality verification systems(Briefing note). Proforest, 2011：3.

不同自愿性合法认证体系合法认证证明的有效期归纳见表8-9。

表8-9　不同自愿性合法认证体系合法认证证明的有效期

体系	有效期
SGS TLTV – VLO	2 年，客户必须朝向 TLTV – VLC
SGS TLTV – VLC	5 年，之后客户需要全面复评
SW VLO & VLC	3 年
BV OLB	5 年
SCS LHV	3 年，基于年度调查审计效果
Certisource	证书是特定的，一批一个单一物种

8. 2. 3. 3　NGO 的倡议

　　许多 NGO 的倡议是阶段性技术支持项目，以帮助公司获得森林认证。例如世界自然基金会(WWW)的全球森林和贸易网络(GFTN)、森林信托基金(The Forest Trust，TFT)和热带雨林联盟的 SmartStep(rainforest alliance's smartStep)。然而，有 2 个 NGO 的倡议通过使用不同的方法达到自愿性合法认证体系，聚焦于合法性认证。他们是热带森林基础(tropical forest foundation，TFF)和木材贸易行动计划(timber trade action plan，TTAP)。

8. 2. 3. 4　小结

　　(1)"木材合法性"定义：首先应解决合法性问题，区分木材合法性与可持续性。

（2）"木材合法性"认证。

承诺：指木材生产国和消费国政府保证木材来源合法的承诺。

认证：指对木材合法性的认证过程，并出具木材合法性证明。认证由生产国政府或政府授权的机构，依据本国政府接受的能够证明本国木材合法的认证手段，如森林采伐和运输许可证、或森林认证体系（FSC/PEFC/SFI 等）、EU FLEGT 的 VPA 体系、SGS 公司木材合法性系统、全球森林贸易网络等，出具木材合法性证明。例如：中国政府可以依据中国森林采伐和运输证明的管理体系，为原产于中国的木材及其产品颁发木材合法性证明。美国政府可以依据美国的法律和管理体系，为原产于美国的木材及其产品颁发木材合法性证明。其他国家，如马来西亚——如果马来西亚政府宣布将该国森林认证体系（MTC）作为该国木材及其产品出口的合法来源认证，那么中国或美国将把 MTC 证书作为从马来西亚进口木材及其产品的合法性证明。

表 8-10 归纳了目前主要的法律、政策或项目要求的合法和可持续证明。

表 8-10　一些法律、政策、项目的合法和可持续证明

	合法证明		可持续证明	
	合法认证计划	其他合法证明	FLEGT 许可	森林认证
美国《雷斯法》（US Lacey Act）	■	■	■	■
《欧盟木材法》（EU Timber Regulation）	■	■	√	■
比利时公共采购政策				√
丹麦公共采购政策	○	○	√	√
荷兰公共采购政策	○	○	√	√
法国公共采购政策	○	○	√	√
德国公共采购政策				√
英国公共采购政策	○	○	√	√
比利时木材进口联盟	√	√	◆	√
法国木材贸易联盟	√	√	◆	√
荷兰木材贸易联盟	√	√	◆	√
西班牙木材贸易协会	√	√	◆	√
德国木材贸易联盟	√	√	√	√
英国木材贸易联盟（UK TTF）	√	√	◆	√
百安居（B&Q）				√
丹泽（Danzer）	√	√		√
DLH	√	√		√
宜家（IKEA）	√	√		√
家得宝（Home Depot）	√	√		√
汇丰（HSBC）				√
沃尔玛（Walmart）	√	√		√

（续）

	合法证明		可持续证明	
	合法认证计划	其他合法证明	FLEGT 许可	森林认证
英国建筑研究所环境评估法(UK BREEAM)		√		√
美国"领先能源与环境设计"(US LEED)				√
澳大利亚绿色建筑委员会(GBCA)"绿星"(Green Star)				√

注：√清楚表明；○含蓄地接受，如果提供的证据符合政府的标准；◆仅有德国木材贸易联盟清楚表明木材来自 VPA 国家；■除了《欧盟木材法》规定 FLEGT 下的木材许可外，美国《雷斯法》和《欧盟木材法》都没有明确规定符合要求的特定合法性或认证方案。

资料来源：Proforest. Market requirements for legal and sustainable timber, and the implications for Chinese suppliers. Oxford：Proforest，2010：37.

（3）认证的受益者。

生产国：控制所有出口的木材及其产品；保证国家从出口木材及其产品中的收入。

消费国：保证进口木材及其产品的合法性。

国际社会：合法性认证体系并不排斥国际社会目前做出的各种努力。

（4）局限性。木材合法性认证的局限性一般来说，认证都包含标准、认证和认可三大要素。标准规定了认证必须达到的要求，它是认证评估的基础。认证是由认证机构验证森林经营单位或企业是否达到认证标准要求的过程。而认可是对认证机构的能力、可靠性和独立性进行认定，以提高第三方认证机构的可信度。如果要在产品作出认证声明，还需建立产品跟踪和标签体系，即产销监管链认证和标签制度。以这几大要素为基础而成立的机构、制定的规则并开展相应的活动就组成一个完整的认证体系。各种木材合法性认证体系，尤其是自愿性认证体系，在标准制定、认证、认可、产品跟踪和标签上并非总是遵从国际良好实务（例如 ISO 指南），这意味着，其执行和管理没有共同的方法，谁定义合法、如何定义合法、如何认证等差异很大。

绿色建筑倡议的局限性：一般来说，绿色建筑倡议旨在生命周期评估中引进最新的研究成果来评定整座建筑的环保性能，它通常包括以下全部或多数标准：能源利用；水利用；污染（废气释放、固体废物、废水废液）；材料或产品；室内空气质量和居住的舒适性；选址的生态环保。然而，在特殊利益集团的强烈干预下，标准常常会走样。

绿色采购政策的局限性。在木材供应国，有大量的非法采伐木材根本没有进入国际市场，这样海外买家的影响力就极为有限。最终结果不过是把贸易从环保敏感性高的市场向环保敏感性低的市场转移。在没有一个具有广泛可操作性的认证和标签计划的情况下，提供一个针对性的采购政策是极具挑战性的。木材采购政策要取得成功，需要配合各种条件：①采购程序应包括风险分析，焦点集中于存在非法采伐或不可持续经营的高风险地区，而对低风险地区的供应商，就没必要采取新的控制措施。②政策应该切实可行，避免对供应商强加无法做到的条件。应该考虑个别供应国所面临的挑战或具体情况，能够认可的证据形式可以是灵活的。③在可能的情况下，政策应该获得木材供应商的积极支持，特别是在一些缺乏资源和基础设施的国家中。④政策需要保持长期性，使供应商认识到现在的认证投资将来必定可以得到回报。

8.2.4　合法性认证对林产品贸易的影响

近来集中关注热带雨林毁林的国际贸易政策已经开始转变成更为关注非法采伐和贸易，合法性认证逐渐普遍。表 8-11 归纳了全球、国家或次国家采用的合法性标准。

表8-11　全球、国家或次国家采用的合法性标准

范围/国家（* = 进行中）	必维 BV	欧盟 FLEGT	荷兰 Keu-rhout	印度尼西亚 LEI	雨林联盟 RA	科学认证体系 SCS	瑞士通用鉴定公司 SGS	热带森林基础 TFF	森林信托基金（TFT）的木材贸易行动计划（TTAP）	合法性认证全球交通框架（TRAFFIC）
全球	V		V		V	V	V	V		V
1. 巴西					V		V		V	
2. 喀麦隆		V					V		V	
3. 中非共和国		V								V
4. 中国					V				V	V
5. 刚果共和国		V					V		V	
6. 刚果民主共和国		V					V			V
7. 厄瓜多尔		V								
8. 加蓬		V							V	V
9. 加纳		V								
10. 洪都拉斯					V					
11. 印度尼西亚		V		V	V		V	V	V	
12. 老挝					V					
13. 利比里亚		V								
14. 马来西亚		V			V				V	
15. 马来西亚—沙捞越							V			
16. 尼加拉瓜					V					
17. 巴布亚新几内亚							V			
18. 秘鲁					V					
19. 菲律宾					V					
20. 坦桑尼亚					V		V			
21. 越南		V								V

注：截至 2010 年 1 月 1 日。

资料来源：Richard Z. Donovan（Rainforest Alliance）. Private Sector Forest Legality Initiatives as a Complement to Public Action. March 2010：10.

治理热带毁林，并非简单地抵制。一方面我们必须认识到森林是有经济用途的，它必须与其他经济用途竞争用地，如果林主可以通过把林地转换成其他用途而挣到更多的钱，毁林就必然发生。另一方面，如果通过可持续的木材供应而源源不断地得到回报，他们就很少会把林地转换成其他用途。所以，如果抵制热带硬木产品，可能因为林地的潜在经济价值丧失而迅速导致人们把林地转换成其他用途。因此需要寻找其他对策，其中最为人们广泛认可的是认证、绿色采购和绿色建筑。但是每类对策都从自己的角度出发，都只是一个积极的开始，并不能单独解决所有问题。

8.3　碳认证

8.3.1　碳认证含义和必要性

碳认证是通过"碳排放核查报告"和"碳标签"，将"碳足迹"和"碳资产"透明化。为了促进低碳经济的发展，鼓励企业生产低碳产品和提供低碳服务，越来越多的国家在相关机构的支持和倡导下，评价和披露产品生命周期内的碳排放环境行为，向产品授予碳标志，开展低碳产品认证。也有一些企业基于市场营销和社会责任，自发开展产品碳足迹的评价和披露。目前，已有英国、德国、日本、韩国等十几个国家开展低碳产品认证。

碳认证的必要性有以下几个方面。

（1）获取经济效益。企业可以从减少温室气体排放中获利，向低碳经济转型将带来巨大的商机。经济效益是企业发展和转型的根本动力。在全球碳市场的制度安排下，CO_2 排放权成为一种商品，可以变成"碳资产"体现在企业财务报表中。企业转型所获得的减排权既体现企业的社会责任，又可以为其带来预期收益。这种要求"碳足迹"和"碳资产"透明化的倾向，背后蕴含着更深层次的时代趋势。气候变化已成为企业战略的关键部分，并成为一种资源约束和成本约束。碳标签能帮助企业赢得更多的消费认可，占取更大的市场份额，从而获取更高的商业利润。一件贴上碳标签的普通 T 恤价格，其市场价比同类服装高出 2 ~ 3 倍（姚婷婷、陈泽勇，2011）。

（2）为可持续发展战略提供参考。碳认证为企业及其利益相关方创建了一个平台，一方面利益相关方可以了解企业更多的碳信息，获知企业目前对气候变化问题的理解以及碳管理能力；另一方面，企业进行碳认证也有助于分析风险、把握机遇，调整战略部署，制定可行的实施方案。产品碳认证过程按照产品的全生命周期从原材料到最终废弃一个完整的分析评价过程，对每个阶段独立量化，通过碳认证，从最初的选料、设计理念、生产工艺、废弃处理等综合考虑减排的环节，为可持续发展战略提供可供参考的环境指标。"碳足迹"揭示了耗碳实质。了解产品的"碳足迹"对各个产业供应链上下游的企业来说都至关重要，比如，虽然电动汽车运行时不会或极少排放温室气体，但在电动汽车使用电能让它开动时，其前端为了提供电动汽车用的电能，其后端为了解决废旧车用电池的回收处理，可能比传统燃油汽车排放了更多温室气体。再比如，太阳能是低碳能源，但太阳能电池板需要的多晶硅，其生产过程却是高碳的，所以不能顾此失彼，应该从前期设计研发、原材料选择、生产、运输到消费者使用、直至回收再利用的全生命周期进行碳足迹的综合评价，真正做到政府决策、企业投资的评价指标，不能简单用高碳成本换取低碳名声。

（3）满足目标市场和客户的要求。企业开展碳管理的动力来自各个方面，包括适应政府的低碳经济倡议和要求，为将来可能开展的碳配额和碳关税预先准备好碳信用，寻求自愿性碳排放贸易机会等。但是，企业建立良好社会形象的需要和品牌客户或目标市场的硬性要求至关重要。品牌客户一旦要求披露其碳排放数据，相关要求就会通过供应链传递下来。比如，沃尔玛自 2007 年要求其全球数万家产品供应商建立碳认证与报告系统。戴尔也于 2007 年 6 月开始要求其主要的供应商在季度业务汇报中报告 CO_2 排放数据，并率先加盟 CDP 提出的"供应链领先企业联盟"。富士康也开始在其供应商中提出了温室气体核查的相关要求。此外，Tesco 已经在其销售的 8 万多件商品上，打上了碳标签。联合利华、屈臣氏、Apple、可口可乐、耐克、BP 均已开展了碳认证工作，国际知名品牌企业已迈向具实质性的减碳之路。

8.3.2 碳认证类型

世界上现已发布的温室气体管理标准主要包括 3 个：温室气体排放报告标准（ISO14064），温室气体认证要求标准（ISO14065）和《商品和服务生命周期温室气体排放评估规范》（以下简称 PAS2050）（冯相昭，赖晓涛，田春秀，2010）。国际上的碳认证有两种类型：一种是组织层面的碳认证，即碳排放核查；另一种是产品层面的碳认证，即碳标签制度。

8.3.2.1 组织碳认证——碳排放核查

组织通过在所定义空间和时间边界内进行碳认证，得到碳排放清单或完整的碳核查报告。组织可以通过碳核查，建立碳排放基线，支持减排措施和目标的确定；衡量减排活动的效果，使"低碳"行动获得数据支持。目前，企业碳核查工作已逐步开展。就碳核查而言，在世界资源研究所（WRI）与世界可持续发展工商理事会（WBCSD）联合开发的 GHGProtocol 体系中，两个新的温室气体核算标准——产品生命周期核算和报告标准、范围三（企业价值链）核算和报告标准，已于 2010 年 9 月完成测试，2010 年年底正式出炉。它们提供了核算单个产品在整个生命周期和企业在整条价值链上设计的温室气体排放的方法学。

8.3.2.2 产品碳认证——碳标签

随着"低碳"逐渐成为企业竞争力的重要组成部分，单纯只是对组织进行碳核查，不足以了解整个供应链的碳足迹情况，买方也必然会提高供应商的环保门槛，以确保"知碳权"。碳标签（carbon labelling）是把商品在全生命周期中所排放的温室气体排放量在产品标签上用量化的指数标示出来，披露碳信息，即利用在商品上加注碳足迹标签的方式引导购买者选择更低碳排放的商品，从而达到减排温室气体、缓解气候变化的目的。

从 2007 年起，国外关于碳标签的讨论和实践不断涌现。英国政府为应对气候变化专门资助成立了碳信托基金（carbon trust），鼓励英国企业使用碳标签；日本紧随英国，鼓励各公司自愿推出产品碳标签。

发达国家的很多商家也展开了诸多碳标签的尝试。特易购（Tesco）是英国最大的超市，市场份额达到31%，并且全球化程度也较高。2007 年 1 月 Tesco 的总裁表示要在所有上架的

7 万种商品上都加注碳标签，并从 2008 年 4 月开始在 20 种商品上进行试点。过渡期间会在空运的商品上加注飞机标志的小标识，表明空运在商品的生命周期中是主要的温室气体排放来源之一。这种标识很快也被 Tesco 的竞争者玛莎百货（Mark&Spenser）以及瑞士的零售商 Coop 采用。法国的超市巨头卡西诺（Casino）也采用了自身的气候变化标签体系，用食物里程（food miles）的概念来表述温室气体排放的衡量，在自有品牌的商品上同时标注环境友好和 CO_2 排放量标签。Casino 的碳标签尝试行为受到了法国环境能源管理局的认可，法国政府呼吁其国内所有零售商采用相似的碳足迹和碳标签体系。美国的 Timber – land 长期制定了要在所有商品上向消费者提供环境信息的目标，它采用了厂商自己设计简化的 LCA 方法，用 0 ~ 10 数字范围的绿色指数来代表商品的环保指数。

作为潜在的新型贸易壁垒，碳标签无论从研究进度还是实际应用来看还仅仅处于初级阶段，但随着社会各界对环境保护和气候变化关注的日益加深，对国际贸易商品的碳足迹进行统一测度、推广碳标签的使用指日可待。如果碳标签像其他标签如生态标签一样普遍应用在国际贸易商品中，就有可能会成为技术性贸易壁垒，从而使碳标签成为贸易保护的有力工具。特别是发展中国家可能会受到来自发达国家强制加注碳标签的要求，引发更多的贸易摩擦。一旦碳标签开始普及，中国作为第二大出口国，很容易受限。

8.3.3　碳认证标准和标签

8.3.3.1　各国碳认证标准和标签概述

碳认证标准和标签众多。部分国家的碳标签如图 8-4。

（1）英国碳标识制度的实施。英国是研究和实施碳标识比较早的国家，其实施的碳标识制度从全球范围看具有领先性和完善性。英国碳标识包括碳足迹标识和碳消减标识。2007 年 3 月，英国碳信托（Carbon Trust）公司和英国的食品、服装和洗涤剂生产商合作，试行推出全球第一批碳标识的产品，包括薯片、奶昔、洗发水等消费类产品，将产品从原料、制造、储运、废弃到回收全过程的温室气体排放量在产品标签上用量化的指数标示出来，以标签的形式告知消费者产品碳信息。2008 年 2 月，碳信托公司加大了碳标识的应用推广，对象包括特易购超市（Tesco）、可口可乐、Boots 等 20 家厂商的 75 项商品。当时的沃尔克薯片（Walkers Crisps）、Tesco、哈里法克斯银行 HBOS 公司银行［Halifax（HBOS）Bank］和大陆服装公司开始在自己的产品和服务上进行碳披露。沃尔克薯片是第一个成功减少自己碳足迹的企业，并获得了碳信托公司颁发的碳消减认证书。

英国碳减量标签设计为"足印"形象。主要包括 5 个核心要素，即足迹形象、碳足迹数值、Carbon Trust 公司认可标注、制造商作出的减排承诺、碳标识网络地址。英国加贴碳标识的产品类别涉及 B2B、B2C 的所有产品与服务，主要有食品、服装、日用品等。

英国碳标识管理服务机构：主要是英国碳信托公司。碳信托公司是由英国政府设立的独立公司，其职责是通过与其他企业和机构合作减少碳排放和培育商业性低碳技术的发展，加速英国低碳经济的发展。2007 年，英国碳信托公司成立了碳标识公司（Carbon Label Company）。2009 年，为了与公司的服务范围相称，碳标识公司被改制为碳信托足迹公司，还成立一个附属的碳信托足迹认证公司。碳信托足迹公司的主要业务包括：协助公司测量、消减和

英国碳标识

德国碳标识

法国Casino公司碳标识

瑞士Climatop碳标识

美国Carbonfund碳标识

美国Climate Conscious碳标识

日本碳足迹标签

韩国碳标识2

泰国碳标识

中国台湾碳足迹标签

中国台湾低碳标识

图8-4   部分国家地区的碳标签

通报产品和服务（包括食品和饮品）生命周期内温室气体的排放；协助消费者通过碳足迹标识作出低碳消费的选择，教育消费者以低碳消费方式使用产品，从而降低产品生命周期的碳排放；提供有关碳足迹的咨询、项目管理及通过碳标识的形式对外通报温室气体的排放和削减情况的业务。碳信托足迹认证公司则为产品碳足迹提供独立和中立的认证服务。

碳标识评估标准和规范：英国碳标识制度的主要规范依据是2008年11月颁布的一项公众可获得性规范（publicly available specification，PAS），即 PAS 2050 及其导则（《产品与服务生命周期温室气体排放评估规范》）。它由英国标准协会（BSI）、碳信托（Carbon Trust）和英国环境、食品与农村事务部（Defra）联合制定和发布，是英国第一部较权威的、适用于产品和服务的统一的碳足迹测量的标准。2011年9月底，英国发布了 PAS 2050：2011。

PAS2050：2008 的主要内容如下。

提供了一套统一的碳足迹的方法体系，用于评估各种商品和服务在其生命周期内温室气体的排放。这里，产品和服务生命周期的温室气体的排放是指各种商品和服务在建立、改进、运输、储存、使用、供应、再利用或处置等过程中产生的温室气体的排放情况。

规定了各种商品和服务在生命周期内温室气体排放的评价要求。这些评价要求进一步澄清了与商品和服务在生命周期内温室气体排放评价有关的上述标准的实施方法，并制定了阐明温室气体评价的基本要素及其附属原则和技术手段。例如，设计了评价产品温室气体的基本要素，包括以下 8 个方面：整个商品和服务温室气体排放评价中部分温室气体排放评价数据商业到商业以及商业到客户的使用；应当包括的温室气体的范围；全球增温潜势数据的标准；因土地利用变化、源于生物的以及化石碳源产生的各种排放的处理方法；产品中碳储存的影响的处理方法和抵消；特定工艺中产生的温室气体排放的各项处置要求；可再生能源产生排放的数据要求和核算；符合性声明。

将产品碳足迹评价活动按照评估边界的不同进行分类。分为两类：一类是针对从制造商到消费者（即"从摇篮到坟墓"）的评价，包括在整个生命周期内产品所产生的温室气体排放；另一类是针对从商业到商业（"从摇篮到大门"）的评价，包括直到输入到达一个新的社会主体之前所释放的温室气体（包括所有上游排放）。

碳足迹的计算方法，建立在现有的生命周期评价即英国标准、欧盟标准和 ISO14040 和 ISO14044 标准之上，其主要分为 4 个基本步骤：建立商品全生命周期流程图、建立评估边界及重要性水平、收集数据信息和计算碳足迹。

设定了产品每一功能单位温室气体排放的具体计算方法，包括以下步骤：①应用活动水平数据乘以该活动的排放因子，将初级活动水平数据和次级数据换算为温室气体排放量，并以产品每功能单位温室气体排放量的形式记录。②应用所得具体温室气体排放值乘以相应的全球增温潜势，将温室气体数据换算为二氧化碳当量的排放。③计算产品中的碳存储，并以二氧化碳当量表示，然后从前式计算出的总量中扣除。④各计算结果相加以获得每个功能单位的二氧化碳当量的温室气体排放量。需要注意的是，这一结果应当属于"从摇篮到坟墓"或"从摇篮到大门"的评价情形。⑤温室气体排放应按比例放大，以计算任何次要原材料或次要活动，而在用估算的排放量除以预期生命周期温室气体排放量比例的计算分析中并未包括这次要的材料和活动。

作为技术规范，PAS2050 规范的适用具有广泛意义。首先，对提供商品和服务的机构来说，允许内部评估各种商品和服务在现有生命周期内的温室气体排放；有助于以商品和服务在生命周期内的温室气体排放为基准评价替代性产品的配置、来源和生产方法、原材料的选择和对供货方的选择；为正在进行中的、旨在减少温室气体排放的项目提供一项基准；允许利用一种共同的、公认的和标准化的生命周期内的温室气体排放评价方法比较各类商品和服务；支持企业的责任报告。对于商品和服务的消费者来说，为报告和通报那些有助于开展上述比较和统一生命周期内的温室气体排放评价结果提供一个共同的基础；为消费者在作出购买决策时以及使用商品和服务时提供了一个更好地理解在生命周期内的温室气体排放的机会。

PAS2050 仅阐明了全球变暖这一单独的环境影响，不涉及提供产品过程中产生的其他潜在的社会、经济和环境影响，并且基于条件有限性评价规则不按照商品和服务的具体产品类别设定。

PAS2050 没有提出关于信息通报或通报方法标准化的要求，但是它从技术上将商品和服务在生命周期内的温室气体排放的评价结果可在评估之后向股东（包括消费者）报告和通报成为可行。

碳排放和减排信息交流：为了促进 PAS2050 的实施，英国还颁布了一项以传递碳足迹信息和温室气体排放量的减少情况信息为目标的条例，即《商品温室气体排放和减排声明践行条例》。该条例由英国碳信托有限公司和节能信托有限公司联合颁布。它为完成依照 PAS2050 进行测量和计算商品碳足迹后如何交流和传递碳足迹信息提供了管理机制。

碳标识制度的实施：PAS2050 正逐步获得国际社会的认可和接受，最初只有 12 个组织接受该规范，例如百安居、英国国际发展部、泰晤士水务局和三棱镜报业集团等；但到 2009 年 5 月，已经有 70 个组织认可该标准，包括英国电信集团、京瓷、惠普、理光和曼彻斯特大学等。英国最大的零售商 Tesco 是实施碳标识比较积极的公司，2007 年初宣布其目标是对所经营的 7000 种商品进行碳标识；2008 年 4 月开始选择自有商标的四类产品如橙汁、灯泡、洗涤剂和土豆等试行碳标识制度；到 2009 年 2 月，特易购超市（Tesco）试行碳标识的商品范围扩大到 100 种，随后特易购超市（Tesco）扩大在卫生间和厨房用纸上实施碳标识。此外，为了让消费者理解这个新的标识，特易购超市（Tesco）与碳信托和节能基金联合进行碳标识宣传，向公众散发了 100 万份关于如何消减碳足迹的手册。英国不仅有相对完善的碳标识标准规范——PAS2050 和管理机构——碳标识公司，而且有企业积极实施碳标识制度。

（2）美国。尚无有关碳标识的联邦立法。美国的气候法案，包括一项关于产品碳披露计划的规定，不过由于各利益方在温室气体限额和贸易体系方面存在分歧，该法案并未获得通过。在州立法上，美国加利福尼亚州已经开始实施 2009 碳标识法案，该法案制定了一项资源消费产品的碳足迹方案，并规定该方案由州空气资源委员会进行管理。还有一些州开始要求某些产品如汽车披露碳排放量。在立法之外，一些机构和公司也在积极的研究和实施碳标识方案。总部位于华盛顿的碳基金（一家独立的非盈利性碳抵消供应商）与爱丁堡碳管理中心，以 ISO 的生命周期标准、温室气体议定书和英国碳信托公司的碳足迹计算方法为基础开发了"无碳标识"（certified carbon free label），用以表明该产品的碳足迹已经得到计算、监督和报告，并且说明其中的碳在被抵消，美国的少数产品已经开始使用这种标签。总部位于加利福尼亚州的气候保护机构（一家从斯坦福大学分离出来的组织）开发了"气候意识标签"（climate conscious label），依据生命周期的计算方法，该标签并不标明具体的碳含量，而是根据产品的碳含量多少，将碳标识分为金、银、铜三个不同的等级，新比利时酿酒公司正在试用这种评价的方法。一些大型销售企业如家得宝（Home Depot）从 2007 年开始了一项被称为"生态选择"（eco options）的标识制度，对其经营的约 3000 种产品实施包括披露碳排放量的标识。此外，英国碳信托公司也在美国成立了机构，为实施碳消减标识与可口可乐、百事可乐和其他公司开展了关于产品生命周期分析的合作。目前，美国已推出了如下三类碳标识制度：

由 Carbon Label California 公司推出的碳标识。旨在帮助消费者在此基础上选择更具环保性能的产品。目前，该碳标识主要在食品中使用，如保健品和经认证的有机食品。其计算准则主要为环境输入—产出生命周期评价模式（EIO – LCAs）。

由 Carbonfund 公司推出的美国第一个适用于碳中和产品的碳标识。目前，经 CarbonFree

碳标识查验的产品主要有服装、糖果、灌装饮料、电烤箱、组合地板等，其碳足迹计算方法则以 LCA 为基础。CarbonFree 碳标识由 Carbonfund 公司负责管理，并委托第三方机构进行评价，每年需进行生命周期评价的复审工作。

由 Climate Conservancy 公司推的 Climate Conscious 碳标识，旨在帮助消费者在购买过程中选择较低碳足迹的产品和服务，培育一种环境友好的市场机制，从而减少碳排放。该碳标识寓意为某产品或服务宣告达到碳排放标准，使用基于 LCA 的计算方法计算碳足迹，由 Climate Conservancy 公司负责管理并评价。

（3）法国。法国企业开展了自愿性的碳标识方案实施，不过政府试图开展通过实施强制性碳标识的立法。目前，法国企业实施的碳标识都是自愿性的，但都得到了政府环境和能源机构的支持，并且其适用不需要得到官方的授权。

2008 年 6 月，法国国内超市卡西诺（Casino）公司于推出"Group Casino Indice Carbon"碳标识，适用于所有 Casino 自售产品。Casino 公司邀请其约 500 家供应商参与了该碳标识计划，并为其提供了免费的碳足迹计算工具。据 Casino 公司统计，自该碳标识推出后，已减少了超过 20 万 t CO_2 排放量。Casino 公司的碳足迹标签以绿叶为基本形态。其中标注每 100 克该产品所产生的 CO_2 排放量，并告知消费者查看包装背面以了解更多信息。在包装背面，该标签则显示为一把绿色标尺，以不同的色块体现产品对环境的不同影响程度，从左至右影响程度不断增强，方便消费者大致了解该产品对环境的影响。该标签一般加贴于产品包装或在网站上进行展示。法国卡西诺（Casino）采用的是一家叫做"生态智力服务"（Bio Intelligence Service）的环境咨询机构在 2006 年初基于产品生命周期分析方法而开发的测算产品碳足迹的方案，即以"碳指数标签"（indice carbon label）的形式标明产品的碳含量。

法国另一家连锁超市来客来（E. Leclerc）的碳标识方案是由总部位于巴黎的咨询机构绿色埃克斯特（Greenext）研发的，该方案于 2008 年 4 月在其两个分店开始实施，适用范围包括 2 万种产品。

法国期望卡西诺采用的碳足迹计算方式稍作修改能与英国的 PAS 2050 合并。法国政府希望将碳标识制度纳入立法。2009 年，法国参议院通过了《格勒诺儿 2 环境法案》（Grenelle 2）。2010 年 7 月 12 日，法国通过《新环保法案》，要求在法国市场上销售的产品必须披露产品的环境信息，其中包括产品碳标识，法案从 2011 年 7 月 1 日开始试运行，时间至少 1 年。法国的环境管理机构和标准化研究所负责碳标识标准化的进程。

（4）加拿大。加拿大推出了基于 III 型环境标志的碳足迹标志。由总部在多伦多的公益性碳计算组织开发了一种碳计算方案，即由公司通过碳链接申请进入在线碳数据库，依据已有的标准计算产品的碳足迹，一旦公司的碳来源获得碳计算组织的证明，就可以使用"碳计算"开发的标签，用以标明产品的碳内容。目前大约有 40 家公司，包括渣打银行和瑞士联合银行使用了这种标识。

（5）德国。德国于 2008 年 4 月开始实施政府支持的产品碳足迹（PCF）标识试行方案，2008 年 7 月推出产品碳足迹试点项目，目的在于为企业提供产品碳足迹评价与交流方面的方法与经验，降低 CO_2 排放量，倡导环境友好型消费。世界自然基金会、奥科学院、波茨坦气候影响研究所和西马 1（THEMA 1）合作实施该方案。该项目还开展了产品碳足迹（PCF）测量方面的国际标准方法研究。该方案选取了德巴斯夫(BASF)集团、药品零售集团(dm - drogerie markt)、帝斯曼集团(DSM)、冷冻食品集团(FRoSTA)、汉高公司(Henkel)、欧洲零售和食品集团(REWE Group)、诗国集团(Tchibo)、廷格尔曼集团(The Tengelmann Group)、食品包装提供商(Tetra Pak)以及德国最大的电信公司(Deutsche Telekom)10 个公司,作为方案试行的合作伙伴。该方案的目标包括:根据最新的技术发展寻求产品碳足迹评估的实用经验,促进普通技术方法的发展,与其他国际行动合作,建立具有针对性的利益相关者对话的共同平台,评估如何与消费者沟通才能使碳标识具有可信性和针对性,并因此服务于低碳消费。

2009 年 2 月,德国 PCF 试点项目推出其碳足迹标签。德国碳标识以"足迹"为基本形态。足迹两边分别是 CO_2 与足迹英文名称,并标识"经评价"文字,体现该碳标识蕴含的衡量与评价碳足迹的意义。目前,经查验的产品包括电话、床单、洗发水、包装纸箱、运动背袋、冷冻食品等,德国产品碳足迹测量方法以 ISO 14040/44 为基础,同时参考 PAS 2050。

此外,德国蓝天使标志于 2008 年推出了基于 I 型环境标志的气候标志。

(6)瑞士。2008 年初,瑞士气候拓普(Climatop)公司推出其开发的碳标识方案,主要面向产品与服务。该碳标识不表明产品的碳内容,主要是证明该产品比同类产品节约特定程度(如 20%)的碳。Climatop 标签主要通过以下两种方式降低 CO_2 排放量:一是影响消费决定,通过产品与服务上的碳标识引导客户(B2C、B2B)选择环境友好产品,加快向低碳消费型社会的转变;二是优化产品设计,通过选择环境友好产品带来的公平竞争,优化产品和服务设计。Climatop 标签以圆形与 CO_2 化学方程式共同组成,表示该产品在碳足迹控制方面宣告领先,即减量 20%。Climatop 标签主要加贴于产品包装上,以在销售点及网站上展示。Climatop 标签的评价范围涉及产品及服务的全生命周期,已查验的产品包括环保购物袋、有机原料蔗糖、奶油、洗衣液、洗衣粉、卫生纸、洗碗巾、电池等,其碳足迹计算以 LCA 为基础设定标准。瑞士零售巨头麦格若斯(Migros)集团,已经在一些自有商标的产品实施碳标识。

我的气候(My climate)是一家提供碳抵消服务的公司,主要负责执行麦格若斯(Migros)集团产品的碳计算,其计算的方法运用了评价产品特殊方面和一般方面在生命周期中有关温室气体排放的数据库。

(7)瑞典。瑞典碳标识制度首先开始于食品领域,给食物贴碳排放标签的做法是受到瑞典 2005 年一项研究成果的启示。该研究认为,瑞典 25% 的人均碳排放可最终归因于食品生产,为此瑞典农民协会、食品标签组织等开始给各种食品的碳排放量做标注。若产品达到 25% 的温室气体减排量,将在每一类食品类型中加以标注,该计划从果蔬、奶制品和鱼类产品开始试行。该碳排放标签明示该食品的"碳排历史",从而引导消费者选择健康的绿色食品,以减少温室气体排放。加贴碳标识的产品必须完成生命周期评价并发布第三类环境声明(EPD),但可突显碳排放,主要表示产品碳排量宣告达到标准要求。瑞典碳标识目前主要面向 B2C 食品,如水果、蔬菜、乳制品等,产品评价范围主要为运输阶段,其碳足迹计算以 LCA 为基础设定标准。

瑞典国内的两个标准化机构(KRAV 和 Svenskt Sigill)是食品气候认证方案的主要推动者,从 2007 年开始,该方案已经发布了气候认证的几项标准,这些标准主要关注的是一些普遍性问题,如农作物生产、牛奶生产和渔业等。这些标准为碳标识设立了基本的条件,其主要是为了满足监督和管理的需要，而不是为了设置一个精准的临界值。该认证方案的工作组还出台了几个决定支持简化认证过程的文件，每一个文件分别指出了农业特定范围（如牛奶、牛肉，或者是饲料生产）的相关生产阶段或者是关键场所。该标志的特征之一是附属性，但最终会和现存的标志融为一体（如为了适应新的气候相关类标准，KRAV 的有机食品标志已经被重新修订）。瑞典的气候认证方案计划 2010 年完成，生产过程和包装新标准也会公布。

（8）西班牙。西班牙安达鲁西亚开始试行产品碳足迹项目，安达鲁西亚是一个自治性政府，非盈利性组织——鼓励环境保护协会在其地方内发起了有关食品碳足迹和碳标识的项目。目前，该协会依据英国 PAS2050 制定了产品碳足迹测算的 2010 方法，并对橄榄油、酒和西红柿三种产品进行了评估。其评估的范围主要集中在种植、加工和运输几个环节。但是该标志最终的设计还没有决定。

（9）欧盟。欧盟没有碳标识的具体概念，但是开始了碳标识方案的研究和实施。运输业是欧盟第 2 大温室气体排放来源，为了通过使用生物柴油和低碳燃料减少欧盟委员会运输系统的碳排放，欧盟委员会在欧洲智力能源规划下与德国可再生能源机构合作实施碳标识项目。碳标识项目包括 8 个方面的内容：碳生命周期评估、燃料碳标识、运输服务碳标识、润滑剂碳标识、欧洲小型国家的综合行动、农民和产品处理者的生态信息网络建设、消费者调查和传播行动。这些工作主要由在德国、英国、新西兰、波兰和马耳他开展的项目予以实施。欧盟委员会正在考虑如何能用系统化的标准方法使碳足迹变得实际和有效，欧盟也没有碳标识的正式概念。但是欧盟已经委托意大利生命周期工程咨询公司和瑞士环境管理委员会开发一种碳足迹的测算方法。据瑞士环境管理委员会所说，为了便于生态标识董事会和委员会的管理，这种测量工具只能由具有欧盟生态标识的企业申请并使用。此外，虽然欧盟没有统一的碳标识，但是欧洲消费者的低碳意识很强，调查显示绝大多数的欧洲人在购买商品时会注意标明产品整个生命周期排放温室气体的标签。

（10）日本。2008 年 4 月，日本经济产业省（经产省）成立"碳足迹制度实用化、普及化推动研究会"；7 月，日本在其《建设低碳社会行动计划》中明确提出产品碳足迹系统项目，试点产品种类包括食品饮料、生活用品、家具、办公用品、电池等；8 月，宣布日本将在 2009 年初推出碳标识计划，得到日本许多大公司的支持；10 月，发布了自愿性碳足迹标签试行建议；12 月，确定了比较科学的 CO_2 排出量计算方法、碳标识适用商品、统一的碳标识图样等内容。2009 年初日本开始推动碳足迹标签试行计划。2009 年 4 月，第一批带有碳标识的产品出现在商店。札幌（Sapporo）啤酒厂、日本国内最大的万古（Aeon）超级市场、罗森（Lawson）与 7 - 11（Seven - Eleven）等便利商店、松下电器等企业均已加入该计划，在其产品或服务中引入碳足迹标签制度。2009 年 4 月 20 日，日本公布了产品碳足迹的技术规范（TS Q 0010）。2011 年 4 月，日本农林水产省开始实施农产品碳标识制度，要求商店销售的农产品粘贴环保标签，显示其生产过程中二氧化碳的排放量，同时农林水产省在其网页上设置了二氧化碳排放量核算系统，帮助所有农户依据统一标准和其农药、物资、电力等使用量核算农产品碳足迹。

日本已经形成政府引导和企业积极参与实施碳标识的格局。为了引导公司和消费者减少温室气体排放，日本以英国（包括特易购和其他公司）试行的碳标识规划为蓝本，同时结合本国环保产品标识和生命周期分析的执行经验，实施本国碳标识制度。起初在食品、饮料、洗涤剂和电器上标识碳足迹，然后逐步扩大适用的范围，最终做到碳标识广泛适用。日本的碳足迹标签，详细标示了产品生命周期中每一阶段的碳足迹，揭示产品碳排放量。以薯片为例，从马铃薯的种植、加工、装配、运送到上架，甚至包装回收或垃圾处理过程，每个环节中所产生的 CO_2 均需清楚说明，让消费者了解商品对环境的影响程度，并在环保理念的驱动下做出购买低碳产品的选择。该标签加贴于产品包装上或在销售点展示。日本的碳足迹标签主要由经产省负责管理，第三方机构负责查验评价。日本碳标识制度虽然是自愿性的，但是很少有公司愿意落在市场竞争者的后面。

（11）韩国。韩国积极推动以国际标准实施碳足迹标识制度。韩国碳足迹标签由韩国环境部主管。韩国环境工业与技术研究机构负责碳标识制度的实施。

2008 年 7 月，韩国开始试行碳标识方案：选择了 10 种产品或服务，包括 Asiana 航空运输、Navien 燃气锅炉、LG 洗衣机、Amore Pacific 洗发水、可口可乐、水净化器、衣柜、豆腐、碗、三星电子液晶板等。颁予碳标识。同时，还设定了每个产品项目的最低减量目标，推出了计算产品碳足迹的标准方法，并训练了碳足迹稽核员，建立国家生命周期盘查数据库等工作。2008 年 12 月评价试行结果，2009 年 2 月发布《碳标识认证指南 1、2、3》，正式推出碳足迹标签，运行模式为政府支持的市场化运行机制。

韩国碳标识标示产品在生命周期（包括生产、营销、使用与废弃处置等阶段）内的温室气体排放量。其碳标识主要分为两类：第一阶段标识碳排放量，称作碳标识认证；第二阶段为强调减碳的节能商品认证，称作低碳产品认证。

韩国的碳足迹标签适用于 B2C 的相关产品和服务（不包含农渔牧产品）。其中耗能产品涉及除制造阶段之外的生命周期各阶段，非能耗产品涉及不包含使用阶段的生命周期各阶段。目前已涉及约 145 种产品，其中非耐用类产品 99 种，非耗能耐用类产品 13 种，制造类产品 10 种，服务类 7 种，耗能耐用类产品 16 种。

韩国碳足迹计算准则主要有三类：一是 ISO 系列标准，如 ISO 14040（环境管理、生命周期评估、原则和框架）、ISO 14025［环境标志和声明（Ⅲ类标志）指导原则和程序］、ISO 14064（温室气体排放报告标准）；二是产品生命周期标准，如英国 PAS2050 和韩国 EDP（电子数据处理）的通用标准；三是温室气体标准，如温室气体议定书、气候变化专门委员会（IPCC）报告等。

韩国碳足迹计算将产品划分为两类，一类是工业产品、非能耗耐用品、非耐用品和服务；另一类是能耗耐用品和能耗产品目录中的产品，依据这种产品的类型划分作为数据采集边界。但为了保证出口货物具有全球标准衡量时的"绿色"品质，韩国计划 2011 年前采取上述国际标准进行碳标识，成为继澳大利亚后采取英国碳信托公司标准的第 2 个亚太国家。采取国际标准开发碳标识方案可以吸引海外消费者的兴趣，并获得具有生态意识购买者的认同，每年 91 亿美元消费产品的出口市场对于韩国是非常重要的，因此，环境工业与技术研究机构和英国碳信托公司正在研究如何协调韩国已有的碳足迹方案与碳消减标识体系的衔接。最近，韩国为了促进自己的产品能出口到英国，与英国碳信托公司签署了关于在 2010 年内实施其碳消减标识的备忘录。

（12）泰国。泰国积极推出碳消减标识方案。泰国温室气体管理组织与环境研究所合作确立了碳消减标识方案，该标识用于证明产品在生产过程中降低了碳排放，包括证明生产商碳排放在 2002 年的标准上降低了 10%，或证明企业拥有充分利用从原料到废物资源体系，或证明企业在生产的每一个阶段都采取了高效率的能源利用技术。泰国温室气体管理组织期望通过这种证明，为消费者提供一个有效选择的过程，进而达到促进生产者减少排放温室气体的目的。

泰国温室气体管理办公室（TGO）于 2008 年 8 月规划推动碳标识计划。泰国 Tetra Pak（Thai）、Chevrole Thailand、Advance Argo（纸业）、SCG（Siam Cement Group）等 26 家制造商参与了该计划，涉及产品包括饮料、食品、轮胎、冷气机、变压器、纸与纸箱、塑料树脂、地毯、瓷砖等。泰国于 2009 年 11 月推出贴有首批碳足迹标签的产品。泰国碳标识主要为国内市场及为出口产品准备，将计算其整个产品生命周期的 CO_2 排放量，包括其原材料使用阶段、制造阶段与产品成型阶段。排量标识将以减排 10%、20%、30%、40%、50% 进行分级，并以不同的颜色分别标识，并在圆形下方的箭头中标识减排量。以减排 10% 的碳标识为例，它表示与传统碳排放量相比，企业仅需降低 10% 的碳排量。TGO 专门成立了碳标识促进委员会，开展碳标识的日常监督管理工作。

泰国碳消减标识获得了许多生产者的注意，截至 2009 年 3 月，已有 34 种产品申请碳标识注册，其中 25 种产品已经通过查验，获得碳标识认证，主要涉及 9 大类产品，包括罐头/干燥食品、水泥、人造木、包装米、保险套、地板砖、瓦砖、食用油、牛奶。

泰国碳足迹计算主要依据以下三类准则：PA 2050；ISO 14040，ISO 14064，ISO 14025；UNFCCC/CDM 方法。

（13）澳大利亚。澳大利亚零售商霍弗已经开始实施碳标识方案。2009 年 5 月，连锁超市霍弗（Hofer，是一家属于德国零售商阿尔迪的超市）引入了碳标识，用以表明有机食品生产和传统农业相比二氧化碳浓度排放是不同的。该超市使用的碳标识是由澳大利亚有机农业研究所开发的，并由绿色和平组织发起的"气候保护行动"主导进行。接受其评估的 74 种有机产品与传统的产品相比，二氧化碳排放要少。假定大多数评估的有机产品和传统产品在运输、包装和储存方面是一样的，总共温室气体排放的不同主要是由于生产方式的不同，如使用肥料的数量和用于动物食物的黄豆进口量和农作物的产量。此外，澳大利亚还使用英国碳信托公司实施的碳消减标识，由碳信托公司和领导澳大利亚环保的组织——星球方舟协会签署了澳大利亚建立碳消减标识方案的协议。澳大利亚称 2010 年第一个带有碳标识的产品将出现，并且在未来 5 年内，超市 5% ~ 10% 的货物将使用碳标识。

（14）智利。2009 年，智利农业部开始实施了食品碳足迹方案，由农业研究所负责开发基本的碳足迹方法，研究的重点是出口农业食品，如葡萄酒和牛奶制品；由农业创新基金会和 15 个主要出口行业的协会研究决定扩大碳标识的适用范围。智利期望能在 2010 年开始具体实施碳标识制度，其矿业部门也在准备参与到碳足迹的进程中。

（15）中国台湾。基于节能减排和扩大贸易出口的目的，台湾地区已经着手碳标识工作，由台湾环境保护部负责。台湾碳足迹标签推动计划始于 2008 年。2008 年 6 月，台湾行政院国家永续发展委员会通过《永续能源政策纲领》，提出"一人一天减少一公斤碳足迹"的目标。10

月，永续会秘书处召开台湾碳足迹标签推动研商会。根据研商结果制定了《台湾碳足迹标识及碳标章建置规划》，确定台湾碳足迹标签计划的阶段步骤。第一阶段为自愿标识及能力建置阶段，时间节点为 2009～2010 年，主要任务有：成立"碳标识推动委员会"，确定适用商品及基于生命周期的 CO_2 排出计算操作规程(台湾版)；公开征求碳足迹标签设计；年底前以自愿标示方式试行；依 ISO 14067 第一版草案的操作规范修正台湾版本。第二阶段为证明标签及推广阶段，时间节点为 2011～2012 年，主要任务为根据 ISO 大会通过的国际标准文本，修正之前的操作版本，正式推动碳足迹标签实施。

2009 年 9 月，以"别让地球碳气？迈向低碳社会"为主题，举办了台湾碳足迹标签 logo 设计征选活动，中选标签于 12 月正式亮相。目前已有 LCD 显示器、光盘片、茶饮及夹心酥、牛轧糖等厂商，愿配合政府施行碳标识标示政策。台湾碳足迹标签已于 2010 年 4 月开始正式在相关产品上使用。

台湾碳足迹标签，由绿色心形及绿叶组成脚印，并搭配 CO_2 化学符号，以及在爱心中标示产品碳足迹数字。其中，碳足迹标签上标示的碳足迹数值，代表该产品生命周期各阶段，从原料取得、制造、运输、销售、使用到废弃处置的全部过程，产生的温室气体排放量，换算为 CO2 排放量总和。台湾碳足迹标签依据台湾环保署推出的"碳足迹计算准则"进行产品碳足迹评价，该准则吸收了国际上现有的各碳足迹计算准则的精华。同时，台湾环保署还表示，待 ISO14067 国际标准正式公布后，将采用其成为台湾的标准版本。

(16) 中国大陆。中国大陆已经开始探索碳标识制度。中国环境保护部的环境认证中心在分析国外低碳产品认证发展趋势的基础上，结合中国国情制定了《环境认证中心开展低碳产品认证》的发展规划，该规划将低碳产品认证工作分为三个阶段："中国环境标志——低碳产品"阶段、产品碳足迹标志阶段和产品碳等级标志阶段。该规划将成为中国研究、开发和实施碳标识制度的重要的指导性文件。此外，中国广泛开展碳标识制度领域的国际合作，积极借鉴国外经验筹措和准备中国碳标识制度的建立工作。在中国已有环境标志认证的基础上，中国节能投资公司已经和英国碳信托公司合作开展了关于服务和产品碳足迹计算的研究。2009 年 6 月，在第 11 次中、日、韩环境部长会议上，低碳产品认证被确定为中、日、韩未来 5 年的 10 个优先合作方向之一。2009 年 10 月，环境保护部环境发展中心与德国技术合作公司在北京共同签署了"中德低碳产品认证合作项目"，该项目开始了中国开展低碳产品认证合作的先河。2010 年 3 月，环境保护部环境发展中心与英国标准协会(中国)在北京签署了关于低碳产品认证合作备忘录。2010 年 1 月，沃尔玛(中国)明确表示了在其商品上标注碳足迹的计划。2009 年以来，中国标准化研究院与英国标准协会合作开展了产品碳足迹方法学研究，完成了 PAS 2050 的中文转化工作，并选取建材和石化行业开展了试点研究，在产品碳足迹核算方面取得了积极的进展。但是，中国还没有产品碳标识制度和产品碳足迹盘查与认证机构，国内企业需借助国外认证机构完成产品碳足迹核算与碳标识认证，碳盘查与标示成本很高。

8.3.3.2　碳认证存在的问题

碳足迹的量化核算是衡量一家公司温室气体管理水平的重要指标之一，同时自身温室气体核算过程也是检验和提升自身管理水平的重要手段。对中国公司而言，量化核算方面的提升空间很大。然而，缺乏数据，量化管理便无从谈起。因此，许多公司在相关战略与管理上可以侃侃而谈，但真正能够提出明确的减排计划并设定减排目标的公司却寥寥可数。由此可见，关于碳排放的数据搜集管理，将会成为中国公司低碳之路的主要障碍之一。切实关注气候变化的公司，必须尽快跨越这一障碍————数据问题。企业应将低碳战略结合到日常的生产经营中，切实管理好生产经营中的气候变化问题，光有理论是不行的，必须要有数据的支撑。因此，碳排放的数据收集体系就显得尤为迫切。缺乏数据支持就必然增加产品最终低碳认证的不确定度。产品低碳认证可以帮助确认产品整个生命周期的减排空间并能促进环境友好的消费方式，但目前由于标准的不统一和缺乏可用基础数据，还不能达到所有的目标，尤其是针对不同客户端要求可能不能达到必要程度的精确度。如果是同类产品的认证比较必须在同样的竞争标准下才能有比较的价值，所以碳标签迟迟未能全面推行。

8.3.3.3　碳认证今后的工作

碳认证今后的工作包括：统一国际标准和评价方法；努力填补评价方法的漏洞及数据空白；拟订全球统一的产品分类规则；采取碳标签或其他方式公示碳足迹。

8.4　本章小结

本章侧重分析森林经营认证、产销监管链认证、合法性认证、低碳认证和其他相关技术法规、标准和合格评定程序等的动态，并简要分析这些涉林低碳行动对林产品贸易的影响。分析表明，森林认证、合法性认证和碳认证等涉林低碳行动越来越普遍、形式越来越多样。其中，合法性认证是指检查森林经营和供应链控制满足确定的合法要求，包括强制合法性认证和自愿合法性认证，一些非政府组织的倡议也有合法性认证意味。尽管国际社会对合法性还没有形成统一的概念或界定标准，但是不少定义广泛一致。碳认证试图通过"碳排放核查报告"和"碳标签"，将"碳足迹"和"碳资产"透明化，包括两种类型：一种是组织层面的碳认证即碳排放核查；另一种是产品层面的碳认证，即碳标签制度。目前，已有英国、德国、日本、韩国等十几个国家开展低碳产品认证。可以预见，碳认证、碳标准和碳标签对林产品贸易的影响将日益显现，影响程度将主要取决于国际市场对林产品的环境敏感性、主要出口国的市场分布。

第9章   思考与对策建议

如何协调森林多功能竞争性使用问题？在什么条件下，通过什么途径，林产品贸易与低碳经济能够双赢，共同服务于人类福祉？在低碳经济转型中，发达国家一直掌握着国际话语权，中国作为发展中的大国，同时也是林产品生产、消费和贸易大国，如何更好地处理低碳经济与林产品贸易发展过程中存在的问题？这是值得系统思考的问题。

9.1   思   考

9.1.1   关于低碳经济背景下的林产品贸易

9.1.1.1   低碳经济强化了林产品贸易向低碳、可持续贸易转变的势头

通过前文的梳理，基本结论是：在低碳经济转型进程中，必须遵循"共同但有区别"的责任原则，但是"有差别但共同"的低碳乃至可持续发展目标则是一种趋势，低碳经济并没有改变目前林产品贸易的基本发展方向，只是强化了林产品贸易必须向资源节约、低碳、可持续贸易转变的势头；鉴于各国发展的差异性，目前乃至未来一段时期内，一些低碳经济相关立法、政策、行动和措施，可能成为新型贸易壁垒，引发贸易纠纷，进而促使贸易规模、流向、结构和模式改变。

因为，林产品贸易以森林资源为基础，有很强的资源依赖性，而森林问题早就是国际热点问题。如果在贸易利益的驱使下，人们不遵循森林生长规律而采伐或消耗森林资源，不仅会造成森林资源再生循环的阻碍和木材再生产失去平衡，而且会导致生态环境破坏，威胁人类生存，即林产品贸易无秩序、无控制，或林产品贸易本身不可持续发展，就可能直接危害人类社会的可持续发展。正是因为林产品贸易本身存在着不可持续发展的可能性，在全球环境问题日益突出的背景下，国际社会非常关注林产品贸易的可持续发展问题。而在低碳经济概念提出之后，国际社会普遍认识到在解决碳排放和资源稀缺等各种矛盾过程中，林业起着不可替代的作用。以森林为经营管理对象的林业，显然是经济与社会发展向低碳化转型的重要力量，因此，林业政策也必然要被纳入气候政策和低碳政策的范畴。在气候话题不断被引入国际经济和政治博弈的背景下，国际林业领域特别是林产品贸易领域与之相关的行动也在不断扩大和深化。打击木材非法采伐及其相关贸易、森林经营认证、产销监管链认证、合法性认证、碳认证和碳标签等涉林低碳行动逐步密集起来。这一方面表现出人们日益关注森林木材资源利用的合法性与可持续性要求，重视林业生产和贸易的低碳化等发展目标；另一方面也反映了在认识和利用林业及林产品贸易与低碳经济内在关系上，人们的背景是十分复杂的，包括国际经济和政治激烈的博弈斗争背景。

9.1.1.2　低碳经济促使人们对林产品贸易进行多角度、多方法评价和认识

低碳经济促使人们对林产品贸易进行多角度、多方法评价和认识，举例如下。

（1）林产品贸易的资源配置、经济增长效应。林产品贸易是突破森林资源约束、促进林业经济增长最重要、最直接的手段。林业产业是以森林资源为基础的资源依赖型产业。森林资源虽可再生，但再生周期长，自然依赖性强，时间分布难以均衡，短期供给价格弹性较小；受土地特定要素的约束，生产固定性强、供给地域性强，空间分布极不均衡。适应低碳经济要求，保护和改善现有生态环境，协调森林的多功能竞争性使用，突破资源约束，实现林业产业良性发展，实现林产品贸易与低碳经济双赢，是亟待解决的问题。通过林产品贸易，融入世界市场，在全球进行森林资源配置，可以突破森林资源瓶颈。

对外贸易是经济增长的发动机原理、进口贸易带来廉价进口及产业升级的结构效率等理论，从不同角度揭示出林产品贸易与林业经济低碳转型、增长的内在互动机制。尽管到目前为止，关于贸易是经济增长的"发动机"还是"侍女"，以及贸易对经济增长的影响究竟是短期还是长期的问题仍没有形成统一的观点，但是多数实证研究表明，贸易对经济增长具有积极的促进作用。

杨绍丽和翟印礼（2012）运用弹性理论分析中国林业产值对木材产品进口和出口的敏感度，试图揭示中国木材贸易对林业的影响。结果显示，原木、锯材、刨花板、木家具、纸和纸制品的进口敏感度均高于木材总产品的进口敏感度1.382，尤其以刨花板和木家具的敏感度最大，为136.018，这说明这些产品的进口额变化对林业产值变化的影响非常显著，进口额增加1%，将使林业产值成倍的增长。而在出口敏感度中，虽然各个品种的出口敏感度均高于平均水平0.127，但刨花板的出口敏感度最高位71.557，其次是单板和锯材，而胶合板、木家具、纸和纸制品的敏感度相对较低，但对于出口敏感度来讲，除了原木以外的各木材产品，其出口额的增加均会使林业产值或多或少的增长。在各个产品中，值得一提的是木家具的出口敏感度，数值为0.246，相对较低，然而中国近几年来木家具的出口量占世界排名前列，但其对林业产值的贡献却非常低，可能的原因有以下两点：一是木家具品种繁多，国际市场需求量大，具有刚性；二是木家具竞争激烈，出口附加值低。

（2）林产品贸易的生态足迹或碳足迹。在低碳经济背景下，强化了对林产品贸易生态足迹或碳足迹的评价和认识。

例如，孙小兵（2011）对中国主要林产品贸易的生态效应进行了评价。①从生态足迹理论分析，进口林产品相当于输入国借助输出国的森林资源资助了国内的消费，也就是间接增加了输入国的生态承载力，因此，计算林产品进口生态足迹可以将进口的林产品折算为所消耗的森林资源数量，然后计算其为输入国增加的生态承载力。2000～2007年中国进口林产品所增加的生态承载力见表9-1。该表显示，随着中国进口林产品数量逐年增加，进口林产品所携带的生态承载力也大幅度增加。进口林产品对减少中国生态赤字起到了重要作用。②从生态足迹理论分析，出口林产品意味着借助输出国的森林资源资助了输入国的林产品消费，也就是直接减少了输出国的森林资源，也即增加了输出国的生态足迹。因此，计算林产品出口增加的生态足迹可以将出口的林产品折算为所消耗的森林资源数量，然后计算其为输出国所增加的生态足迹。2000～2007年中国出口林产品所增加的生态足迹见表9-2。该表显示，针对进口而言，中国出口林产品所增加的生态足迹份额不大，除胶合板外，原木、木浆和纸浆等主要林产品出口的生态足迹基本没有增加，这对中国保护森林资源、减少国内生态赤字有所帮助。③林产品贸易生态盈余(赤字)＝进口生态承载力－出口生态足迹。中国林产品贸易生态赤字(盈余)情况见表9-3。中国林产品贸易一直处于生态盈余状态，是典型的资源型林产品输入国。从具体品种看，原木、木浆和纸浆一直处于生态盈余，而纤维板和胶合板则由最初的生态盈余逐步转变为生态赤字。从时间序列趋势看，2000～2003年，中国林产品贸易生态足迹一直持续是盈余上升，而2003年以后这种趋势在逐年下降。这主要是出口胶合板造成的出口生态足迹大幅度增加所致。④从可持续发展的角度和本国的利益出发，应该摒弃对传统贸易顺差的重商主义追求，重视生态足迹净输入的增长，减少生态赤字，减轻经济发展对环境的冲击，应该是中国在世界经济全球化进程中，发展林业产业的阶段性可行选择。

表9-1 中国进口林产品所增加的生态承载力　　　　　　　　(单位：万 g/hm²)

品种 \ 年份	2000	2001	2002	2003	2004	2005	2006	2007
刨花板	60.36	62.88	76.45	73.33	76.89	74.07	67.18	65.92
胶合板	156.90	118.56	123.60	135.62	135.69	120.12	107.07	98.84
纤维板	206.21	160.38	185.30	191.30	167.65	144.14	125.38	124.05
原木	297.92	351.29	491.91	513.07	525.67	588.30	641.12	735.66
木浆	298.89	431.10	454.60	510.81	600.38	624.40	651.09	688.32
纸浆	283.10	404.48	429.69	480.85	569.38	594.59	615.43	643.46
合计	1303.37	1528.69	1761.55	1904.98	2075.67	2145.63	2207.27	2356.25

资料来源：孙小兵. 中国林产品贸易生态足迹研究[J]. 林业经济，2011(10)：52～56.

表9-2 中国出口林产品所增加的生态足迹　　　　　　　　(单位：万 g/hm²)

品种 \ 年份	2000	2001	2002	2003	2004	2005	2006	2007	合计
刨花板	12.22	12.14	14.34	10.76	15.40	12.47	16.30	19.39	113.01
胶合板	89.87	103.32	171.52	191.73	376.04	476.91	697.16	827.85	2934.31
纤维板	18.58	16.62	24.28	22.57	41.88	144.63	198.00	370.99	837.39
原木	327.39	327.60	327.81	328.02	328.22	328.43	328.64	328.85	329.06
木浆	4.16	2.61	2.53	2.53	3.18	3.83	4.81	6.36	29.90
纸浆	3.83	3.10	3.75	4.24	4.40	5.95	8.31	11.24	44.73
合计	456.05	465.38	544.22	559.83	769.12	972.22	1253.21	1564.68	4288.41

资料来源：孙小兵. 中国林产品贸易生态足迹研究[J]. 林业经济，2011(10)：52～56.

表 9-3 中国林产品贸易盈余（赤字） （单位：万 g/hm²）

品种 \ 年份	2000	2001	2002	2003	2004	2005	2006	2007	年平均
刨花板	48.13	50.74	62.11	62.58	61.49	61.61	50.88	46.53	63.43
胶合板	67.02	15.24	-47.91	-56.11	-240.35	-356.79	-590.09	-729.01	-276.85
纤维板	187.63	143.76	161.01	168.73	125.77	-0.49	-72.62	-246.94	66.69
原木	282.63	336.48	477.18	498.23	510.73	573.82	626.66	721.25	575.28
木浆	294.74	428.49	452.08	508.28	597.20	620.57	646.29	681.96	604.25
纸浆	279.27	401.38	425.94	476.61	564.98	588.65	607.12	632.21	568.02
合计	1159.42	1376.09	1530.40	1658.33	1619.83	1487.37	1268.24	1106.00	1600.82

资料来源：孙小兵. 中国林产品贸易生态足迹研究[J]. 林业经济，2011(10)：52~56.

当然也要认识到，目前生态足迹或碳足迹评价还有许多不完善的地方。例如，进行组织碳足迹评价时，一些企业将员工上下班乘车所释放的二氧化碳包括在自己的碳足迹中，一些企业则排除在外；进行产品碳足迹评价时，一些企业将产品出厂送到客户手中这一段物流也计入产品的碳足迹，而另一些企业则只计算产品在工厂内的在制部分。因此，碳足迹计算方式的差异也意味着不是所有的企业和他们产品的碳足迹都具有可比性（朱莉，李坚，2012）。

（3）林产品贸易的碳储量。森林采伐和木质林产品使用改变了森林和大气之间的自然碳平衡，木质林产品碳核算包含在国际气候变化谈判土地利用、土地利用变化和林业（LU-LUCF）议题中，且 LULUCF 碳流动是国家温室气体清单的一个重要组成部分。因此一些研究开始基于碳储量视角来认识和评价林产品贸易。例如，白彦锋（2010）的研究认为，中国进出口木质林产品碳储量整体呈不断上升的趋势，并且是木质林产品净进口国。其中，原木是净进口国，1990~2008 年间工业原木净进口碳储量累计为 141.09MtC。锯材、人造板、纸和纸板以及其他工业原木产品的总体表现为净进口，1990~2008 年净进口产品碳储量合计为 57.43MtC。从目前碳储量估算结果来看，我国木质林产品是一个增长的碳库，也是木质林产品净进口国，因此应用储量变化法对我国较为有利（白彦峰，2010）。

9.1.1.3 林产品贸易形式创新，并与林业国际投资与林业国际经济合作融合

近年来，在国际舞台上，林产品贸易的形式不断创新；林产品国际贸易、林业国际投资与林业国际经济合作逐渐融合。

上述转变的制度逻辑在一定程度上与威廉姆森的相关理论吻合。基于经济学应该从"选择科学"向"契约科学"转变的理念，威廉姆森将企业抽象为一种治理机制，系统研究了企业边界的决定机制，并提出了描述性的企业边界模型。威廉姆森的研究按照交易—交易属性—契约关系—治理结构的顺序展开：在有限理性和机会主义 2 个行为假设下，设计出具有有限理性方面节约成本，同时确保交易免遭机会主义破坏的治理结构。

（1）交易属性与治理结构的匹配。威廉姆森认为，所有的经济活动都可以看作是一种交易，所有的交易都可以看作是一种契约。由于人的有限理性和机会主义，再加上资产专用

性，导致契约，尤其长期契约，是不完全的。根据交易费用最小化原则，为了支持不完全契约，需要综合考虑资产专用性、价格和保障措施，即根据资产专用性、交易频率和不确定性等三个维度将交易（契约）分为不同类型，对应市场、科层（企业，等级制）或混合不同的治理结构。如果根据交易频率及资产专用性两个维度，不同交易属性对应四类治理结构，见表9-4。

表9-4　交易属性与治理结构

		资产专用性		
		非专用资产（通用资产）	混合	独特
交易频率	偶然	市场治理（古典契约）	三方治理（新古典契约）	
	经常		双方治理（关系契约）	统一治理（科层）（关系契约）

注：资产专用性是指一种专用性投资。一旦做出，不能转为其他用途，除非付出生产性价值的损失，它包括地点专用、物质专用、人力专用、专项用途、商标专用以及临时专用。三方治理和双方治理本质上属于处于市场和企业（科层）之间的混合治理。本表没有考虑不确定性。

（2）治理结构及其属性。治理作为一种"注入秩序，缓解冲突，实现共赢"的手段，其主要功能在于节约交易费用。不同治理结构（市场、科层、混合）在成本—能力方面具有不同的比较优势，适合不同交易属性（契约关系）的治理。此外，治理结构的离散性蕴含了不同治理结构属性的显著性差异，也预示着不同治理结构之间存在明显的界线。治理结构属性归纳见表9-5。

表9-5　治理结构属性

治理属性	治理结构		
	市场治理	混合治理	科层治理
自发适应	强	中强	弱
协调适应	弱	中强	强
激励强度	强	中强	弱
行政控制	弱	中强	强
契约法	强	中强	弱

（3）制度的功能在于节约交易费用，一项交易（契约）具体应该采用市场、科层或混合中的哪一种治理形式，应该综合考虑交易成本和交易费用。因为林产品具有依赖地点固定性较强的森林资源、标准化程度较低、不耐储藏、体积大、运输较困难等特点，林产品生产的地点专用、物质专用、人力专用、专项用途性较强。对逐笔成交的单边进口或双边出口贸易而言，在涉林低碳措施逐渐增多、贸易规则日趋复杂、标准、认证等壁垒层出不穷的背景下，林产品贸易形式创新，并与林业国际投资与林业国际经济合作融合是顺理成章的。

林产品国际贸易形式创新：采取抵押形式的单项贸易或采取互惠形式的双向贸易，都是解决资产高度专用性所带来的投资风险从而实现置信承诺的混合治理形式。

国际投资与国际经济合作：从一体化和企业边界方面而言，随着各种涉林低碳措施的出台，各种低碳贸易壁垒也层出不穷，林产品交易费用逐渐增加，会推动国际投资和国际经济合作，逐渐向一体化方向发展。因为与逐笔成交的单边进口或双边出口贸易相比，除了改变贸易格局，转而与低风险国家或地区进行贸易之外，向资源端延伸，直接到加纳等森林资源禀赋较好或与欧盟签订了自愿伙伴协议（VPA）的国家，采取购买、租赁、联营、合作等多种形式开展境外林业投资；或向产品终端延伸，直接到主要林产品消费国投资，以简化交易程序、提高交易稳定性和可预见性、节省认证等交易费用。而经过最初的资源驱动型投资热潮之后，基于节省运费、减少生态足迹等方面的考虑，通过合作投资、购置产权和森林经营权等多种方式开展合作，优势互补，逐渐向国际经济合作方向转变，进而逐步形成具有国际知名度和影响力的跨国公司，或更具规模效益、抗风险能力强的林业集团或境外产业集群，也有其必然性。当然，企业的规模也不能无限扩张，因为它难以实行选择性干预和高能激励，否则会由于资产滥用和敲竹杠（扼制）带来很高的官僚主义成本。

9.1.2　关于低碳经济与林产品贸易协调

低碳经济发展必须兼顾两个目标，即稳定大气中的温室气体和维持经济增长。未来世界经济的增长必须解决好能源、环境与发展之间的辩证关系，解决温室气体排放与经济增长之间长期形成的正相关性问题。同时考虑到林产品贸易的特点，本书认为应该多视角思考低碳经济与林产品贸易协调问题。

9.1.2.1　全球价值链视角

全球价值链在国际制造业和国际贸易中的地位举足轻重。从生产角度而言，经济全球化的不断深化表征为全球价值链分工逐步演变成为世界生产体系的主流方式。

（1）全球价值链理论概述。全球价值链理论融合了价值链、商品链和全球化的理念，以其包容性、系统性成为研究全球化现象的一支重要力量。全球价值链理论的三个关键概念是治理、升级和租金来源，其中治理是核心问题。全球价值链的动力机制决定了全球价值链的"链主"，进而影响治理结构、租金分配以及产业升级路径，是研究治理、升级和租金的基础。全球价值链研究的主要框架如图 9-1（熊英、马海燕、刘文胜，2010）。

租金来源：在全球价值链的众多价值环节中，主要附加值集中在那些能免于竞争的环节上。根据与价值链的关系，"租金"可以广义地分为三大类：一是基于链内单个行动者构建的租金，它因要素生产力和进入壁垒（即稀缺性）不同而在企业内拥有多种来源，包括组织、技术和营销能力。Teece 等和 Makadok 从企业层面，归纳了三种类型的链内单个行动者租金：基于受到保护的市场力量而产生的垄断租金（monopolistic rents）；凭借企业拥有独特资源产生的李嘉图租金（ricardian rents）；依靠企业动态能力的熊彼特租金（schumpeterian rents）。二是基于链内行动者群构建的租金。它可能由不同企业间的目的性行动引起，与关系租金相关。Dyer 和 Singh 认为关系租金是通过参与伙伴共同专属性投资而创造出超额利润，源于企业之间的交换关系。刘林青补充了另外一种链内行动者群租金，即网络租金。网络租金主要体现

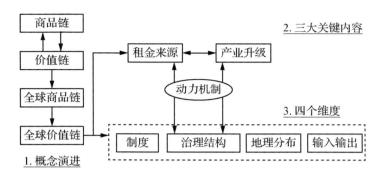

图 9-1　全球价值链研究的主要框架

资料来源：熊英，马海燕，刘义胜．全球价值链、租金来源与解释局限——全球价值链理
论新近发展的研究综述[J]．管理评论，2010(12)：120～125．

为网络资源的互补效应、知识学习与创新的外部效应、外部规模效应和市场控制势力放大效应等。三是外生于全球价值链的租金，包括政策租金、基础设施租金和财政租金。Gereffi 将全球价值链类别与租金联系起来。他认为生产者驱动与购买者驱动价值链会尽可能提高进入壁垒，以产生不同种类的租金。生产者驱动的全球价值链租金来源主要体现为：①技术租金，因拥有不对等渠道的产品与生产技术的利得；②组织租金，组织内部过程的技巧和秘诀。而购买者驱动的全球价值链租金来源主要体现为关系租金，即诸多企业之间相连的关系，包括将中小型与大型组装厂接连起来的供应链管理技术、战略联盟的建构以及特定区域集结而起的"OEM"企业群所展现出来的集体效率等；③贸易政策租金，由贸易保护政策所造成的稀少资源，例如配额、品牌租金、凭借产品差异在主要市场建立起来的品牌支配性（熊英、马海燕、刘义胜，2010）。

收益分配：进入壁垒治理和系统效率会影响全球价值链的收益分配。一般来说，在全球价值链中，领导企业掌握着战略环节的控制权，拥有协调和管理力量，而供应商则处于被领导地位，整个价值链呈现金字塔形的力量和治理结构。曹明福、李树民指出，全球价值链分工的利益来源是"分工利益"和"贸易利益"。比较优势和规模优势产生"分工利益"，"价格倾斜"优势产生"贸易利益"。参与国都能从全球价值链分工中获取"分工利益"，但不能都获得"贸易利益"。最发达国家既能获得分工利益，又能挤占他国的贸易利益。这样，从静态角度来看，从属国家并不一定能从全球价值链分工中获益。张纪认为其收益分配过程受企业自身所处生产环节的市场结构影响。刘林青指出，获取和创造租金来源以赢得竞争优势的关键在于取得具有优势地位的市场力量和领导力量（熊英、马海燕、刘义胜，2010）。

嵌入模式：曾咏梅（2010）立足于权变管理理论，构建了产业集群嵌入全球价值链模式权变选择模型，认为嵌入模式可以概括为被并购、贴牌生产、互利合作、交钥匙工程和出口五种；随着集群生命周期从诞生到成熟阶段的演进，嵌入模式将经历从被并购、贴牌生产、互利合作、交钥匙工程、出口的一个转换过程；当集群具有明显的劳动力密集型特征时，集群选择贴牌生产嵌入模式的可能性最大，其次是出口模式，而选择交钥匙工程模式的可能性最小；当产业集群具有明显的技术密集型特征时，集群选择出口嵌入模式的可能性最大，其次是交钥匙工程模式，而选择贴牌生产模式的可能性最小。产业集群权变因素与嵌入全球价值链模式类型一致对集群升级有正向影响，将促进集群实现有效升级。张兴瑞（2011）认为，后发地区和本地企业嵌入全球价值链分工主要有两种渠道，一是以国际贸易为纽带的贸易性嵌入，二是以跨国投资为纽带的产业性嵌入。

产业升级：根本目标是提升分工地位，获取更高附加值。主要方向一是节点内增值，即做精做强所处节点（环节），提升分配比重；二是节点间攀升，即从全球价值链的低附加值节点（环节）向高附加值节点（环节）攀升；三是价值链跃迁，即从全球价值链总附加值较低的产业向总附加值较高的产业跃迁（张兴瑞，2011）。

（2）全球价值链分工对后发地区或本地企业具有双面效应。张兴瑞（2011）将掌控全球价值链主导权、占据高附加值环节的地区和企业分别界定为先发地区和全球企业，反之称为后发地区和本地企业。全球价值链分工对后发地区或本地企业具有双面效应，即经济增长效应与结构封锁效应。前者助推经济规模增长，对本地企业实现外延式发展有重大助益；后者阻碍获取全球价值链的高附加值，不利于本地企业提升在全球价值链分工中的地位，也不利于其产业从外延式发展向内涵式发展的转型。因此，在经济全球化时代，本地企业要积极通过贸易性或产业性等渠道嵌入全球价值链分工体系，以助推规模扩张，提升技术水平，实现规模经济。但当本地企业产业升级进入更高层次时，很可能遭受到来自全球企业的结构封锁，本地企业能否突破结构封锁，是其能否切入全球价值链分工核心环节、实现从本地企业向全球企业转型的关键。

（3）全球价值链上的中国林业产业。林业及相关产业分类（试行）（2008）将林业纳入第一产业、第二产业与第三产业综合体系，目前，中国林业产业主要依赖第一、第二产业的拉动。中国林业第二产业经过 30 多年的发展，已经形成了木材加工、家具制造、纸和纸品制造、林化产品制造 4 大产业部类。其中木材加工业居主导地位，涵盖锯材、木片、人造板、胶合木、木制地板、卫生筷子、饰面板、层压板、单板、软木制品等 10 大类。以木材加工为代表的林业第二产业的支撑作用是中国林业产业依赖的主要产业基础。

中国木材加工业处于全球产业链的低端（蓝瞻瞻，2012），建立在大量消耗木材资源和劳动力成本低廉基础上的粗放型中间品生产，长期以低附加值的贸易出口导向战略为引导，承接中低端产业链的加工贸易是其主要特征（杨红强，聂影，2011）。以家具为例，中国家具产业已经嵌入全球家具价值链中，处于价值链的低端，属于贸易依存度高的产业，且目前基本上是以产业集聚的方式获取其规模经济和外部经济效应。中国家具产业已基本嵌入国际采购商价值链中，这种驱动有着很弱的根植性、很强的全球移动性（对全球各区域劳动力成本的敏感性），这对于中国家具产业集聚水平的提高和家具产业竞争力提升极为不利，因为家具产业集聚是以空间存在为特征，具有空间不可转移性。这主要是由于家具属于劳动密集型产品，而且属于最终消费品，消费者感觉是决定产品销售的关键性因素，而零售商又是接触与影响消费者的关键环节。家具产业集群的购买者控制着世界不同地区的生产型家具产业集群，而不同地区的产业集群形成的价值链又存在着明显的价值等级特征，主要以终端产品的价值差异来体现。我国家具企业作为低端的家具生产者，面对着相近价值链环节的其他国家家具企业的竞争，一旦我国出现生产要素成本的快速上涨，跨国分销商将立刻转向选择其他国家或地区的生产者，这也解释了为什么近年来国外的品牌代工订单更多地向越南等东南亚国家转移的现象（程宝栋，2013）。

中国木材加工业产业链各环节的主要问题：在上游环节，科技支撑力度不够，林产品品种研发严重滞后，研发设计能力不强；国内森林资源基础支撑能力弱（森林资源总量不足，森林面积人均占有量仅相当于世界人均占有量的1/5，活立木蓄积量人均占有量仅为世界人均占有量的1/8；森林资源质量低，全国林分平均蓄积为每公顷78m³，为世界平均水平的68.5%）；森林资源培育力度不够，没有形成持续稳定的资金支持渠道；进口价格越来越高，进口越来越难，利润空间越来越小。在中游环节，各级林产品协会还不健全，没有形成良性的运行机制，没有充分发挥应有的作用；林业生产商以规模较小、设备落后、小作坊式的民营企业为主，先天不足，风险抵抗能力较差；长期以来，中国林产品加工企业主要利用廉价劳动力进行来料加工，企业生产力水平低下，劳动力成本的比较优势正在逐渐消失（以越南为例，越南具有劳动力成本低和更靠近原料基地的优势，吸引了400多个林业外商投资项目，出口额占木材产业出口总额的50%以上，林产品出口到120个国家和地区，主要出口美国、欧盟和日本，越南已成为中国林产品的一个强劲竞争对手，尤其低附加值林产品出口竞争日趋激烈）。在下游环节，对少数国家市场高度依赖，林产品销售受人掣肘；来自其他发展中国家的林产品对中国林产品出口造成较大冲击（薛选登，2013）。中国林业产业转型升级本就有内在要求（杨红强，聂影，2011），在低碳经济背景下，则更加必要和紧迫。

中国已成为一个林业产业大国，人造板、家具等主要林产品的产量居世界第一，纸和纸板产量居世界第二。同时，中国也是一个林产品贸易大国，人造板、纸和纸板、木制品、木家具出口规模居于世界前列。但与世界林业产业发达的国家相比，中国还有不小的差距：在国民生产总值中，林业产业所占比重较低；在林业总产值中，第二、第三产业产值占比过低；第二产业加工企业规模小，技术水平低，初级低档产品多，精深加工产品少，木浆造纸、刨花板、中密度纤维板和定向刨花板的企业平均规模分别仅为世界水平的33.33%、12.98%、35%、10%，技术装备水平也普遍较低，中国的木材综合利用率仅为60%左右；科技含量低，科技成果转化慢，林业产业科技贡献率仅为20%，远低于全国其他行业40%的平均水平。从林业产业大国、林产品贸易大国迈向林业产业强国、林产品贸易强国，是中国林业产业和贸易发展的必然趋势。

（4）低碳经济转型是促使全球价值链上中国林业产业升级的一个机遇。低碳经济是一个全新的经济发展模式，低碳经济制度建设、技术变革等是挑战，也是促使全球价值链上中国林业产业升级的一个机遇。例如，低碳规则通过碳关税、碳减排、碳标签、碳足迹等渠道，产生负效应，包括锁定效应，出口贸易的价格比较优势弱化，贸易结构可能恶化。但是也可以产生正效应：有利于贸易和产业结构升级，有利于新能源新技术产业发展；在低碳规制的动态模型中，出口国企业在进口国的低碳规制的"倒逼"下，存在着提升生产技术和产品品质的动力，尤其在政府低碳补贴等手段激励下，企业会加快技术进步与产业升级以适应进口国低碳规制的要求。低碳经济与贸易之间的协调能够带来正面的影响，如能够在清洁技术方面起到刺激生产、贸易和投资的作用（汤碧，2012）。

9. 1. 2. 2　全球资源链视角

　　林业产业具有基础性、不可替代性、产品多样性、资源珍贵与稀缺性、战略性等特点，是典型的资源限制型产业。目前，越来越多的国家将森林资源作为重要战略资源而加以保护，木材等林产品作为经济社会发展中不可或缺的物质材料，已由一般的经济问题逐步演变为资源战略问题，稀缺性进一步凸显。以下主要依据《2010 年全球森林资源评估》（FRA 2010），结合 FAO 以往的《全球森林资源评估》和第七次中国全国森林资源清查的结果，对森林资源及其木材供给能力进行具体说明。

　　（1）全球森林资源：时空分布不均。森林面积：全球毁林速度有所减缓，中国森林面积净增加，见表 9-6，2000～2010 年全球森林面积的净变化估计为每年 -558.1 万 hm²，低于1990～2000 年期间每年 -832.3 万 hm² 的数字。2000～2010 年，在洲的层面比较，南美洲和非洲仍是森林净损失最大的地区。在国家的层面比较，在森林面积位列全球前十位的国家中，加拿大的森林面积几乎没有变化，中国、印度、美国、俄罗斯的森林面积增加（中国净增加最多），其余是减少的。中国和印度主要是因为成功地实施了一系列保护和发展森林的措施（例如全民义务植树、分类经营、林业体制改革、退耕还林、天然林保护等）；美国主要是人工林大幅度增加，减少了天然林采伐；俄罗斯主要是因为天然林自然扩张。

表 9-6　森林面积及其年均变化（世界及前十位国家）

国家	森林面积（千 hm²）				年均变化					
					1990～2000		2000～2005		2005～2010	
	1990	2000	2005	2010	千 hm²/年	%	千 hm²/年	%	千 hm²/年	%
俄罗斯	808950	809269	808790	809090	32	n. s.	-96	-0.01	60	0.01
巴西	574839	545943	530494	519522	-2890	-0.51	-3090	-0.57	-2194	-0.42
加拿大	310134	310134	310134	310134	0	0	0	0	0	0
美国	296335	300195	302108	304022	386	0.13	383	0.13	383	0.13
中国	157141	177000	193044	206861	1986	1.20	3209	1.75	2763	1.39
刚果民主共和国	160363	157249	155692	154135	-311	-0.20	-311	-0.20	-311	-0.20
澳大利亚	154500	154920	153920	149300	42	0.03	-200	-0.13	-924	-0.61
印度尼西亚	118545	99409	97857	94432	-1914	-1.75	-310	-0.31	-685	-0.71
苏丹	76381	70491	70220	69949	-589	-0.80	-54	-0.08	-54	-0.08
印度	63939	65390	67709	68434	145	0.22	464	0.70	145	0.21
十国合计	2721127	2690000	2689968	2685879						
世界占比（%）	65. 28	65. 85	66. 24	66. 60						
世界	4168399	4085168	4060964	4033060	-8323	-0.20	-4841	-0.12	-5581	-0.14

资料来源：FAO. Global Forest Resources Assessment 2010 Main report. FAO forestry paper 167，2010 .

　　森林覆盖率、活立木蓄积和碳储量：全球森林覆盖率增加，中国增加较快，但是人均资源少。表9-7、表9-8显示，2010年，全球森林覆盖率为31%，较2000年，提高了1.4个百分点；人均森林面积0.6 hm^2，较2000年减少0.05 hm^2。单位公顷活立木蓄积年变化率几乎为0。中国森林面积居世界第五，森林活立木蓄积居世界第六。中国的森林覆盖率一直是增加的，2010年已达22%（增幅仅次于民主刚果、美国和加拿大，高于世界平均水平）；人均森林面积0.16 hm^2（不及世界平均的1/3，但是较2005年有所增加）；人均森林活立木蓄积为11.03m^3（约为世界平均的1/6，与2005年持平）。

表9-7　2010年覆盖率及其趋势（世界及前十位国家）

国家	森林					其他林地		其他陆地	
	面积 （千 hm^2）	人均面积 （hm^2/人）	覆盖率			面积 （千 hm^2）	覆盖率 （%）	面积 （千 hm^2）	其中： 有树木覆盖 （千 hm^2）
			2010年 （%）	比2005年 增加的百分点	比2000年 增加的百分点				
俄罗斯	809090	5.70	49	1.1	-1.4	73220	4	755829	5650
巴西	519522	2.68	62	4.8	-2.3	43772	5	269218	-
加拿大	310134	9.19	34	0.4	7.5	91951	10	507266	-
美国	304022	0.99	33	-0.1	8.3	14933	2	597238	26993
中国	206861	0.16	22	0.8	4.5	102012	11	633658	-
刚果民主 共和国	154135	2.26	68	9.1	8.4	11513	5	61057	-
澳大利亚	149300	6.80	19	-2.3	-1.1	135367	18	483561	-
印度 尼西亚	94432	0.41	52	7.2	-6	21003	12	65722	-
苏丹	69949	1.83	29	0.6	3.1	50224	21	117427	-
印度	68434	0.06	23	0.2	1.4	3267	1	225618	1528
世界	4033060	0.60	31	0.7	1.4	1144687	9	7832762	79110

　　资料来源：FAO. Global Forest Resources Assessment 2010 Main report. FAO forestry paper 167, 2010。用于计算人均面积的人口数来源于联合国统计局2008～2009的估计数（http：//unstats. un. org/unsd/demographic/products/vitstats/default. htm 2010－11－04）。

表 9-8　2010 年森林和其他有林地的立木蓄积量(世界及前十位国家)

国家	森林的立木蓄积量						其他有林地的立木蓄积量	
	总量 (百万 m³)	人均蓄积 (m³/人)	单位蓄积 (m³/hm²)	针叶 (百万 m³)	阔叶 (百万 m³)	商业立木 蓄积(%)	总量 (百万 m³)	单位蓄积 (m³/hm²)
巴西	126221	650.62	243	345	125876	35	–	–
俄罗斯	81523	574.49	101	61570	19952	100	1775	24
美国	47088	153.38	155	34282	12805	92	–	–
刚果民主共和国	35473	521.08	230	–	–	–	–	–
加拿大	32983	977.57	106	25336	7647	–	–	–
中国	14684	11.03	71	6901	7782	31	1112	11
印度尼西亚	11343	49.03	120	–	–	–	–	–
哥伦比亚	8982	199.70	148	–	–	–	–	–
秘鲁	8159	280.07	120	–	–	–	–	–
喀麦隆	6141	–	308	0	6141	18	244	19
世界	443637	66.00	110*	–	–	–	–	–

注　*2010 年没有公布单位蓄积,作者根据报告估计与 2005 年基本相同,并据此推算世界蓄积和人均蓄积。

资料来源:FAO. Global Forest Resources Assessment 2010 Main report. FAO forestry paper 167, 2010。用于计算人均蓄积的人口数来源于联合国统计局 2008 – 2009 的估计数(http://unstats.un.org/unsd/demographic/products/vitstats/default.htm 2010 – 11 – 04)。

森林类型:全球人工林面积不断增加,中国居世界第一。2010 年,在世界森林面积中,原生林占 36%,其他天然再生林占 57%,人工林占 7%。明显变化是:①世界原生和天然再生林面积逐年减少。2000 ~ 2010 年,由于选择性砍伐和其他人类干预,原生林面积缩减了 4000 多万 hm²,下降了 0.4%。②人工林面积和比例逐年增加。2005 年以来,人工林面积每年增加约 500 万 hm²;其 3/4 的人工林由本地树种构成,1/4 为引入树种。生产性人工林占世界森林面积的比例,1990 年为 1.9%,2000 为 2.4%,2005 年为 2.8%。中国的人工林总面积居世界第一,占世界人工林的 27.33%,占中国森林面积的 37%,比例较高;原生林仅为 6%,比例相对较低。具体情况见表 9-9。

表 9-9　2010 年的森林类型(世界及森林面积前十位国家)

国家	原生林		其他天然林			人工林		
	面积 (千 hm²)	占森林面积比 (%)	面积 (千 hm²)	占森林面积比 (%)	引入树种 (%)	面积 (千 hm²)	占森林面积比 (%)	引入树种 (%)
俄罗斯	256482	32	535618	66	0	16991	2	0
巴西	476573	92	35532	7	–	7418	1	96
加拿大	165448	53	135723	44	–	8963	3	–

（续）

国家	原生林		其他天然林			人工林		
	面积 （千 hm²）	占森林面积比 （%）	面积 （千 hm²）	占森林面积比 （%）	引入树种 （%）	面积 （千 hm²）	占森林面积比 （%）	引入树种 （%）
美国	75277	25	203382	67	n. s.	25363	8	2
中国	11632	6	118071	57	5	77157	37	28
刚果民主 共和国	–	–	–	–	–	59	n. s.	–
澳大利亚	5039	3	142359	95	0	1903	1	53
印度尼西亚	47236	50	43647	46	–	3549	4	–
苏丹	13990	20	49891	71	–	6068	9	n. s.
印度	15701	23	42522	62	–	10211	15	13
世界	1451902	36	2298844	57	–	282314	7	–

资料来源：FAO. Global Forest Resources Assessment 2010 Main report. FAO forestry paper 167, 2010.

（2）全球森林的木材资源供给能力：变化不大。森林的经营以用途和价值多样化为目标（表 9-10）。世界约 54% 的森林可以用于生产（作为首要或次要功能）。①全球年木材采伐量：达 34 亿 m³，为立木蓄积总量的 0.7%，与 1990 年持平；如果考虑到非正式和非法砍伐的木材（特别是薪材）通常没有记录的情况，木材采伐量的实际数字会更高；从全球来看，工业原木和薪材各约占木材采伐量的一半（表 9-11）。②木材采伐价值高而不稳：1990～2000 年间，全球采伐价值未变（可推知原木价格下降），而 2000～2005 年间每年增加约 5%（以实际价值计算，可推知原木价格有所恢复）；但自 2005 年以来，原木价格下降。③森林保护及其对木材供给的影响：FAO 估计 2000 年森林面积的 14% 为保护区，2010 年 13% 为保护区。就全球而言，保护区对木材供给的影响较小。不过，北美和西欧的亚热带和温带森林保护区是一个限制木材供给的重要因素。④人工林代替天然林提供木材和纤维以满足需求、缓解由于非可持续性采伐天然林导致的森林退化和毁林的潜力在增加。2000 年，人工林为全球提供了 35% 的原木，到 2020 年，该数字有望提高到 44%。人们对发展人工林沉降碳的兴趣正在增加，但是全球未能对法律手段、机制和监督等约束条件达成一致意见。

表 9-10　2010 世界森林的指定首要功能

国家	森林面积 （千 hm²）	指定首要功能（%）						
		生产	水土保持	生物多样性保护	社会服务	多用途	其他	未知
俄罗斯	809090	51	9	2	2	10	26	0
巴西	519522	7	8	9	23	4	0	49
加拿大	310134	1	0	5	0	87	0	7

（续）

国家	森林面积 （千 hm²）	指定首要功能（%）						
		生产	水土保持	生物多样性保护	社会服务	多用途	其他	未知
美国	304022	30	0	25	0	46	0	0
中国	206861	41	29	4	2	24	0	0
刚果民主 共和国	154135	5	0	17	0	0	0	78
澳大利亚	149300	1	0	15	0	39	44	1
印度尼西亚	94432	53	24	16	0	0	0	7
苏丹	69949	50	3	17	0	0	0	30
印度	68434	25	16	29	0	30	0	0
世界	4033060	30	8	12	4	24	7	16

资料来源：FAO. Global Forest Resources Assessment 2010 Main report. FAO forestry paper 167，2010 .

表 9-11　**2005 年木材采伐量最大的十个国家及其 1990～2005 年间的木材采伐量趋势**

国家	工业原木				木质燃料(薪柴)			
	总采伐量 （千 m³）ª			2005 年 采伐自森林 的比例 （%）	总采伐量 （千 m³）ª			2005 年 采伐自森林 的比例 （%）
	1990	2000	2005		1990	2000	2005	
美国	499193	495740	481006	100	97725	51779	51101	67
加拿大	188753	212012	214057	–	7112	3292	3251	–
俄罗斯	268396	104546	134870	100	68131	47770	50905	100
巴西	115254	92102	117048	100	162348	120552	122573	100
瑞典	56476	64729	75539	100	3602	6726	10826	100
中国	64814	55502	63882	100	63600	75948	63676	100
德国	37043	47265	58788	100	7646	12497	16548	100
芬兰	43840	55721	55152	100	3371	5112	5933	100
印度	35055	41173	45957	6	213169	245837	260752	20
智利	16455	28862	36032	100	8744	13057	14240	100
波兰	22783	29598	35572	99	4338	3382	4635	91

注 a：各自 1988～1992 年，1998～2002 年和 2003～2007 年的平均数。

资料来源：FAO. Global Forest Resources Assessment 2010 Main report. FAO forestry paper 167，2010 .

（3）中国木材资源供给安全形势严峻。中国木材资源供给安全问题主要表现为国内木材供给的总量性、商品结构性、地区结构性短缺问题突出，进口资源依赖度高。

①中国的木材需求量大，而且还有增加潜力。中国工业用材、纸浆和纸产品消费市场位居世界第二，仅次于美国，而且消费增加的潜力巨大。从内需看，国内住宅行业将继续增长，拉动家具内需；纸张消费将从非木质纤维纸张转向木质纤维纸张，包括回收利用废纸；由胶合板、纸浆和造纸厂所产生的对木材原料需求会依然保持强劲势头。如果按照近10年中国木材消费平均年增长率3.71%估算，到2020年中国木材消费总量将达6.78亿m^3。目前，世界人均年木材消耗量为0.58m^3，发达国家约1.0m^3，中国仅为0.28m^3，如中国达到世界人均水平，甚至发达国家水平，则木材消费总量将更大。从外需看，中国作为林产品加工制造大国，大进大出的林产品贸易格局短期内难以改变，外需强大。

②中国森林资源的木材供给能力增长仍远不能满足需求的增长。中国在保护和增加森林资源方面成效显著，但是从可提供的木材供给角度来看，中国的森林资源依然匮乏，供给能力仍然有限。（a）天然林木材供给能力分析。中国于1998年开始实施天然林资源保护工程，停伐减产到位后，整个工程区年度商品材产量比工程实施前减少1990.5万m^3，减幅62.1%，大幅度减少了中国天然林的木材供给能力。2010年是天保工程一期的最后一年，中央已明确2011年为二期启动年。二期将围绕保护和培育天然林资源，实现林区可持续发展为中心，积极由单一保护向保育并举、由简单停伐减产向以人为本、由单纯工程措施向依托政策支持，加快推进改革，建立天然林保护长效机制转变（张志达，2010）。（b）人工林的木材供给能力分析。中国人工林的发展规模较为庞大，约占全国森林面积的37%，占世界人工林面积的27.33%（FAO，2010）。但人工林依然存在单产低、质量差、林龄结构、树种结构不合理等诸多问题。从单产上看，由于资源结构、经营水平等原因，中国的人工林单产量仅为46.59m^3/hm^2，与林业发达国家相比存在巨大差距；从林龄结构来看，中国幼龄林面积5261.86万hm^2，中龄林面积5201.47万hm^2（国家林业局，2010），中幼林占人工林分蓄积量的64.16%，大部分人工林处于不适宜采伐的阶段；从树种结构看，受生长期、地力、财力等限制，东北地区的落叶松、华东中原大部分地区的杨树、华南西南大部分地区的马尾松、杉木及近些年漫天遍地的桉树，占据了全国木材生产量的70%以上，结构不合理。此外，由于中国人工林栽植密度偏大，抚育管理措施单一，导致林下植被稀少，很少能够形成自然林乔、灌、草层次，林分生态系统调节功能极低，极易感染病虫害。也正因此，中国的人工林在木材供给方面呈现出单产低、质量差、材种结构不合理等问题（缪东玲，2010）。

总之，中国森林资源的木材供给能力增长仍远不能满足需求的增长，再加上木材高效利用水平和综合利用率低（仅为63%，而发达国家约为90%），废旧木材回收与循环利用不足，中国木材供需矛盾日益尖锐，供给总量短缺；商品结构性短缺，尤其优质大径级木材资源匮乏；地区结构性短缺，各省份木材供给能力差异较大。

表9-12归纳了3份研究报告对中国2010年木材市场的预测。其中，木材资源国际估计缺口为1.19亿m^3，国际热带木材组织研究人员预计供给缺口为0.64亿m^3，朱春全等人（2004）估计缺口为1.25亿m^3。尽管估计结果不同，但结论类似，都认为2010年国内工业用材供应远不能满足需求（朱春全、罗德内·泰勒、奉国强，2004）。

表 9-12　2010 年中国木材市场预测

研　究	中国国内工业用材供应（原木当量）	满足需求需要进口量（原木当量）
木材资源国际	1.13 亿（8300 万 来自短轮伐期人工林）	1.19 亿
国际热带木材组织	1.8 亿	0.64 亿（0.21 亿热带木材）
朱春全，罗德内·泰勒，奉国强	1.14 亿	1.25 亿

注：由世界自然基金会中国分会林业项目、国家林业局经济发展研究中心、中国林科院及来自英国、澳大利亚、加拿大等国的共十余位专家，从 2001 年开始，通过对中国和主要供应国的林业研究、海关数据分析，对中国不同区域的木材市场调研等方法，历时 4 年完成了《中国木材市场、贸易和环境》调研报告。该报告认为，如果中国政府计划在西部大开发战略下突出西部地区的发展，大型基础设施建设项目可能会拉动新一轮的木材需求。国内对高档纸张需求的不断增长和新建大型木浆厂的需求以及中国外商直接投资政策的吸引，将导致对木纤维需求的增加。尽管期望木浆厂利用速生人工林和回收纤维，但中国至少在中期内还需进口大量纸浆和纸张，补充国内生产。到 2010 年，按照原木当量，预计中国每年工业用材消费约为 1.71 亿 m^3，纸浆和纸张消费约为 0.69 亿 m^3，年消耗量达 2.39 亿 m^3（其中，外需为 0.68 亿 m^3）。随着中国南方新造林达到成熟期，短轮伐期人工林木材供应显而易见会增加。估计 2010 年中国将生产 1.14 亿 m^3 工业用材，因此中国还将进口 1.25 亿 m^3，以满足上述所估计的国内消费和再出口的需求。就是说，中国要在 2003 年的基础上，额外增加 0.31 亿 m^3。

　　谭秀凤（2011）根据木材供给和需求影响因素的分析结果，建立变量体系，并设定相应参数，构建系统动力学模型。该模型把森林蓄积分为幼龄林、中幼龄林、近成熟林、成熟林和过熟林等 5 个龄级，能够预测各个径级，特别是大径级木材的供给和需求量。该系统动力学模型预测：2015 年中国大径级木材的供给和需求分别为 9000 万 m^3 和 18000 万 m^3，供需缺口为 9000 万 m^3；2020 年大径级木材的供给和需求分别为 9300 万 m^3 和 20000 万 m^3，供需缺口约为 11000 万 m^3；中国在 2015 年木材供给和需求量分别是 2.5 亿 m^3 和 4.0 亿 m^3，供需缺口为 1.5 亿 m^3；2020 年木材供给和需求量分别为 2.6 亿 m^3 和 4.6 亿 m^3，供需缺口为 2.0 亿 m^3；2015 年和 2020 年中国大径级木材缺口分别占中国木材总缺口的 60% 和 55%。中国木材缺口主要是大径级木材的短缺。2010～2050 年中国木材供给的增长速度（6%）远远低于需求的增长速度（13%），供需缺口逐年增加，2015 年约为 1.5 亿 m^3，2020 年约为 2.0 亿 m^3，到 2050 年接近 6.0 亿 m^3。

　　③中国木材的进口依赖度高。1997～2002 年中国国内木材产量呈逐年下降趋势，2003 年开始出现恢复性增长，尽管如此，中国木材进口量在总供给量中的占比和净进口量基本呈逐年增加趋势，2011 年分别达到 44.75% 和 1.38 亿 m^3（表 9-13），接近国家安全警戒线。中国木质林产品进口额仅次于石油、钢铁而位居第三；同时，进口来源相对集中，风险较大（国家林业局，2012）。

表 9-13　中国木材市场总供给量、进口量和最终消费量

年份	(1) 总供给量（万 m³）	(2) 进口量（万 m³）	(3)=(2)/(1)×100 进口占比（%）	(4) 净进口量（万 m³）	(5)=(1)+(4) 最终消费量（万 m³）
2002	18787. 15	9445. 88	50. 28	9395. 60	28182. 75
2003	22413. 00	9758. 93	43. 54	7607. 09	30020. 09
2004	30669. 02	10903. 94	35. 55	6962. 36	37631. 38
2005	32597. 75	12146. 88	37. 26	7246. 51	39844. 26
2006	33709. 96	12822. 45	38. 04	6573. 75	40283. 71
2007	38273. 80	15520. 69	40. 55	8632. 20	46906. 00
2008	37131. 58	15524. 30	41. 81	9690. 36	46821. 94
2009	42234. 49	18436. 62	43. 65	11963. 44	54197. 93
2010	43189. 92	18356. 08	42. 50	10567. 75	53757. 67
2011	50003. 99	22375. 12	44. 75	13795. 12	63799. 11

注：2002 年和 2003 年未考虑超限额采伐量，所以计算的进口比例略偏高。林产品为折合原木。

资料来源：根据 2003～2012 年中国林业发展报告整理。

　　林产品生产规模扩大和林产品贸易的自然资源瓶颈日益突出，成为影响中国木材加工产业健康发展和林产品贸易可持续发展的基础性要素。由于国内供给能力不足及进口资源受限，未来中国木材加工产业的发展存在 2 种可能，一种是由于资源短缺而严重动摇继续发展的基础，基于资源短缺的产业安全问题愈发严重，产业发展不可持续；另一种即加快进行产业转型升级，由自然资源依赖型向技术进步型和资本密集型转变，通过改变产业依赖的要素基础而改变产业安全面临的潜在威胁（杨红强，聂影，2010）。

　　中国已经注意利用多种途径解决木材供需缺口问题：加大全国速生丰产用材林基地建设规模，以较短的时间提高木材供给能力；加快现有中幼龄林抚育的步伐；全面提高森林采伐利用率和木材综合利用率；加快以人工林、"三剩物"等为原料的林产工业建设；积极开发竹资源；有效利用国际市场进口木材；适度开发海外森林资源，增加进口替代。作为对全球环境保护负责任的大国，发展本国资源，尽量减少木材进口是解决中国木材安全的根本措施。森林的供给能力一方面取决于森林数量的多少（面积、蓄积），另一方面取决于森林的质量（生长率、生长量），二者归一，最终要通过增加森林蓄积来实现。森林蓄积的增加可以靠森林面积的增加来实现，也可以靠通过改善森林经营提高森林质量和森林生产力来实现。基于中国的国情和林情，应该走"重数量、更重质量"的发展之路（田明华、宋维明、陈建成，等，2010）。

9.1.2.3　生态链视角

　　（1）生态社会及产业结构生态化演进。在环境保护大背景下，有一些提法早于低碳经济，其中，生态经济侧重通过经济萧条和生态系统的有机结合实现可持续发展；循环经济侧重通

过整个世界物质的循环利用实现可持续发展；绿色经济强调通过与环境没有对抗的经济行为实现可持续发展；低碳经济则将重点放在减少碳排放量，更强调通过技术更新，在应对气候变化的过程中实现可持续发展。它们在内涵上有共同点，是人类对自身发展与自然关系的反省与总结，是人类面对环境危机和能源危机的产物，只是侧重点不同（倪晓宁，2012）。低碳经济所致力的正是经济发展在生态文明影响下的绿色尺度（周国文，2011）。而由以碳为主的经济转变为以氢为主的经济（或者说由以不可再生资源为主的经济向以可再生资源为主的经济转变），实现生态效益、社会效益、经济效益的理想社会状态就是生态社会。生态社会的产业结构应当是一个旨在改变生产和消费方式，高效合理的利用一切可再生资源的产业结构，应当是一个有利于人与自然、社会全面发展的产业结构，最终能够促进生态社会经济效益、社会效益、生态效益全面实现（鲁雁，2011）。

（2）林业生态与林业产业存在对立统一性。森林是一个巨大的宝库，人类的生活和发展离不开森林，包括森林的木质和非木质产品，以及森林的各种服务；森林资源遭受破坏的最主要的根源是贫困；保护和培育森林资源必须和解决贫困同步进行；林业产业不仅是木材采伐，更需要包括营林育林、多种森林产品和森林功能的利用（唐宋正，2012）。林业既是生态建设的主体，又是经济社会可持续发展的基础产业和公益事业。木材加工产业在林业产业结构中，起着承上启下的作用，它既是第一产业发展转移的依托，又推动着第三产业的发展。林业产业具有生态性，是同时兼有生态、经济和社会三大效益的特殊产业，在促进经济社会可持续发展中，具有其他行业不可替代的重要作用。林业第一产业是以培育森林资源为主的产业，能够直接增加森林资源总量，从而发挥巨大的生态效益；第二产业是第一产业的延续，是森林资源综合利用和提高附加值的加工业，其产品具有降解性，并且能够在满足人们对林产品刚性需求的同时，充分拉动森林培育业的发展，实现资源越用越多；第三产业是以良好的生态环境和典型的森林景观为依托的产业，更具有十分明显的生态性。

发展林业产业能够实现零排放，林业生态与林业产业存在对立统一性。许多林业发达国家都具有先进发达的林业产业体系和完备的林业生态系统（徐有芳，1995），如芬兰、瑞典、加拿大和新西兰等国（谢煜、张智光，2007）。王兆君（2001）进一步研究了林业生态与林业产业之间的联系，提出二者的共同点都是以森林资源为载体，是对立、统一的关系；"两大体系"主导功能上分，目标上合；因子上分，系统上合；认为两大体系协调发展、协同运行是当前中国林业发展的核心问题。事实上，早在1995年，中国原国家林业部提出了建立比较发达的林业产业体系与比较完备的林业生态体系，并对发达的林业产业体系和完备的林业生态体系作了相关的注解（徐有芳，1995），但是由于当时的经济发展水平较低、政府财力有限和社会认知等原因，一直没达到应有的效果。

（3）森林生态与林业产业耦合。宁哲（2007）提出了"整体—和谐—同化—持续"的森林生态与林业产业耦合理论体系，认为森林生态与林业产业耦合系统生态化转型，既是森林生态与林业产业耦合系统平衡高水平的协同进化，也是顺应中国社会对生态迫切需求的一种必然选择，其内涵包括：强化森林生态与林业产业的互动与和谐共荣，促进林业产业与森林生态的同化；全面认识森林价值，科学地发挥森林整体功能；自然观与现代科技相结合，通过一条绿色通道，在发挥生态效益中增大经济效益；师法自然，发展循环经济。

10. 1. 2. 4 资源链、生态链和价值链协调

（1）价值链、资源链和生态链的循环运行并不是孤立的。在林产品工业中，造纸比较容易成为碳关税等措施影响最大的因素。张智光（2012）按照资源链、生态链和价值链的逻辑线路，依次研究制浆造纸子系统、资源与消费子系统、生态环境子系统、社会经济子系统的循环经济核心结构模型及其多层次拓展结构模型。研究表明，资源、生态和价值链的循环运行并不是孤立的，它们相互交织、相互促进，可以形成林纸循环经济系统的共生发展机制：价值链要借助资源链和生态链实现价值增值和可持续发展，反过来它又通过资金直接投入、供应链利益合理分配、各类市场交易的利益再分配等多种途径促进资源链和生态链的良性发展；资源链是生态链的生物学基础，而生态链又是资源链持续增长的生态学支撑，两者相辅相成。

张智光、姚惠芳（2012）认为如果彻底转变"大量伐木、大量生产、大量消费、大量废弃"的粗放式经济增长方式，取而代之以"高营林、低采伐、高利用、低排放"为特征以共生发展为核心的循环经济方式，则造纸甚至可以实现零排放。他们提出造纸工业循环经济系统应该包含5个子系统：减量化子系统（reduction）、再循环子系统（recycle）、再利用子系统（reuse）、再分配子系统（redistribution）和再营林子系统（reforestation）（图9-2）。其中，再分配子系统、再营林子系统是一般循环经济系统所没有的，是独具林纸绿色供应链特色的循环经济要素（张智光、姚惠芳，2012）。

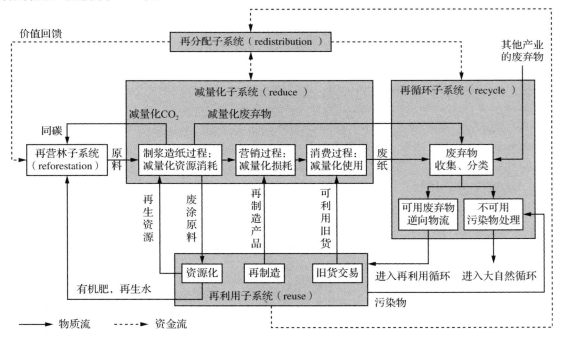

图9-2 造纸工业循环经济5R模式的系统结构

资料来源：张智光，姚惠芳. 造纸工业循环经济的绿色共生特性和5R模式研究[J]. 东南大学学报（哲学社会科学版），2012（4）：29~35.

（2）林业三次产业是一个有机的整体，面临的是整个产业链的竞争。杨加猛，张智光（2011）认为，就林业产业链的演变机理而言，一般是由某些具有明显比较优势的单个产业节点发展壮大开始，逐步向前、向后产业纵向延伸，以及相关节点领域进行横向拓展，而新产业领域的延伸和拓展效果很大程度上取决于这些领域与原有优势产业领域的关联性。进一步发展，林业产业链各节点与节点领域的实力得以不断提高，促进产业链的厚度呈现日益上升的趋势（图 9-3）。

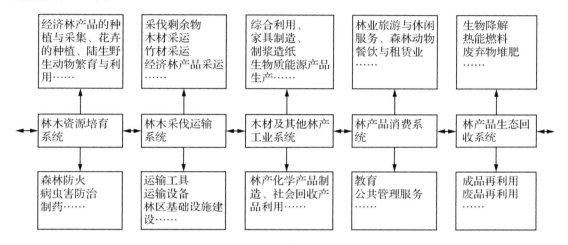

图 9-3　林业产业链的长度延伸与广度扩展

资料来源：杨加猛，张智光. 基于 LBCT 四维演变的林业产业链测度模型［C］. Evaluation model of forestry industrial chain based on LBCT evolvement mechanism. 江苏省系统工程学会第十一届学术年会论文集. 江苏镇江，2009，10.

（3）低碳林业产业链与林纸一体化、林板一体化、林工贸一体化探索。所谓低碳林业产业链，是指在林业三大产业协同发展的过程中，更加注重制度创新与技术创新，由被低碳化经济过程所贯穿的林业上、中、下游环节各产业群所组成的一种多维网状关联结构。它是一条包含低碳森林培育采伐业、低碳林产品加工业、低碳森林旅游业及低碳林业服务业在内的新型林业产业体系。低碳林业产业链由系统内部和外部共同作用，降低碳排放和固碳（图 9-4）。低碳林业产业链不是简单的链式结构，而是一个有机的协同体。低碳林业产业链的构建：在原有林业产业链活动的基础上，采用科学的管理方式，应用大量的碳中和技术，尽可能最大限度地增加森林碳汇，减少温室气体排放，从而获得较大的林业经济产出，促进林业的可持续发展，减缓全球气候变暖的进程。低碳型林业产业链的基本特征：低碳及无碳化；节点企业间信息共享，一体化经营；系统创新；利益分布的不均衡（陈红，高二波，2011）。

林纸一体化：其核心在于打破过去林业与造纸业互不协调的传统模式，充分利用市场把土地、营林、制浆、造纸的四大生产要素有机地结合起来，加快造纸企业木浆原料林基地建设，形成"以纸养林、以林促纸、林纸结合、协同发展"良性循环的大产业。"林纸一体化"将成为造纸业未来的发展方向。一方面，林纸一体化有利于造纸原料结构的调整。传统的草浆造纸耗能大、排污重，以木浆代替草浆造纸，刻不容缓；木浆进口依赖性太高容易受制于人；向上游林业发展，建设原料林，生产自制木浆是造纸业的必然选择。另一方面，林纸一

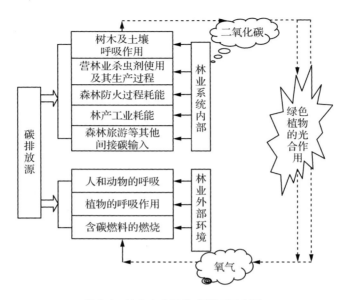

图 9-4 林业产业链的碳循环示意图

资料来源：陈红，高二波．低碳林业产业链研究[J]．中国林业经济，2011(3)：19~22．

体化可以帮助造纸业有效提高碳生产率。提高碳生产率是发展低碳经济的核心，而提高碳生产率可通过提高行业效益产出、提高碳汇与降低碳源等多种方法实现。在"林纸一体化"的生产方式中，上游的原料林除了为下游造纸提供木浆原料，同时还可吸收二氧化碳，大大增加碳汇，并可提供生物燃料，降低碳源，几乎可以实现二氧化碳零排放；企业通过种植或合作经营及收购等多种形式获得原料林，将可把产业链延伸至行业最顶端，一方面可以降低原材料成本，保证原材料供给，同时还可通过出售木材、木浆等多种形式获得额外利润。尤其在林权体制改革与相应措施政策逐步推行后，营林风险将进一步降低，营林收益也会更加明确。林纸一体化早就是国际造纸业普遍推行的一种产业发展模式。事实上，国内多家造纸上市公司如岳阳纸业、晨鸣纸业已经在国内外有计划成规模地购买、种植原料林，林纸一体化的优势初步彰显。

类似地，林板一体化、林工贸一体化也可以通过产业间的协同作用，带动人工用材林基地实现规模化经营，从而解决林产工业资源约束，提高林产工业的国际竞争力。

理论支撑体系：2006 年，一些学者运用现代经济学和管理学理论，构建了林纸一体化的动力机制模型，描述了动因机制、产业组织机制和目标机制之间的相互作用关系。在此基础上，又从林纸一体化的内部优势理论(交易成本、资产专用性、双重加价和最优产量决策等理论)、外部优势理论(风险规避和产业竞争力等理论)和组合方式理论(资产重组、产业融合、产业集群与网络化组织等理论)等 3 方面构筑了林纸一体化或林板一体化的理论支撑体系。技术支撑体系：包括适合林纸一体化、林板一体化的林木培育技术、制浆造纸、人造板技术。上述体系为分析林纸一体化系统结构、环境和目标及运行原理奠定了基础。2009 年，有学者运用系统工程、绿色供应链、循环经济和共生机制等理论，研究了融合上述理论和技术两大支撑体系的林纸一体化供应链的网络结构模型、层次结构模型、内部与外部关联结构模型，以及包含了资源链、生态链和价值链的绿色供应链共生模型和物质循环模型，从而进一步揭示了林纸一体化系统的运行机理（张智光，姚惠芳，2012）。

9.1.3　关于低碳经济背景下林产品贸易发展方式的转变

中国林产品出口产品附加值低、缺乏自主品牌和环境成本高等弊端成为众多学者批评的焦点，转变外贸发展方式的呼声越来越高。第一，国际金融危机通过价格和收入双重效应导致中国林产品出口的外需萎缩，倒逼外贸发展方式转变，长期以来对外贸易采取出口导向、大进大出、低成本和低价格竞争的策略难以为继。第二，国际金融危机发生以来，贸易保护主义倾向在世界范围内不断增强，不少国家借口发展低碳经济、应对气候变化、解决环境问题等，进行贸易保护。作为全球第二大出口国，中国也成为全球贸易保护主义打击的最大目标。第三，人民币升值的压力不断增大，这无疑给中国扩大出口又增加了一个变数。为了达到林产品贸易低碳、可持续发展的目标，系统探索贸易优势来源，思考贸易发展方式转变路径的紧迫性空前高涨。

9.1.3.1　相关理论研究

（1）侧重从宏观和中观层面研究贸易优势来源和外贸发展方式的理论。

贸易商品优化理论：重点关注如何提升贸易商品附加值，在国际贸易中获得更多的利益。表性研究包括加工贸易转型升级研究主要围绕贸易产品的纵向优化展开，着重增加产品的技术含量和延长价值链；扩大高技术产品出口研究主要围绕贸易商品的横向优化展开，目的是增加高附加值出口商品数量，优化货物贸易结构；发展服务贸易研究主要围绕拓展出口领域，增加服务出口的数量，优化整个贸易结构展开。

贸易战略完善理论：重点关注如何获得贸易竞争优势。其一，比较优势战略。对推动外贸发展方式转变确实存在一定的合理性。但是，比较优势战略忽略了比较优势的可替代性和竞争性。无论是以劳动生产率差异为基础的比较优势理论，还是以生产要素供给为基础的生产要素禀赋理论，其比较利益产生的前提是各国的资源和生产要素不能在国际间流动，但在经济全球化的推动下，部分生产要素和资源已经可以在国际间流动，自然资源甚至可以被合成或被新材料所替代，人力资源可以通过人力资本投资以质量上的优势弥补数量上的劣势。因此，发展中国家建立在自然资源和劳动力资源丰富基础上的比较优势很容易被其他国家的比较优势替代，所以，大部分发展中国家的比较优势是静态的，在国际竞争中并不一定具有动态的竞争优势。此外，比较优势战略忽略了市场深度对比较优势的影响。市场规模不仅体现广度上——市场地理半径的大小，还体现在市场深度上——人均真实购买力水平的高低。市场深度与一国比较优势是相互促进的，市场深度的提高会增加对资本密集和技术密集产品的需求，会增加个人在人力资本上的投资，这些都会增强一国的比较优势，进一步提高人均真实购买力，而人均真实购买力又会进一步强化一国的比较优势，产生一种良性循环机制。虽然许多发展中国家出口高速增长，但贸易条件却在不断恶化，市场深度得不到扩展，制约了本国比较优势的优化，陷入了比较优势陷阱。其二，竞争优势战略。迈克尔·波特的"国家竞争优势"理论认为，一国的贸易优势并不像比较优势理论宣称的那样简单地来源于一国的自然资源、劳动力、利率和汇率等因素，而是在很大程度上来源于一国的产业创新和升级的能力。其产业国际竞争优势模型（波特"钻石模型"）包括四种国家特有的决定因素（要素条件、需求条件、产业条件和企业条件）和两种外部力量（机遇和政府作用）。启示：在开放型经济条件下，某个国家产业的国际竞争优势不是一成不变的，产业国际竞争优势的获得具有很强的可选择性，固有的比较优势不应成为谋求国际竞争优势的阻碍，而应成为有利的促进因素。虽然比较优势与竞争优势存在着显著区别，但它们也有着非常密切的关系，即比较优势是竞争优势的基础，一国的比较优势有利于它去建立国际竞争优势，国际竞争优势是获得持久比较利益的保障，拥有比较优势并不必然拥有竞争优势，必须通过积极创新才能转化为竞争优势。其三，其他贸易战略。例如市场多元化、以质取胜和科技兴贸等战略。这三个战略基本上是依据中国的比较优势提出的，目的在于通过竞争优势的获得转变外贸发展方式。

贸易主体培育理论：重点关注如何控制全球产业链和影响国际交易价格。以培育跨国公司理论为代表。当前，产业链条各环节价值分配的决定、产业链条的长度、产业链的转型和升级主要由主导产业链的跨国公司决定。彼得·迪肯给跨国公司下一个比较中肯的定义——跨国公司是一个能够对一个国家以上的经营活动进行协调和控制的企业，即使他们可以不拥有这些经济活动。彼得·迪肯没有直接提出培育跨国公司能够促进外贸发展方式转变，但是其对跨国公司具有三种重要能力及作用的分析却间接论证了跨国公司是促进外贸发展方式转变的关键：跨国公司的第一种能力——协调和控制国家之间生产网络中交易的能力，能够影响产品和服务的国际贸易价格，是一种能够形成较高附加值的能力；跨国公司的第二种能力——能够利用生产要素分布与国家政策地理差异的潜力，能够影响贸易的规模，是一种能够运用国际资源提升贸易产品生产率的能力；跨国公司的第三种能力——在国际或甚至是全球层次不同区位之间，对资源与经营活动进行转换和再转换的能力，能够提升贸易产品的质量，是一种能够运用国际资源提升贸易产品质量的能力。此外，跨国公司掌控了较多的资源能够进行大规模的研发活动和进行品牌经营，能够创造出满足较高消费需求的高档次产品，在国际贸易中获取更高的定价权和高额利润。因此，培育跨国公司也是转变外贸发展方式的重要途径（李锋，2011）。

（2）侧重从微观层面研究贸易优势来源和外贸发展方式的理论。鲍德温（Baldwin）（2005）和 Larry Qiu（2006）等学者将异质企业贸易理论和企业内生边界理论称为"新新贸易理论"（New-New Trade Theory）。新新贸易理论放松了传统贸易理论和新贸易理论关于企业同质的假设，把关注焦点从国家和产业转向了具体从事国际经营的异质企业，并用大量事实证明从事国际贸易的企业与不从事国际贸易的企业确实存在显著的不同，界定了比较优势的新源泉——异质企业，分析了贸易福利的新来源——企业间的资源优化配置导致行业生产率提高。新新贸易理论开创了国际贸易研究的微观基础，为异质企业的出口和对外投资选择提供了强大的理论支撑，为外贸发展方式转变提供了新的理论视角。不过，从梅里兹（Melitz，2003）和安特拉斯（Antras）的开创工作算起，新新贸易理论的发展历程较短，理论体系并不完善，还需进一步努力把企业品牌、国际营销、贸易壁垒、关税、补贴和贸易政策等变量纳入模型中，深化对企业国际经营决策的分析。传统贸易理论、新贸易理论和新新贸易理论的比较归纳见表9-14（李锋，2011）。

表 9-14　传统贸易理论、新贸易理论和新新贸易理论的比较

	基本假设	主要理论	解释能力	贸易福利	代表人物
传统贸易理论	同质企业 同质产品 完全竞争市场 规模报酬不变	绝对优势理论 比较优势理论 要素禀赋理论	产业间贸易	专业化经济	斯密(Smith) 李嘉图(Ricardo) 赫克歇尔(Heckscher) 俄林(Ohlin)
新贸易理论	代表性企业 产品差异化 不完全竞争市场 规模经济	差异化产品理论 偏好相似理论 战略贸易理论 垄断竞争贸易理论	产业间贸易 产业内贸易	专业化经济 规模经济 产品多样性	克鲁格曼(Krugman) 赫尔普曼(Helpman) 格罗斯曼(Grossman)
新新贸易理论	异质企业 产品差异化 不完全竞争市场 规模经济	异质企业贸易理论 企业内生边界理论	产业间贸易 产业内贸易 企业内贸易	专业化经济 规模经济 产品多样性 行业生产率提高	梅里兹(Melitz) 安特拉斯(Antras) 伯纳德(Bernard) 耶普尔(Yeaple)

资料来源：李锋. 异质企业与外贸发展方式转变研究［D］. 北京：中国社会科学院研究生院，2011.

异质企业贸易理论：主要解释企业是否应该以及选择哪种方式（对外直接投资、出口或外包等）进入国际市场的国际化决策问题。该理论突破了传统贸易理论和新贸易理论对企业同质性的基本假定，将研究视角从宏观贸易理论延伸到贸易的微观基础——异质企业本身的异质性和行为选择，并结合国际贸易的固定成本，解释了出口企业、对外投资企业和其他企业不同行为选择的原因，丰富了国际贸易理论。基本结论：具有生产率优势的异质企业倾向于出口，低生产率企业往往选择内销，最高生产率企业出口大市场，较高生产率企业出口小市场，异质企业的出口行为决策会改善资源在企业间的配置，进而提高产业的生产率。

企业内生边界理论：探讨企业的异质性是如何影响企业内部一体化和外部一体化战略的实施，对企业边界是如何影响贸易模式的问题进行了有益的探索。基本结论：企业生产率差异使得企业可以进行自我选择，生产率最高的企业会选择国际垂直一体化，生产率处于中等水平的企业选择出口，而生产率低的企业只在国内市场销售；同时，高生产率企业海外分支机构规模较大，跨国公司内部贸易随之增加。异质企业通过内部贸易提升出口附加值，企业内生边界理论揭示，生产率差异使得异质企业可以进行国际经营模式的自我选择，生产率最高的企业会选择国际垂直一体化，生产率处于中等水平的企业选择出口，而生产率低的企业只在国内市场销售。①企业内生边界理论最早起源于安特拉斯（Antras，2003）的研究。关于企业边界有两个相对较为基础的模型，一个模型是将科斯（Coase）和威廉姆森（Williamson）的交易成本理论应用在企业国际化的研究中；另一个模型是采用格罗斯曼（Grossman），哈特（Hart）和莫尔（Moore）的产权分析方法。安特拉斯（2003）对企业边界理论进行了创新，将格罗斯曼（Grossman）、哈特（Hart）和莫尔（Moore）的产权分析方法和赫尔普曼－克鲁格曼（Helpman－Kmgman)的贸易理论结合在一个理论框架下，提出用不完全竞争假设和产品差异化假设下的企业边界产权模型来分析企业的国际经营一体化决策，模型中的企业会权衡国际一体化的收益与成本来决定是否采取一体化策略。企业边界产权模型显示：中间投入品的资本密集度越高，垂直一体化的方式对企业就越有吸引力，因此，资本密集型最终产品的生产企业将采取垂直一体化形式，而劳动密集型最终产品的生产企业将采取外包的形式获得中间投入品，所以，资本密集的中间投入品进口主要通过企业内贸易解决，而劳动密集的中间投入品主要通过外包解决。②在安特拉斯(2003)研究的基础上，一批学者对企业内生边界理论进行了创新和发展。安特拉斯(Antras)和赫尔普曼(Helpman)(2004)构建了一个南北贸易模型来解释企业外包的选择问题，解释了为什么发达国家的跨国公司有着越来越集中的资本和技术垄断以及为什么发展中国家企业的国际一体化程度远远落后等问题。格罗斯曼(Grossman)和赫尔普曼(Helpman)(2005)建立了一般均衡外包模型，在上述南北贸易模型的基础上引入了更多的解释变量，在不完全契约下的假设下分析国内外市场中间投入品的供给情况、每个市场的相对搜寻成本、一国合约制定和保护的环境等对于企业外包选择的影响，其结论是，南方国家的发展以及产业内贸易的推进能够促进外包发展，但投资技术的改进对外包的影响不大，除非南方国家的技术改进速度比北方国家更快，南方国家法律环境的改善会增加来自北方国家的外包。安特拉斯(Antras)和赫尔普曼(Helpman)(2006)放松了上述南北贸易模型的假设，允许存在不同程度的契约摩擦，并允许其程度因不同投入品和国家而异，高生产率企业自我选择是否实行一体化或将中间投入品的生产进行外包，并决定在哪个国家进行，生产率水平不同的企业存在不同的均衡点，并依次选择不同的所有权结构和进口国，高生产率企业选择国际一体化，较高生产率企业选择外包，契约制度的好坏也将对企业的国际化决策产生不同程度的影响。此外，安特拉斯(Antras)和考斯蒂诺(Costinot)(2009)把中介贸易商引入标准的两国两产品的李嘉图贸易模型，构建了一个简单中介贸易模型，分析了中介贸易商作为一个经济主体在贸易过程中便利生产者和消费者的作用，以及此过程中中介贸易商对跨国公司贸易模式选择的影响(李锋，2011)。

(3)理论分析小结。总之，在探索贸易增长的源泉和福利含义时，传统经济学强调比较优势、规模报酬递增以及消费者偏好，热衷于分析贸易的竞争优势，却忽视贸易企业的作用。随着新贸易理论和新经济地理理论的融合，人们认识到，贸易优势还来源于新型的竞争性要素，如地理多样性的市场潜力获得程度以及贸易产品供给的二元扩张结构。

钱德勒和科斯分别从企业的生产率和交易成本两个角度研究了企业边界是如何决定的，并吸引了大量学者研究企业边界的决定因素。新贸易理论在企业边界基础上，引入贸易边界来衡量异质企业的边界，以此分析异质企业之间以及和非异质企业的差异。企业的贸易边界包括两种，一种是集约贸易边界，主要用于衡量企业出口(进口)产品或服务的生产率；另一种是扩展贸易边界，主要用于衡量企业的出口(进口)规模。

二元边际的定义和标准：从现有文献来看，由于研究的侧重点不同，对二元边际没有统一的定义和标准，但仍可将各种界定方法按照视角分为产品层面、企业层面和国家层面三类。从贸易产品的角度，扩展边际主要表现为出口产品种类的扩张，而集约边际主要是现有出口产品在数量上的增长(Chaney，2008；AmitiandFreund，2007)；从企业角度，扩展边际意味着有新的企业进入出口市场，现有出口企业的出口额增加即为集约边际（Melitz，2003；Eaton et al. , 2008；Martina，2008；Bernard et al. , 2009）；在国家层面上，Felbermayr and Kohler（2006）和 Helpman et al. （2008）定义的扩展边际指出口国和其他国家建立新的贸易伙伴关系，已有的双边贸易关系的贸易增长则为集约边际。虽然研究视角各异，但各种界定方法对集约边际界定较为一致，表现为现有出口企业和现有出口产品在单一方向上量的扩张，而扩展边际通过新产生的产品种类、厂商数量和贸易关系等方面表现，而且这些研究较为统一地依据了由 Melitz（2003）、Helpman et al. （2004）和 Melitz and Ottaviano（2005）等形成的理论基础，因此结论之间仍具有可比性。

二元边际的福利含义：尽管沿二元边际都可以实现贸易的总增长，但不同的贸易边际蕴涵着不同的福利效应：若一国的贸易增长主要源自集约边际，则表明大部分对贸易的贡献来自少数企业和少数产品，这将导致贸易极易遭受外部冲击的影响从而导致增长大幅波动，还可能因出口数量扩张引发该国贸易条件恶化进而出现贫困化增长；相反，如果主要沿扩展边际实现增长，表明出口国有多元化的生产结构，企业也有较强的国际竞争力，外部冲击对贸易的作用力会减弱，逆向的贸易条件效应发生概率也会减小（Hummels and Klenow，2005；Hausmann and Klinger，2006）。因此，二元边际，尤其是扩展边际影响贸易福利的机制成为大量研究的重点（陈勇兵、陈宇媚，2011）。

9. 1. 3. 2　对林产品贸易的启示

（1）贸易优势来源多样，注意通过多层面途径转变贸易发展方式。以往贸易发展方式转变多从宏观和中观层面入手考虑，容易忽视企业的作用。目前，在中国，应对气候变化、发展低碳经济几乎一直是政府的工作，诸多企业将气候变化、低碳经济当做政府的事、遥远未来的事，坐等政府的优惠政策。而在西方，对气候变化最为敏感的当属企业，它们在节能减排的压力下，努力在低碳经济倡议中寻找商机。因此，重视从宏观和中观层面转变外贸发展方式的同时，应该积极发挥企业的作用，政府顺势推动，则低碳经济和低碳贸易发展转型就会顺利很多。根据异质企业贸易理论，企业异质化是获得贸易优势和贸易增长的源泉之一。异质企业是具备较高生产率、较大规模、较高人力资本以及较高的技术密集度和资本密集度等异质性特征的企业。异质企业的成因，一是拥有高技能工人所带来的自主创新能力，能够创造质量较高的产品或服务；二是拥有较大的企业规模所形成的规模经济，能够创造较高的劳动生产率；三是拥有自主品牌，能够增加企业产品或服务的附加值；四是拥有产业链经营所带来的市场控制力，能够使企业的产品或服务获取较高的价格；五是拥有较强的国际市场营销能力，能够带来较高的产品或服务的市场占有率。企业异质化是一个动态的过程，产品差异化、规模扩大化、品牌国际化、经营产业链化是企业异质化的主要途径。

（2）权衡出口专业化（规模化）和多样化的利弊。体现多样性优势的外延边界（extensive margin）和体现规模优势的集约边界（intensive margin）需并驾齐驱（赵永亮，才国伟，朱英杰，2011）。①出口专业化的影响：一国或地区专业化生产并出口，可以提高其要素利用效率，进而增进福利并促进经济增长。Alcalá & Ciccone（2004）等发现出口专业化还能通过提升生产率、出口中学（learning by exporting）等方式促进增长，但 Murshed & Serino（2011）认为，出口专业化也可能会导致贸易条件恶化，进而阻碍增长。其次，Melitz（2003）提出，贸易可以通过促使资源从低生产率企业流向高生产率企业的方式,提升整个行业的生产率,可以推测,如果一国或地区专业化的产业中,出口企业的生产率高于非出口企业,且要素可以在企业间自由流动,那么该专业化过程应该会更有利于经济增长。③出口多样化的影响:一是从维持出口收入持续稳定增长的角度,发展经济学的结构模型认为,推进出口垂直多样化的发展中国家通常能获得可持续的增长。新古典贸易理论认为,通过增加出口部门的水平多样化,可以获得出口多样化的组合效应,降低对易受价格波动影响的出口的依赖。二是 Hausmann & Rodrik (2003)等从知识溢出、市场发现和成本发现方面揭示了出口多样化的外部性,认为出口多样化可以提高经济增长速度。Guerrieri & Immarino(2007)发现在意大利 Mezzogiorno 地区,多样化程度高的区域其经济增长率也高;而 Naudé et al.(2010)发现南非 354 个行政区的情况却完全相反。事实上,无论出口专业化还是出口多样化,对增长既有有利的一面,又有不利的一面(高凌云,王洛林,苏庆义,2012)。

(3)注意保持林产品出口贸易平稳发展。中国林产品贸易的持续高速增长和对外的高依赖性日益受到关注。制定有利于延长贸易持续时间的政策和战略,建立持久的贸易关系,可以减少资源浪费,促进经济全球化背景下多边或双边贸易关系的持续平稳发展。贸易关系的持续时间是指某一企业(产品)从进入某一国外市场直至退出该市场(中间没有间隔)所经历的时间。贸易关系的持续时间从一个新视角研究了贸易的动态行为,是贸易增长中集约边际(intensive margin)的重要组成部分,较长的贸易持续时间可以促进贸易的持续平稳发展。无论基于产品层面还是企业层面的研究,无论是对进口贸易还是对出口贸易的研究都表明,贸易关系的持续时间是短暂的。但是随着贸易持续时间的增长,贸易关系失败的危险率会下降,即贸易持续时间呈现负的时间依存性,这使我们质疑扩展边际的重要性,企业在开始出口后面临的较高危险率表明,相对于新产品的出口和新市场的开发,贸易关系的生存和深化更重要。①要谨慎制定贸易政策。单纯的促进出口而没有考虑出口后企业或产品在出口市场上的生存时间的出口促进政策是有缺陷的。如果企业在出口后又很快退出出口市场,必然会造成资源浪费。②贸易政策制定者在制定贸易政策时要充分考虑国家、企业和产品的异质性,根据其对贸易持续时间的影响制定恰当的贸易发展战略。

9.1.4 关于低碳经济、林产品贸易与发展权

9.1.4.1 发展中国家面临的挑战与困境

经济全球化的实质是一场以发达国家为主导、跨国公司为核心的世界范围内的产业结构的调整。在经济全球化和区域经济一体化迅猛发展的 21 世纪,产业安全已经成为世界各民族国家面临的共同问题。因为经济全球化不仅通过贸易的全球化加剧了全球产业的竞争,使各种传统的民族产业面临国际市场的冲击,更为重要的是,它还通过生产的全球化和金融的全球化从根本上改变了传统的国际分工格局,使民族国家的内部分工模式、产业链以及相应的产业生态环境发生了革命性的变化。很多国家在经济全球化的冲击下,不仅丧失了经济发展正常的产业链条和产业生态,而且还丧失了对有关国计民生的重大产业和核心技术所保持的控制权。产业安全已经成为制约这些民族经济发展的核心问题。以中国为例,从宏观整体开放水平来看,中国超过 60% 的贸易依存度、高达 10% 的 FDI 资本形成依存度、不到 4% 的自

主知识产权率、接近 40% 基础能源依存度以及外资对核心产业的高控制率，决定了中国这个发展中的经济贸易大国在未来必将面临十分严峻的产业安全问题（曹秋菊，2007）。

进入 21 世纪后，世界经济进入新一轮增长周期。与这一轮经济增长相对应的是，新兴经济体和发展中国家的劳动力成本上升，经由信息产业刺激各国经济增长之后的经济缺乏明显的新兴主导产业。人们对低碳经济期望很高，尽管 2012 年之后的情况不甚明朗，然而围绕低碳的理念、规则、技术却是改变国际经济格局和分工的契机。低碳经济的形成和发展日益与一国经济自主安全发展紧密相连，将给世界贸易格局和贸易规则带来深刻的影响。发展中国家越早认识到这个问题，就越能够在这一轮经济转型和相关谈判中占据有利的位置，获得最大的发展机会。

以"低碳"为特征的全球性转型及其效果，既受制于发达国家和发展中国家之间资金和技术合作水平，也受制于各国由实际生产力水平支撑的国家整体运行能力。应对气候变化、低碳经济，既能为参与治理者带来生态和经济上的绝对收益，也存在相对收益的分配难题。

（1）发展中国家面临严峻的挑战。一方面，发展中国家整体技术水平落后，经济竞争力相对较弱，未来在低碳经济中将面对更多地挑战；另一方面，发展中国家短期内难以改变在世界经济中的分工地位，难以避免"发展排放"，一旦发达国家以低碳经济为幌子，由碳排查要求对碳足迹碳信息披露进而强化碳标签制度；根据碳排查结果或碳标签披露的排放信息设置碳标准和管理制度，或要求超标排放者购买碳信用，或对部分中和后仍然超标排放的商品强征碳关税或设置其他贸易壁垒，难么，发展中国家的经济发展将受到钳制，或失去原有产业优势和国际市场份额，或失去在新兴主导产业中的潜在优势，动摇该国经济安全。

（2）发展中国家面临困境。在低碳经济全球化趋势面前，发展中国家可能做出两种选择：①继续抵制低碳经济，强调发达国家的"低碳阴谋"；②积极顺应低碳经济发展潮流。从发展的角度来看，积极参与优于消极抵制。问题是，发展中国家往往难以摆脱困境。

通过前几章的考察，给我们的印象是气候变暖、能源危机已经危及人类，低碳经济转型势在必行，木材合法性进程、认证等涉林低碳行动似乎展示了一条合情合理的解决路径：在发达国家的主导下，对非法采伐等与低碳经济背道而驰的行为必须在国际贸易涉及的各个环节——木材采伐地、加工地、消费地进行阻击，从而既要保证林产品贸易的顺利进行，也要逐步铲除这些背道而驰的现象。根据发达国家的主流逻辑，林产品贸易之所以会造成森林资源急剧减少，原因只是非法采伐行为，是部分不负责任的商人和不负责任的国家一意孤行所导致；因此，只要设法杜绝非法采伐，贸易和环保之间的冲突就不复存在。而很多事例表明，木材非法采伐问题首先反映了贸易与环境之间的紧张关系，但是二者没有必然的联系，木材非法采伐及其相关贸易的主要诱因是国际市场对林产品的需求。发展中国家才是最大的受害者。可是在世界贸易体系中，发展中国家既没有决策权，也难有发言权，因此会不可避免陷入一种困局：在一段时间内，只能以资源换取经济发展；到了一定时候，又要受到资源匮乏的制约（宋朝钦，2010）。木材合法性进程中备受指责的中国案例或类似案例，是发展中国家在世界自由贸易体系中所处尴尬地位的一个典型案例。

上述发展中国家的困境让我们产生疑问：一是为什么发展中国家成了只追求经济利益，不顾环境保护的无良商人？二是尽管遭受环境破坏影响最大的是发展中国家，但使用绿色壁垒最多的却是发达国家，为什么发展中国家向发达国家提供了宝贵的资源，反遭发达国家抵制？

实际上，发达国家的上述指责反映了一个不可回避的事实：随着国际经济形势的严峻和发达国家在减排温室气体上承诺义务的难以实现，发达国家将发展中大国描绘成"环境危机的制造者""不承担全球环境责任的重商主义者"等，其主要目的在于迫使中国等新兴发展中国家在全球环境保护、应对气候变化中承担力所不能及的责任和义务，贸易保护主义色彩浓烈，而通过林产品贸易和投资等途径发展中国家已经嵌入全球林产品价值链和资源链中，而且处于较为被动的低端位置，容易被发达国家左右。

而发达国家之所以能够如此，迈克·穆尔提到的"无胁迫合作"可以提供另一种解释。如果说，占据殖民地、使用奴隶为国际贸易生产商品，是所谓的"受胁迫合作"，那么"无胁迫合作"才是"成功文明社会的基础"，即不再经过显见的暴力，而是将全球纳入自由贸易市场，这是从"受胁迫合作"向"无胁迫合作"转变的手段。通过理论"诱惑"及经济、政治、军事等方面的压力，发达国家需要建立世界范围内的自由贸易，并"邀请"发展中国家共享盛世。出于"自愿"的"非胁迫合作"就形成了。作为 WTO 成员方的发展中国家，同发达国家一样，有权力使用例外条款来保护本国自然资源。但实际上，在法律上拥有"环保权"的发展中国家，却因为对"发展权"的追求，无法行使"环保权"。发展中国家在经济上对发达国家的依赖程度，要比发达国家对其的依赖程度深很多。因此，发展中国家实际上并没有能力通过贸易保护措施与发达国家对抗。

上述悖论和发展中国家的困境从一个侧面也暴露了目前国际贸易协调机制的局限性和缺陷：一是不能有效协调利益的分配。国际经济利益分配向发达国家倾斜。这种倾斜与国际协调机制不完善密切相关，也受发展中国家自身经济条件的影响，发展中国家的市场地位弱于发达国家，从而在供求调节的利益分配中自身利益容易受到损害；发展中国家不能自主选择参与和协调世界经济活动的方式，缺乏对国际经济活动的控制能力。二是协调机制渠道不畅，运转远未达到高效、合理、协调发展的理想状态。三是市场机制与政策机制的摩擦。国际贸易协调机制呈多元化结构，最基本的特征是市场机制与政策机制二元结构并存，在实际运行中两种机制常常发生矛盾，包括时效搭配不当、目标矛盾。四是全球协调与地区协调、多边协调与双边协调存在矛盾。

联合国经济和社会事务部《2010 年世界经济与社会概览：重探全球发展之路》。重新审视了全球贸易规则，认为现行规则并未充分遵循共同但有区别的责任原则；需要修订多边规则，扩大发展中国家的世界市场准入、减少发达国家的农业补贴措施，为发展中国家的贸易和产业政策创造更多空间，以提高发展中国家生产和贸易能力；要加强贸易政策与气候政策的一致性，在补贴、关税和环境标准等领域要防止与气候有关的边境调整措施成为保护主义的借口；加强国际税务合作和协调，防止"以邻为壑"的税率优惠竞争，缩小跨国公司利用转移定价做法的空间；加强区域贸易协定与多边贸易协定协调；改革国际金融体制，等等。总之，管理世界经济的现行体制和规则是 60 多年前联合国、国际货币基金组织、世界银行和 GATT 一起建立的。如今，世界已面目全非，而全球治理机构却变化很小，或应变缓慢。通过贸易、投资、金融、国际移民以及交通和通信领域的技术革命等途径，各国经济日益紧密地融为一体。显然，21 世纪的发展结果在很大程度上将由国际环境决定。同样，在贯穿整个世界经济的基本运行规则中，形式上和事实上的种种不公平现象过多地限制了促进发展所必需的政策空间，因此，有必要消除在订立不同领域的多边规则方面存在的不一致问题以及国际目标与国家目标的不一致问题。为实现公平、可持续的全球发展，规则改革是必要的，但仅此还不够，参与各方也需要改革。给予起步阶段条件较差的发展中国家更多的时间、资源和政策空间，使其成为完全的参与方，是实现扩大国际商贸共同目标的必要条件。不进行改革，国家决策进程与全球决策进程之间的紧张关系势必加剧。

9.1.4.2 经济自主安全发展与南北国家的侧重

（1）经济安全涉及的主要方面。经济全球化时代，国家经济安全对内指一国经济保持可持续发展并且整体经济福利不受恶意侵害；对外则指在全球化分工中保持资源和市场的持续稳定，保持国际商业利益不受威胁，使其在各种突发性冲击中免受重大损失。经济安全至少涉及以下主要方面：对外贸易市场占有能力和国际市场资源获得能力、企业国际竞争力培育和维护、国内市场结构和资源承载能力、国内经济结构合理性和演进能力、政府财政能力和财富再分配能力、国家金融体系健康程度及政府决策独立性。

（2）由于发达国家和发展中国家所处发展阶段不同，其经济安全的侧重点有所不同。发达国家业已完成工业化，处于经济平稳发展和迟缓期，跨国公司已通过国际投资将各产业伸向发展中国家，积累了大量海外利益。这些海外投资及国际资源和国际市场，一旦受损将直接影响经济增长及本国就业问题，因此相对国内经济，发达国家更关注经济安全的对外方面。

发展中国家尚未完成工业化过程，并未积累出可观的海外利益，因此更侧重经济安全对内方面，即首先侧重产业是否能够安全稳健可持续发展、企业竞争力是否能够得到培育和维护、工业化过程中的资源承载能力、政府国内经济治理能力和国内金融体系建设等，或者至少侧重其中几个方面，考虑经济全球化影响时，则将注意力更多转向外部经济冲击对国内经济的破坏力。此外，发展中国家在国家经济安全问题上的侧重点之一，是在应对发达国家对其原有利益以及国际经济格局维护的基础上，打拼出自己的市场、资源、投资和有利的国际规则。发展中国家的经济安全问题必须考虑经济自主发展。发展中国家在全球化中处于"中心—外围"结构中的外围，在国际经济交往中处于不利地位，不得不按照现有国际规则行事。经济自主发展面临更大的挑战和风险。发展中国家如果在经济全球化中欲实现超越，不仅要面对经济安全发展问题，更要处理好经济自主发展问题(倪晓宁，2011)。

（3）产业安全是国家经济安全的核心与基础，是国家经济安全在产业领域的具体体现。在开放环境中，产业安全是指本国资本对涉及国家经济安全的战略性产业、战略性企业、战略性技术的控制力和发展力。产业不安全也就是战略性产业、战略性企业、战略性技术的发展停滞、萎缩或丧失控制力，产业安全是产业能够发展的底线，即最低要求。商务部产业损害调查局编制了中国产业安全评价指标体系，重点关注产业控制力、产业竞争力、产业成长性和产业发展环境 4 个要素，13 个子要素，26 个评估指标，见表 9-15。

表 9-15　商务部产业损害调查局编制的中国产业安全状况评估指标体系

评估要素	评估子要素	评价指标	指标算法	解释
产业控制力	市场控制力	内资企业市场占有率	产业中内资企业国内市场销售收入总额/整个产业国内市场销售收入总额	在一定范围内，内资企业市场占有率越高，则产业中内资部分的市场控制力越强
	技术控制力	内资企业专利占比	产业中内资企业专利拥有量/该产业所有企业拥有的专利总量	产业中内资企业专利拥有量越多、占比越大，则产业中内资部分的技术控制力越强
		技术依存度	产业全部技术引进费用/产业科技总投入	该比例越高，则产业中内资部分的技术控制力越弱
	品牌控制力	自主品牌占有率	本行业内资企业全国知名品牌数/全行业内外资企业全国知名品牌数	该比例越高，则产业中内资部分的技术控制力越强。鉴于不少企业品牌很多，而不少品牌市场价值不高，故只计算全国知名品牌
	股权控制力	内资企业权益比重	1－（行业外资企业所有者权益/行业企业权益总额）	该比例越高，则产业内资部分的股权控制力越强
	对外依存度	外商直接投资（FDI）依存度	当年本行业外商直接投资额度/当年本行业固定资产投资总额	该比例越高，则当年本行业对外商直接投资的依存度越高，产业中本土资本部分的控制力越弱
		进口依存度	当年本行业进口总额/当年本行业销售总额	该比例越高，则当年本行业对国外的依存度越高，产业中本土资本部分的控制力越弱。消费量＝当年产量＋进口量－出口量
		出口依存度	当年本行业出口交货值/当年本行业销售产值总额	该比例越高，则当年本行业对国外市场的依存度越高，产业中本土资本部分的控制力越弱

（续）

评估 要素	评估子 要素	评价指标	指标算法	解释
产业竞争力	绩效竞争力	产值利润率	（当年该行业企业利润总额/该行业工业总产值）×100%	也可以规模以上企业为计算口径。产值利润率越高，则产业绩效竞争力越强
		行业亏损面	报告期该行业亏损企业数/行业企业总数	行业亏损面越小，则产业绩效能力越强
		行业销售率	当年行业销售收入/当年行业工业总产值	行业销售率反映市场供需形势，比率越高，产业绩效竞争力越强
	规模竞争力	行业国内市场占全球市场比重	当年该行业国内市场销售收入/当年全球该行业市场销售收入	旨在考察国内该行业在全球同行业中的地位，国内该行业在多大程度上影响全球市场。该比率越高，产业规模竞争力越强
	结构竞争力	行业市场集中度	当年本行业大中型企业销售收入总和/当年本行业全部企业销售收入总和	旨在考察本行业国内大中型企业对于国内该行业的影响力。该集中度越高，产业规模竞争力越强
	技术竞争力	行业研发占比	当年国内该行业研发投入总额/当年该行业销售收入总额	国际通用的产业技术竞争力指标，因行业而异。但某个行业与国际同行相接近，才会有技术竞争力
		行业技术专利占比	国内该行业拥有的有效技术专利数量/全球该行业拥有的有效技术专利总数	国际通用的产业技术竞争力指标，该比率越高，则其技术竞争力越强
	市场竞争力	贸易竞争力指数	〔出口额 - 进口额〕／〔出口额 + 进口额〕	国际通用指标。该指数越大，市场竞争力越强
产业成长性	市场规模成长性	销售收入增长率	【（当年国内该行业企业销售收入总额/上年国内该行业企业销售收入总额）-1】×100%	当年与上年比；可仅计算规模以上企业。该增长率越高，则该行业市场规模成长性越好
	要素投入成长性	资产总额增长率	【（当年国内该行业企业资产总额/上年国内该行业企业资产总额）-1】×100%	当年与上年比；可仅计算规模以上企业。该增长率越高，则该行业要素投入成长性越好
		就业人数增长率	【（当年国内该行业企业从业人员总量/上年国内该行业企业从业人员总量）-1】×100%	当年与上年比；可仅计算规模以上企业。该增长率越高，则该行业要素投入成长性越好
		研发费用增长率	【（当年国内该行业企业研发费用总额/上年国内该行业企业研发费用总额）-1】×100%	当年与上年比；可仅计算规模以上企业。该增长率越高，则该行业要素投入成长性越好

（续）

评估要素	评估子要素	评价指标	指标算法	解释
产业发展环境	国际竞争与规制环境	国际市场竞争环境（仅考察主要贸易伙伴国家对中国内产业的损害）	当年国外对华反倾销新立案数占当年全球新立案数的比重	这些基本反映了国际市场竞争环境中的不利因素。相关比重越高、给国内本行业造成的损失越大，则国际市场竞争环境越恶劣
			当年国外对华反补贴案件数占当年全球新立案数的比重	
			当年国外实施技术性贸易壁垒给国内本行业造成的损失	
		国际组织规制环境	国际组织当年有哪些新规则不利于国内该行业的生存与发展	主要考察WTO、世界银行等组织的新规定
	国内规制与政策调节环境	产业政策环境	中国政府有哪些政策不利于国内本行业的生存与发展	主要考察中国政府有关投资、贸易、企业体制、产业科技发展方面的新规定
		政府监管能力	与产业安全相关的制度建设的完备程度	仅考察政府涉及该行业的产业安全制度建设的完备程度
			政府执行与产业安全相关的制度的能力	仅考察政府相关政策是否得到有效的执行
			政府监管效果和效率	仅考察政府对该行业进行监管的实际效果与效率
		产业内部自律性	本行业相关行业组织的组织协调能力	行业协会对行业内企业守法经营、合法竞争、响应政府调控所发挥的作用
			企业对于政府政策的响应程度	主要考察本行业重点企业对政府政策的响应程度
	资源与生态环境	产业发展的能源及资源约束	受到哪些类型的能源约束，约束程度如何	仅就本行业发展所需的主要能源、矿产资源进行考察和分析
			受到哪些类型的矿产资源约束，约束程度如何	
		产业发展的生态环境约束	本行业生产经营的污染程度	主要考察废渣、废液、废气、放射性的污染程度
			本行业企业的污染控制和处理能力	主要考察本行业企业为保证正常生产与守法经营，而必须投入的环境治理投资
	关联产业环境	主要下游产业环境	主要下游产业增长率及利润率	主要考察下游产业变化可能对行业需求的影响
		主要上游产业环境	主要上游产业增长率及利润率	主要考察上游产业变化对行业原料、设备等投入品供给的影响
		主要支持性产业环境	主要支持性产业增长率及利润率	主要考察其他支持性产业变化对行业运行的影响
	不确定性环境	突发事件	突发事件给行业带来的现实及潜在损失	主要考察突发性事件对行业的短期和长期影响

资料来源：商务部产业损害调查局.2008年中国产业安全评估的研究思路和方法体系［EB/OL］［2009-7-23］.http://www.cacs.gov.cn/cacs/topicMore/articleDetail.aspx? articleId=57439.

9.1.5　关于中国林产品贸易与低碳经济

9.1.5.1　中国面临低碳经济全球化的新挑战

（1）中国在国际气候谈判中地位凸显。在目前的国际气候谈判中，欧盟、美国和中国是三股重要力量。除了欧、美以及中国与印度、巴西、南非组成的"基础四国"外，还有非洲集团、小岛国联盟、最不发达国家集团、玻利瓦尔联盟等中小国家集团。各方的利益诉求有所不同。

（2）中国处于把握经济增长机遇和低碳转型的两难选择。国际气候谈判有被迫由双轨转向单轨的趋势，中国面临被迫接受强制性减排的国际压力，处于把握经济增长机遇和低碳转型的两难选择之中。

①国际期待加大。中国是碳排放大国（表9-16），兼顾发展和气候保护的使命艰巨；中国的碳强度年均减少率高于美国和世界平均水平（表9-17）。但是，作为全球两大排放国，中美排放总量差不多，但是趋势大不相同：从2002年开始中国的碳排放上升幅度加快，相继超过欧盟和美国（万莎，2010）。国际社会对中国在未来国际气候合作中的表现异常期待，要求中国承担量化减排的呼声也越来越高。

表9-16　2009年世界5大碳排放国家　（单位：t）

	中国	美国	印度	俄罗斯	德国
CO_2 排放总量	31.2	28.2	6.38	4.78	4.29

资料来源：万莎. 发达国家发展低碳经济的财政政策及其经验借鉴.

http：//www. crifs. org. cn/crifs/html/default/caiwukuaiji/_ content/10_ 08/12/1281581138811. html. 2010 – 08 – 12.

表9-17　中国、美国和世界碳排放强度比较

（单位：t/百万美元）（GDP，2005年价）

	历史		预测					年变化（%）	年变化（%）
	1990年	2006年	2010年	2015年	2020年	2025年	2030年	1990~2006年	2006~2030年
美国	620	463	436	380	341	308	282	-1.8	-2.0
中国	1812	1001	832	669	558	494	443	-3.6	-3.3
世界	603	484	450	394	353	321	294	-1.4	-2.1

资料来源：国际能源署（IEA）. 国际能源展望，2009.

②既往策略面临失效。1997年，在围绕《京都议定书》重要规则形成过程中，以美国为代表的反对方和以欧盟为代表的支持方都曾通过承诺技术转让和经济援助来积极争取中国。尤其是美国，为摆脱孤立而一直努力推销《亚太清洁发展和气候伙伴关系》来取代《京都议定书》。中国选择《京都议定书》支持方，当初被视为一个很好的策略。中国在气候政治中的一个重要策略是，强调温室气体的人均排放权，据"人均排放量"，尤其是"人均历史累积排放"，来衡量公平原则。然而，这一策略在当前形势下正趋于弱化。2006年，中国年度人均

排放量已接近世界平均水平，人均历史累积排放量也很有可能在21世纪20～30年代达到全球平均水平。如果美国、欧盟等加大减排力度，中国达到人均历史累积排放的全球平均水平的时间还会提前。这意味着，中国的立场空间越来越小。

③所在集团出现分化。国际气候谈判发展至今已经进入"只有集团的代表可以进行许多非正式磋商，只有集团的代表可以进入最后阶段的谈判"的集团化时代。在当前气候政治中，中国所处的集团"77国集团＋中国"却出现了分化现象：小岛国联盟由于更敏感于气候变化所致的海平面升高和风暴频繁，提出了不同的立场，要求主要发展中国家也要尽快采取适当减缓行动；最不发达国家也提出主要发展中国家不能也不应与最不发达国家相提并论，即便所有国家都需减排。"77国集团＋中国"内部各方的关注重点也差异较大。中国和巴西侧重于技术转让，小岛国联盟更关心适应和减缓，最不发达国家和非洲国家偏向资金供应，OPEC成员则担心减缓过程对石油需求的削弱。此外，中国在CDM中的主导地位也有可能引发其他发展中国家的消极情感。现在，尽管"77国集团＋中国"仍以发展中国家阵营参与谈判，但内部分化日趋严重。中国随着经济快速增长，作为排放大国的地位日益突显。国际上出现了质疑中国发展中国家地位的声音，一些发展中国家似乎想与中国划清界限。如果集团分化持续下去，不仅发展中国家在气候政治中的地位将会遭到削弱，中国也将陷于来自发达国家和发展中国家两面夹击的困境。中国仍是发展中国家的定位是非常明确的，需要维护自身正当的发展权益。

④传统"阻碍者"国家减缓战略正在形成。全球减缓气候变化压力现今如此紧迫的一个重要原因是美国、澳大利亚等国在京都时期拖后腿。随着国际舆论压力加大、美澳国内政权更迭，两国正在形成自身减缓战略。一旦它们切实放弃"耍赖"行为，那么主要发展中国家的压力将骤然增大：一方面，发展中国家要求发达国家率先减排的立场将越来越失去作用；另一方面，国际舆论压力将迅速转向中国、巴西等主要发展中国家，而美国、欧盟等发达国家也将利用其强大的政治影响力对主要发展中国家施压。奥巴马在竞选期间就明确提出，将使美国成为国际气候政治的领导者。美国由原来拒绝与反对转向积极支持乃至主导气候变化议题，极力要否决《京都议定书》给中国的"优惠安排"，中国的压力陡增。

⑤国际非政府组织（NGO）在气候谈判中作用加大。当前，加强国际组织，尤其是NGO作用的呼声渐高。NGO在气候博弈中不代表任何缔约方的立场，只提出专业性建议，更易为各缔约方和国际社会认可和接受。对中国而言，国际NGO作用的加强将带来更大的挑战：一方面，在美、澳切实采取行动之后，国际NGO会将施压的重点转向主要发展中国家，特别是中国。另一方面，中国仍缺乏与国际NGO打交道的经验，对国际NGO影响能力非常小。

⑥碳挑战加剧。主要体现：（a）碳规则挑战。目前，发达国家正试图通过碳关税和碳足迹、食物运送里程、CO_2可视化制度等有关低碳经济的技术规则和标准来引导贸易规则的演化，一些发达国家试图通过这种方式变相设置绿色贸易壁垒，削弱发展中国家制造业出口竞争力，遏制新兴国家崛起。《美国清洁能源安全法案》提出2020年将对部分国家征收"碳关税"，矛头直指发展中国家，中国是首要对象。美国在近期还不可能采取碳关税措施的原因：其一，美国目前进口的碳密集产品主要来自加拿大和欧盟，清洁标准都高于美国，美国不但没有优势，还有可能反被征税。其二，不管是否违背WTO规则，碳关税措施势必激发它国

对美国出口货物的报复措施，美国无法从中获益良多。但是，一旦欧、美等国联合对中国征收碳减税并实施有关低碳经济标准，中国出口企业将遭遇困难，中国贸易环境和贸易条件有可能进一步恶化。(b)碳交易挑战。按现行规定，发展中国家企业卖出的"碳减排权"主要通过西方名目众多的"碳基金"和公司，或通过世界银行等机构参与后才能进入国际市场，后者所赚取的丰厚利润，往往高于发展中国家出售的"碳减排权"价格。据联合国气候变化公约秘书处统计，截至 2009 年 9 月 20 日，全球已注册的 CDM 项目 1822 个，中国获得 632 个，占 34.7%，每年获得 10 亿多美元的资金。表面上看，中国似乎没有损失，通过无形的"碳排放额度"得到了资金和技术。可长远来看，存在的隐忧与风险不可忽视：一方面，在新兴的国际碳交易市场上，中国等发展中国家没有定价权，议价能力较弱，信息与能力不对称，所提供的核证碳减排量，被发达国家低价购买后，通过其金融机构进行包装再开发为高价的金融产品、衍生产品及担保产品进行交易，有可能被赚取"剪刀差"利润；另一方面，在未完成工业化、实现消除贫困人口时，中国可能被迫接受强制减排义务，提前进入"买碳"行列，从"碳排放"额度的"净卖方"变成"净买方"时，我们将背上沉重的包袱。2008 年 6 月，国际人权政策理事会发表报告也指出，卖给其他国家的每一个碳信用额度，都代表着本国基于碳的发展机会流失。(c)碳金融挑战。碳排放配额衍生为可交易的金融产品，使得"碳排放权"与债券、股票一样自由挂牌和转让，并可抵押贷款，最终成为中央银行基础货币的构成部分。从历史经验看，一国货币与国际大宗商品，特别是能源贸易的计价和结算绑定权往往是货币崛起的起点。碳金融交易的计价结算货币绑定权及由此衍生出来的货币职能，将对打破单边美元霸权、促使国际货币格局多元化产生影响。目前，中国还没有碳证券、碳期货、碳基金等各种碳金融衍生品的金融创新产品及科学合理的利益补偿机制，面临全球碳金融及其定价权缺失带来的严峻挑战。中国如果不能及时追赶，人民币可能因为碳交易标价权的丧失而错过成为国际货币的历史机遇。(d)碳技术挑战。欧、美、日等国家，早已经过十几年、几十年的低碳经济产业布局和技术积淀，而中国低碳产业刚刚起步，缺乏核心技术的前期积累。CDM 机制为中国引入了一个以"碳排放换技术"的技术引进机制，但也使发达国家向中国输入了储备已久的环保、节能技术，占领了中国市场，由此形成产业标准和技术垄断，如果将来中国企业发展自主环保技术，可能受制于人。中国工业化经历过"以市场换技术"的教训，很多时候市场换出去了，技术没换来，最后不得已自主创新。如果过度依赖"以碳排放换技术"，有可能重蹈覆辙。目前，能源、交通、电力等 6 大部门的最关键的 60 多种通用气候友好技术，有 40 多种为中国所不掌握，而发达国家在资金转让方面也乏善可陈。

(3)提高中国应对气候变化、发展低碳经济的综合能力已成迫切要求。中国政府历来高度重视应对气候变化问题，为减少温室气体排放、缓解全球气候变暖始终做着不懈努力。但是，目前，在气候变化及其议题上，中国还有差距，例如：其一，战略高度——中国在求证"气候变化"真伪这一科学问题上近乎没有发言权；气候变化议题因为政治化与道德化，比气候变化本身更加复杂，而中国对"气候变化议题"的复杂性认识不够。2009 年，在哥本哈根气候峰会议前，中国政府提出 2020 年单位 GDP 二氧化碳排放强度比 2005 年下降 40% ~45% 的目标(即中国的碳强度目标)。中国的碳强度承诺只是对国际社会的自愿性承诺，虽然不具有国际约束力，却具有国内约束力。中国碳强度目标只涉及 CO_2，且只覆盖能源活动和水泥生产过程。2009 年 9 月，中国在哥本哈根气候峰会上表明了自己"三坚持"的原则立场，得到国际社会的赞誉。实际上，任何发达国家在工业化历史进程中都没有在 15 年内实现如此高的强度减排。因此，有专家指出，中国的"积极进取"未来可能给自己增加被动。其二，社会广度——西方国家花大气力应对气候变化、发展低碳经济，主要是来自相关利益集团的压力，及在舆论导向下形成的强大民意基础，政府顺势推动，势如破竹。在中国，应对气候变化及其议题挑战、发展低碳经济几乎一直是政府的工作。在西方，对气候变化最为敏感的当属企业，它们在节能减排的压力下，努力在低碳经济倡议中寻找商机。在中国，跨国企业对气候变化议题及相关低碳经济发展敏感度较高，而诸多民企多将气候变化、低碳经济当做政府的事、遥远未来的事，坐等政府的优惠政策。其三，大众深度——在西方，随着生活的富足，人们对自然安全的需求越来越高，环保意识越来越强，由工业文明迅速走向生态文明。但在人均资源短缺的中国，社会"节能减排"意识有待整体提高。

作为发展中国家，根据《京都议定书》的规定，中国目前不承担减排义务，也没有在《京都议定书》外自愿承诺减排。但是，一方面，作为全球第二大经济体、第二大贸易国、世界经济增长第一贡献者、仅次于美国的第二大温室气体排放国，中国已成为气候制度交涉焦点，面临减排的国际压力越来越大，中国碳外交面临着如何平衡维持较高速度的经济增长与履行减排承诺的巨大压力；另一方面，中国是受气候变化不利影响最为脆弱的国家之一，中国气候条件较差、生态环境较脆弱、能源结构以煤为主、经济发展水平较低，气候变暖对中国现有经济发展模式和森林资源保护及发展等都提出了许多挑战，迫切需要提高中国应对气候变化、发展低碳经济的综合能力。

9.1.5.2　中国林业在发展低碳经济中具有特殊地位

（1）中国林业发展迎来战略机遇期，未来地位将更加凸显。《京都议定书》规定了工业直接减排和森林间接减排两条途径。中国已正式表态，到 2020 年单位 GDP 碳排放比 2005 年下降 40%～45%（碳密度目标），并提出了相应的政策措施和行动，体现了中国在发展中控制碳排放的理念，是把国际责任同发展权结合的探索性思考。中国必须既遵循经济社会发展与气候保护的一般规律，顺应低碳经济的潮流和趋势，同时还要根据中国的基本国情和国家利益，寻找一条协调长期与短期利益、权衡各类政策目标、谋求双赢的低碳发展路径。

鉴于森林碳汇在气候变化中的重要作用和成本优势，中国将森林碳汇作为应对气候变化的重要选择，并提出了相应的行动方案与发展目标。中国林业在应对气候变化、发展低碳经济的中的特殊地位逐渐受到重视。

中国的林业发展已进入了一个新概念时代，新概念林业对于应对气候变化、生态安全、经济安全、粮油安全、能源安全、木材安全等国家安全重要领域的诸多问题具有重要作用（张永利，2011）。事实上，中国林业已经采取了一系列应对气候变化的减缓和适应措施，概括如图 9-5（柯水发、潘晨光、温亚利等，2009）。

（2）中国调整了林业的战略定位和发展思路，成效初显。进入 21 世纪以来，根据形势发展的需要，从国家整体的角度，中国林业继承中国古代传统发展思想的精华，借鉴近代以来国外林业发达国家的先进思想，结合国情、林情，确立了以生态建设为主的发展战略，积极推进林业五大转变，力求缩小与世界水平的差距。中国林业发生了历史性变化，取得了显著

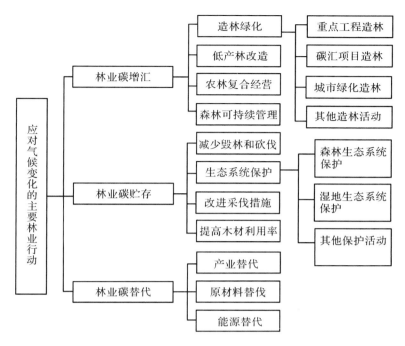

图9-5　中国林业应对气候变化的减缓和适应措施

成绩——森林面积和蓄积继续增加；森林质量有所提高；土地荒漠化和沙化的状况明显改善；水土流失状况得到缓解；生物多样性得到有效保护。"十二五"时期，是中国全面建设小康社会的关键时期，是深化改革开放、加快转变经济发展方式的攻坚时期，也是发展现代林业、建设生态文明、推动科学发展的重要战略机遇期。林业"十二五"规划提出：全面实施以生态建设为主的林业发展战略，更好地完善林业三大体系，更好地凸显林业四大地位，更好地履行林业四大使命，更好地发挥林业五大功能，努力构建现代林业发展的基本框架，奠定生态文明建设的牢固基础，创建科学发展的良好环境，为全面建设小康社会做出新贡献。

提示

中国的林业的五大转变：林业定性定位——由以木材生产为主向以生态建设为主转变；木材生产格局——由采伐天然林为主到采伐人工林为主的转变；国土利用结构——从毁林开荒到退耕还林的转变；森林生态效益使用——从无偿到有偿转变；林业建设主体——从部门到全社会的转变。

三大体系：指现代林业建设的三大目标，即，构建完善的林业生态体系、发达的林业产业体系、繁荣的生态文化体系。

四大地位：温家宝总理在中央林业工作会议上指出，"在贯彻可持续发展战略中林业具有重要地位，在生态建设中林业具有首要地位，在西部大开发中林业具有基础地位，在应对气候变化中林业具有特殊地位"。

　　四大使命：回良玉副总理在中央林业工作会议上指出，"实现科学发展必须把发展林业作为重大举措，建设生态文明必须把发展林业作为首要任务，应对气候变化必须把发展林业作为战略选择，解决'三农'问题必须把发展林业作为重要途径"。

　　五大功能：中央林业工作会议明确赋予林业五大功能，即生态、经济、社会、碳汇和文化功能。

　　（3）中国林业发展也面临严峻挑战，探索新思路势在必行。从世界林业发展进程看，中国林业仍处于相对落后阶段。世界林业发达国家已经经历过森林原始利用阶段、木材过度利用阶段、森林资源恢复发展阶段、森林多功能利用阶段，进入可持续发展阶段。而中国以"五五"清查期间森林面积和蓄积双增长为标志，刚刚进入森林资源恢复发展阶段。过去，中国林业产业结构的形成，在时间上、规模上存在着差异，但其共同的特点始终以单一木材生产为主导地位。林产工业的开发，多种经营的发展，都没有摆脱依赖森林资源。产业结构多靠计划经济手段配置资源，比例失调、技术含量低，束缚大。改革开放后，随着林业国际分工的深入和林产品贸易、林业国际投资的发展，中国林业有了长足进步，但是目前仍然存在第一产业基础不牢，第二产业素质不高，第三产业发展滞后等问题。近年来，林业、林产品贸易、林业投资和环境问题已成为一个国际敏感问题，一些力量正试图将环境问题与贸易挂钩，制造新的贸易壁垒。这些变化，无疑对原木、锯材等资源性产品进口依赖性强，家具、木制品、人造板等木加工品出口依赖性强的中国形成严峻挑战。

　　上述问题引起了很多学者、专家的关注。其中，杨红强（2007）系统归纳了资源经济学理论、产业安全理论、生态安全理论及贸易安全理论，建立了资源经济学框架下的资源安全评价理论体系；针对木材资源安全导致的产业安全问题、资源利用的生态安全问题、资源获取的贸易安全问题，构建了"资源—产业—生态—贸易"综合评价模式——RIET（resource - industry - ecology - trade），运用定性及定量相结合的方法研究了中国木材资源安全存在的问题。①自然禀赋条件下的资源安全状况表明，中国天然林及人工林的投入增加动态上促进了森林面积、森林覆盖率及森林净增面积稳步提高，但存在的问题是整体国民经济的快速发展对木材资源的刚性需求依然远远大于国内资源的增长水平。同时，由于森林质量的缺陷及资源结构的不合理，经济发展对于木材资源的需求则远远不能依靠国内供给来满足，资源安全状况堪忧。②资源供给是林业产业发展的基础，基于资源短缺导致的中国木材产业安全状况表明，现有的加工贸易发展模式严重受制于资源禀赋水平，木材加工、家具、造纸等主导产业由于资源短缺均存在不同程度的安全隐患。中国木材产业的比较优势水平正在逐步降低，依赖国际市场的产业发展形成了资源密集及劳动力密集的中低层次水平，资源紧张造成的产业安全问题对调整产业布局及产业结构提出迫切要求。③木材资源由于国内供给能力有限，进口国际资源则成为重要的补给手段。但加工贸易大量需要的资源进口面临着"中国是世界森林破坏的源头"的国际舆论压力。中国对国际木材资源利用的生态安全研究表明，就全球范围看，中国从洲际间进口木材资源的影响导致的森林生态足迹都未超过森林生态承载力，中国并没有全面严重威胁到世界森林资源的生态安全。就具体进口国来看，中国对俄罗斯、巴布亚新几内亚、加蓬和新西兰的原木资源进口影响生态安全的评价指数均处于安全等级内。但中国对马来西亚的木材进口一定程度上增加了其森林资源的生态压力，从负责任地利用国际资源的角度来看，中国木材资源生态安全值得予以重视。④进口资源的贸易安全问题，2009 年中国成为世界最大的林产品出口国及木材资源进口国，"大进大出"的贸易格局本身就存在严重的贸易安全问题。林产品出口贸易安全风险不断加大，表现在产品单一性问题严重、出口比较优势地位弱化、产业工人福利损失加大及出口市场集中度过高等方面，出口产品遭遇贸易摩擦常态化及风险规避困难等诸多因素进一步增加了中国林产品出口的贸易安全风险。资源进口方面，对重要进口国的资源依赖及对重要品种的进口偏好问题日趋严重，结合国际环境保护及重要国家对战略资源的出口限制，木材资源的国际获取能力严重下降，资源进口的贸易安全问题更加突出。杨红强结合中国木材资源短缺衍生的上述安全问题，对后续研究中产业结构的调整、产业布局的优化、加工贸易发展模式的转型及资源利用中节材代木战略的推进等问题提出了研究建议（杨红强，2011）。

9.1.5.3 林产品贸易在中国发展低碳经济中的表现与挑战

（1）木材产品贸易对中国林业产业低碳发展是有利的。林产品贸易有利于保护森林资源，促进林木增值；有利于林业政策转变，加快制度改革；有利于推动木材生产，增加农民收入；有利于发展林产工业，优化产业结构。

（2）中国林产品贸易的环境压力大。中国是全球林产品贸易的主要参与者，是全球木材消费增长的主要驱动力之一，已成为影响世界林产品贸易的关键因素。这既有内需因素，也有外需原因：作为拥有世界 1/5 人口和经济快速增长的大国，中国内需大；中国的胶合板、木制品、纸和纸品、木家具等产品的出口比重大，对象国多为发达国家，外需也很大。

中国木材贸易安全形势恶化、环境压力巨大。从进口方面看，随着中国木材主要进口来源国的出口紧缩等政策变化，中国进口木材付出的经济代价会越来越高。从出口方面看，欧美打击木材非法采伐、绿色公共采购、认证、新的植物检疫等涉林低碳行动越来越密集，对中国林产品出口的影响越来越明显。同时，对中国破坏世界森林的指责不绝于耳。尽管对中国的指责往往缺乏依据，部分数据高估了非法木材贸易的程度，但是非常棘手。主要原因就在于中国是世界上主要林产品的最大加工制造国。一方面，中国大量进口木材，且主要进口来源国或地区，如俄罗斯、东南亚、南美洲、非洲，被视为木材非法采伐的高风险区域；同时部分进口木材来自采用"采了就走"的低成本采伐方式地区，这些地区任何改进采伐管理或收取税费都会提高木材价格和/或限制木材供应。另一方面，中国对环境敏感的欧美等发达国家或地区大量出口林产品，出口依赖度高。

随着木材国际贸易区域的不断扩展、贸易国政策的变化以及木材价格的波动，中国传统的木材流通格局正在悄然发生着巨大变化。中国木材电子交易市场与中国木材流通协会共同编制和发布的中国木材价格指数显示：①从总体来看，自 2003 年指数统计周期以来，中国木材价格指数保持年 10% ~ 15% 的稳定快速增长，2008 年全球金融危机后指数回落到 2007 年的水平，但 2010 年后指数又迅速回升。综合数据反映了中国木材产业依靠产业规模积淀了较强的国际竞争力和抗风险能力，内需市场的发展也为危机后的恢复提供了条件。②从价格变化趋势看，中国木材因资源的单向进口依赖形成的价格膨胀趋势越来越严重。中国木材的进口量和进口价格都在迅速增长，但价格增长率超过了进口量增长率。这一方面是由于全球大宗商品价格的快速提高，同时也显示中国因为木材企业分散出海、采购渠道单一、国际物流能力弱等因素造成"采购量大，但没有国际定价权"的问题。③从进口品种看，自2009年以来，锯材进口持续增长，原木则减少；新品种不断增加。④从进口格局看，新西兰成为中国第二大木材进口来源国，增幅明显。相反，俄罗斯材虽仍高居中国进口量的首位，但降幅达20%以上。德班会议强化了中国对全球减排义务的承诺，中国的木材企业一方面要面对国内外市场的快速变化，另一方面需要增强对贸易国环保政策和国际市场环保壁垒的研究和应对能力，这两方面都将促使中国的木材进口趋势发生更为显著的变化。

9.2 对策建议

低碳经济发展的国际趋势：从发展动向来看，减少温室气体排放正从科学共识层面变为全球实际行动层面；部分发达国家经济社会政策方面已经进行了实质性的调整，以适应低碳经济发展，开始低碳经济发展道路；减少温室气体排放对国际经济格局和贸易规则产生深刻影响。

发展低碳经济存在许多不确定性和难点：①成本和市场问题：目前发展低碳经济的机会成本难以估算；而低碳技术的研发和低碳产品市场的培育也需要相当时间。美国、中国、印度等碳依赖大国以何种方式加入低碳市场的创建目前还没有定论。②要想建立公平的国际气候谈判过程及取得达到目标结果，尤其取决于能否产生具有全球约束力和标准的量减排指标、分摊方案及配套的技术转让和资金支持机制。③低碳经济到目前为止，还没有取得普适性的成功经验，特别是对发展中国家而言，实现低碳经济困难的障碍更明显，其困难主要体现在其所处的发展阶段、国际贸易结构、经济成本、不完全市场、技术推广体系、制度安排、配套政策和管理体制等方面，要实现跨越式的发展需要非常多的探索和决心（吴慧星，2012）。

从中国视角，对策建议如下。

9.2.1 产业链建设：加强技术自主创新，打造低碳竞争优势

在低碳经济中，各国参与全球价值链分工体系的要素除了传统的资本、劳动以外，还包括能源使用及碳排放的环境容量等。矿产、土地、劳动力等自然性资源是形成木材产业竞争力的必要非充分条件，而创出性资源（知识、企业文化、技术创新等具有特殊价值、不易获得、难以模仿、不可替代性的资源）才是形成木材产业竞争力的充分必要条件（田园、程宝栋、关海玲，2009）。

对中国而言，林业产业链优化包括内部优化、外部优化和内外综合一体化。其中产业链内部优化内容包括：构建企业与原材料出口国的链接；企业自创品牌的产业链优化；销售环节的产业链优化。产业链外部优化包括：调整企业和政府的产业链关系，整合企业与林业服务体系的产业链关系。产业链内外综合一体化主要是指基于林业产业集群的产业链优化。建议：①鼓励中国企业走出国门，争夺资源控制权。②增强木材加工企业品牌建设，提高品牌知名度。③积极开拓木材加工业产业链的下游。④转变政府职能和企业家职能，减少政府对

企业的剥夺和对经济的不必要干预，让企业家专心发展企业。⑤加强林业服务体系建设。⑥在木材加工业产业集群内部打造核心企业主导的产业链（蓝瞻瞻，2012）。在低碳经济发展模式下，要充分培养和发挥全球价值链分工体系中的竞争优势，尤其应该在以下方面作出努力。

9.2.1.1 发展低碳技术

低碳技术分为两类，即高效能源技术和碳处理技术。高效能源技术包括减碳技术和无碳技术，而减碳技术是提高原有能源的利用效率方面的技术。低碳技术的发展对全球价值链的影响：全要素生产率的提高；降低高碳经济向低碳经济转换的转制成本；降低低碳经济发展的机会成本（廖涵，2012）。发展低碳技术是缓解发展中国家参与价值链低碳发展成本压力的有效途径。具体措施如下。

（1）加强自主创新、掌握核心技术。随着全球贸易的高速发展，各国贸易的激烈竞争，名目繁多且隐蔽的技术性贸易壁垒层出不穷，发展中国家企业要作为制造工厂的生存和发展空间都极为有限，要改变企业处于产业价值链低端的被动地位，就要从订单生产的经营方式向自主创新的发展方式转变，加强研发创新，掌握核心技术，形成自己的拳头产品，把握主动权，从根本上摆脱受制于人的不利地位。确立绿色发展战略，加强低碳技术的开发，优化能源消费结构，在产品规划、材料选择、生产、包装、物流、销售及售后的全过程中减少碳排放，提升产品国际竞争力。

（2）研发减排技术，密切关注行业动向。各国企业应把握低碳化发展这一趋势，提升经营理念，抓住目前低碳经济转型这一窗口时期，关注各国政府出台的政策法规和优惠措施，积极与有关科研院所开展合作，努力研发节能减排相关技术。加强以生物质材料为重点的新技术研究与开发。力求发展林产工业循环经济，实现木材高效利用、综合利用和循环利用。另一方面，各国企业可依托行业协会和驻外商务机构等渠道，积极了解国外相关产品与行业有关的技术法规、标准和认证制度的动向，做到知己知彼。

（3）开展绿色营销，打造品牌形象。企业可积极参加诸如碳汇林、CDM 机制等环保项目和公益活动，积极应对 ISO 26000 环境认证标准，同时加强减排技术改造，利用各种传媒对这些活动进行宣传，以实际行动来提升自己的环保形象。一旦绿色品牌建立，取得差异化优势，提高了品牌认同度和市场美誉度，增加全球范围的消费者对其所出口产品环保性的信任，产品附加值就会提高（赵敏，2011）。

9.2.1.2 培育低碳需求

这是发展中国家参与全球价值链低碳发展的核心动力。低碳经济的共识能够改变全球个人的消费偏好以及公众的观点，这对于企业和国家来说，在其选择正确的 CO_2 排放策略的过程中，起到了非常重要的作用，因此，最终也会对全球价值链的分工与贸易产生一定的影响。其影响途径是通过全球个人偏好的改变来增加对低碳产品的需求规模，形成一定的市场势力，实现价值增值过程。

出口频遭绿色壁垒和国际舆论壁垒的影响，也使得中国林产品营销缺乏正面的"原产国效应"，进一步影响了进口国消费者对 Made in China 的信任度。如果不改变中国产品"价低质劣"的形象，即使是进口国不设置绿色壁垒，按照"柠檬理论"，优质产品也将会被劣质产品排挤掉，影响消费者对整个中国产品的支付愿意与购买欲望。

9.2.1.3　完善低碳市场

这是发展中国家参与全球价值链低碳发展的基本条件。低碳市场主要指碳金融市场或碳排放权交易市场等。低碳市场的完善对于一国参与全球价值链分工体现的影响主要体现在两个方面：①低碳市场的完善有利于本国低碳发展成本的节省，增强该国参与全球价值链分工的竞争优势。低碳交易市场将国家、企业以及消费者等减排主体纳入到市场体系中，各自通过减排的成本收益核算，选择最为经济、有效的减排途径，实现减排义务。由此可见，在一定的减排责任条件下，完善的低碳交易市场能够有效地降低减排成本。②碳交易市场的完善，增加了商品价值链环节数量，能够降低产品生产成本。碳交易或碳金融市场是生产性服务环节，有利于生产成本的降低。以中国为例，目前在能源利用方面中国与发达国家存在着明显差距，但也意味着中国提高能源利用率的边际成本相对较低，只要中国综合运用国内和国际的有利条件，中国能源利用率较低的局面就一定能够得到扭转。例如，目前中国减排 1t 二氧化碳的成本约合 15 美元，而欧洲发达国家减排相同数量的二氧化碳约需 250 美元。随着经济发展和技术进步，中国的减排成本也将逐年递增，到 2050 年将达到每吨 200 美元。如果中国能够抓紧利用自己当前减排成本的比较优势，巧妙地运用联合国确立的清洁发展机制和碳交易规则，就能将中国当前减排的被动局面转化为积极有利的一面，这不仅是对现有贸易理论的大胆实践和创新，而且还可帮助中国实现有效减排，加快低碳经济发展的步伐（王军，2010）。

9.2.2　资源链建设：立足国内木材供给，优化国际木材资源配置

中国作为木材生产、消费及贸易大国，木材资源的安全保障水平严重影响着整体林业产业和林产品贸易的可持续发展。

资源链建设思路：首先，立足国内木材供给、优化国际木材资源配置，依法多途径、多形式拓展木材基地，发展以人工林为原料的工业原料林，通过提升森林经营管理水平，提高森林单位生产力。其次，加强以生物质材料为重点的新技术研究与开发。第三，鼓励废旧木材资源利用，倡导木材节约消费。最后，扶持企业走出国门，积极拓展境外资源供应渠道，合作开发国际森林资源，减少国际舆论对中国木材环境安全的指责。

目前，中国林业企业"走出去"的步伐加快，并呈现多元化发展趋势，通过购买、租赁、联营、合作等多种形式开展境外林业投资或合作的模式不断创新。截至 2012 年年底，在中国政府备案的林业对外投资存量 13 亿美元，在境外开展森林合作购置或租用林地 4000 多万 hm², 分布在 20 多个国家，在境外林业投资合作的企业主要从事木材采伐、初加工以及木制品、家具生产。此时，应该注意以下问题。

第一，规避"站不稳"的尴尬。尽管中国林业企业参与国际竞争已取得不俗成绩，但纵观国际市场，找准企业定位、结合林业资源区位优势、合理定位企业发展目标，不仅能"走出去"，还能"站得稳"，才是中国林业企业挺进国际市场的王者之道。例如，俄罗斯远东经济区和东西伯利亚经济区是其最大的两个林区，其良好的森林资源基础加上地理位置优势，是中国林业企业"走出去"的首选之一，然而目前存在一些不容忽视的问题：一方面，部分中国

企业在俄罗斯从事木材生意，采取"打一枪换一个地方"策略，违法采伐把市场"做烂"，直接助长了俄相关管理机构借机刁难中国企业的心理。同时，俄罗斯相关政策"趋紧"，以提高原木出口关税来限制原木出口，在一定程度上影响了中国林业企业在俄罗斯的发展。又如，非洲：森林资源丰富，树种多样，名贵稀缺木材蓄积量大，是中国企业境外主要的木材原料来源地之一。随着中非转型伙伴关系的确立和不断深化，中非林业合作及林产品贸易额一度高达20亿美元以上，但受"中国木材威胁论"和"中国转嫁生态危机论"等错误论断的误导，中国林业企业在非洲的发展也受到了一定的负面影响。再如，美国和加拿大：森林经营管理水平高，拥有高效的林业科技体系和完备的林业法律体系；森林面积只占全球的17%，但木材采伐量却占到世界的40%；由于市场成熟，全球竞争力和创新能力强大，成为全球最大的林产品生产、加工、出口和消费地区。对于刚走出去的中国林企来说，能否进一步融入美国和加拿大当地经济环境具有很大挑战（杨丽华，尹少华，2011；程受珩，2012）。为了规避"站不稳"的尴尬，在境外进行可持续森林培育活动的中国企业应做到：①遵守相关法律法规：遵守森林培育相关的国际公约和协议；遵守中国政府关于企业（林业）境外经济技术合作的法律和法规；遵守所在国的相关法律法规，并正确把握该国的政治、经济、林业及法律发展走势，争取投资利益最大化。②制定科学的可持续森林培育方案：森林培育活动目标，包括调查资源结构和优化培育模式；自然社会经济状况，包括森林特别是高保护价值森林资源、环境限制因素、土地利用及所有权状况、社会经济条件、社会发展与主导需求、森林培育活动沿革，以及邻近土地的概况；林业生产的总体布局；森林培育体系和营林措施，包括种苗生产、更新造林、抚育间伐、林分改造等；森林采伐和更新规划，包括年采伐面积、采伐量、采伐强度、出材量、采伐方式、伐区配置和更新作业等；森林和环境保护规划，包括森林有害生物防治、森林防火、水土保持、化学制剂和有毒物质的控制，以及林地占用等；野生动植物保护规划，特别是珍稀、受威胁及濒危物种；多种经营和林产品加工规划设计；重要非木质林产品培育、保护与利用的经营规划和措施；基本建设和林道规划；森林培育活动效益和风险评估；森林生态系统的监测措施；与森林培育有关的必要图表；应符合所在国其他方面的具体要求。③重视生态保护：生物多样性保护；进行环境影响评估，并采取相应措施将森林培育对环境造成的不利影响降至最低；森林保护，包括林木有害生物防治和森林防火管理；森林监测。④促进当地社区发展：人力资源本地化；处理好劳工关系；保障社区对森林及相关资源的法定权益；建立合作伙伴关系（刘新宇，2012）。

第二，定位发展目标、找准突破口。中国林业企业"走出去"可以采取多种形式：一是建立森林资源境外投资合作示范园区：鼓励企业以俄罗斯、东南亚、大洋洲、非洲、北美洲和南美洲等地区国家为重点，选择森林资源丰富、木材加工利用基础良好、市场相对规范和投资环境较好的国家，建设集森林采伐、木材加工、科研、贸易一体化的森林资源境外投资合作示范园区。二是建立境外森林资源培育加工基地。按照经济上可行、环境上负责的原则，在自然条件优越、森林生长率高的国家开展森林资源培育，建立境外森林资源培育和加工基地，既可以提高当地的土地、林地利用率，又可建立稳定的木材产出和供应渠道，确保中国经济建设对木材的刚性需求，特别是可以树立中国在森林可持续发展的良好形象。三是建立木材储备加工交易基地。在中国木材进口的重点口岸，按照政府引导、企业为主体，市场化运作的方式，建设集木材仓储、加工、检验检疫、电子交易、现代物流、金融服务于一体的木材储备加工交易基地，基地以境外森林资源储备、木材加工产业升级及现代物流为重点，更好地稳定进口木材资源供给，避免木材进口无序竞争，降低物流交易成本，促进木材产业健康发展。四是增强林业"走出去"的实力。培育具有国际竞争力的跨国公司，提高企业跨国经营管理水平，逐步形成若干具有国际知名度和影响力的跨国公司；鼓励林业企业与国内有实力的大企业联合组建具有规模效益、抗风险能力强林业集团；鼓励和支持国有企业与民营企业结成战略同盟，利用互补优势，通过合作投资、购置产权和森林经营权等多种合作方式开展合作，支持境外产业集群发展。无论是开发林业资源，还是合资合作、投资办厂，对每一个林企而言，"走出去"是一个具体的战略性的系统工程。鉴于中国林企的团队管理水平、国际视野，再综合政治因素、投资环境和双边关系，结合世界森林资源供给的可能性、地缘性，中国林企境外林业投资要有中长期打算，投资合作地区重点考虑与中国政治关系好、森林资源丰富、投资环境较为稳定的发展中国家和地区为主，更容易控制。

9.2.3   低碳制度建设：积极开展低碳外交，谋求有利的新规则

（1）充分协调各种利益诉求。低碳政策的利益目标：行为主体在低碳政策过程中的政治立场、利益诉求和风险机遇等，反映了干扰或促进环境目标实现的利益因素。低碳政策行动主体主要包括低碳政策的建议者、制定者、执行者和利益相关者。由于损益情况和立场的不同，各行动主体参与低碳政策和行动的方式也有所差异，见表9-18。利益目标涉及多方、多代复杂利益的协调问题，政策的制定和执行不能回避利益冲突，只有充分协调各种利益诉求的政策才能有效地实施（曲建升、曾静静、张志强，2009）。

表9-18   低碳政策行动主体的立场与参与方式

参与者	主要立场	参与方式
国际组织	保持环境与发展秩序	制定政策、行动协调
国家政府	坚持国家的综合利益	制定政策、行动组织
社会团体	推动激进的环境行为	发动公众、独立监督
科学机构	支持基于科学的行动	研究监测、科学支持
公司企业	追求经济利益最大化	承担义务、影响决策
社会公众	保证环境和发展福利	监督监察、影响决策

资料来源：曲建升，曾静静，张志强，等. 气候政策分析方法及其模式研究[J]. 图书情报工作，2009(22)：52~55.

低碳政策的环境目标：如果不考虑低碳行动的成本、风险和利益分配问题，低碳政策的环境目标是低碳、减缓和适应气候变化。

（2）对内：积极建立相关支持体系。现代民主国家往往把配置社会资源能力和政治秩序调控能力放在更突出的位置。而对正处在现代化转型期的中国而言，在政府合法化能力实现的前提下，汲取社会资源能力、增加社会资源能力和公共行政能力的提升是政府能力提升的主要路径（王伟静，2012）。

建立相关支持体系：低碳经济最为核心的是通过体制机制调整，刺激高效能、低排放技术的创新和应用，从而提高全球的能效水平、减少温室气体排放。低碳经济具有全球性、政策驱动型、技术密集型、资金密集型等一系列特点。这些特点决定了低碳经济发展的必要条件包括政府相关政策的大力支持、技术创新与储备以及金融支持。具体措施包括加强能源和生产要素市场的制度建设；加大低碳新制度供给，出台专门针对低碳经济的制度化政策；建立健全利益协调机制，制定着眼于长期的利益协调机制，供给有效的法制及政策制度解决因变革带来的社会矛盾；采取有效的财税政策，减少高碳模式产生的沉淀成本；加大低碳宣传力度；建立健全低碳金融财政体系。

低碳经济和气候政策：如果不是在现有条件下具备综合性、整体性、可协调性以及可行性，而只对此项政策采纳措施，那是远远不够的，应该在共同但有区别的责任与能力条件之下，采取一致的、基于各自国内经济状况基本框架的低碳经济和气候政策。以可再生能源为例，在低碳发展的大背景下，世界各国特别是一些大国纷纷制定相关法律和政策，发展本国的可再生能源产业，促进本国的可再生能源的开发与利用，为本国的节能减排工作提供了保障。然而随着全球化进程包括可再生能源在内的各种新兴产业已经通过国际贸易形成了全球供应链，一个国家或者地区对当地的新能源设备产品扶持性政策，可能会对已有的国际贸易机制带来冲击，造成国际贸易机制中各方的利益冲突。由于新能源产业政策和措施既涉及应对气候变化又涉及维护自由贸易的国际法，可再生能源产业措施的确立和实施不仅是一个国家的国内法问题，还涉及诸多国际法问题，因此不论是在应对气候变化的国际法体系下寻求授权性规则的有效性，还是在世贸组织原则规则下分析是否违反 WTO 涵盖协定，有关可再生能源的产业措施的实施都将面临国际法的检视，有关国家法律和政策的出台也应未雨绸缪，避免引发贸易争端。

外贸政策：低碳经济对现有国际贸易理论和贸易实践提出了挑战，从短期看，应对气候变化、发展低碳经济相关措施就包含了贸易政策方面的内容；从长远看，应对气候变化、发展低碳经济还涉及贸易理论创新等深层次内容。中国现阶段处于工业化中期向成熟阶段过渡，理应逐步实行资金密集型产业对劳动密集型产业的替代。目前，大多数发展中国家采取鼓励出口政策，按静态比较优势（主要指自然禀赋优势）出口产品。这种贸易政策趋同导致了贸易政策的失效，进而不仅影响对外贸易对产业结构优化的作用，甚至会凝固当前的产业结构。因此，中国应该尽量避免"合成谬误"，以促进产业结构优化为导向，制定外贸政策；利用外贸政策淡化静态比较利益的短期利益诱导，挖掘、培养、扶持能获取动态比较利益的产业[①]；利用 WTO 对发展中国家采取的例外原则，对有助于产业结构优化的幼稚产业进行适当保护。木材贸易可持续发展首先应当在本国的贸易管理中体现出来。为了适应国际木材贸易环境的变化及市场要求，政府不断加强有关木材贸易活动的规范化管理，保证国内涉及木材贸易的部门和经营单位按照国际法则和规范开展贸易活动，努力避免因管理原因造成的不利

---

① 　静态利益是指开展贸易后，贸易双方所获得的直接的经济利益，它表现为资源总量不增加、生产技术条件没有改进的前提下，通过贸易分工而实现的实际福利的增长。动态利益是指对外贸易对产业结构的演进、技术的进步以及制度创新的推动作用。

于木材贸易可持续经营的现象出现。

　　跨国合法政策：通过走出国界的合法经营参与国际木材资源生产与配置，是实现中国木材贸易可持续发展的重要途径之一。跨国参与资源生产和配置，在发达国家的国际贸易实践中占有重要的地位，成为保证本国资源供应和提高相关产业竞争力不可替代的力量。中国实现木材贸易的可持续经营，不仅仅是贸易本身的发展问题，更重要的是要促进中国木材产业的成长和竞争力的提高，通过多样化的跨国经营，充分利用国际木材资源，对中国木材资源战略的实现有重要的现实意义。为了支持有实力、有信誉、有竞争力的企业开展对外投资与合作，中央财政对中国企业从事境外投资，境外农林和渔业等合作给予支持，其中包括：①对于具有境外开发资质的企业将林木等资源运回国内，按照每立方米原木不超过20元人民币，每立方米锯材不超过30元人民币的标准给予资助；对于境外起运地至国内口岸间的保运费给予20%补助。②对于在境外开展对外经济合作业务的企业为其在外工作的中方人员向保险机构投保的人身意外伤害保险予以补助，每人最高保险金额不超过50万元人民币，支持比例不超过实际保费支出的50%。③经商务部核准具有外派劳务经营资格的企业当年每派出一名劳务人员，补助200元人民币。④对于中国企业从事境外投资、境外农林和渔业合作等，在项目所在国注册、购买资源权证之前，或对外承包工程、对外设计咨询和对外劳务合作项目签订合同(协议)之前的费用，给予不超过企业实际支付费用的50%的支持(钱一武、程宝栋、田园，2010)。

　　产业政策：林业产业结构的变化受供求因素、政府经济政策和市场等因素的影响。林业产业政策是指导产业发展和产业结构调整的最主要依据，对林业产业结构变化的影响最为直接。政府可以通过林业投资、管制等措施，制定财政、货币等政策，通过立法、协调等手段调整供给、需求、国际贸易和国际投资结构，进而影响林业产业低碳化转型。林业产业有其自身特点，决定了林业产业政策具有相对稳定性、权变性、协调性和资源政策的基础性特征。当前世界林业产业发展呈现出生态化、多样化、高度化和国际化的趋势，世界各国林业产业政策启示我们，必须实行分类经营、实施长期规划、建立国家林业基金、吸收公众参与政策过程、综合运用多种手段，实行扶持和优惠措施、加强国有林经营，发挥林业在促进农村发展中的作用。中国现存产业结构生态化演进对策包括：制定产业政策，限制高能耗、高污染、资源浪费型产业发展，推动建设绿色GDP；完善财政税收政策，补贴低碳产业，建立生态税收体系；加大节能和环保的行政执法力度，严格监管资源浪费严重、环境污染严重的企业；加大科技投入，鼓励研发节能环保新产品，大力发展低碳新型战略产业。

　　碳交易使碳具备了"资产"属性，通过碳交易，使得企业减排行为具有资产管理和价值创造的功能，并能有效防范未来碳强制减排约束下的碳风险和国际市场机制下的碳壁垒，进而引领企业在低碳发展和转型上更高层次的竞争，促使企业技术更新和产业升级。但是，中国碳交易的市场化面临较多的瓶颈和政策风险，例如，中国碳市场当前高度依赖CDM机制，而CDM项目开发又受到繁琐的注册和认证程序的束缚，难以为中国巨大的减排潜力提供有效的市场空间(据世界银行估计，一个CDM项目从项目合格性审查到注册，平均要经572天，而到签发CERs平均607天，过程繁琐，交易成本高)。尽管德班会议保住第二承诺期使得CDM交易机制得以延续，但CDM重要买方或潜在买方态度的转变，严重限制了中国参与国际碳交易的项目领域和项目规模。因此，中国迫切需要启动国内碳需求，建设国内碳市场。为此，还应迎合碳减排交易机制对市场创造、技术保障、物质保障、制度保障、配额登记与交易注册平台建设和碳权保护的立法需求，构建中国促进和引导碳交易市场化发展的法律机制（崔金星，2012）。同时，借鉴国外建立碳交易管理体制的经验，结合中国碳交易管理体制发展的现状，考虑到未来应对气候变化和碳交易管理的需要，中国应建立一个责权利分明、各部门协调配合、各主体功能充分发挥的高效、廉洁、公正的碳交易管理体制架构（张帆、李佐军，2012）。

（3）对外：积极开展低碳外交、谋求有利的新规则。

必要性：国家利益的驱动使得各国政府在贸易政策运用方面处于选择偏向自由贸易或贸易保护的"两难境地"。在现实中，突出更多地表现为发展中国家的贸易需求与发达国家的低碳和气候政策冲突。包括中国在内的许多发展中国家已经形成一批具有国际竞争力的污染密集型产业（包括造纸业）。例如，中国已经成为美国钢铁、水泥和纸张的第二大进口国，铝的第三大进口国（王军，2010）。许多时候，发展中国家在享受贸易顺差的同时，却承受着巨大的"生态逆差"，还要背负发达国家的指责。积极参与低碳经济制度建设，谋求有利的新规则是十分必要的。世界银行以《发展和气候变化》为题发布的《2010 世界发展报告》中也指出，国际贸易和气候变化两个体系之间的相互作用对于发展中国家而言具有特别重大的意义；主动争取和发达国家就温室气体减排进行合作，灵活运用清洁发展机制，与发达国家一道实现发展和减排的"双赢"，从而为低碳经济的发展创造出良好的外部环境，这既现实也明智；理解并贯彻"共同但有区别责任"原则对于推进低碳经济的发展具有重要的现实意义，不仅能有效解决发达国家和发展中国家在减排责任上的纷争，为广大发展中国家赢得发展的机会，而且它还能够协调各国在贸易问题上的争端。

紧迫性：当前的外交领域尤以多边环境外交和多边经贸外交为重。以《联合国气候变化框架公约》为起点的应对气候变化领域的多边环境协议通过碳外交谈判的形式创造了减排温室气体的原则和框架体系，形成了激励不同发展层级的国家积极参与全球环境治理的灵活机制。同时，随着全球金融动荡引发的经济衰退不断加深，发达国家以应对气候变化为借口采取的以碳税为代表的新贸易保护主义又开始抬头，使既有的多边经贸规则面临冲击。目前，应对气候变化的国际法和促进自由贸易的国际法正自成体系地平行发展。同时，这两套国际法体系由于机制原因而产生包括碳贸易机制和单边减排措施在内的规则上的交叉议题。这些议题交叉现象虽非不可调和的冲突，但自 2010 年以来频繁爆发的气候与贸易争端案件[①]，已使气候与贸易国际法规则的适用面临困境（李威，2012）。因此，有必要将多边环境和多边经贸这两个外交领域的交叉问题通盘考虑，通过外交政策协调，促进应对气候变化的多变环境协议与维护自由贸易的世界贸易组织规则的完善，在保障国家利益的同时，实现国际环境治理和国际自由贸易的健康发展（李威，2012）。

---

　　① 　例如，世界各国在低碳发展的大背景下纷纷通过法律和政策促进本国的可再生能源产业的开发与利用，这些举措也造成了一些国际贸易争端。美国针对中国的风电设备补贴案、日本和欧盟针对加拿大的可再生能源产业措施案已经进入 WTO 争端解决程序，中国商务部也针对美国可再生能源产业措施发起贸易壁垒调查。

基本思路：未来发达国家的碳外交可能集中于以市场为基础的碳贸易层面，而发展中国家则将发挥应有的作用，以务实灵活、符合公理正义的方式寻找一种发达国家愿意接受，而发展中国家愿意实施的减排外交策略。在相关谈判中，要在坚持现有的"共同但有区别的责任"原则上，争取制定有利于自身的其他原则，比如，消费者付费原则、历史责任和气候人权原则、可比性的原则等，从而更好地维护本国的利益。在这些原则中，"共同但有区别的责任"原则是中心，其他原则是四个基本点。具体而言，包括：一是建立多渠道、宽领域、高效率的对话机制。加强资源消费国之间以及消费国与生产国之间的对话和政策协调，共同维护林产品市场的稳定。资源合作的双方政府机构、企业以及有关单位应进一步开展多方式、多层次的对话与交流，让更多的企业了解资源国的相关法律法规、发展政策以及国际商业运作规则等。二是不断创新合作方式，拓展合作领域，深化互利共赢。企业可以积极探索和实施包括兼并收购、参股换股等多种投资方式。在投资领域上，既要进一步加强森林资源勘探开发的合作，也要积极探索林产品在当地的深加工。三是完善合作机制，确保木材安全。木材安全是实现中国林业经济稳定发展的重要保障。中国与东盟、非洲等国开展了有效合作，取得了积极进展。中国应继续加强双边和多边领域合作，开展森林资源开发和机构能力建设合作。推进林产品市场和预警机制建设，加强对木材安全的监控，增强危机防范能力。

9.2.4 贸易转变：促进贸易低碳化发展、构筑可持续贸易体系

转变贸易增长战略：以绿色技术创新为契机，实施绿色贸易增长战略，积极倡导低碳经济和绿色贸易，逐渐形成绿色生产和消费理念，为绿色林产品市场开拓提供发展空间。

转变贸易模式：推进产业结构的调整与优化，转变出口增长方式，由外延式增长模式朝着内涵式增长模式转变，推动林产品生产向依靠人才技术转变、向依靠科技创新提高产品质量转变、向经济社会环境效益并重转变、向国际国内两个市场并重转变、向主动参与国际贸易规则制定转变，开拓出高技术含量、高经济效益、低资源耗费以及充分发挥人力资源优势的新型模式。

改善贸易方式：引导加工贸易转型升级，优化产业结构；探讨多种可行的低碳贸易模式。

多元化市场结构：优化国际市场布局。

优化商品结构：积极引导出口商品的结构调整和优化，逐步走向商品结构多元化和产品高级化。鼓励能效较高的产品出口，提高出口商品的科技含量和附加值，限制资源类、能源消耗密集型产业产品的出口，降低高碳产品的出口依存度。为了降低与国外贸易往来的 CO_2 产出，有必要改变低附加值、低环境保护标准、低技术含量的"三低"产品输出产业模式，开拓新型工业化之路。

推进负责任林产品贸易：确保可持续、负责任和透明化。继续推进各国对木材合法性、可持续性的共识，准确界定依据；共同探索政府管理部门、行业协会、企业三位一体的打击非法采伐及相关贸易、促进合法贸易和可持续贸易的联动机制；加强政府管理部门

引导服务，提高企业自律和责任意识；主动沟通，防止贸易壁垒产生，维持正常的林产品贸易秩序。

9.3　本章小结

　　本章侧重对低碳经济背景下的林产品贸易，低碳经济与林产品贸易的协调，低碳经济、林产品贸易与发展权，中国林产品贸易与低碳经济的相关问题进行归纳和思考，并提出林产品贸易与低碳经济协调发展、实现双赢的对策建议。

参考文献

[1]埃琳·迈尔斯. 气候变化和林业：REDD 入门[J]. 林业经济，2012，(2)：79~82.

[2]白彦锋. 中国木质林产品碳储量[D]. 北京：中国林业科学研究院，2010.

[3]毕欣欣，李玉娥，高清竹，等. 减少发展中国家毁林及森林退化排放(REDD)的各方观点及对策建议[J]. 气候变化研究进展，2010(1)：65~69.

[4]边永民. 含贸易措施的多边环境协议与 WTO 之间的关系[J]. 当代法学，2010，(1)：152~160.

[5]曹秋菊. 经济开放条件下中国产业安全问题研究[D]. 长沙：湖南大学，2007.

[6]曾杰杰，聂影. 中国家具产业与全球家具价值链互动分析[J]. 世界林业研究，2010，(6)：70~74.

[7]曾文革，陈娟丽. 林业碳汇国际法规则的谈判及我国的应对[A]. //生态文明与林业法治——2010 年全国环境资源法学研讨会论文集[C]. 哈尔滨，2010 - 07 - 30，2010 - 08 - 02.

[8]曾咏梅. 产业集群权变嵌入全球价值链的模式研究[D]. 长沙：中南大学，2010.

[9]陈斌. 碳税边境调整的困境与发展[J]. 税务与经济，2011，(1)：104~107.

[10]陈凤英. 国际能源安全的新变局[J]. 现代国际关系，2006，(6)：41.

[11]陈红，高二波. 低碳林业产业链研究[J]. 中国林业经济，2011，(3)：19~22.

[12]陈泗然. 低碳经济背景下我国对外贸易结构的转变——基于隐含碳的比较分析[D]. 上海：上海师范大学，2011.

[13]陈勇. 基于木材安全的中国林产品对外贸易依存度研究[D]. 北京：中国林业科学研究院，2008.

[14]陈勇兵，陈宇媚. 二元边际的影响因素：贸易增长的二元边际：一个文献综述[J]. 国际贸易问题，2011，(9)：160~168.

[15]陈勇兵，李燕. 贸易关系持续时间的研究进展[J]. 国际贸易问题，2012，(10)：28~42.

[16]陈云芳. 多功能林业的协调发展指标体系与评价模型研究[D]. 北京：中国林业科学研究院，2012：29.

[17]程宝栋，宋维明. 中国应对国际木材非法采伐问题的思考[J]. 国际贸易，2008，(3)：50~53.

[18]程宝栋. 全球价值链视角下家具产业集群升级分析——以广东家具产业集群为例[J]. 国际经济合作，2013，(4)：73~76.

[19]程受琦. "站稳脚跟"到"满载而归"路有多远？——中国林业企业"走出去"战略路径分析[N]. 中国绿色时报，2012 - 08 - 23(B03).

[20]崔金星. 中国碳交易法律促导机制研究[J]. 中国人口·资源与环境，2012，(8)：33~40.

[21]丁洪美. 森林与气候变化：REDD + 将何去何从？[N]. 中国绿色时报，2012 - 02 - 21(A03).

[22]董敏杰，李钢. 应对气候变化：国际谈判历程及主要经济体的态度与政策[J]. 中国人口. 资源与环境，2010，20(6)：13~21.

[23]杜群，王兆平. 国外碳标识制度及其对我国的启示[J]. 中国政法大学学报，2011，(1)：68~79.

[24]樊纲. 不如我们自己先征收碳税[J]. 资源再生，2009，(9)：18~20.

[25]樊瑛，樊慧. 自然资源贸易：全球治理难题[J]. 国际贸易，2010，(3)：41~46.

[26]冯相昭，赖晓涛，田春秀. 关注低碳标准发展新动向——英国 PAS2050 碳足迹标准[J]. 环境保护，2010，

(3)：74～76.

[27] 付建全. 国际木材非法采伐及相关贸易对策研究[D]. 北京：中国林业科学研究院，2010.

[28] 高凌云，王洛林，苏庆义. 中国出口的专业化之路及其增长效应[J]. 经济研究，2012，(5)：83～95.

[29] 国际复兴开发银行/世界银行. 2010 世界发展报告：发展与气候变化[R]. Washington DC：国际复兴开发银行/世界银行，2010.

[30] 国家发改委. 中国应对气候变化的政策与行动 2009 年度报告[R/OL]. [2009－11－01]. http://www.ccchina.gov.cn.

[31] 国家林业局. 中国林业发展报告[M]. 北京：中国林业出版社，2003～2012.

[32] 国家林业局森林资源管理司. 第七次全国森林资源清查及森林资源状况[J]. 林业资源管理，2010，(1)：1～8.

[33] 国家林业局统计处. 中国林业统计年鉴 2011[M]. 北京：中国林业出版社，2012.

[34] 国家林业局政府网. 应对全球林产品贸易热点问题研讨会在京召开[EB/OL]. (2010－01－22). http://www.forestry.gov.cn/portal/main/s/586/content－303401.html.

[35] 韩丽晶，曹玉昆. 雷斯法案修正案对我国林产品企业影响及对策分析[J]. 林业经济，2009，(6)：71～75.

[36] 胡国珠，张蕾. 边境碳调节措施的贸易与环境效应的局部均衡[J]. 国际经贸探索，2010，(11)：62～67.

[37] 黄晓凤. 国际产业结构的趋同与贸易摩擦的博弈分析[J]. 财经理论与实践，2007，(1)：95～99.

[38] 简盖元. 森林碳生产研究[D]. 福州：福建农林大学，2012：27.

[39] 蒋亚娟. 可持续发展视域下的能源税立法研究[D]. 重庆：西南政法大学，2008.

[40] 解炜炜，陈嘉文，张蕾. 美国林产品贸易政策概述——兼论我国林业如何应对国际热点问题[J]. 林业经济，2008，(10)：64～68.

[41] 金伟. 我国建立低碳产品认证制度的经验借鉴与思考[J]. 中国科技投资，2011，(7)：34～37.

[42] 经济合作与发展组织著，张世秋等译. 环境税的实施战略[M]. 北京：中国环境科学出版社，1996：18～19.

[43] 柯水发，潘晨光，温亚利，等. 应对气候变化的中国林业行动及其对就业影响分析[J]. 中国人口·资源与环境，2009，19(专刊)：585～593.

[44] 来尧静，来婷婷. 关于低碳经济概念及其与经济增长关系的一个文献综述[J]. 中国证券期货，2012，(10)：194～195.

[45] 蓝庆新. 国际碳关税发展趋势析论[J]. 现代国际关系，2010，(9)：1～6，26.

[46] 蓝瞻瞻. 中国木材加工业产业链优化研究[D]. 北京：北京林业大学，2012.

[47] 李冰，王立群. 我国原木进口变化驱动因素的实证分析[J]. 国际商务——对外经济贸易大学学报，2011，(1)：35～41.

[48] 李锋. 异质企业与外贸发展方式转变研究[D]. 北京：中国社会科学院研究生院，2011.

[49] 李剑泉，陆文明，李智勇，等. 打击木材非法采伐的森林执法管理与贸易国际进程[J]. 世界林业研究，2007，20(6)：67～71.

[50] 李俊彦，韩俞华. 估算台湾木质林产品碳贮存量[J]. 台湾林业，2010，36(3)：24～30.

[51] 李怒云，黄东，张晓静，等. 林业减缓气候变化的国际进程、政策机制及对策研究. 林业经济，2010，(3)：22～25.

[52] 李怒云，宋维明. 气候变化与中国林业碳汇政策研究综述[J]. 林业工作参考，2007，(2)：130～137.

[53] 李顺龙. 森林碳汇经济问题研究[D]. 哈尔滨：东北林业大学，2005.

[54] 李威. 气候与贸易交叉议题的国际法规制[J]. 广东商学院学报，2012，(3)：89～97.

［55］李威. 责任转型与软法回归:《哥本哈根协议》与气候变化的国际法治理［J］. 太平洋学报, 2011,（1）: 33～42.

［56］李星. 德国的森林与森林政策［J］. 林业科技通讯, 2000,（2）: 32～34.

［57］李星. 欧美国家的木材生产情况［J］. 世界林业动态, 2009,（10）: 9.

［58］联合国. "REDD": 发展中国家适应气候变化一个重要机制［EB/OL］.（2010 – 02 – 26）. http://www. iolaw. org. cn/showNews. asp? id = 21167.

［59］廖涵. 低碳经济中全球价值链的经济学分析［J］. 企业经济, 2012,（7）: 5～10.

［60］林伯强. 温室气体减排目标、国家制度框架和碳交易市场［J］. 金融发展评论, 2010,（1）: 107～119.

［61］林德荣, 李智勇, 吴水荣, 等. 林业减排增汇机制对中国多功能森林经营的影响与启示［J］. 世界林业研究, 2011,（3）: 22～25.

［62］刘硕, 李玉娥, 高清竹, 等. 后京都时期 LULUCF 潜在核算规则分析［J］. 气候变化研究进展, 2011,（4）: 294～300.

［63］刘新宇. 中国企业境外可持续森林培育模板研究［D］. 北京: 北京林业大学, 2012.

［64］卢山冰, 黄孟芳. 低碳产业政策工具的理论基础［EB/OL］.［2010 – 04 – 26］. http://www. chinacdy. com/show. php? contentid = 4428.

［65］鲁雁. 从工业社会到生态社会: 产业结构演进研究［D］. 长春: 吉林大学, 2011.

［66］陆文明, 孙久灵. 非法采伐及国际上打击非法采伐的努力［J］. 中国林业经济, 2008,（5）: 49～52.

［67］罗小芳, 卢现祥. 环境治理中的三大制度经济学学派: 理论与实践［J］. 国外社会科学, 2011,（6）: 56～66.

［68］吕维霞, 李茹, 屠新泉. 新形势下政府气候变化政策对国际贸易的影响［J］. 北京林业大学学报(社会科学版）, 2010, 9（4）: 65～72.

［69］绿色和平（Greenpeace）. 负责任采购政策: 企业社会责任与森林保护的解决方案. 绿色和平, 2008.

［70］马建英. 国际气候制度在中国的内化［J］. 世界经济与政治, 2011,（6）: 91～121.

［71］马蔷. 亚洲森林产权与气候变化［J］. 林业经济, 2011,（11）: 18～21.

［72］马艳, 李真. 国际贸易中的"碳"不平等交换理论与实证分析［J］. 学术月刊, 2010,（7）: 69～73.

［73］缪东玲, 李淑艳. 美加木材反补贴贸易争端及其对中国的影响与启示［J］. 北京林业大学学报(社会科学版）, 2009, 8（4）: 78～82.

［74］缪东玲. 打击木材非法采伐及其相关贸易的全球治理分析［J］. 国际经贸探索, 2011,（9）: 72～78.

［75］缪东玲. 2010 年森林资源及其木材供给能力的国际比较分析——兼论提高中国森林资源木材供给能力的措施［J］. 林业经济, 2010,（12）: 82～88.

［76］缪东玲. 美国反补贴反倾销交替引起木材贸易争端探究［J］. 国际贸易问题, 2003,（9）: 55～59.

［77］缪东玲. 中国木质林产品贸易与环境研究［M］. 北京: 中国林业出版社, 2004: 13～14.

［78］尼古拉斯·斯特恩. 斯特恩报告［EB/OL］.［2008 – 02 – 26］. http://www. china. com. cn/tech/zhuanti/wyh/2008 - 02/26/content_10795149. htm.

［79］倪晓宁. 刍议碳排放交易市场的构成及发展展望［J］. 特区经济, 2012,（8）: 203～205.

［80］倪晓宁. 全球低碳框架下中国经济自主安全发展［J］. 现代经济探讨, 2011,（11）: 14～18.

［81］倪晓宁. 低碳经济下国际贸易问题研究［M］. 北京: 中国经济出版社, 2012, 23.

［82］宁学敏, 任荣明. 基于碳视角的中美贸易关系实证研究［J］. 国际贸易问题, 2011,（12）: 140～147.

［83］宁哲. 我国森林生态与林业产业耦合研究［D］. 哈尔滨: 东北林业大学, 2007.

［84］彭水军, 张文城. 多边贸易体制视角下的全球气候变化问题分析［J］. 国际商务(对外经济贸易大学学报），

2011，（3）：5~15.

[85]钱一武，程宝栋，田园. 中国促进木材贸易可持续发展的政策建设与实践[J]. 世界林业研究，2010，（1）：62~66.

[86]裘晓东. 碳标签及发展现状. 节能与环保，2011，（9）：54~58.

[87]曲建升，曾静静，张志强，等. 气候政策分析方法及其模式研究[J]. 图书情报工作，2009，（22）：52~55.

[88]沈可挺. 碳关税争端及其对中国制造业的影响[J]. 中国工业经济，2010，（1）：65~74.

[89]盛济川，吴优. 发展中五国森林减排政策的比较研究——基于结构变量 REDD＋机制政策评估方法[J]. 中国软科学，2012，（9）：175~183.

[90]施炳展，冼国明，逯建. 地理距离通过何种途径减少了贸易流量[J]. 世界经济，2012，（7）：22~41.

[91]施昆山. 当代世界林业[M]. 北京：中国林业出版社，2001：512~769.

[92]施用海. 低碳经济对国际贸易发展的影响[J]. 国际经贸探索，2011，（2）：4~6.

[93]宋朝钦. 从林产品贸易角度反思国际贸易自由化——兼论美国《雷斯法案》2008 年修订案[D]. 北京：中国政法大学，2010.

[94]宋朝钦. 从林产品贸易角度反思国际贸易自由化——兼论美国《雷斯法案》2008 年修订案[D]. 北京：中国政法大学，2010.

[95]孙久灵，陆文明，田明华. 国际非法采伐与相关贸易问题的探讨[J]. 北京林业大学学报（社会科学版），2010，9（2）：111~114.

[96]孙久灵，陆文明. 国际木材非法采伐与相关贸易问题研究[J]. 林业经济，2009（6）.

[97]孙小兵. 中国林产品贸易生态足迹研究[J]. 林业经济，2011，（10）：52~56.

[98]谭秀凤. 中国木材供需预测模型及发展趋势研究[D]. 北京：中国林业科学研究院，2011.

[99]汤碧. 低碳规则对我国贸易可持续发展的影响及对策[J]. 宏观经济管理，2012，（10）：53~54，60.

[100]汤吉军. 科斯定理与低碳经济可持续发展[J]. 社会科学研究，2012，（6）：6~10.

[101]唐守正. 以史为鉴，发展森林资源和林业产业[J]. 中国林业产业，2012，（Z2）：86.

[102]唐宜红，徐世腾. 政府对利益集团收入的关注与贸易摩擦的形成——基于贸易政策的政治经济学分析[J]. 国际贸易问题，2007，（6）：14~18.

[103]田明华，宋维明，陈建成，等. 中国林业实现应对气候变化战略目标的分析[C]. 广西北海：第五届中国林业技术经济理论与实践论坛，2010.

[104]田园，程宝栋，关海玲. 生产要素与中国木材产业竞争力关系探究[J]. 生产力研究，2009，（6）：133~134.

[105]万莎. 发达国家发展低碳经济的财政政策及其经验借鉴. [2010-08-12].

[106]王登举，徐斌. 顺应低碳时代需求 林业概念正在重构——世界林业发展热点与趋势综述[EB/OL]. （2011-03-11）. http://www.cfcn.cn/xiang.asp? id=1260.

[107]王海鹏. 对外贸易与我国碳排放关系的研究[J]. 国际贸易问题，2010，（7）：3~8.

[108]王军. 国际贸易视角下的低碳经济[J]. 世界经济研究，2010，（11）：50~55，88.

[109]王礼茂，李红强，顾梦琛. 气候变化对地缘政治格局的影响路径与效应[J]. 地理学报，2012，（6）：853~863.

[110]王连茂，程宝栋，唐帅. 《雷斯法案》修正案对中美木家具出口影响及对策分析[J]. 江西林业科技，2011，（1）：38~41.

[111]王伟静. 低碳经济语境下的政府能力及其提升路径[J]. 领导科学，2012，（2）：41~43.

[112]王岩，李全修. 后京都时代中国基于 AFOLU 活动的碳汇市场展望与政策建议[J]. 广东社会科学，2009，
　　　（6）：57～63.

[113]王遥. 碳金融：全球视野与中国布局[M]. 北京：中国经济出版社，2010，8～12.

[114]王仲成，上官秀玲. 论强化经济手段在环境管理中的任用[J]. 中国环境管理，2000（2）. 转引自：贾爱玲.
　　　浅析环境立法中的经济刺激手段[J]. 学术界，2010，（8）：161～166.

[115]威廉·诺德豪斯. 均衡问题：全球变暖的政策选择[M]. 王少国译. 北京：社会科学文献出版社，
　　　2011：160.

[116]吴柏海，张蕾，余涛. 《雷斯法案》对中美林产品贸易产生的影响及应对策略[J]. 林业经济，2009，（1）：
　　　69～71.

[117]吴慧星. 世界低碳经济发展态势[J]. 中国外资，2012，（275）：240～242.

[118]吴力波，汤维祺. 碳关税的理论机制与经济影响[J]. 科学对社会的影响，2010，（1）：51～56.

[119]吴水荣，李智勇，于天飞. 国际气候变化涉林议题谈判进展及对案建议[J]. 林业经济，2009，（10）：
　　　29～34.

[120]吴水荣. 国际气候变化谈判最新进展[J]. 世界林业动态，2009，（17）.

[121]吴水荣. 聚焦哥本哈根气候变化峰会：回顾与前瞻[J]. 林业经济，2010，（1）：64～66.

[122]吴水荣. 分歧依然存在 林业议题备受关注[N]. 中国绿色时报，2010－11－29.

[123]谢佳利，亢新刚，龚直文，等. 1961—2009 年全球工业原木与主要终端产品的产量变化[J]. 浙江农林大学
　　　学报，2011，28（2）：287～292.

[124]谢来. 责任"外包"影响减排效果：REDD 项目在体制设计、效果验证等方面有待完善[EB/OL]. （2009－1
　　　0－11）. http://epaper. bjnews. com. cn/html/2009－10/11/content_15479. htm？ div＝－1.

[125]谢来辉. 欧盟应对气候变化的边境调节税：潜在的贸易壁垒[J]. 国际贸易问题，2008，（2）：65～71.

[126]谢力生. 木材资源利用与气候变化[J]. 东北林业大学学报，2010，（9）：116.

[127]谢煜，张智光. 林业生态与林业产业协调发展研究综述[J]. 林业经济，2007，（3）：66～70.

[128]熊英，马海燕，刘义胜. 全球价值链、租金来源与解释局限——全球价值链理论新近发展的研究综述[J].
　　　管理评论，2010，（12）：120～125.

[129]徐斌，陆文明，刘开玲. 世界森林认证体系评估与比较[J]. 世界林业研究，2005，（2）：11～15.

[130]徐斌. 森林认证对森林可持续经营的影响研究[D]. 北京：中国林业科学研究院，2010，17.

[131]许美琪. 可持续发展的木材供应及森林认证的有关问题[J]. 中国木材，2009，（1）：36.

[132]薛选登. 我国林产品对外贸易发展的困境及对策[J]. 经济纵横，2013，（2）：109～112.

[133]杨红强，聂影. 中国木材加工产业安全的生产要素评价[J]. 世界林业研究，2011，（1）：64～68.

[134]杨红强，聂影. 中国木材加工产业转型升级及区域优化研究[J]. 农业经济问题，2011，（5）：90～94.

[135]杨红强. 中国木材资源安全问题研究[D]. 南京：南京林业大学，2011.

[136]杨加猛，张智光. 基于 LBCT 四维演变的林业产业链测度模型[C]. 江苏省系统工程学会第十一届学术年会
　　　论文集. 江苏镇江，2009－10－01.

[137]杨丽华，尹少华. 新形势下中国林产品贸易的困境与对策探讨[J]. 林业经济问题，2011，（4）：294～298.

[138]杨绍丽，翟印礼. 中国木材产品贸易及其对林业的影响[J]. 林业经济，2012，（6）：40～44.

[139]杨迎春. 低碳经济趋势下贸易摩擦及 WTO 机制困境[J]. 世界贸易组织动态与研究，2010，（4）：58～62.

[140]姚婷婷，陈泽勇. 低碳认证简析[J]. 电子质量，2011，（2）：45～47，58.

[141]叶文虎. 可持续发展引论[M]. 北京：高等教育出版社，2001.

[142] 佚名. 从边缘到中心——美国气候变化政策的演变[EB/OL]. [2012 – 06 – 08]. http://www. docin. com/p – 548178150. html

[143] 佚名. 雨林居民不砍树 政府按月发补助[EB/OL]. (2009 – 10 – 11). http://epaper. bjnews. com. cn/html/ 2009 – 10/11/content_15478. htm? div = – 1.

[144] 印中华, 李剑泉, 田禾, 等. 欧盟木材法案对林产品国际贸易的影响及中国应对策略[J]. 农业现代化研究, 2011, 32(5): 537 ~ 541.

[145] 印中华, 宋维明, 张英, 等. 中国林业产业应对国际贸易壁垒的策略研究[J]. 世界林业研究, 2011, (6): 55 ~ 60.

[146] 于玲玲. 碳关税对中国出口贸易的影响及对策研究[D]. 沈阳: 辽宁大学, 2012: 110.

[147] 于宁. 亚洲地区绿色采购政策与活动[R]. 中国台湾绿色采购联盟, 环境与发展基金会. 2012.

[148] 张帆, 李佐军. 中国碳交易管理体制的总体框架设计[J]. 中国人口·资源与环境, 2012, (9): 20 ~ 25.

[149] 张江红. 技术性贸易壁垒的评判标准[EB/OL]. [2013 – 01 – 24]. http://www. cacs. gov. cn/cacs/newcommon/ details. aspx? navid = C03&articleId = 36300.

[150] 张锐. 京都议定书开启全球经济的明天之门[EB/OL]. [2012 – 02 – 10]. http://www. people. com. cn/GB/pa- per81/14238/1268433. html.

[151] 张伟华. WTO 主要发达成员应对全球气候变化的政策措施评述[EB/OL]. [2012 – 03 – 14]. http://www. 110. com/ziliao/article – 279680. html.

[152] 张小全. LULUCF 在《京都议定书》履约中的作用[J]. 气候变化研究进展, 2011, (5): 369 ~ 377.

[153] 张小全. 土地利用变化和林业清单方法学进展[J]. 气候变化研究进展, 2006, (6): 265 ~ 268.

[154] 张兴瑞. 全球价值链分工双面效应下中国县域产业升级研究——基于长三角地区全国百强县的实证. 复旦大学, 产业经济, 2011.

[155] 张艳红. 全球金融危机对中国林业产业发展的影响及对策[C]//中国林业经济学会. 全球金融危机对中国林业产业的影响及对策研讨会文集[C]. 北京: 中国大地出版社, 2009: 11 ~ 15.

[156] 张永利. 新概念林业与国家重大安全问题关系探析[J]. 北华大学学报(社会科学版), 2011, (6): 39 ~ 42.

[157] 张云, 杨来科. 国际碳排放权交易价格决定与最优出口规模研究[J]. 财贸经济, 2011, (7): 70 ~ 77.

[158] 张运明, 曾灵, 陈文渊, 等. 人造板甲醛释放量与居室污染关系的分析[J]. 中国人造板, 2006, (11).

[159] 张运明, 韦淇峰. 苦练内功积极应对绿色壁垒[J]. 中国人造板, 2010, (1).

[160] 张运明. 几种主要的人造板甲醛释放限量标准比较[J]. 中国人造板, 2005, (9): 19 ~ 20.

[161] 张志达. 深入实施天保工程 为实现林业发展目标做出更大的贡献[J]. 林业经济, 2010, (3): 3 ~ 4.

[162] 张智光, 姚惠芳. 造纸工业循环经济的绿色共生特性和5R 模式研究[J]. 东南大学学报(哲学社会科学版), 2012, (4): 29 ~ 35.

[163] 张智光. 林纸循环经济系统的资源、生态和价值链拓展模型[J]. 中国人口·资源与环境, 2012, (12): 46 ~ 53.

[164] 张忠田. 木材合法性进程对中国热带林产品贸易影响的研究[D]. 北京: 中国林业科学研究院, 2012.

[165] 赵春明, 陈昊. 技术不占优的国家设立技术壁垒是否有意义: 一个开放两国模型[J]. 世界经济研究, 2011, (7): 54 ~ 58.

[166] 赵敏. 低碳经济条件下的国际贸易与环境问题[J]. 经营管理者, 2011, 90 ~ 91.

[167] 赵永亮, 才国伟, 朱英杰. 市场潜力、边界效应与贸易扩张[J]: 中国工业经济, 2011, (9): 5 ~ 15.

[168] 郑晓博, 苗韧, 雷家骕. 应对气候变化措施对贸易竞争力影响的研究[J]. 中国人口·资源与环境, 2010,

（11）：66~71.

[169]中国产业安全指南网. 美国拟对从中国进口的硬木（装饰胶合板）征收反倾销税[EB/OL]. （2013 – 05 – 09）.

[170]中国经济时报. 联合国气候谈判林业议题：分歧中进展[EB/OL]. （2010 – 10 – 25）. http://www. cma. gov. cn/qhbh/newsbobao/201010/t20101025_80281. html.

[171]中国林科院. 森林碳伙伴基金支持下的 REDD 项目实施情况[EB/OL]. （2010 – 11 – 23）. http://www. gnly. gov. cn/bencandy. php? fid = 72&id = 42667.

[172]中国人民共和国商务部. 出口商品技术指南：木制品[R/OL]. ［2013 – 05 – 10］. http://sms. mofcom. gov. cn/article/zt_jshfw/.

[173]中国森林认证网. 中国森林认证[EB/OL]. ［2013 – 02 – 04］. http://www. cfcs. org. cn/zh/index. action.

[174]中国商务部. USCIT 就对华复合木地板双反案作出判决[EB/OL]. （2013 – 04 – 03）. http://www. cacs. gov. cn/cacs/newcommon/details. aspx? navid = A06&articleId = 111270.

[175]中国商务部. USCIT 就商务部对华木制卧室家具反倾销案作出判决[EB/OL]. （2013 – 04 – 08）. http:// www. cacs. gov. cn/cacs/newcommon/details. aspx? navid = A06&articleId = 111372.

[176]中国商务部. 美国 CIT 就对华木制卧室家具反倾销案作出判决[EB/OL]. （2013 – 02 – 16）. http://www. cacs. gov. cn/cacs/newcommon/details. aspx? navid = A06&articleId = 109523.

[177]中国商务部. 美国对华复合木地板进行反倾销和反补贴行政复审[EB/OL]. （2013 – 02 – 04）. http://www. cacs. gov. cn/cacs/newcommon/details. aspx? navid = A06&articleId = 109281.

[178]中国商务部. 美国对华硬木装饰胶合板作出反倾销和反补贴产业损害初裁[EB/OL]. （2012 – 11 – 12）. ht-tp://www. cacs. gov. cn/cacs/newcommon/details. aspx? navid = A06&articleId = 106111.

[179]中国社会科学院. 应对气候变化报告（2012）：气候融资与低碳发展（气候变化绿皮书）. 中国社会科学院，2012.

[180]中华人民共和国海关总署. 中国海关统计年鉴2011[M]. 北京：中国海关杂志社，2012.

[181]周国文. 低碳经济：生态公民的绿色尺度[J]. 人文杂志，2011，（1）：148~157.

[182]朱春全，罗德内·泰勒，奉国强. 中国木材市场、贸易和环境[M]. 北京：中国科学出版社，2004.

[183]朱工宇. WTO 框架下的可再生能源补贴纪律[D]. 上海：华东政法大学，2011：4.

[184]朱莉，李坚. 追寻家具的碳足迹[J]. 家具，2012，（2）：105~107.

[185]朱培武、蒋建平. 欧盟 Erp 指令的最新动态及其对我国产业的影响研究[J]. 对外经贸实务，2010，（04）：40.

[186]朱鹏飞. 美国应对气候变化的边境调节措施：新型的贸易壁垒[J]. 政治与法律，2011，（5）：126.

[187]朱永杰，魏宇. 近年来国内外木材需求预测研究的综合评述[J]. 北京林业大学学报，1997，19（1）：77~83.

[188]庄贵阳，陈迎. 国际气候制度与中国[M]. 北京：世界知识出版社，2005.

[189]《联合国气候变化框架公约》(UNFCCC)缔约方会议(COP)和《京都议定书》(KP)缔约方会议(CMP)，历届

[190]BOLTON T. 纸[M]. 张天明，易水，译. 北京：中国海关出版社，2002：35~36.

[191]FAO. 林产品年鉴2010[EB/OL]. 罗马：FAO，2012. http://www. fao. org/forestry/statistics/80570/en/ ［2012 – 10 –20］.

[192]FAO. 2011 世界森林状况[R]. 罗马：FAO，2012：36~37.

[193]ITTO PD55/99 Rev1. （M）项目组. 项目技术报告：中国热带林产品信息系统研建[R]. 北京：中国林科院科信所，2002：2~5.

［194］Department of Economic and Social Afairs. World Economic and Social Survey 2010：Retooling Global Development. New York：United Nations publication，2010（E/2010/50/Rev. 1ST/ESA/330）. ［2012 – 10 – 09］. http：//www. un. org/esa/policy/wess/index. html.

［195］Biermann F，Brohm R. Implementing the Kyoto Protocol without theUSA：the Strategic Role of Energy Tax Adjustments at the border［J］. Climate Policy，2005，4（3）：289~302.

［196］Centre for International Economics. A Final Report to Inform a Regulation Impact Statement for the Proposed New Policy on Illegally Logged Timber［R/OL］.（2010 – 01 – 29）［2010 – 12 – 06］. http：//www. thecie. com. au/content/news/Illegal_logging. pdf .

［197］Chatham House workshop. The Growth and Control of International Environmental Crime［C］. UK：Chatham House，2007 – 12 – 10~11：6.

［198］Chatham House. Duncan Brack，Illegal Logging［R/OL］. ［2010 – 02 – 01］. http：//www. chathamhouse. org. uk/research/eedp/current_projects/illegal_logging.

［199］Contreras – Hermosilla A，Doornbosch R and Lodge M. The Economics of Illegal Logging and Associated Trade［C］. Paris：Round Table on Sustainable Development，OECD，2007 – 01 – 08~09.

［200］D G Development，European Commission. FLEGT VPA Update［EB/OL］.（2009 – 06 – 24）. http：//www. euflegt. efi. int/item_detail. php? item = presentation&item_id =293 .

［201］Dixon R K，Andrasko K J，Sussman F G，et al. Forest Sector Carbon Offset Projects：Near – term Opportunities to Mitigate Greenhouse Gas Emissions［J］. Water Air and Soil Pollution，1993，70：561~577.

［202］Dutschke M. Forestry，Risk and Climate Policy. ［2010 – 10 – 30］. http：//www. illegal – logging. info/item_single. php? it_id =904&it = document .

［203］EFI FLEGT Facility. International Developments in Trade in Legal Timber［R/OL］. ［2012 – 11 – 30］. http：// www. illegal – logging. info .

［204］Elliott J，Foster I，Kortum S，et al. Trade and Carbon Taxes［J］. American Economic Review，2010，100（2）：1~7.

［205］European Commission. Impact Assessment：Report on Additional Options to Combat Illegal Logging［EB/OL］.（2008 – 10 – 23）［2011 – 01 – 18］. http：//ec. europa. eu/environment/forests/pdf/impact_assessment. pdf.

［206］FAO. Electronic Publishing Policy and Support Branch. State of the World's Forests 2009［EB/OL］. Rome：Food and Agri – culture Organization of the United Nations，2009：6 – 68. ［2012 – 10 – 02］. http：//www. fao. org/forestry/sofo/en/.

［207］FAO. Electronic Publishing Policy and Support Branch. The Global Forest Resources Assesement 2005［EB/OL］. Rome：Food and Agriculture Organization of the United Nations，2005：62 – 67. ［2012 – 10 – 02］. http：//www. fao. org/forestry/sofo/en/.

［208］FAO. Forestry Department. Globla Forest Resources Assessment 2000［M］. Rome：Food and Agriculture Organization of the United Nations，2000：75~76.

［209］FAO. Global Forest Resources Assessment 2010 Main report（FAO forestry paper 167）［EB/OL］. ［2010 – 04 – 08］. http：//www. fao. org/forestry/fra/fra2010/en/.

［210］FAO. State of the World's Forests 2011［EB/OL］. ［2012 – 11 – 02］. http：//www. fao. org/forestry/sofo/en/.

［211］FAO. Forest Products Definitions［EB/OL］. ［2012 – 09 – 10］. http：//faostat. fao. org/site/626/default. aspx#ancor.

［212］FAO. Global Forest Resources Assessment 2010 Main report(FRA2010). FAO forestry paper 167, 2010.

［213］Fischer C, Fox A K. Comparing Policies to Combat Emissions Leakage: Border Tax Adjustments Versus Rebates ［R］. Resources for the Future Discussion Paper, 2009.

［214］Fischer C, Salant S. On Hotelling, Emissions Leakage, and Climate Policy Alternatives ［R］. Resources for the Future Discussion Paper, 2010.

［215］Forest Stewardship Council. Global FSC certificates: type and distribution［EB/OL］. ［2013 - 02 - 04］. https://ic. fsc. org/facts - figures. 19. htm .

［216］Forestry Innovation Investment. 2009 Annual Report: British Columbia Forest Products Trend Analysis in Export Markets. Forestry Innovation Investment, 2009.

［217］Fowlie M L. Incomplete Environmental Regulation, Imperfect Competition, and Emissions Leakage ［J］. American Economic Journal: Economic Policy, 2009, 1(2): 72～112.

［218］Hashimoto S, Nose M, Obara T, et al. Wood Products: Potential Carbon Sequestration and Impact on Net Carbon E-missions of industrialized countries［J］. Environmental Science&Policy , 2002, 5(2): 183～193.

［219］Hazell P and S Wood. Drivers of change in global agriculture［J］. Philosophical Transactions of the Royal Society, 2008, 363: 495～515.

［220］http://www. crifs. org. cn/crifs/html/default/caiwukuaiji/_content/10_08/12/1281581138811. html

［221］Illecal - Logging. INFO, Biodiversity, Deforestation and Habitats［R/OL］. ［2010 - 02 - 01］. http://www. illegal - logging. info/approach. php? a_id = 54.

［222］International Union of Forest Research Organizations (IUFRO). Embracing complexity in international forest gov-ernance: a way forward［R］. IUFRO World series volume 28. 2011 - 01 - 24.

［223］IPCC. Climate Change 2007: The Physical Science Basis［M］. Cambridge, UK: Cambridge University Press, 2007.

［224］IPCC. Good Practice Guidance for Land Use, Land - Use Change and Forestry, 2003.

［225］IPCC. Mitigation of Climate Change, Fourth Assessment Report of the Intergovernmental Panel on Climate Change. 2007.

［226］ITTO & FAO. Forest Governance and Climate - Change Mitigation［R/OL］. ［2010 - 03 - 01］. http://www. illegal - logging. info/item_single. php? it_id = 895&it = document.

［227］Joyce Lam Yik Sum. Evaluation of the Danish Guidelines on public Purchase of tropical timber. Sub Project B. Comparison with policies inUK, Netherlands, France and Germany together with updates on certification schemes. Danish Forest and Nature Agency, 2006: 27.

［228］Jussi Lounasvuori. Legality Assurance System (LAS) - Gap Analysis［EB/OL］. (2009 - 03 - 26). http://www. euflegt. efi. int/item_detail. php? item = presentation&item_id = 275.

［229］Lawson S, Macfaul L. Illegal Logging and Related Trade: 2008 Assessment of the Global Response (Pilot Study) (Chatham House, 2009).

［230］Lswson S, Macfaul L. Illegal Logging and Related Trade——Indicators of the Global Response. London: Chatham House, 2010.

［231］LI Ruhong, Buonciorno J, Turner J A, et al. Long - term effects of eliminating illegal logging on the world forestry industries, trade, and inventory［J］. For Policy Econ, 2008, 10(7/8): 480～490.

［232］Murray B C. Carbon values, reforestation, and"perverse"incentives under the Kyoto Protocol: an empirical analysis ［J］. Mitigation and Adaptation Strategies for Global Change, 2000, 5 (3): 271～295.

［233］Nabuurs G J, Sikkema R. International Trade in Wood Products: its Role in the Land Use Change and Forestry Carbon Cycle［J］. Climatic Change, 2001, 49(4): 377~395.

［234］Nellemann C. Green Carbon, Black Trade: Illegal Logging, Tax Fraud and Laundering in the Worlds Tropical Forests［R］. UNEP, GRID – Arendal, 2012: 20, 54.

［235］Niskanen A, Saastanrnoinen O, Rantala T. Economic Impacts of Carbon Sequestration in Reforestation: Examples from Boreal and Moist Tropical Conditions. Silva Fennica, 1996, 30 (2~3): 269~280.

［236］Palmer C E. The Extent and Causes of Illegal Logging: An Analysis of a Major Cause of Tropical Deforestation InIndonesia［R］. Cserge Working Paper. 转引自: Nellemann C. Green Carbon, Black Trade: Illegal Logging, Tax Fraud and Laundering in the Worlds Tropical Forests［R］. UNEP, GRID – Arendal, 2012: 20.

［237］Piao S, Ciais P, Friedlingstein P, et al. Net carbon dioxide losses of northern ecosystems in response to autumn warming［J］. Nature, 2008, 451(7174), 49~53.

［238］Proforest. An overview of legality verification systems(Briefing note). Proforest, 2011: 3.

［239］Proforest. Review of timber legality verfication schemes. Proforest, 2010: 4.

［240］Roberts J M. How Western Environmental Policies Are Stunting Economic Growth in Developing Countries. Washington, DC: The Heritage Foundation, No. 2509. ［2011 – 01 – 24］. http://report. heritage. org/bg2509 .

［241］Scherr S J, McNeely J A. Biodiversity Conservation and Agricultural Sustainability: Towards a New Paradigm of 'Ecoagriculture' Landscapes［J］. Royal Society Philosophical Transactions, 2008, 363(1491): 477~494.

［242］Schloenhardt A. The illegal trade in timber and timber products in the Asia – Pacific region. Research and Public ［R］. Canberra ACT: Australian Institute of Criminology, 2008. Policy Series No. 89.

［243］Scholz F, Hasse U. Permanent Wood Sequestration: The Solution to the Global Carbon Dioxide Problem［J］. Chem Sus Chem, 2008, 1(5): 381~384.

［244］Sedjo R, Wisniewski J, Sample A, et al. The Economics of Managing Carbon via Forestry: Assessment of Existing Studies ［J］. Environmental and Resource Economics, 1995, 6: 139~165.

［245］Seneca Creek Associates & Wood Resources International. 'Illegal' logging and global wood markets: the competitive impacts on the US wood products industry［R］. Poolesville & University Place: Seneca Creek Associates & Wood Resources International, 2004: 15~16.

［246］Seneca Creek. Wood Resources. 'Illegal' Logging and Global Wood Markets, 2004.

［247］Shui B, Harriss R C. The role of CO_2 embodiment in US – China trade［J］. Energy Policy, 2006, 34: 4063~4068.

［248］Skog K E, Nicholson G A. Carbon Sequestration in Wood and Paper Products［C］. In: The Impact of Climate Change onAmerica's Forest: a Technical Document Supporting the 2000 USDA Forest Service RPA Assessment. USDA For. Serv. Gen. Tech. Rep. RMRS – GTR – 59. 2000: 79~88.

［249］Stavins R N. The Costs of Carbon Sequestration: A Revealed preference Approach［J］. The American Economic Review, 1999, 89: 994~1009.

［250］Sun X F, Canby K. Flegt Asia. CHINA: Overview of Forest Governance, Markets and Trade［R］. Forest Trends, 2011: 6, 31.

［251］The World Bank. StrengtheningForest Law Enforcement and Governance: Addressing a Systemic Constraint to Sustainable Development［R］. The World Bank, 2006.

［252］Thompson D, Matthews R. CO_2 in Trees and Timber Lowers the Greenhouse Effect［J］. Forestry and British Timber, 1989, 18(10): 19 – 24.

［253］Tonn B, Marland G. Carbon Sequestration in Wood Products：a Method for Attribution to Multiple Parties［J］. Environmental Science & Policy, 2007, 10(2)：162~168.

［254］UN.《联合国气候变化框架公约》(UNFCCC)［EB/OL］.［2010－02－02］. http://unfccc. int/documentation/document_lists/items/2960. php.

［255］UN. Forests and Economic Development：A Driver for the Green Economy in the ECE Region［EB/OL］.［2013－03－31］. http://www. illegal－logging. info/item_single. php? it_id = 1458&it = document.

［256］UN. UN Comtrade Datebase［DB/OL］.［2012－12－01］. http://comtrade. un. org.

［257］UNFCCC. TheKyoto Protocol to the Convention on Climate Change［R/OL］.［2010－10－09］. http://unfccc. int/kyoto_protocol/items/2830. php.

［258］USITC. 337 Investigative 337 Investigative History［EB/OL］［2011－01－01］. http://info. usitc. gov/ouii/public/337inv. nsf/56ff5fbca63b069e852565460078c0ae? SearchView.

［259］Van Kooten C G, Binkley C S, Delcourt. Effect of Carbon Taxes and Subsidies on OptimalForest Rotation Age and Supply of Carbon Services［J］. American Journal of Agricultural Economics, 1995, 77：365~374.

［260］Wei Q, Kitson L, Wooders P. Exposure of Chinese exports to potential border carbon adjustments［R］. International Institute for Sustainable Development, 2011.

［261］Winjum J K, Brown S, Schlamadinger B. Forest Harvests and Wood Products：Sources and Sinks of Atmospheric Carbon Dioxide［J］. Forest Science, 1998, 44(2)：272~284.

［262］World Wildlife Fund, Forest Illegal Logging［R/OL］.［2010－12－06］. http://wwf. panda. org/about_our_earth/about_forests/deforestation/forestdegradation/forest_illegal_logging.

［263］WTO. Index of disputes issues［EB/OL］.［2013－05－01］. http://www. wto. org/english/tratop_e/dispu_e/dispu_subjects_index_e. htm#selected_subject.